Весь Эркюль Пуаро

AGATHA CHRISTIE

Весь Эркюль Пуаро

Mrs. McGinty's Dead

•

Dead Man's Folly

•

The Clocks

The Novels

Агата Кристи

Весь Эркюль Пуаро

Часы

Миссис Макгинти мертва

•

Конец человеческой глупости

•

Часы

Романы

Москва
ЦЕНТРПОЛИГРАФ
2000

УДК 820-31
ББК 84(4Вел)
K82

Серия «Весь Эркюль Пуаро»
выпускается с 2000 года

Выпуск 6

*Разработка серийного оформления
художника И.А. Озерова*

Художник Е.М. Ульянова

Кристи Агата

K82   Часы: Детективные романы. — Пер. с англ./
Комментарии. — «Весь Эркюль Пуаро». — М.:
ЗАО Изд-во Центрполиграф, 2000. — 602 с.

ISBN 5-227-00766-7 (Вып. 6)
ISBN 5-227-00641-5

Случается, что знаменитому сыщику приходится расследовать дело, которое уже «раскрыто». Именно так произошло с убийством пожилой женщины в романе «Миссис Макгинти мертва», и Пуаро предстоит выяснить, виновен ли человек, которого приговорили к смертной казни. В романе «Конец человеческой глупости» попытка убрать свидетелей семейной тайны во время игры «поиски убийцы» также приводит к неожиданным последствиям. В романе «Часы» Эркюль Пуаро расследует целую серию «чисто английских убийств», связанных со шпионской деятельностью времен «холодной войны».

УДК 820-31
ББК 84(4Вел)

ISBN 5-227-00766-7 (Вып. 6)
ISBN 5-227-00641-5

Миссис Макгинти мертва

Роман

Mrs. McGinty's Dead

Глава 1

Эркюль Пуаро вышел из ресторана «La vieille
grand'mère»[1] в Сохо. Он приподнял воротник пальто,
руководствуясь скорее осторожностью, чем необходи-
мостью, так как вечер был не холодный. «Но в моем возрасте рисковать не следует», — любил говорить Пуаро.

Его глаза прищурились от удовольствия. Escargots de
«La vieille grand'mère»[2] оказались восхитительными. Настоящая находка этот захолустный ресторанчик. Задумчиво, словно сытый пес, Эркюль Пуаро облизал губы.
Вынув из кармана платок, он вытер им свои пышные
усы.

Да, он отлично пообедал... А что теперь?

Проезжавшее мимо такси приглашающе замедлило
ход. После минутного колебания Пуаро решил оставить
приглашение без ответа. Зачем брать такси? Так или
иначе, он доберется домой слишком рано, чтобы ло-
житься спать.

— Увы, — пробормотал Пуаро. — Как жаль, что есть
можно только три раза в день...

К послеполуденному чаю он никак не мог привык-
нуть. «Поглощая файвоклок, — объяснял Пуаро, — вы
лишаете возможности свой желудочный сок должным
образом приготовиться к обеду. А обед, позвольте вам
напомнить, — самая важная трапеза в течение суток».

---

[1] «Старая бабушка» *(фр.). (Здесь и далее примеч. перев.)*
[2] Улитки — фирменное блюдо «Старой бабушки» *(фр.).*

Даже утренний кофе для него излишняя роскошь. Нет, на завтрак ему хватает чашки шоколада с croissants[1]. Déjeuner[2] следует поглощать в половине первого, во всяком случае не позже чем в час, и, наконец, кульминационная точка — le dîner![3]

Приемы пищи были важнейшими моментами в дне Эркюля Пуаро. Всегда относясь серьезно к своему желудку, он получал за это заслуженную награду. Еда давала ему не только физическое наслаждение, но и интеллектуальную работу. Ибо в промежутках между трапезами он занимался поисками возможных источников очередных шедевров кулинарии. Только что получивший такую высокую оценку «La vieille grand'mère» был одним из результатов этих поисков.

Но теперь, к сожалению, наступил вечер.

Эркюль Пуаро вздохнул.

«Если бы только се cher[4] Гастингс был здесь, — подумал он, с удовольствием вспоминая о своем старом приятеле. — Мой первый друг в этой стране — и тем не менее самый лучший друг, которого я имел. Правда, он часто приводил меня в бешенство, но разве я помню это теперь? Нет! Я помню лишь его искреннее удивление и восторг перед моими талантами, легкость, с которой я вводил его в заблуждение, не произнося при этом ни слова лжи, его всепоглощающее изумление, когда он наконец узнавал правду, которая была ясна мне с самого начала. Ce cher, cher ami![5] Пускать пыль в глаза всегда было моей слабостью. Но эту слабость Гастингс никогда не мог понять. А ведь для человека моих способностей просто необходимо восхищаться самим собой, и для этого нужен внешний стимулятор. Ведь не могу же я целыми днями сидеть в кресле и размышлять о собственном великолепии. Тут требуется собеседник».

Эркюль Пуаро вздохнул и свернул на Шафтсбери-авеню.

---

[1] Рогалики *(фр.).*
[2] Второй завтрак *(фр.).*
[3] Обед *(фр.).*
[4] Дорогой *(фр.).*
[5] Дорогой, дорогой друг! *(фр.)*

Пойти на Лестер-сквер и провести вечер в кино? Слегка нахмурившись, он покачал головой. Кинофильмы постоянно раздражали его погрешностями сюжета и отсутствием логики. Даже фотографии иногда казались ему изображениями сцен или предметов, старательно сделанными максимально не похожими на свой оригинал.

Да, подумал Эркюль Пуаро, все стало чересчур искусственным и изощренным. Нигде не чувствовалось любви к порядку и методу, перед которыми он благоговел. Утонченность тоже стала редкостью. Повсюду в моде насилие и жестокость, а, как бывший полицейский офицер, Пуаро устал от жестокости. В молодые годы он достаточно на нее насмотрелся, но теперь она становилась скорее правилом, чем исключением, и он находил это скучным и бессмысленным.

«Беда в том, — подумал Пуаро, сворачивая к дому, — что я не могу идти в ногу со временем. И притом я — в высоком смысле этого слова — такой же раб, как и другие люди. Работа поработила меня так же, как и всех остальных. Когда же приходит час досуга, никто не знает, чем его заполнить. Финансист на покое играет в гольф, мелкий лавочник сажает в саду луковицы; что же касается меня, то я — ем. Но здесь я возвращаюсь к прежней мысли: есть можно лишь три раза в день, а в промежутках образуются солидные бреши».

Пройдя мимо продавца газет, Пуаро прочитал заголовок:

«Результат процесса по делу Макгинти. Приговор».

Это не вызвало у него интереса. Пуаро слабо припоминал маленькие статьи в газетах. В этом убийстве не было ничего выдающегося. Какая-то несчастная старуха умерла от удара тяжелым предметом по голове. Налицо все компоненты бессмысленной жестокости наших дней.

Пуаро свернул во двор и, как всегда, почувствовал гордость за свой дом — на редкость симметричное строение. Лифт поднял его на третий этаж, где он занимал большую, роскошную квартиру со сверкающими хромом люстрами, квадратными креслами, несколькими прямоугольными орнаментами на стенах. Повсюду господствовали строго прямые линии.

Открыв дверь ключом и войдя в квадратный белый вестибюль, Пуаро увидел своего лакея Джорджа, неслышно шагнувшего ему навстречу.

— Добрый вечер, сэр. Вас ожидает... джентльмен.

Он помог Пуаро снять пальто.

— В самом деле? — Чуткое ухо Пуаро сразу же уловило небольшую паузу перед словом «джентльмен». В качестве сноба Джордж не знал себе равных. — Как его имя?

— Мистер Спенс, сэр.

— Спенс? — В данный момент это имя ничего не говорило Пуаро. Но все же он не сомневался, что слышал его раньше.

Остановившись на секунду перед зеркалом, чтобы привести в порядок свои усы, Пуаро открыл дверь гостиной и вошел. Мужчина, сидевший в одном из больших квадратных кресел, поднялся ему навстречу.

— Хэлло, мсье Пуаро, надеюсь, вы помните меня, хотя мы и встречались давно. Я суперинтендант Спенс.

— Ну конечно. — Пуаро тепло пожал ему руку.

Суперинтендант Спенс из килчестерской полиции. Да, это было очень интересное дело, хотя с тех пор и впрямь немало воды утекло.

— Grenadine?[1] — тут же предложил Пуаро. — Crème de menthe? Benedictine? Crème de cacao?[2]

В этот момент вошел Джордж с подносом, на котором стояли бутылка виски и сифон.

— Или, может быть, вы предпочитаете пиво, сэр? — обратился он к гостю.

Широкое красное лицо суперинтенданта Спенса просветлело.

— Пиво, — лаконично ответил он.

Пуаро оставалось только лишний раз оценить достоинства Джорджа. Сам он не имел понятия о том, что в квартире имеется пиво, и ему казалось непостижимым, что пиво можно предпочесть сладкому ликеру.

Когда Спенс поставил перед собой пенящуюся кружку, Пуаро налил себе маленький бокал блестящего зеленого crème de menthe.

---

[1] Гренадин? *(фр.)*
[2] Мятный ликер? Бенедектин? Шоколадный ликер? *(фр.)*

— Очень любезно было с вашей стороны навестить меня, — сказал он. — Просто очаровательно. Вы приехали из?..

— Из Килчестера. Я ухожу на покой через шесть месяцев. Вообще-то я подал в отставку уже восемнадцать месяцев назад. Меня попросили задержаться, и я согласился.

— Вы поступили благоразумно, — с чувством произнес Пуаро. — Весьма благоразумно.

— Разве? Я в этом не уверен.

— И все же это так, — настаивал Пуаро. — Долгие часы ennoui[1] — вы не представляете, что это такое.

— О, я найду себе занятие, когда уйду в отставку. В прошлом году мы переехали в новый дом с садом, запущенным самым бессовестным образом. Я все еще не собрался привести его в порядок.

— Ах да, вы принадлежите к числу садоводов-любителей. Что касается меня, то я уже однажды решил удалиться в деревню и выращивать там кабачки, но безуспешно[2]. У меня не тот характер.

— Вы бы посмотрели на мои кабачки в прошлом году! — с энтузиазмом воскликнул Спенс. — Они были колоссальных размеров! А розы! Я просто помешан на розах. Сейчас я собираюсь... — Он оборвал себя на полуслове. — Вообще-то я приехал разговаривать вовсе не об этом...

— Ну, разумеется, вы пришли повидать старого знакомого. Это просто великолепно.

— Боюсь, что не только для этого, мсье Пуаро. Буду откровенен. Мне нужно от вас кое-что.

— По-видимому, — деликатно начал Пуаро, — вы должны выкупить закладную на ваш дом, и вы бы хотели одолжить...

Спенс в ужасе прервал его:

— Боже мой, мне вовсе не нужны деньги!

— Тогда прошу прощения. — Извиняясь, Пуаро изящно взмахнул рукой.

— Скажу вам прямо, с моей стороны было чертовской наглостью явиться к вам по такому поводу. Если вы дадите мне пощечину и выгоните, я не буду удивлен.

---

[1] Скука (фр.).
[2] См. роман «Убийство Роджера Экройда».

— О пощечине не может быть и речи, — заметил Пуаро. — Но продолжайте.

— Это дело миссис Макгинти. Возможно, вы читали о нем?

Пуаро покачал головой:

— Без особого внимания. Миссис Макгинти — старая женщина, убитая в магазине или в доме. Короче говоря, она мертва.

— Как она умерла?

Спенс уставился на него.

— Боже! — воскликнул он. — Это поразительно! И только теперь это пришло мне в голову!

— Простите?

— Ничего особенного. Просто игра, в которую мы часто играли в детстве. Несколько ребят становятся в ряд и обмениваются вопросами и ответами: «Миссис Макгинти мертва. Как она умерла?» — «Стоя на коленях, как я». Затем следующий вопрос: «Миссис Макгинти мертва. Как она умерла?» — «Протянув руку, как я». Естественно, при этом все становятся на колени и протягивают руку. И наконец, последний вопрос. «Миссис Макгинти мертва. Как она умерла?» — «Вот так!» Трах! Весь ряд рассыпается в разные стороны, как кегли. — И Спенс шумно расхохотался при этом воспоминании.

Пуаро вежливо ожидал. Даже теперь, прожив полжизни в Англии, он иногда находил англичан совершенно непостижимыми. В детстве он сам тоже играл в cache-cache[1]. Но теперь он не чувствовал ни малейшего желания говорить или даже думать об этом.

Когда веселье Спенса истощилось, Пуаро повторил с ноткой усталости в голосе:

— Как она умерла?

Улыбка исчезла с лица Спенса. Он снова стал самим собой.

— Ее ударили по затылку острым тяжелым предметом. Комната была перерыта, сбережения — около тридцати фунтов — исчезли. Она жила в маленьком коттедже одиноко, если не считать жильца, человека по имени Джеймс Бентли.

---

[1] Прятки (фр.).

— Ах да, Бентли.

— Дом не был взломан. На замке и окнах нет никаких повреждений. Бентли сильно нуждался в деньгах, он потерял работу и не платил два месяца за квартиру. Деньги были найдены спрятанными под камнем сзади коттеджа. На рукаве пиджака Бентли обнаружены волосы убитой и кровь ее же группы. Согласно его первоначальным показаниям, он не приближался к телу, поэтому они не могли попасть туда случайно.

— Кто обнаружил труп?

— Булочник, приносящий хлеб. В тот день он приходил за платой. Джеймс Бентли открыл ему дверь и сказал, что стучал в дверь спальни миссис Макгинти, но не получил ответа. Булочник предположил, что старушке могло стать плохо. Они попросили соседку заглянуть к ней в спальню. Миссис Макгинти там не было, и она не спала в постели, но в комнате все было вверх дном, а доски пола взломаны. Тогда они решили посмотреть в гостиной, где и нашли миссис Макгинти, лежащую на полу. Соседка завизжала от страха. Разумеется, тут же вызвали полицию.

— И Бентли арестовали и судили?

— Да. Дело слушалось на выездной сессии вчера, в зале суда. Присяжные совещались только двадцать минут, сегодня утром. Вердикт: виновен. Приговорен к смерти.

Пуаро кивнул:

— И, несмотря на вердикт, вы садитесь в поезд, едете в Лондон и приходите ко мне. Почему?

Суперинтендант Спенс смотрел на дно своего стакана и медленно водил пальцем по ободку.

— Потому что, — ответил он, — я не думаю, что он сделал это...

Глава 2

Последовала минутная пауза.

— Вы пришли ко мне...

Пуаро не окончил фразу.

Суперинтендант Спенс оторвал взгляд от стакана. Его лицо стало еще более красным. Это было типичное лицо сельского жителя, маловыразительное, сдержанное, с проницательными и честными глазами — лицо человека с твердыми жизненными установками и редко обеспокоенного сомнениями.

— Я давно служу в полиции, — сказал он, — имею немалый опыт и неплохо разбираюсь в людях. За время моей службы мне много раз приходилось вести дела об убийствах. Некоторые из них были достаточно просты, другие посложнее. Об одном из них вы знаете, мсье Пуаро...

Пуаро кивнул.

— Если бы не вы, мы бы не разобрались в этой истории. Но вы смогли все прояснить так, что не осталось никаких сомнений. То же самое было и с делами, о которых вам ничего не известно. Уислер, он получил свое — и по заслугам. Парни, которые застрелили старика Гутермана, Веролл со своим мышьяком. Трэнтеру удалось избежать наказания, но он, несомненно, был виновен. Миссис Кортленд повезло — ее муж был таким мерзким извращенцем, что присяжные ее оправдали. Вместо правосудия — чистые сантименты! Такое тоже бывает сплошь и рядом. Многим удается вывернуться из-за недостатка улик с помощью ловких адвокатов или из-за неуклюжих ходов прокурора. О, я достаточно насмотрелся на такие вещи. Но... — Спенс погрозил указательным пальцем. — Но за всю мою жизнь я никогда не видел, чтобы повесили невиновного. И не хотел бы увидеть, мсье Пуаро. Тем более в нашей стране.

Пуаро внимательно взглянул на своего гостя:

— И вы боитесь, что теперь вам предстоит такое зрелище. Но почему?..

Спенс прервал его:

— Я предвижу ваши вопросы и постараюсь ответить на них. Это дело поручили мне. Я должен был добыть доказательства происшедшего. Ну, я тщательно во всем разобрался, изучил все факты — все они указывали на одно лицо. После этого я передал собранный материал начальству, и дело перешло в руки прокурора, который вынес обвинительное заключение — впрочем, при подобных уликах иначе он и не мог поступить. Таким образом, Джеймс Бентли был арестован, предан суду и

14

признан виновным. Иного вердикта с такими уликами и быть не могло — ведь улики и должно рассматривать жюри. Не думаю, что у них имелись сомнения в своей правоте. По-видимому, присяжные были твердо убеждены в его виновности.

— Но вы — нет?

— Нет.

— Почему?

Суперинтендант Спенс вздохнул и задумчиво почесал подбородок.

— Не знаю. Конкретных причин у меня нет. Присяжным он казался убийцей, мне — нет, а я знаю об убийцах значительно больше их.

— Естественно, ведь вы специалист.

— Например, в нем не было ни капли нахальства. А все убийцы, которых я видел, были чертовски самодовольны. Они не сомневаются, что все проделали очень ловко и сумели всех провести за нос. Даже садясь на скамью подсудимых и зная, что их ждет, они словно испытывают какое-то наслаждение, находясь впервые в жизни в центре внимания. Вы понимаете, что я имею в виду, мсье Пуаро?

— Прекрасно понимаю. А Джеймс Бентли держался не так?

— Нет. Он был только напуган. Смертельно напуган с самого начала. И некоторые сочли это признаком виновности. Но не я.

— Согласен с вами. Что он собой представляет, этот Джеймс Бентли?

— Ему тридцать три года. Среднего роста, нездоровый цвет лица, носит очки.

Пуаро жестом остановил его:

— Нет, я не имел в виду его внешность. Что он за человек?

— Ах вот оно что. — Суперинтендант Спенс задумался. — Не особенно симпатичный субъект. Очень нервный. Не смотрит в глаза, глядит искоса, что на присяжных производит скверное впечатление. Иногда заискивает, а иногда грубит. Часто шумит без толку.

Сделав паузу, Спенс добавил:

— Довольно робкий парень. У меня был кузен, похожий на него. Если такие люди попадают в затрудни́тельное положение, то они начинают лгать, притом так глупо, что им никто не верит.

— Да, ваш Джеймс Бентли не производит впечатления привлекательного человека.

— Совершенно верно. Никому он не нравится. Но я не хотел бы, чтобы его за это повесили.

— Вы считаете, что его повесят?

— А почему бы и нет? Его защита может подать апелляцию, но если они это и сделают, то на таких слабых основаниях, что нет никакой надежды на успех.

— У него был хороший адвокат?

— Ему назначили молодого Грейбрука по закону о защите бедняков. По-моему, он действовал добросовестно и сделал все, что мог.

— Значит, суд был абсолютно справедливым?

— Вполне. Очень хороший состав присяжных. Семь мужчин, пять женщин — и все скромные, рассудительные люди. Судьей был старый Стейнисдейл. Вел процесс честно и беспристрастно.

— Итак, согласно законам страны, Джеймсу Бентли не на что жаловаться?

— Если его повесят ни за что ни про что, у него появится причина для жалобы!

— Весьма справедливо замечено.

— И ведь это было мое дело. Я собрал те факты, на основании которых он был приговорен. Мне не нравится это, мсье Пуаро, совсем не нравится!

Эркюль Пуаро внимательно посмотрел в красное, разгоряченное лицо суперинтенданта Спенса.

— Eh bien[1], — сказал он. — Что же вы предлагаете?

Спенс выглядел смущенным.

— Я надеюсь, что вы подадите идею. Дело Бентли закрыто. Сам я уже занимаюсь другим делом — о хищении. Собираюсь вечером зайти в Скотленд-Ярд. Я не свободный человек.

— А... я?

— Вы вправе считать меня наглецом, — кивнул Спенс. — Но я не могу больше ни о чем думать. В свое время я исследовал каждую возможность и ничего не

_____

[1] Ну хорошо (фр.).

нашел. И по-моему, не смогу найти. Но кто знает, может быть, вам повезет. Вы умеете проникать в суть вещей довольно чудным путем (простите мне это выражение). Может, у вас все получится и на этот раз. Потому что если не Джеймс Бентли, то кто-то же убил старуху? Не могла же она сама стукнуть себя по затылку. А вы, наверное, сможете заметить что-нибудь, что я пропустил. Конечно, у вас нет никаких причин заниматься этим делом. Чертовская наглость с моей стороны предлагать вам это. И все же я приехал к вам, так как эта история не выходит у меня из головы. Конечно, если вы не хотите...

Пуаро прервал его:

— Причина как раз у меня есть. Во-первых, у меня стало слишком много свободного времени. Во-вторых, вы очень заинтриговали меня. Это своего рода вызов маленьким серым клеточкам моего мозга. К тому же я очень симпатизирую вам. Я хорошо себе представляю, как вы в течение полугода сажали в вашем саду розовые кусты, не получая от этого никакого удовольствия, так как вас мучили неприятные воспоминания, которые вы были не в силах отогнать. И наконец... — Пуаро выпрямился и энергично кивнул. — Это вопрос принципа. Если человек не совершил убийства, он не должен быть повешен. — Помолчав, он добавил: — А если он все-таки убил ее?

— В таком случае мне бы хотелось твердо убедиться в этом.

— А две головы всегда лучше, чем одна? Voilà[1], все решено. Я займусь вашим делом. Причем нельзя терять времени. Следы уже и так, можно сказать, затоптаны. Когда была убита миссис Макгинти?

— Двадцать второго ноября.

— Тогда давайте сразу же перейдем к делу.

— Я привез свои записи, которые передам вам.

— Отлично. В данный момент мы нуждаемся только в голых фактах. Если миссис Макгинти убил не Джеймс Бентли, то кто это сделал?

Спенс пожал плечами:

---

[1] Ну (фр.).

— Не вижу ни одного возможного кандидата.

— Такой ответ мы не можем принять. Далее, так как в каждом убийстве должен быть мотив, какой мотив мог существовать в деле миссис Макгинти? Зависть, месть, ревность, страх, деньги? Давайте рассмотрим последнее, как наиболее простое. Кто выиграл в результате ее смерти?

— Особенно никто. У нее было двести фунтов в сберкассе. Племянница унаследовала их.

— Двести фунтов — не слишком много, но при определенных обстоятельствах этой суммы может оказаться достаточно. Поэтому давайте займемся племянницей. Простите, друг мой, за то, что я иду по вашим стопам. Не сомневаюсь, что вы тоже рассматривали все это. Но я должен повторить уже пройденное вами.

Спенс кивнул своей большой головой:

— Конечно, мы уже занимались племянницей. Ей тридцать восемь лет, она замужем. Муж ее маляр, работает на строительном предприятии. У него устойчивое служебное положение, хороший характер, правда, резковат, но не глуп. Она — приятная молодая женщина, немного болтливая, как будто любила свою тетку. Никто из них не испытывал острой нужды в этих двухстах фунтах, хотя, по-моему, они были рады получить деньги.

— А коттедж они тоже унаследовали?

— Он был взят в аренду. Конечно, по закону об арендных ограничениях владелец не мог выгнать старуху. Но теперь, когда она умерла, я не думаю, чтобы племянница унаследовала право пользования, — как бы то ни было, ни она, ни ее муж этого не хотели. У них есть собственный современный домик, которым они очень гордятся. — Спенс вздохнул. — Я внимательно изучил племянницу и ее мужа, но не нашел ничего подозрительного.

— Bien[1]. Теперь давайте побеседуем о самой миссис Макгинти — и, пожалуйста, не только о ее внешности.

Спенс усмехнулся:

— Значит, полицейского описания вам мало? Ну, ей было шестьдесят четыре года. Она вдова. Муж работал

---

[1] Хорошо *(фр.)*.

18

в магазине тканей Ходжеса в Килчестере. Он умер от пневмонии около семи лет назад. После его смерти миссис Макгинти стала заниматься поденной работой в различных домах в деревушке Бродхинни, где она жила. Там обитают пара отставных военных, партнер инженерного предприятия, врач и тому подобные. Автобус и поезд связывают деревню с Килчестером, к тому же в восьми милях от нее находится Калленки — большой летний курорт, вы, наверное, слышали о нем. Бродхинни сама по себе довольно приятное местечко, примерно в четверти мили от шоссе между Драймутом и Килчестером.

Пуаро кивнул.

— Коттедж миссис Макгинти — один из четырех, собственно говоря, образующих деревню. В остальных трех находятся почта, магазин и жилище для сельскохозяйственных рабочих.

— И она взяла жильца?

— Да. При жизни мужа они обычно пускали летом дачников, но после его смерти появился постоянный жилец — Джеймс Бентли, который прожил там несколько месяцев.

— Итак, мы подошли к Джеймсу Бентли.

— Последняя работа Бентли — комиссионер по продаже домов в Килчестере. До этого он жил с матерью в Калленки. Она была инвалидом. Бентли заботился о ней и никогда не уезжал надолго. После смерти матери кончилась и ее пожизненная рента. Бентли продал дом и нашел работу. Он получил хорошее образование, но не имел ни особых талантов, ни специальной квалификации и обладал притом нерасполагающими манерами. Поэтому ему было не так легко устроиться. Все же его наняли к Бризеру и Скаттлу. Довольно второсортная фирма. Не думаю, что он преуспевал там, так как, сократив штат, они уволили его. Бентли не мог найти другую работу, и его денежные запасы истощились. Обычно он платил миссис Макгинти каждый месяц за комнату. Она кормила его завтраком и ужином и брала с него за это три фунта в неделю, что вполне умеренно. Бентли уже два месяца ей не платил, а его ресурсы подошли к концу. Другую работу он не нашел, а она торопила его с выплатой долга.

— А Бентли знал, что миссис Макгинти держит в доме тридцать фунтов? Кстати, зачем она хранила их в доме, имея счет в сберкассе?

— Потому что она не доверяла правительству. Миссис Макгинти говорила одному-двум людям, что правительству удалось вытянуть у нее двести фунтов, но этих тридцати им не видать. Она будет держать их у себя под рукой. Деньги хранились под отставшей от пола доской в спальне. Джеймс Бентли признался, что ему это было известно.

— Весьма любезно с его стороны. А племянница и ее муж также знали об этом?

— Да.

— Вернемся назад, к моему первому вопросу. Как умерла миссис Макгинти?

— Она умерла вечером двадцать второго ноября. Полицейский врач установил время смерти от семи до десяти часов вечера. Миссис Макгинти поужинала — копченой рыбой, хлебом и маргарином, а, согласно всем свидетельствам, она обычно ужинала около половины седьмого. Если миссис Макгинти не отступила от этого правила и в тот день, то, по результатам вскрытия кишечника, она была убита между половиной девятого и девятью. Джеймс Бентли, по его собственным показаниям, в тот вечер гулял с четверти восьмого до девяти. Он всегда гулял, когда темнело. Согласно его рассказу, он вернулся около девяти (у него был свой ключ) и пошел прямо наверх в свою комнату. Миссис Макгинти установила в спальнях умывальные раковины для дачников. Джеймс Бентли читал около получаса и затем лег спать. Он не слышал и не видел ничего подозрительного. На следующее утро он спустился вниз и заглянул в кухню, но там не было никого и никаких признаков приготовления завтрака. Поколебавшись, Бентли постучал в дверь миссис Макгинти, но не получил ответа.

Бентли решил, что она проспала, и не стал больше стучать. Потом, когда пришел булочник, он поднялся и снова постучал. В конце концов, как я уже говорил вам, булочник привел соседку, миссис Эллиот, которая обнаружила труп и подняла крик. Миссис Макгинти лежала на полу в гостиной. Ее ударили по затылку чем-то вроде ножа мясника с очень острым лезвием. Смерть наступила мгновенно. Ящики были выдвинуты, все кругом разбросано, доска в спальне приподнята, а деньги исчезли. Все окна были закрыты и заперты изнутри. Никаких признаков взлома не обнаружено.

— Следовательно, — заметил Пуаро, — либо ее убил Джеймс Бентли, либо она сама впустила убийцу, пока Бентли отсутствовал?

— Совершенно верно. Это не было ни взломом, ни ограблением. Но кого же миссис Макгинти могла впустить к себе в комнату? Кого-нибудь из соседей, племянницу или ее мужа. Соседей мы проверили и исключили. Племянница с мужем в тот вечер были в кино. Правда, возможно, кто-то из них не досмотрел фильм, проехал на велосипеде три мили, убил старуху, спрятал деньги за домом и вернулся в кино незамеченным. Мы изучили эту версию, но ее ничто не подтверждало. И зачем им прятать деньги во дворе дома миссис Макгинти? Впоследствии их было бы не так легко забрать оттуда. Почему бы не спрятать их на расстоянии трех миль от места преступления? Нет, единственное возможное объяснение...

Пуаро закончил фразу:

— Что преступник жил в том же доме, но не захотел прятать деньги у себя в комнате или где-нибудь внутри коттеджа. Иными словами: убийца — Джеймс Бентли.

— Вот именно. Снова и снова все говорит против Бентли. А тут еще кровь у него на манжете.

— Как он объясняет этот факт?

— Он якобы за день до того чистил костюм рядом с мясной лавкой. Чепуха! Это не кровь животного.

— Но он настаивал на этом?

— Не особенно. На суде Бентли рассказал совсем другое. Видите ли, на манжете был обнаружен окровавленный волос. Установили, что он принадлежал миссис Макгинти. Тогда Бентли признался, что он заходил к ней в комнату вечером, когда вернулся с прогулки. Он постучал, вошел и обнаружил ее, лежавшую на полу мертвой. Бентли наклонился и прикоснулся к ней, по его словам, чтобы удостовериться в увиденном... И тогда он потерял голову. Он утверждает, что вид крови всегда производил

21

на него такое впечатление. Бентли вернулся к себе в полуобморочном состоянии. Утром он не смог заставить себя признаться, что знал о случившемся.

— Весьма сомнительная история, — заметил Пуаро.

— Да, разумеется. И все же, — задумчиво промолвил Спенс, — это может быть правдой. Конечно, присяжные не очень верят подобным показаниям. Но я встречал немало таких людей. И дело тут не в обморочном состоянии, а в том, что природная робость мешает им принять решительные меры. Предположим, Бентли входит в комнату и видит убитую миссис Макгинти. Он знает, что необходимо что-то предпринять — вызвать полицию, пойти к соседям, — но не делает этого. «Ведь вовсе не обязательно, — думает Бентли, — чтобы я об этом что-нибудь знал. Мне незачем было заходить сюда вечером, я мог пройти прямо к себе...» К тому же он боится, что его заподозрят в причастности к убийству. Этот осел решает держать все в секрете как можно дольше и в результате оказывается на волоске от виселицы.

— Возможно, так оно и было, — медленно произнес Пуаро.

— Или, может быть, эту историю придумал для него адвокат. Хотя это маловероятно. Официантка из килчестерского кафе, где Бентли обычно закусывал, говорит, что он всегда выбирал такое место, чтобы видеть стену или угол, а не людей. Бентли немного чокнутый, но не настолько чокнутый, чтобы быть убийцей. У него нет ни мании преследования, ни чего-либо в таком роде.

Спенс с надеждой взглянул на Пуаро, но тот молчал, нахмурив брови.

Некоторое время двое мужчин сидели молча.

Глава 3

Наконец Пуаро пробудился от размышлений.

— Eh bien, — со вздохом сказал он. — Мотив денег исчерпан. Давайте перейдем к другим теориям. Были ли у миссис Макгинти враги? Боялась ли она кого-нибудь?

— Об этом ничего не известно.

— А что говорят ее соседи?

— Не слишком много. Возможно, они не хотят откровенничать с полицией, но я не думаю, чтобы они что-нибудь скрывали. Говорят, миссис Макгинти была замкнутой. Но это выглядит вполне естественно. Наши деревенские жители, мсье Пуаро, вообще не отличаются дружелюбием. Эвакуированные во время войны хорошо это поняли. Днем миссис Макгинти часто общалась с соседями, но ни с кем из них она не была в близких отношениях.

— Она давно жила там?

— По-моему, лет восемнадцать — двадцать.

— А где она провела предыдущие сорок лет?

— В ее жизни нет ничего таинственного. Миссис Макгинти — дочь фермера из Северного Девона. Некоторое время они с мужем жили около Илфракома, потом в Килчестере. Имели там коттедж, но из-за сырости переехали в Бродхинни. Ее муж как будто был спокойным, скромным человеком — не любил бегать по пивным. Как видите, все вполне благопристойно. Нигде никаких тайн.

— И все же ее убили?

— Увы, да!

— Племянница не знала никого, кто имел зуб против ее тети?

— Говорит, что нет.

Пуаро сердито почесал нос.

— Понимаете, дорогой друг, нам было бы значительно легче, если бы миссис Макгинти, так сказать, была бы не миссис Макгинти, а таинственной женщиной — женщиной с прошлым.

— Что делать, — флегматично заметил Спенс. — Она была всего лишь миссис Макгинти, малообразованной женщиной, сдававшей комнаты и занимавшейся поденной работой. Таких в Англии тысячи.

— Но далеко не всех убивают.

— Само собой разумеется.

— Тогда почему убили миссис Макгинти? И кто это сделал? Отбросим мистера Бентли. Тогда у нас остаются племянница или таинственный незнакомец. И то и другое маловероятно. Вернемся к фактам. Они таковы: старая поденщица убита, робкий молодой человек арестован и признан виновным в убийстве. Почему же арестовали Джеймса Бентли?

Спенс уставился на него:

— Против него были улики. Я же говорил вам...

— Да. Улики. Но скажите мне, Спенс, эти улики были подлинные или придуманные?

— Придуманные?

— Да. Будем считать, что Джеймс Бентли не виновен. Тогда остаются две возможности. Первая: улики были сфабрикованы с целью навести на него подозрение. Вторая: он только несчастная жертва обстоятельств.

Спенс задумался.

— Понятно. Я вижу, куда вы клоните.

— Ничто не говорит за то, что здесь имела место первая возможность. Но и ничто не говорит против этого. Деньги были взяты и спрятаны за домом — в месте, где найти их не составило труда. Спрятать их в комнате Бентли было бы уж слишком очевидно для полиции. Убийство было совершено, когда Бентли отправился на прогулку, как он часто делал. Попало ли кровавое пятно на его рукав так, как Бентли рассказал об этом на суде, или же оно также сфабриковано? Не нанес ли кто-нибудь, слегка прикоснувшись к нему в темноте, эту предательскую улику на рукав?

— По-моему, это немного чересчур, мсье Пуаро.

— Возможно, возможно. Но мы вынуждены так поступать. Думаю, что в этом деле нам придется дать полную волю воображению. Потому что, mon cher[1] Спенс, если миссис Макгинти была обычной поденщицей, то, значит, убийца — необычная личность. Да, это очевидно. Интерес этого дела не в убитом, а в убийце. В большинстве преступлений не так. Обычно суть дела сосредоточена в убитом. В первую очередь меня интересует его жизнь, ненависть, любовь. Когда личность жертвы становится окончательно ясной, то она говорит — ее мертвые губы произносят имя, которое вы жаждете узнать.

Спенс выглядел сбитым с толку.

«Ох уж эти иностранцы!» — казалось, говорил он про себя.

---

[1] Мой дорогой (фр.).

— Здесь перед нами противоположный случай, — продолжал Пуаро. — Нам предстоит разгадать замаскированное лицо, фигуру, все еще скрывающуюся в потемках. Как умерла миссис Макгинти? Почему она умерла? Изучая жизнь покойной, мы не найдем ответа на этот вопрос. Ответ спрятан в личности убийцы. Вы согласны в этом со мной?

— Ну, вообще-то да, — осторожно ответил Спенс.

— Кто-то, желающий избавиться от миссис Макгинти? Или от Джеймса Бентли?

Суперинтендант издал скептическое «хм!».

— Да-да, этот вопрос необходимо решить одним из первых. Кто подлинная жертва?

— Вы действительно думаете, — недоверчиво осведомился Спенс, — что кто-то пристукнул безобидную старуху для того, чтобы кого-то еще повесили за убийство?

— Нельзя сделать омлет, не разбив яиц. В данном случае миссис Макгинти могла быть яйцом, а Джеймс Бентли — омлетом. Поэтому теперь я хотел бы услышать, что вы знаете о Джеймсе Бентли?

— Не очень много. Отец его был врачом — умер, когда Бентли было девять лет. Он посещал школу, был признан непригодным к военной службе, у него слабые легкие, во время войны он работал в одном из министерств и жил на содержании у матери.

— Ну, — сказал Пуаро, — здесь имеется больше возможностей, нежели в биографии миссис Макгинти.

— Вы серьезно верите в свои предположения?

— Нет, пока я еще ни во что не верю. Но я знаю одно: перед нами две возможные линии расследования, и мы должны узнать как можно скорее, которой из них придерживаться.

— Как вы собираетесь приступать к делу, мсье Пуаро? Не могу ли я вам чем-нибудь помочь?

— Во-первых, я хотел бы побеседовать с Джеймсом Бентли.

— Это можно устроить. Я договорюсь с его адвокатом.

— После этого, руководствуясь результатами этого интервью, если таковые будут, в чем я не уверен, я отправлюсь в Бродхинни. Там с помощью ваших записок я как можно быстрее пройдусь по вашим следам.

— На тот случай, если я пропустил что-либо, — криво усмехнулся Спенс.

— Я предпочитаю выразиться по-другому: на тот случай, если некоторые обстоятельства предстанут передо мной в ином свете, нежели перед вами. Человеческие реакции разнообразны, как и человеческий опыт. Сходство между одним богатым финансистом и моим знакомым льежским мыловаром однажды привело к весьма удовлетворительным результатам[1]. Но незачем вдаваться в эти подробности. Что я хотел бы сделать, так это исключить одну из двух линий, которые я наметил. И исключить первую линию — миссис Макгинти, безусловно, можно значительно быстрее, чем вторую. Теперь, где я смогу остановиться в Бродхинни? Есть там гостиница с относительными удобствами?

— В «Трех утках» приезжих не принимают. Вы можете остановиться в «Каллавонском ягненке», но это три мили в сторону. В самой Бродхинни есть нечто вроде гостиницы — ветхий деревенский дом, принадлежащий молодой паре, которая пускает постояльцев. Не думаю, — с сомнением произнес Спенс, — чтобы там был особый комфорт.

Эркюль Пуаро со страдальческим видом закрыл глаза.

— Если мучаться, так мучаться до конца, — прошептал он.

— Не знаю, в качестве кого вы туда поедете, — продолжал Спенс, скептически рассматривая Пуаро. — Разве что в качестве оперного певца, у которого пропал голос и которому необходим отдых.

— Я поеду, — заявил Пуаро поистине королевским тоном, — в качестве самого себя.

Спенс выслушал это решение поджав губы.

— Вы считаете это целесообразным?

— Я считаю это просто необходимым! Подумайте, mon cher, ведь время работает против нас. Что мы знаем? Ничего! Поэтому нужно притвориться, что я знаю очень много. Я, великий, уникальный Эркюль Пуаро, не удовлетворен вердиктом по делу Макгинти. Я, Эркюль Пуаро, подозреваю то, что произошло на самом деле, на

---

[1] См. рассказ «Немейский лев» из сборника «Подвиги Геракла».

основании обстоятельства, истинную возможность которого понимаю один я. Вам ясно?

— И тогда?

— И тогда, произведя должное впечатление, я буду наблюдать за реакцией, которая, несомненно, последует.

Суперинтендант Спенс с беспокойством посмотрел на маленького человечка.

— Послушайте, мсье Пуаро, — начал он. — Пожалуйста, не рискуйте понапрасну. Я вовсе не хочу, чтобы с вами что-нибудь случилось.

— Но если это произойдет, то вы докажете свою правоту без всяких сомнений, не так ли?

— Я не хочу, чтобы она была доказана такой дорогой ценой, — заявил суперинтендант Спенс.

Глава 4

С величайшим отвращением Эркюль Пуаро осматривал комнату, в которой он остановился. За исключением солидных размеров, она не обладала никакими достоинствами. Проведя пальцем по книжному шкафу, Пуаро сделал красноречивую гримасу. Как и следовало ожидать — пыль! Он осторожно опустился на диван, и его сломанные пружины жалобно заскрипели. К счастью, два кресла с выгоревшей обивкой были в лучшем состоянии. Большая, свирепая на вид собака, по подозрению Пуаро страдавшая чесоткой, тихо ворчала, лежа на весьма сомнительном на вид стуле.

Комната была большая, с выцветшими моррисовскими обоями. Безобразные гравюры криво висели на стенах, соседствуя с двумя неплохими картинами. Ковер был грязным и дырявым. Огромное количество разных безделушек беспорядочно валялось по всей комнате. Столы из-за отсутствия роликов угрожающе покачивались. Одно окно было открыто, и никакие силы в мире, очевидно, не смогли бы его закрыть. Дверь временами закрывалась, но удержать ее в таком положении не было никакой возможности. Запор держался еле-еле, отчего с каждым порывом ветра дверь открывалась, впуская в комнату порывы холодного ветра.

— Я страдаю, — промолвил Эркюль Пуаро тоном, в котором ощущалась острая жалость к самому себе. — Очень страдаю!

Дверь внезапно открылась, и в комнату ворвались ветер и миссис Саммерхейз. Она огляделась вокруг, крикнула «Что?» кому-то, находящемуся на солидном расстоянии, и выбежала вновь.

У миссис Саммерхейз были рыжие волосы и привлекательное лицо, усеянное веснушками. Постоянно пребывая в рассеянном состоянии, она клала вещи куда попало, а потом начинала их разыскивать.

Эркюль Пуаро встал и закрыл дверь.

Но через несколько минут она опять открылась, и миссис Саммерхейз появилась вновь. На этот раз она несла большой эмалированный таз и нож.

Откуда-то послышался мужской голос:

— Морин, эту кошку снова вырвало. Что делать?

— Иду, дорогой, — отозвалась миссис Саммерхейз.

Бросив таз и нож, она снова исчезла.

Пуаро опять поднялся и прикрыл дверь.

— Определенно, я страдаю, — повторил он.

Подъехал автомобиль, собака спрыгнула со стула и начала лаять, притом с постоянным crescendo[1]. Она вскочила на маленький стол у окна, и он с грохотом рухнул на пол.

— Enfin, — сказал Пуаро, — c'est insupportable![2]

Дверь открылась в очередной раз, ветер закружился по комнате, собака ринулась прочь, продолжая лаять. Раздался вопль Морин:

— Джонни, почему ты оставил открытой заднюю дверь? Эти проклятые куры залезли в кладовую.

— И за это, — с чувством произнес Эркюль Пуаро, — я плачу семь гиней в неделю!

С шумом хлопнула дверь. Через окно доносилось громкое кудахтанье разгневанных кур.

Затем дверь отворилась снова, вошла Морин Саммерхейз и наткнулась на таз с криком радости.

---

[1] Нарастание силы звука (ит., музыкальный термин).
[2] В конце концов, это невыносимо! (фр.)

— Никак не могла вспомнить, где я его оставила. Вы не станете возражать, мистер Эр... хм... если я буду здесь нарезать бобы? А то в кухне ужасный запах.

— Мадам, я буду в восторге.

Эта фраза, между прочим, была близка к истине. Впервые за двадцать четыре часа у Пуаро появился шанс на беседу, превышающую по протяженности шесть секунд.

Миссис Саммерхейз плюхнулась в кресло и начала нарезать бобы с бешеной энергией и без особого умения.

— Надеюсь, — осведомилась она, — вам здесь не слишком неудобно? Может быть, вы хотите что-нибудь изменить?

Пуаро уже пришел к мнению, что единственная вещь в «Лонг-Медоус», которую можно было кое-как вытерпеть, это его хозяйка.

— Вы слишком любезны, мадам, — вежливо ответил он. — Я желал бы только, если бы это было в моих силах, снабдить вас хорошей прислугой.

— Прислугой! — взвизгнула миссис Саммерхейз. — О чем вы говорите! Невозможно раздобыть даже приходящую работницу. Правда, нам это удалось, но ее убили. Вот уж поистине повезло!

— Это, должно быть, миссис Макгинти? — быстро сказал Пуаро.

— Да, миссис Макгинти. Боже, как мне не хватает этой женщины! Это был страшный удар. Мы впервые сталкиваемся с убийством, так сказать, в семье, к тому же без Макгинти я просто не могу ни с чем справиться.

— Вы были привязаны к ней?

— Дорогой мой, на нее можно было положиться! В понедельник днем и в четверг утром она приходила как часы. Теперь у нас эта миссис Берч со станции, а у нее муж и шестеро детей. Естественно, она никогда здесь не бывает. Либо муж напьется, либо больны дети или старуха мать. Со старой Макгинти, по крайней мере, можно было надеяться, что она не хватит лишнего.

— И вы считали ее абсолютно честной и надежной? Вы доверяли ей?

— О, она никогда не украла ни крошки, правда, немного любила совать нос не в свои дела — читала чужие письма и тому подобное. Но этого можно ожидать от любой прислуги. Ведь у них всех такая тоскливая жизнь, правда?

— В том числе и у миссис Макгинти?

— Конечно, — рассеянно произнесла миссис Саммерхейз. — Вечно скрести полы, стоя на коленках, и мыть груду посуды. Если бы я была вынуждена заниматься этим каждый день, я бы предпочла быть убитой.

В окне появилось лицо майора Саммерхейза. Миссис Саммерхейз вскочила, рассыпала бобы и подбежала к окну, открыв его настежь.

— Проклятый пес снова съел куриную пищу, Морин.

— О черт, теперь он заболеет!

— Посмотри. — Джон Саммерхейз показал дуршлаг, полный зелени. — Здесь достаточно шпината?

— Конечно нет.

— По-моему, его слишком много.

— А после готовки будет на чайную ложку! Ты вообще раньше видел приготовленный шпинат?

— О Боже!

— Рыбу принесли?

— Нет.

— Господи, придется открывать банку. Займись этим, Джонни. Они стоят в буфете в углу. Открой ту, которая нам показалась бомбажной. Думаю, что там ничего не испортилось.

— А что делать со шпинатом?

— Я займусь этим.

Она выпрыгнула в окно, и муж с женой вместе удалились.

Пуаро пересек комнату и закрыл окно так плотно, как мог. Ветер донес до него голос майора Саммерхейза:

— Как там новый жилец, Морин? Мне он кажется довольно странным. Как его зовут?

— Не могла вспомнить это, даже когда разговаривала с ним. Мистер Эр... Пуаро — что-то вроде этого. Он француз.

— Знаешь, Морин, по-моему, я где-то слышал это имя.

— В парикмахерской, наверное. Он похож на парикмахера.

— Н-нет. Возможно, так называется огуречный рассол. Не знаю, но уверен, что имя мне знакомо. На всякий случай возьми с него поскорее первые семь гиней.

Голоса стихли вдали.

Эркюль Пуаро подобрал разбросанные по всему полу бобы. Когда он закончил это занятие, в дверях снова появилась миссис Саммерхейз.

Пуаро галантно передал ей бобы:

— Voici, madame[1].

— О, огромное спасибо. По-моему, эти бобы слишком темные. Мы обычно засаливаем их в глиняных горшках. Но эти, кажется, никуда не годятся.

— Я тоже этого опасаюсь. Вы позволите мне запереть дверь? Здесь ужасный сквозняк.

— О да, конечно. Боюсь, что я всегда оставляю дверь открытой.

— Я это уже заметил.

— Эту дверь вообще надолго закрыть невозможно. Дом практически разваливается на куски. Раньше здесь жили родители Джонни, они очень нуждались и никогда не делали ремонта. А когда мы приехали сюда из Индии, то переделки нам тоже оказались не по карману. Только детям, приезжающим на каникулы, нравится дом, где по комнатам гуляет ветер, запущенный сад и все прочее. Мы живем исключительно за счет постояльцев, хотя и с этим у нас были неприятности.

— А в настоящий момент я единственный ваш постоялец?

— У нас живет еще одна старая леди наверху. Она заболела в тот же день, как приехала, и с тех пор находится здесь. По-моему, у нее ничего особенного нет. Во всяком случае, аппетит у нее превосходный. Я четыре раза в день тащу туда поднос. Как бы то ни было, она завтра собирается уезжать к своей племяннице или к кому-то еще.

Сделав паузу, миссис Саммерхейз закончила несколько неестественным тоном:

— С минуты на минуту принесут рыбу. Я хотела бы, если вы не возражаете, э... получить с вас плату за первую неделю. Вы ведь останетесь здесь на неделю, верно?

---

[1] Пожалуйста, мадам *(фр.).*

31

— Возможно, дольше.

— Простите, что я беспокою вас. Но в доме нет ни пенни, а ведь за все приходится платить.

— Пожалуйста, не извиняйтесь, мадам. — Пуаро достал семь фунтовых банкнотов и добавил к ним семь шиллингов.

Миссис Саммерхейз с жадностью схватила деньги:

— Большое спасибо.

— Пожалуй, мадам, мне следует сообщить вам немного больше о себе. Я — Эркюль Пуаро.

Это откровение оставило миссис Саммерхейз весьма равнодушной.

— Какое красивое имя, — любезно заметила она. — Греческое, не так ли?

— Как вы, возможно, знаете, мадам, — продолжал Пуаро, — я — детектив. Притом, по всей вероятности, самый знаменитый детектив.

Мадам Саммерхейз рассмеялась:

— Я вижу, вы шутник, мсье Пуаро. Что же вы расследуете? Пепел сигарет и следы?

— Я расследую убийство миссис Макгинти, — сообщил Пуаро. — И я не шучу.

— Ой! — воскликнула миссис Саммерхейз. — Я порезала себе руку. — Осмотрев свой палец, она уставилась на Пуаро. — Послушайте, но ведь все уже кончено. Они арестовали этого несчастного полоумного, который снимал у нее комнату, судили его и признали виновным. Может быть, его уже повесили.

— Нет, мадам, — возразил Пуаро. — Его еще не повесили, и дело миссис Макгинти еще не закончено. Напомню вам строку одного из ваших поэтов: «Не следует решать вопрос решенным, покуда правильно он не решен».

— О, — вздохнула миссис Саммерхейз, переключив внимание с Пуаро на таз, стоящий у нее на коленях. — Я испачкала кровью бобы. Это скверно, так как они предназначались нам для ленча. Хотя не имеет значения — их все равно будут кипятить. А после кипячения всегда все в порядке, верно?

— Думаю, что к ленчу меня не будет дома, — спокойно сказал Пуаро.

Глава 5

— Я ничего не знаю, — заявила миссис Берч.

Она говорила это уже в третий раз. Естественное недоверие к иностранному на вид джентльмену с черными усами, носящему длинное, отороченное мехом пальто, было не так легко преодолеть.

— Все это малоприятно, — продолжала она. — Бедную тетю убили, является полиция, которая шарит повсюду и постоянно задает вопросы. Все время приставали к соседям. Я думала, что это никогда не кончится. К тому же моя свекровь вела себя отвратительно — все время повторяла, что в ее семье такого никогда не случалось, и жалела «бедного Джо». А я разве не бедная? В конце концов, ведь это мою тетю убили! Но вообще-то я думала, что все уже кончено.

— А предположим, что Джеймс Бентли все-таки не виновен?

— Чепуха, — обрезала миссис Берч. — Конечно, он убил ее. Мне он никогда не нравился. Все время где-то шлялся, что-то бормотал себе под нос. Я говорила тете, что такого нельзя держать в доме, потому что он в один прекрасный день спятит. Но она со мной не соглашалась. Дескать, он спокойный, вежливый, не пьет и даже не курит. Ну вот и допрыгалась, бедняжка.

Пуаро задумчиво посмотрел на нее. Перед ним была высокая полная женщина с румяным лицом и добродушной складкой рта. В чистых аккуратных комнатах маленького домика пахло свежеполированной мебелью. Аппетитный запах доносился из кухни.

Хорошая жена, которая держит дом в чистоте и готовит мужу обед. Правда, она была упрямой и предубежденной, но это вполне естественно. Безусловно, миссис Берч ни в коей мере не походила на женщину, способную острым ножом ударить по голове собственную тетю или заставить своего мужа сделать это. К тому же Спенс выяснил финансовое положение семьи Берч и не обнаружил мотива для убийства, а на Спенса в таких делах можно было всецело положиться.

Вздохнув, Эркюль Пуаро продолжал добиваться своей цели, которая заключалась в преодолении недоверия миссис Берч к иностранцам. Уведя беседу в сторону от убийства, он сосредоточил ее на жертве, задавая вопросы о «бедной тетушке», о ее здоровье, привычках, вкусах в пище, политических убеждениях, ее покойном муже, отношении к вопросам жизни, религии, греха, пола, к детям и животным.

Могли ли принести какую-нибудь пользу эти не относящиеся к делу вопросы, Пуаро не имел никакого представления. Он просто искал иголку в стоге сена, попутно узнавая кое-что о Бесси Берч.

Бесси не слишком много знала о своей тете. Правда, семейные отношения между ними поддерживались, но они не были особенно близкими. Примерно раз в месяц она и Джо ездили в воскресенье пообедать с тетей, реже та приезжала повидать их. На Рождество они обменивались подарками. Им было известно, что у тети имелись кое-какие сбережения, отложенные на черный день, и что они перейдут к ним после ее смерти.

— Но мы в них вовсе не нуждались, — заявила миссис Берч, заметно покраснев. — У нас самих денег достаточно. Мы устроили тете прекрасные похороны с цветами и всем прочим.

Тетя увлекалась вязанием. Ей не нравились собаки, так как они создавали беспорядок, но у нее был рыжий кот. Правда, он заблудился и пропал, но женщина с почты собиралась принести ей котенка. Миссис Макгинти держала дом в чистоте и терпеть не могла мусора. Каждый день протирала мебель и мыла пол в кухне. За поденную работу она брала один шиллинг и десять пенсов в час. Два шиллинга она зарабатывала в «Холмли» — доме мистера Карпентера. Эти Карпентеры купаются в деньгах. Они хотели, чтобы тетя приходила к ним почаще, но та не могла этого делать, чтобы не огорчать других леди, к которым она начала ходить раньше, чем к Карпентерам.

Пуаро упомянул миссис Саммерхейз из «Лонг-Медоус».

О да, тетя ходила к ней два раза в неделю. Они приехали из Индии, где у них было полно туземных слуг, и миссис Саммерхейз понятия не имела о том, как вести хозяйство. Они пытались выращивать овощи для продажи, но в этом тоже ничего не понимали. Когда же дети приезжали домой на каникулы, дом превращался в ад кромешный. Но миссис Саммерхейз — симпатичная леди, и тетя любила ее.

Итак, портрет готов. Миссис Макгинти, вяжущая, скребущая полы и полирующая мебель, любящая кошек и не любящая собак. Детей она любила, но не слишком. Вообще она была довольно замкнутой женщиной.

Миссис Макгинти посещала по воскресеньям церковь, но не принимала участия ни в каких церковных обществах. Иногда она ходила в кино. Будучи женщиной строгих нравов, она как-то отказалась работать у одной молодой пары (он был художником), выяснив, что они не женаты, как полагается. Книг миссис Макгинти не читала, но любила воскресную газету и старые журналы, которыми ее снабжали работодательницы. Хотя она редко ходила в кино, ее интересовала жизнь кинозвезд. Политикой не интересовалась, но голосовала за консерваторов, как ее покойный муж. Она никогда не тратилась на одежду, так как имела много разных вещей, подаренных ей хозяйками, и была весьма бережлива.

Фактически миссис Макгинти была той самой миссис Макгинти, какой ее себе представлял Пуаро. А Бесси Берч, ее племянница, была точной копией Бесси Берч из записок суперинтенданта Спенса.

Прежде чем Пуаро ушел, Джо Берч забежал домой во время ленча. Это был низенький и весьма смышленый человек, чего нельзя было сказать о его супруге. В его поведении чувствовалось легкое беспокойство, хотя, в отличие от жены, он не выказывал признаков подозрения и враждебности, а, напротив, старался выглядеть дружелюбным, что показалось Пуаро несколько фальшивым. В самом деле, чем мог расположить к себе Джо Берча незнакомый иностранец? Причина могла быть только одна: у этого иностранца имелось письмо от суперинтенданта Спенса из полиции графства.

Следовательно, Джо Берч стремился сохранять хорошие отношения с полицией и не желал, подобно жене, высказывать критические замечания в ее адрес.

Возможно, у него была нечиста совесть? Даже если так, то причиной тому могло быть множество вещей, не имеющих никакой связи со смертью миссис Макгинти. А может быть, все иначе — алиби с кинотеатром было ловко сфабриковано, Джо Берч постучал в дверь коттеджа, его впустила в дом тетя, а он убил ничего не подозревающую старуху, выдвинул ящики и обыскал комнату, чтобы создать видимость кражи. Деньги он мог спрятать во дворе, чтобы навести подозрение на Джеймса Бентли, — его же целью были двести фунтов, лежащие в сберкассе и теперь перешедшие к его жене. Двести фунтов, в которых он по неизвестной причине крайне нуждался. Пуаро помнил, что оружие так и не было найдено. Почему же его не оставили на месте преступления? У любого слабоумного хватило бы соображения надеть перчатки или стереть следы отпечатков пальцев. Почему же тогда оружие — тяжелый предмет с острым лезвием — убрали с места убийства? Быть может, потому, что его сразу же признали бы принадлежащим семейству Берч? Возможно, это оружие, вытертое и начищенное, находится сейчас в этом доме? Полицейский врач заявил, что орудием убийства послужил предмет, напоминающий нож мясника. Однако в действительности это, наверное, было что-то более необычное — вещь, которая могла бы быстро привести к своему хозяину. Полиция искала ее, но не нашла, несмотря на то что поиски производились даже в лесу и на дне прудов. Из кухни Макгинти ничего не пропало, никто не сообщал, что в распоряжении Джеймса Бентли было подобное оружие. Никто не видел, чтобы он покупал нож мясника или предмет, похожий на него. Это хотя и маленький, но все же пункт в его пользу. Правда, он был отвергнут под тяжестью других улик, но теперь им нельзя пренебрегать...

Пуаро окинул быстрым взглядом тесную маленькую гостиную, где он сидел.

Было ли оружие спрятано где-то в этом доме? Не поэтому ли Джо Берч был взволнован и держался неестественно дружелюбно?

Пуаро не знал этого. У него не было особых оснований думать так, но он ни в чем не мог быть уверен до конца...

Глава 6

1

В конторе господ Бризера и Скаттла Пуаро после некоторых колебаний провели в кабинет самого мистера Скаттла — маленького, суетливого человечка.

— Доброе утро, — приветствовал он визитера, потирая руки. — Чем могу быть вам полезен?

Мистер Скаттл быстрым профессиональным взглядом скользнул по фигуре гостя, отмечая его характерные особенности и словно делая при этом записки на манжетах.

Иностранец. Одежда хорошего качества. По-видимому, богат. Кто же он? Владелец ресторана? Управляющий отделом? Кинопродюсер?

— Простите, что я злоупотребляю вашим временем, но я хотел бы побеседовать с вами о вашем бывшем служащем Джеймсе Бентли.

Брови мистера Скаттла выразительно взлетели кверху и тут же снова опустились.

— Джеймс Бентли. Джеймс Бентли... — Внезапно он осведомился: — Вы представитель прессы?

— Нет.

— И вы не полицейский?

— Нет. По крайней мере, не в этой стране.

— Не в этой стране... — повторил мистер Скаттл таким тоном, будто ему предстояло заполнять анкету Пуаро. — Что все это значит?

Пуаро, не пускаясь в педантичное изложение фактов, кратко объяснил:

— Я начинаю дополнительное расследование дела Джеймса Бентли по просьбе его родственников.

— Никогда не знал, что у него имеются таковые. Как бы то ни было, вам известно, что он признан виновным и приговорен к смерти.

— Но все еще не казнен.

— Ну, пока живешь — надеешься. — Мистер Скаттл покачал головой. — Но эта надежда весьма слабая, так как улики против него достаточно убедительны. Кто же эти родственники?

— Могу вам только сообщить, что они — люди влиятельные и богатые, притом чрезвычайно богатые.

— Вы удивили меня. — Мистер Скаттл начал понемногу оттаивать. Слова «чрезвычайно богатые» обладали гипнотической силой. — Да, очень удивили.

— Покойная миссис Бентли порвала со своей семьей, — объяснил Пуаро.

— Вероятно, опять какие-нибудь семейные распри? Ну-ну! А молодой Бентли в результате не имел за душой ни фартинга. Жаль, что эти родственники раньше не пришли на помощь.

— Они только недавно узнали о случившемся, — снова объяснил Пуаро, — и поручили мне как можно скорее приехать сюда и сделать все возможное.

Окончательно смягчившись, мистер Скаттл откинулся назад:

— И вы не знаете, с чего вам начать? По-моему, нужно напирать на умопомешательство. Правда, это немного поздновато, но если вы привлечете к делу крупных медицинских светил... Конечно, сам я в таких делах мало смыслю.

Пуаро наклонился вперед:

— Мсье, Джеймс Бентли работал здесь. Не могли бы вы рассказать мне о нем?

— Рассказывать особенно нечего. Он был одним из наших младших клерков. У нас он ничем не провинился — казался скромным, добросовестным парнем. Но находить клиентуру он не умел. Бентли не мог показать товар лицом, а в нашей работе это основное. Если клиент хочет продать дом, нам приходится этим заниматься, если купить — мы снова тут как тут. Допустим, дом находится в уединенном месте и не имеет никаких удобств — тогда мы должны подчеркивать, что это образец старинной архитектуры, и не упоминать о состоянии водопровода! А если дом стоит рядом с газовым заводом, то об этом нужно молчать, а все время говорить об удобствах. Наше дело — впихнуть клиента в дом, прибегая для этого ко всевозможным трюкам. «Мы советуем вам, мадам, немедленно назначить цену. Вашим домом очень заинтересован член парламента — сегодня он снова приходил его смотреть». На эту удочку они всегда попадаются. «Член парламента» действует безотказно. Не могу понять почему. Ведь никакой член парламента не станет жить вдали от своего избирательного округа. — Мистер Скаттл расхохотался, обнажив блестящую вставную челюсть. — Все дело в психологии.

Пуаро ухватился за эту фразу:

— Вы совершенно правы. Все дело в психологии. Вижу, что вы знаток человеческой натуры.

— Более или менее, — скромно отозвался мистер Скаттл.

— Поэтому я снова прошу вас сообщить мне свое мнение о Джеймсе Бентли. Говоря строго между нами — вы считаете, что он убил эту старуху?

Скаттл уставился на него:

— Конечно.

— И вам кажется это вероятным с психологической точки зрения?

— Ну, если ставить вопрос так, то не слишком. Никогда не подумал бы, что у него хватит силы воли. По-моему, он был немного не в своем уме. Это многое объясняет. А потеряв работу, он окончательно свихнулся.

— У вас не было особой причины для его увольнения?

Скаттл покачал головой:

— Просто был мертвый сезон и служащим было нечего делать. Ну, мы и сократили Бентли, как наименее компетентного, дав ему хорошую рекомендацию. Правда, другой работы он найти не смог. Энергии не хватило, и к тому же он всегда производил на людей плохое впечатление.

«Снова то же самое», — подумал Пуаро, выйдя из конторы. Джеймс Бентли производит на людей плохое впечатление. Пуаро почувствовал облегчение, вспоминая различных убийц, которых он знал и которых большинство людей находило очаровательными.

2

— Простите, не будете ли вы возражать, если я сяду здесь и побеседую с вами несколько минут?

Пуаро, удобно устроившийся за маленьким столиком в «Голубой кошке», вздрогнув, оторвал взгляд от меню.

которое он изучал. Севшая напротив него молодая женщина ярко выделялась на фоне мрачных дубовых и освинцованных панелей золотистыми волосами и джемпером цвета электрик. Эркюлю Пуаро показалось, что он где-то мельком видел ее совсем недавно.

— Понимаете, — продолжала женщина, — случайно я слышала кое-что из вашего разговора с мистером Скаттлом.

Пуаро кивнул, сознавая, что стены в конторе Бризера и Скаттла не были рассчитаны на интимные беседы. Впрочем, это не беспокоило его, так как в данный момент ему больше всего была нужна широкая реклама.

— Вы печатали на машинке, — сказал он, — справа у заднего окна?

В ответ она кивнула, обнажив в улыбке сверкающие белизной зубы. Это была пышущая здоровьем молодая женщина с плотной фигурой, что одобрил про себя Пуаро. Очевидно, ей года тридцать три — тридцать четыре, отметил он, от природы она темноволосая, но таким женщинам природа не указ.

— Я хочу поговорить с вами о мистере Бентли, — сказала она.

— Что именно вы бы хотели услышать о нем?

— Он собирается подавать апелляцию? Значит, обнаружены новые доказательства? О, я так рада! Я просто не могла поверить, что он сделал это.

Пуаро поднял брови.

— И вы всегда так считали? — медленно осведомился он.

— Ну, сначала — да. Я думала, что здесь какая-то ошибка. Но потом, узнав об уликах... — Она умолкла.

— Так что же? — продолжал настаивать Пуаро.

— Стало казаться невозможным, чтобы кто-то еще сделал это. Тогда я решила, что он, возможно, немного тронулся.

— Он когда-нибудь казался вам, так сказать, несколько странным?

— О нет, ничего подобного. Он просто был робкий и неловкий. Все дело в том, что он никогда не верил в свои возможности.

Пуаро посмотрел на женщину. Уж она-то, во всяком случае, верила в свои возможности. Может быть, ее уверенности хватило бы на двоих.

— Вам он нравился? — спросил Пуаро.

Молодая женщина покраснела:

— Да. Эйми — другая машинистка в конторе — всегда смеялась над ним и называла его тряпкой, но мне он очень нравился. Мистер Бентли всегда был так мягок и вежлив, и к тому же он был очень образован. Должно быть, прочитал массу книг.

— Вполне возможно.

— Он ведь потерял мать. Знаете, она болела много лет. Ну, не столько болела, сколько вообще была слабая, а он всегда заботился о ней.

Пуаро кивнул. Он знал немало подобных матерей.

— Она, конечно, тоже не оставляла его без присмотра — следила за его здоровьем, чтобы он не простужался зимой, за питанием и тому подобным.

Снова кивнув, Пуаро спросил:

— Вы были дружны?

— Ну, не то чтобы так... Мы просто иногда беседовали. Но когда он уехал отсюда, я... долго не видела его. И однажды написала ему письмо, но не получила ответа.

— Значит, вам он нравился? — мягко промолвил Пуаро.

— Да, — довольно вызывающе ответила она.

— Отлично, — заметил Пуаро.

Его мысли вернулись назад — ко дню беседы с приговоренным к смерти заключенным... Перед его глазами возник Джеймс Бентли. Волосы мышиного цвета, худое неуклюжее тело, руки с большими суставами и запястьями, кадык на тощей шее. Пуаро словно видел его смущенный, косой, казавшийся хитрым взгляд. Такому человеку нельзя было доверять — ведь трудно полагаться на скрытного лживого субъекта с неприятной бормочущей манерой разговаривать... Такое впечатление производил Джеймс Бентли на большинство поверхностных наблюдателей. Так же он выглядел и на скамье подсудимых. Да, люди такого сорта могут лгать, воровать и бить старух по голове...

Но ни суперинтенданту Спенсу, ни Эркюлю Пуаро, которые хорошо знали людей, он не казался таким. По-видимому, и этой женщине тоже.

— Как вас зовут, мадемуазель? — спросил Пуаро.

— Мод Уильямс. Могу ли я чем-нибудь помочь?

— Думаю, что можете. Есть люди, мисс Уильямс, которые верят, что Джеймс Бентли не виновен, и стараются доказать это. Я — лицо, занимающееся расследованием этого дела, и могу сообщить вам, что уже достиг значительных успехов.

Пуаро солгал не краснея, так как считал эту ложь необходимой. Мод Уильямс, несомненно, расскажет об их разговоре, и это будет подобно камню, брошенному в пруд, от которого пойдут расходящиеся в разные стороны круги. В результате кое-кто будет обеспокоен.

— Вы сказали, — продолжал Пуаро, — что вы и Джеймс Бентли иногда беседовали. Он рассказывал вам о своей матери и о жизни дома. Не упоминал ли он о ком-нибудь, с кем он или, может быть, его мать были в плохих отношениях?

Мод Уильямс задумалась.

— Как будто нет. По-моему, его матери не особенно нравились молодые женщины.

— Матерям преданных сыновей никогда не нравятся молодые женщины. Нет, я имел в виду нечто большее. Какая-нибудь неприязнь, вражда, семейная распря?

Она покачала головой:

— Нет, он никогда не говорил ни о чем подобном.

— Упоминал ли он о своей квартирной хозяйке, миссис Макгинти?

Женщина слегка вздрогнула:

— Он не называл ее имени. Только говорил как-то, что его хозяйка слишком часто кормит его копченой рыбой и что она расстроена из-за пропажи кота.

— Теперь скажите мне откровенно, не говорил ли вам Бентли, что он знает, где его хозяйка хранит свои деньги?

Краска отхлынула с лица женщины, но она вызывающе подняла подбородок:

— Говорил. Мы беседовали о людях, которые не доверяют банкам, и он сказал, что его хозяйка держит свои сбережения под доской пола. «Я могу взять их оттуда в любой день, когда ее нет дома», — добавил он, причем не шутя, а как будто в самом деле беспокоясь о ее беспечности.

— С моей точки зрения, это хорошо, — заметил Пуаро. — Когда Джеймс Бентли думает о краже, она представляется ему как действие, совершаемое тайком. Видите ли, он мог бы сказать: «Когда-нибудь ее стукнут по голове из-за этих денег».

— Но как бы то ни было, он не собирался красть эти деньги!

— О нет. Но разговор, каким бы он ни был легким и беспечным, неизбежно раскрывает натуру говорящего. Умный преступник сумел бы молчать. Но преступники большей частью глупы, они слишком много болтают, и поэтому их, как правило, ловят.

— Но ведь кто-то же убил эту старуху? — резко сказала Мод Уильямс.

— Естественно.

— Кто же? Вы знаете это? У вас есть какое-нибудь предположение?

— Да, — снова солгал Эркюль Пуаро, — и притом весьма основательное. Но мы только начинаем расследование.

Женщина посмотрела на часы:

— Мне пора возвращаться. У меня перерыв — полчаса. Все-таки Килчестер — страшное захолустье. Раньше я всегда работала в Лондоне. Вы дадите мне знать, если вам понадобится моя помощь?

Пуаро вынул карточку и написал на ней «Лонг-Медоус» и номер телефона.

— Я там остановился.

Он с огорчением отметил про себя, что его имя не произвело на женщину особого впечатления. Увы, молодое поколение не интересовалось знаменитостями.

3

Возвращаясь на автобусе в Бродхинни, Эркюль Пуаро чувствовал себя значительно бодрее. Во всяком случае, хоть один человек разделял его веру в невиновность Джеймса Бентли. Бентли оказался не таким уж одиноким, каким он старался себя представить.

Пуаро снова вспомнил их удручающе унылую беседу в тюрьме. Она не пробудила у Бентли не только надежды, но даже слабого интереса.

— Благодарю вас, — вяло произнес он, — но я не думаю, чтобы что-нибудь можно было сделать.

Нет, он уверен, что у него не было никаких врагов.

— Когда люди едва замечают ваше существование, у вас мало шансов приобрести врагов.

— Но может быть, они были у вашей матери?

— Конечно нет. Все любили и уважали ее.

В его голосе послышалась нотка возмущения.

— А ваши друзья?

На это Джеймс Бентли ответил или, вернее, пробормотал:

— У меня нет никаких друзей...

Но это оказалось неправдой, ибо Мод Уильямс была его другом.

«Что за мудрый закон природы! — подумал Эркюль Пуаро. — Каждого мужчину, даже самого непривлекательного внешне, обязательно любит хоть одна женщина!»

По-видимому, мисс Уильямс, несмотря на свою привлекательность, нуждалась в мужчине, которого она могла бы по-матерински опекать.

Она обладала качествами, которые отсутствовали у Джеймса Бентли: энергией, решимостью, стремлением бороться с неудачами и добиваться успеха.

Пуаро вздохнул.

Сколько ему за этот день пришлось лгать! Но ничего не поделаешь — это было необходимо.

«Ибо где-то, — сказал себе Пуаро, пускаясь в метафоры, — в стоге сена имеется иголка, среди спящих собак — та, на которую я наступлю, а из выпущенных в воздух стрел одна обязательно полетит вниз и угодит в оранжерею».

Глава 7

1

Коттедж, где жила миссис Макгинти, находился в нескольких шагах от автобусной остановки. Двое детей играли на пороге. Один ел червивое на вид яблоко, а другой кричал и колотил в дверь оловянным подносом. Оба казались бесконечно счастливыми. Пуаро прибавил шуму, громко постучав в дверь.

Из-за угла дома выглянула женщина в цветном халате и с растрепанными волосами.

— Прекрати, Эрни, — потребовала она.

— Сейчас, — ответил Эрни и продолжил свое занятие.

Пуаро спустился с порога и свернул за угол дома.

— Никак не могу справиться с детьми, — вздохнула женщина.

Пуаро подумал, что в этом нет ничего невозможного, но предпочел умолчать.

Женщина указала рукой на заднюю дверь:

— Я держу парадный вход запертым, сэр. Сюда, пожалуйста.

Пуаро прошел через очень грязное помещение для мытья посуды в еще более грязную кухню.

— Ее убили не здесь, — объяснила женщина, — а в гостиной. Вы ведь пришли по этому поводу, верно? Вы тот самый иностранный джентльмен, который остановился у Саммерхейзов?

— Так вы уже все обо мне знаете? — просияв, воскликнул Пуаро. — Да, в самом деле, миссис...

— Киддл. Мой муж штукатур. Мы переехали сюда четыре месяца назад. Раньше мы жили с матерью Берта. Многие не верили, что мы согласимся переехать в дом, где произошло убийство, но я ответила им, что дом есть дом и это, во всяком случае, лучше, чем жить в одной комнате и спать на двух стульях. Ужасно, когда жилья не хватает. Правда, говорят, что убитые обычно бродят на месте своей смерти, но мы ее ни разу не видели. Хотите взглянуть, где это случилось?

Чувствуя себя туристом, следующим за экскурсоводом, Пуаро повиновался.

Миссис Киддл провела его в маленькую, тяжеловесно меблированную комнатку. Не похожая на остальные помещения дома, эта комната не имела никаких признаков того, что в ней когда-либо обитали.

— Она лежала на полу с проломленным затылком. Миссис Эллиот чуть в обморок не упала. Она нашла ее вместе с Ларкином, который привозит хлеб из кооператива. А деньги взяли наверху. Пойдемте, я покажу вам.

Миссис Киддл проводила гостя наверх в спальню, в которой находились комод, большая никелированная кровать, несколько стульев и огромное количество детской одежды, сухой и мокрой.

— Вот здесь, справа, — с гордым видом показала миссис Киддл.

Пуаро огляделся вокруг. Только с большим трудом можно было себе представить, что эта невероятно захламленная комната когда-то была выскобленным до блеска обиталищем отличной домохозяйки, что здесь жила и спала миссис Макгинти.

— Полагаю, что это не ее мебель?

— Нет. Ее племянница из Каллавона все забрала отсюда.

Итак, здесь уже ничего не осталось от миссис Макгинти. Киддлы пришли и победили. Что ж, жизнь сильнее смерти.

Снизу послышался яростный детский вопль.

— О Боже, малыш проснулся! — воскликнула миссис Киддл и поспешила вниз.

Пуаро последовал за ней.

В этом доме не оказалось ничего интересного, и он направился в соседний.

2

— Да, сэр, это мы нашли ее.

В этом аккуратном и чистеньком домике резким драматическим контрастом выделялся голос его хозяйки, миссис Эллиот, повествовавшей о единственном моменте славы в ее жизни.

— Ларкин, булочник, пришел и постучал ко мне. «Миссис Макгинти никак не отзывается, — сообщил он. — Как бы с ней не случилось чего-нибудь плохого». Мне это показалось вполне возможным, ведь миссис Макгинти была уже далеко не первой молодости. К тому же я знала, что у нее бывают сильные сердцебиения. А вдруг у нее удар, подумала я и поспешила к ней, так как в доме было только двое мужчин, и им, естественно, было неудобно заходить к ней в спальню.

Пуаро неясным бормотанием одобрил это соблюдение приличий.

— Я побежала наверх. Он стоял на лестничной площадке, бледный как смерть. Тогда, конечно, я ничего такого не подумала — ведь я еще не знала, что случилось. Я громко постучала в дверь и, не получив ответа, повернула ручку и вошла. Все кругом было разбросано, а одна из досок пола приподнята. «Это кража, — сказала я. — Но где же сама бедняжка?» Тогда мы решили заглянуть в гостиную. Она была там... Лежала на полу с проломленной головой. Убийство! Я сразу же поняла это. Грабеж и убийство здесь, в Бродхинни! У меня началась истерика. Им со мной пришлось повозиться. Я едва не потеряла сознание, и они были вынуждены бежать за бренди в «Три утки». И даже потом я еще дрожала несколько часов. «Не расстраивайтесь так, мамаша, — сказал мне полицейский сержант. — Идите домой и выпейте чашку чая». Так я и сделала. Но я продолжала дрожать, даже когда Эллиот пришел домой. Я с детства была очень впечатлительной.

— Да-да, это чувствуется, — прервал Пуаро это волнующее повествование. — А когда вы в последний раз видели бедную миссис Макгинти?

— Должно быть, за день до ее смерти, когда она выходила на задний дворик нарвать немного мяты. Я как раз кормила цыплят.

— Она сказала вам что-нибудь?

— Только поздоровалась и спросила, как несутся курицы.

— А в день убийства вы ее не видели?

— Нет. Зато я видела его! — Миссис Эллиот понизила голос. — Около одиннадцати часов утра. Он шел по дороге, как всегда, шаркая ногами.

Пуаро ожидал дополнительных комментариев, но их не последовало.

— Вы удивились, когда полиция арестовала его? — спросил он.

— Ну, и да и нет. Видите ли, я всегда считала его немного сумасшедшим. А эти ненормальные часто проделывают скверные штуки. Уж это мне известно. У моего дяди был слабоумный мальчуган, так он такое вытворял — чем старше, тем хуже. Не сознавал своей силы. Бентли не повесят, а отправят в сумасшедший дом. Ну скажите, кто бы стал прятать деньги в таком месте, если, конечно, он не хотел, чтобы их нашли? Только дурак или полоумный.

— Если он не хотел, чтобы их нашли, — пробормотал Пуаро. — Скажите, у вас, случайно, не пропал нож для мяса или топор?

— Нет, сэр. Полиция уже спрашивала об этом. И у меня, и в других коттеджах. Все еще неизвестно, чем он убил ее.

3

Эркюль Пуаро шагал по направлению к почте.

Убийца хотел, чтобы нашли деньги, но он не хотел, чтобы нашли оружие. Ибо деньги указывали на Джеймса Бентли, а оружие — пока еще неизвестно на кого.

Пуаро покачал головой. Он уже посетил остальные два коттеджа. Их обитатели оказались менее многословными, чем миссис Киддл, и менее драматичными, чем миссис Эллиот. Они сообщили, что миссис Макгинти была весьма почтенной, правда, несколько замкнутой женщиной, что у нее была племянница в Каллавоне, что кроме этой племянницы никто к ней не приезжал, что, насколько им известно, у нее не было никаких врагов и никто не таил против нее злобу. Под конец они осведомились, правда ли то, что в защиту Джеймса Бентли подана петиция и что их будут просить подписать ее.

«Пока что я не достиг ничего, — говорил себе Пуаро. — Нигде нет ни единого проблеска. Я хорошо понимаю отчаяние суперинтенданта Спенса. Но ведь я — это другое дело. Спенс всего лишь хороший и исполнительный офицер, а я — Эркюль Пуаро! На меня должно снизойти откровение!»

Одна из его лакированных кожаных туфель попала в лужу, и Пуаро вздрогнул.

Конечно, он великий, неподражаемый Эркюль Пуаро, но он к тому же очень старый человек, которому очень жмут туфли.

Пуаро зашел на почту, занимавшую только правую часть здания. С левой стороны был выставлен богатый ассортимент товаров, включающий конфеты, бакалею, игрушки, скобяные изделия, канцелярские принадлежности, поздравительные открытки, шерсть для вязания и детское нижнее белье.

Пуаро отправился в отдел продажи марок.

Увидев его, к окошку быстро подошла женщина средних лет, с блестящими проницательными глазами.

«Здесь, — подумал Пуаро, — несомненно, сосредоточен мозг всей деревни Бродхинни».

Женщину звали миссис Суитимен, что к ней весьма подходило[1].

— Еще двенадцать пенсов, — сказала она, ловко извлекая марки из большой книги. — Всего четыре шиллинга и десять пенсов. Что-нибудь еще, сэр?

Миссис Суитимен остановила на нем нетерпеливый взгляд. Через дверь сзади виднелась голова девушки, жадно прислушивающейся к разговору. У нее были растрепанные волосы и, по-видимому, сильный насморк.

— Я чужой в этих местах, — торжественно объявил Пуаро.

— Вы приехали из Лондона, не так ли, сэр? — осведомилась миссис Суитимен.

— Думаю, что вам хорошо известно, по какому делу я прибыл сюда, — сказал Пуаро, слегка улыбнувшись.

— О нет, сэр, понятия не имею, — ответила миссис Суитимен, не проявляя особого интереса.

— Миссис Макгинти, — напомнил Пуаро.

Миссис Суитимен покачала головой:

---

[1] С у и т и (sweety) — милашка *(англ.)*.

— Ужасная история.

— Вы, наверное, хорошо ее знали?

— О да. Впрочем, как и все в Бродхинни. Мы часто беседовали, когда она приходила сюда за покупками. Да, это была страшная трагедия. К тому же я слышала, что дело еще не закончено.

— Да, кое у кого возникли сомнения в виновности Джеймса Бентли.

— Ну, — заметила миссис Суитимен, — полиции не впервой арестовывать не того, кого нужно, хотя я бы не сказала, что это произошло в данном случае. Никогда бы не подумала про него такого. Мне он казался робким, застенчивым парнем, но никак не опасным. Но кто знает...

Пуаро спросил почтовой бумаги.

— Пожалуйста, сэр. Только пройдите на другую сторону.

Миссис Суитимен быстро заняла место за прилавком с левой стороны.

— Трудно представить себе, кто мог сделать это, кроме мистера Бентли, — заметила она, протянув руку к верхней полке за бумагой и конвертами. — У нас иногда околачиваются вокруг разные подозрительные бродяги; может быть, кто-нибудь из них увидел незапертое окно и влез таким образом в дом. Но он бы не стал оставлять там деньги, верно? Ведь после убийства ему никак не удалось бы достать их оттуда. А ведь это были обычные фунтовые банкноты — никаких меток. Вот, сэр, отличная голубая бумага и конверты к ней в тон.

Пуаро заплатил за покупку.

— Миссис Макгинти никогда не говорила о том, что она боится кого-нибудь? — спросил он.

— Мне она этого не говорила. Она вообще не была нервной женщиной. Она иногда допоздна оставалась у мистера Карпентера, который живет в «Холмли» на вершине холма. У них часто обедают и ночуют гости, поэтому миссис Макгинти много раз ходила к ним по вечерам мыть посуду и потом в полной темноте спускалась вниз с холма домой. Я бы на такое никогда не решилась.

— Вы знаете ее племянницу, миссис Берч?

— Только здороваюсь с ней. Она и ее муж бывают здесь.

— Они унаследовали немного денег после смерти миссис Макгинти.

Проницательные темные глаза взглянули на него.

— О, но это вполне естественно, не так ли, сэр? Вы ведь не можете взять деньги с собой в могилу, и очень хорошо, если они достанутся вашей плоти и крови.

— Да, я вполне с вами согласен. Миссис Макгинти любила свою племянницу?

— По-моему, очень любила, сэр. Хотя это и не бросалось в глаза.

— А мужа племянницы?

По лицу миссис Суитимен скользнула еле заметная тень.

— Тоже, насколько я знаю.

— Когда вы видели миссис Макгинти в последний раз?

Миссис Суитимен задумалась, вспоминая.

— Дайте мне подумать... Когда же это было, Эдна?

Эдна, стоящая в дверном проеме, беспомощно засопела.

— В тот день, когда она умерла? Нет, за день или даже за два дня до этого... Да, это было в понедельник, а ее убили в среду. Она приходила купить бутылку чернил.

— Бутылку чернил?

— Очевидно, она хотела написать письмо, — заметила миссис Суитимен.

— Вполне возможно. И она держалась абсолютно естественно? В ней не было ничего необычного?

— Н-нет, пожалуй...

Сопящая Эдна внезапно вошла в магазин и вмешалась в разговор.

— Не нет, а да, — заявила она. — Она казалась чем-то довольной или, во всяком случае, возбужденной.

— Может быть, ты права, — согласилась миссис Суитимен. — Тогда я на это не обратила внимания, но теперь я вспомнила, что миссис Макгинти действительно была несколько возбуждена.

— Вы не помните, что она говорила в тот день?

— Обычно я такие вещи не запоминаю. Но ведь здесь другое дело — убийство, полиция и все прочее... Во всяком случае, о Джеймсе Бентли она ничего не говорила —

только о Карпентерах и о миссис Апуорд — у нее она тоже работала.

— О, я как раз собирался спросить у вас, у кого именно она здесь работала?

— По понедельникам и четвергам, — быстро ответила миссис Суитимен, — она ходила к миссис Саммерхейз в «Лонг-Медоус». Вы, кажется, там остановились?

— Да, — вздохнул Пуаро. — Полагаю, здесь больше остановиться негде?

— В Бродхинни негде. Вам, наверное, не слишком удобно в «Лонг-Медоус»? Миссис Саммерхейз славная леди, но она ничего не смыслит в домашнем хозяйстве, как и все женщины, которые возвращаются из-за границы. Миссис Макгинти говорила, что у них всегда страшный беспорядок. Да, в понедельник днем и в четверг утром она работала у миссис Саммерхейз, во вторник утром — у доктора Ренделла, а днем — у миссис Апуорд в «Лабернемс». По средам — у миссис Уэзерби в «Хантерс-Клоуз», а по пятницам — у миссис Селкерк — ныне она миссис Карпентер. Миссис Апуорд — пожилая леди, она живет со своим сыном. Правда, у них есть горничная, но она уже стареет, и миссис Макгинти обычно ходила туда раз в неделю прибираться. У мистера и миссис Уэзерби никогда не было постоянной прислуги — она почти полный инвалид. У мистера и миссис Карпентер очень красивый дом, и они часто устраивают приемы. Все они очень симпатичные люди.

Выслушав этот приговор населению Бродхинни, Пуаро снова вышел на улицу.

Он медленно зашагал вверх по холму, по направлению к «Лонг-Медоус», искренне надеясь, что бомбажная банка сардин и измазанные кровью бобы, съеденные за ленчем, не припасены для него в качестве ужина. Впрочем, там могли оказаться и другие бомбажные банки. Пребывание в «Лонг-Медоус» определенно таило в себе некоторую угрозу.

В целом сегодняшний день можно было назвать днем разочарований.

Что же он узнал?

Что у Джеймса Бентли был друг. Что ни у него, ни у миссис Макгинти не было никаких врагов. Что миссис

Макгинти за два дня до смерти выглядела возбужденной и купила бутылку чернил...

Пуаро остановился как вкопанный. Было ли это, наконец, долгожданным фактом — пусть даже малозначительным?

На его праздный вопрос, зачем миссис Макгинти понадобилась бутылка чернил, миссис Суитимен вполне серьезно ответила, что она, по-видимому, хотела написать письмо.

Значение этого факта едва не ускользнуло от Пуаро, так как ему, как и большинству людей, писание писем казалось обычным явлением.

Большинству, но не миссис Макгинти. Для нее это не было обычным и повседневным занятием, так как ей для этого понадобилось выйти и купить бутылку чернил.

Следовательно, миссис Макгинти крайне редко писала письма. И миссис Суитимен, будучи начальницей почтового отделения, была хорошо осведомлена об этом факте. И все же за два дня до смерти миссис Макгинти написала письмо. Кому же она его написала и зачем?

В принципе в этом могло не оказаться ничего важного. Возможно, она писала племяннице или какой-нибудь подруге. Абсурдно придавать такое значение обыкновенной бутылке чернил.

Но помимо бутылки чернил Пуаро ничем не располагал, и потому он решил отталкиваться от этого факта.

Глава 8

1

— Письмо? — Бесси Берч покачала головой. — Нет, я не получала от тети никакого письма. А о чем она должна была мне писать?

— Может быть, — предположил Пуаро, — она хотела что-то сообщить вам?

— Тетя редко писала письма. Вы же знаете, ей было под семьдесят лет, а в молодости она не очень-то много училась.

— Но читать и писать она умела?

— О, конечно. Читала, правда, она не слишком много, хотя ей нравилось просматривать «Ньюс оф зе уорлд» и «Санди комет». А писать ей было довольно трудновато. Если тетя хотела что-нибудь нам сообщить — например, отговорить нас от приезда к ней или, наоборот, сказать, что она не сможет к нам приехать, — то она обычно звонила мистеру Бенсону — аптекарю, который живет рядом с нами, а тот любезно сообщал нам. Так как мы живем в одном и том же районе, то разговор стоил всего два пенса, а телефон-автомат есть на почте в Бродхинни.

Пуаро кивнул, понимая, что лучше заплатить два пенса, чем два с половиной. Он уже хорошо представлял себе бережливость миссис Макгинти, которая, по-видимому, весьма любила деньги.

— Но все же, — продолжал он настаивать, — ваша тетя хоть иногда писала вам?

— Ну, открытки на Рождество.

— А может быть, у нее были друзья в других районах Англии, кому она писала?

— Я ничего об этом не знаю. У нее была невестка, но она умерла два года назад, и миссис Бердлип тоже умерла.

— Значит, если она и писала кому-то, то, вероятно, отвечая на полученное письмо?

На лице Бесси Берч снова отразилось сомнение.

— Не знаю, кто бы мог написать ей... А, конечно, — ее лицо внезапно просветлело, — наверное, опять правительство!

Пуаро вынужден был согласиться, что послания от учреждений, которые Бесси Берч не совсем точно охарактеризовала как «правительство», ныне стали обычным явлением.

— Пишут всякую чепуху, — продолжала миссис Берч. — Требуют заполнять какие-то анкеты, задают дурацкие вопросы, на которые приличным людям и отвечать противно!

— Значит, миссис Макгинти могла получить какое-то письмо от правительственного учреждения, на которое требовалось дать ответ?

— Если бы тетя получила такое письмо, она бы принесла его Джо. Он всегда помогал ей писать ответы, а ее это все только раздражало.

— Вы не помните, среди ее вещей были какие-нибудь письма?

— Точно не знаю. Если и были, то их сразу же забрала полиция. Когда они разрешили мне запаковать и забрать ее вещи, там уже не было никаких писем.

— Что же произошло с этими вещами?

— Здесь находится только вот этот комод красного дерева, гардероб наверху и несколько вещиц для кухни. Остальное мы продали, так как нам некуда было все это ставить.

— Я имею в виду ее личные вещи, — пояснил Пуаро. — Ну, например, щетки, гребенки, фотокарточки, туалетные принадлежности, одежда...

— Ах это! Ну, сказать вам правду, я упаковала их в чемодан, и он все еще стоит наверху. Не знаю, что с ними делать. Хотела снести одежду на рождественский базар, но забыла. А тащить вещи к старьевщику не хотелось.

— Интересно, мог бы я взглянуть на содержимое этого чемодана?

— Пожалуйста. Хотя я не думаю, чтобы вы нашли там что-нибудь интересное. Полиция ведь все просмотрела.

— О, я знаю. Но все же...

Миссис Берч тотчас проводила его в крохотную спальню, служившую, как показалось Пуаро, в основном для домашнего шитья.

— Вот здесь, — сказала она, выдвигая чемодан из-под кровати. — Простите, но я должна выйти — нужно следить за тушенкой.

Пуаро охотно извинил ее. Услышав, что миссис Берч спускается вниз, он придвинул к себе чемодан и открыл его.

В нос ему сразу же ударил запах нафталина.

С чувством жалости Пуаро начал извлекать из чемодана содержимое, столь красноречиво рассказывающее о жизни и характере покойной. Два шерстяных джемпера. Кофта и юбка. Чулки. Нижнего белья не было — очевидно, Бесси Берч взяла его себе. Две пары туфель,

55

завернутых в газету. Щетка и гребенка, не новые, но целые. Старое, отделанное серебром зеркало. Фотография в кожаной рамке, изображающая супружескую пару, одетую по моде тридцатилетней давности, — по-видимому, миссис Макгинти и ее мужа. Две почтовые открытки с видом Маргейта. Фарфоровая собака. Вырезанный из газеты рецепт для изготовления варенья из кабачков. Еще одна вырезка из газеты с сенсационной статьей о летающих тарелках. Третья вырезка содержала предсказания матушки Шиптон. Здесь же лежали Библия и требник.

Нигде не было ни сумочек, ни перчаток. Возможно, Бесси Берч также взяла их себе или отдала. Одежда, очевидно, оказалась маловатой для весьма полной Бесси. Миссис Макгинти была худощавой особой.

Пуаро развернул одну пару туфель. Они были хорошего качества и не слишком поношены, но для Бесси Берч, несомненно, тоже маловаты.

Он уже собирался аккуратно завернуть их снова, когда его взгляд упал на выходные данные газеты.

Это была «Санди комет» за 19 ноября.

Миссис Макгинти убили 22 ноября.

Следовательно, это была последняя воскресная газета, купленная миссис Макгинти в своей жизни. Она лежала у нее в комнате, и Бесси Берч воспользовалась ею, завернув в нее тетины туфли.

Воскресенье, 19 ноября. А в понедельник миссис Макгинти пошла на почту купить бутылку чернил...

Не был ли этот поступок вызван чем-то, прочитанным в воскресной газете?

Пуаро развернул другую пару туфель. Они были завернуты в «Ньюс оф зе уорлд» от того же числа.

Разгладив обе газеты, Пуаро сел на стул и начал просматривать их. Сразу же он сделал открытие: на одной из средних страниц «Санди комет» был вырезан прямоугольный кусок. Причем пространство было слишком велико для тех вырезок, которые он нашел в чемодане.

Пуаро просмотрел обе газеты, но больше не нашел ничего интересного. Он снова завернул в них туфли и аккуратно упаковал чемодан.

Затем он спустился вниз.

Миссис Берч возилась в кухне.

— Ну как, нашли что-нибудь? — спросила она.

— Увы, нет. Кстати, — небрежно добавил Пуаро, — вы не помните, не было ли в кошельке или сумочке вашей тети газетной вырезки?

— По-моему, нет. Возможно, ее взяла полиция.

Но полиция не взяла ее. Это Пуаро знал, благодаря изучению заметок суперинтенданта Спенса. Был составлен перечень содержимого сумочки убитой, но газетной вырезки в нем не значилось.

«Eh bien[1], — подумал Пуаро. — Следующий шаг абсолютно ясен. Либо меня снова постигнет неудача, либо наконец успех».

2

Глядя на лежащие перед ним пыльные подшивки газет, Пуаро поздравил себя с тем, что его убежденность в важном значении бутылки чернил не обманула его.

«Санди комет» публиковала серию романтических драматизаций событий прошлого. Пуаро рассматривал воскресный выпуск за 19 ноября.

Наверху средней страницы крупным шрифтом были напечатаны следующие слова:

«ЖЕНЩИНЫ — ЖЕРТВЫ МИНУВШИХ ТРАГЕДИЙ.
ГДЕ ЭТИ ЖЕНЩИНЫ ТЕПЕРЬ?»

Ниже заголовка были помещены четыре весьма расплывчатые фотографии, сделанные, очевидно, много лет назад.

В изображенных на фотографиях женщинах не было ничего трагического. Они выглядели довольно нелепо, благодаря старомодной одежде, — как известно, нет ничего более нелепого, чем моды минувших дней, хотя лет через тридцать они снова могут показаться очаровательными.

Под каждым фото стояло имя.

---

[1] Ну что ж *(фр.)*.

«Ева Кейн — «другая женщина» в знаменитом деле Крейга».

Дженис Кортленд — несчастная женщина, чей муж был дьяволом в человеческом облике.

Маленькая Лили Гэмболл — трагическое порождение нашего века.

Вера Блейк — женщина, не подозревавшая о том, что ее муж — убийца».

Далее следовал вопрос, снова напечатанный заглавными буквами.

«ГДЕ ЭТИ ЖЕНЩИНЫ ТЕПЕРЬ?»

Прищурившись, Пуаро принялся за подробное чтение биографий этих таинственных представительниц рода человеческого, написанных в стиле романтической прозы.

Он помнил, что имя Евы Кейн из дела Крейга в свое время было достаточно знаменитым. Альфред Крейг работал в свое время секретарем городской корпорации Парминстера. Это был усердный и невзрачный маленький человечек, вежливый и приятный в обращении, имевший несчастье жениться на чересчур темпераментной и весьма надоедливой особе. Миссис Крейг вытягивала деньги у мужа так, что ему пришлось влезть в долги, постоянно изводила его и к тому же страдала от нервных заболеваний, которые недоброжелатели считали воображаемыми. Ева Кейн — молодая гувернантка Крейгов — была девятнадцатилетней хорошенькой, но весьма наивной и беспомощной девушкой. Они с Крейгом безумно полюбили друг друга. В один прекрасный день соседи узнали, что миссис Крейг послали за границу по состоянию здоровья. По сообщению Крейга, он отвез ее поздно вечером на машине в Лондон и отправил на юг Франции. Затем он вернулся в Парминстер и время от времени упоминал, что, судя по письмам жены, ее здоровье не улучшалось. Ева Кейн осталась вести домашнее хозяйство, что вскоре вызвало толки. Наконец Крейг получил из-за границы извещение о смерти жены. Он уехал и вернулся неделю спустя, дав полный отчет о похоронах.

В известной степени Крейг оказался порядочным простофилей. Он сделал большую ошибку, упомянув место, где умерла его жена, — довольно известный курорт на французской Ривьере. Разумеется, кто-то, имевший там друга или родственника, написал ему и в ответ узнал, что там никогда не было ни смерти, ни похорон этой женщины. После того как сплетни разрослись, он связался с полицией.

Последующие события можно изложить кратко.

Миссис Крейг не уезжала на Ривьеру. Она была разрезана на несколько кусков и похоронена в подвале Крейга. Вскрытие показало отравление растительным алкалоидом.

Крейга арестовали и отдали под суд. Ева Кейн вначале была обвинена в соучастии, но потом обвинение было снято, так как выяснилось, что она понятия не имела о происшедшем. Крейг под конец во всем сознался, его приговорили к смерти и казнили.

Ева Кейн, ожидавшая ребенка, покинула Парминстер, и, по словам «Санди комет», «сострадательные родственники в Новом Свете предложили ей кров. Изменив имя, несчастная молодая девушка, вследствие своей доверчивости соблазненная хладнокровным убийцей, навсегда оставила эти места, начала новую жизнь и тщательно скрывает от своей дочери имя ее отца.

«Пусть моя дочь растет счастливой, не ведая ни о чем. Я поклялась, что ее имя не будет запятнано ужасным прошлым. Мои трагические воспоминания останутся мне одной!»

Бедная Ева Кейн! Узнать такой молодой мужскую низость и подлость! Где она теперь? Может быть, где-то далеко на западе живет пожилая женщина, спокойная и всеми уважаемая, но всегда с печальными глазами... И вместе с ней молодая женщина, счастливая и веселая, возможно, уже имеющая своих детей, приходящих поверять ей все свои мелкие неприятности, которая не имеет представления о том, какие страдания пришлось пережить ее матери!»

— О-ля-ля! — вздохнул Эркюль Пуаро и перешел к следующей жертве.

Дженис Кортленд, несомненно, была несчастна со своим мужем. Его странные привычки, охарактеризо-

59

ванные весьма туманно, очевидно с целью возбудить любопытство, причиняли ей страдания в течение восьми лет. «Восьми лет мучений», как назвала их «Санди комет». Потом у Дженис появился друг — молодой идеалист, несколько не от мира сего. Однажды, приведенный в ужас супружеской сценой, свидетелем которой он случайно оказался, сей молодой человек набросился на мужа с такой яростью, что в результате тот проломил себе череп, ударившись о мраморную облицовку камина. Присяжные пришли к выводу, что имела место сильная провокация и что юноша не имел намерения убивать, поэтому его приговорили к пяти годам за непредумышленное убийство.

Страдающая Дженис, напуганная рекламой, которую ей создало это дело, уехала за границу, чтобы все забыть.

«Позабыла ли она? — вопрошала «Санди комет». — Надеемся, что да. Где-то, возможно, живет счастливая жена и мать, которой эти годы страданий кажутся теперь только кошмарным сном...»

— Ну и ну, — заметил Эркюль Пуаро и перешел к «маленькой Лили Гэмболл — трагическому порождению нашего века».

Казалось, Лили Гэмболл была надежно защищена от дурных воздействий своего века. Тетя взяла на себя ответственность за ее воспитание. Однажды Лили захотела пойти в кино, а тетя ответила «нет». Тогда Лили схватила лежавший на столе нож для мяса и ловко ударила им тетю по голове. Тетя, несмотря на всю свою властность, была маленькой и хилой, а Лили для своих двенадцати лет — физически развитой мускулистой девочкой. Удар убил несчастную женщину, и Лили исчезла за стенами школы для малолетних преступников.

«Но теперь она — женщина, — говорилось в «Санди комет», — снова вышла на свободу и заняла место среди нас. Ее поведение во время заключения и условного освобождения на поруки было образцовым. Не свидетельствует ли это о том, что мы должны обвинять не ребенка, а систему? Воспитанная в трущобах, среди невежества, маленькая Лили пала жертвой своего окружения.

Надеемся, что теперь, искупив свою вину, она живет счастливо, став хорошей гражданкой, женой и матерью. Бедная, маленькая Лили Гэмболл!»

Пуаро покачал головой. Двенадцатилетний ребенок, убивший свою тетю ножом, не казался ему особенно приятным. В этом деле его симпатии были на стороне тети.

Он перешел к Вере Блейк.

Вера Блейк, очевидно, принадлежала к тем женщинам, у которых все не ладится. Сперва она сошлась с одним юношей, который оказался гангстером, разыскиваемым полицией за убийство банковского сторожа. Потом она вышла замуж за почтенного торговца, на деле занимавшегося скупкой краденого. Ее двое детей также привлекли внимание полиции. Они ходили с мамой по универмагам и понемногу преуспевали в магазинных кражах. Наконец на сцене появился «порядочный человек», который предложил несчастной Вере поселиться в одном из доминионов. В итоге она и ее дети покинули страну.

«Их ожидала новая жизнь, — писала «Санди комет». — После многолетних ударов судьбы страдания Веры наконец кончились».

— Боюсь, — скептически заметил Пуаро, — что «порядочный человек» окажется грабителем, работающим на лайнерах!

Откинувшись назад, он начал рассматривать четыре фотографии. Ева Кейн, с взъерошенными кудрями и в шляпе чудовищных размеров, держала около уха букет роз, словно телефонную трубку. У Дженис Кортленд были шляпа-«колокол», съехавшая на уши, и широкий пояс вокруг бедер. Лили Гэмболл выглядела обычным ребенком с открытым ртом, видимо вследствие аденоид, и глазами, спрятанными за толстыми стеклами очков. Вера Блейк была сфотографирована в настолько трагической позе, что разглядеть черты ее лица не представлялось никакой возможности.

По какой-то причине миссис Макгинти вырезала эту статью. По какой же? Только потому, что эти истории заинтересовали ее? Пуаро в этом сомневался. Из полицейской описи имущества миссис Макгинти он знал, что, прожив шестьдесят с лишним лет, она хранила у себя очень мало вещей.

Вырезав статью в воскресенье, миссис Макгинти в понедельник купила бутылку чернил, по-видимому, для того, чтобы написать письмо, хотя раньше она почти не писала писем. Если бы это было деловое письмо, то она бы попросила Джо Берча помочь ей. Следовательно, это предположение отпадает. Что же было в письме?

Взгляд Пуаро снова скользнул по четырем фотографиям.

«Где эти женщины теперь?» — вопрошала «Санди комет».

«Очень может быть, — подумал Пуаро, — что одна из них в прошлом ноябре была в Бродхинни».

3

На следующий день у Пуаро произошла встреча tête à tête[1] с мисс Памелой Хорсфолл.

Последняя не могла уделить ему много времени, так как, по ее словам, собиралась уезжать в Шеффилд.

Мисс Хорсфолл была высокой, мужеподобной дамой, которая, судя по всему, злоупотребляла курением и спиртными напитками. Глядя на нее, невозможно было себе представить, что эта приторно-сентиментальная статья в «Санди комет» принадлежит ее перу. И тем не менее это было так.

— Ну, давайте, — нетерпеливо проговорила она. — Мне нужно уезжать.

— Я по поводу вашей статьи в «Санди комет» за прошлый ноябрь — из серии статей о женщинах — жертвах трагедий.

— Ах это! Довольно вшивая серия, верно?

Пуаро не стал выражать свое мнение по этому вопросу.

— Особенно меня интересует статья в газете за 19 ноября — о женщинах, замешанных в преступлениях. В ней

---

[1] Наедине *(фр.)*.

говорилось о Еве Кейн, Вере Блейк, Дженис Кортленд и Лили Гэмболл.

Мисс Хорсфолл усмехнулась:

— «Где эти женщины теперь?» Припоминаю.

— Полагаю, что вы иногда получаете письма после появления таких статей?

— Еще как! Можно подумать, что авторам этих писем делать нечего. Одна как-то видела убийцу Крейга, идущего по улице. Другая хотела бы поведать мне «историю своей жизни, которая гораздо более трагическая, чем можно себе представить».

— А после появления этой статьи вы не получали письма от миссис Макгинти из Бродхинни?

— Дорогой мой, откуда я знаю? Я получаю пачки писем. Разве я могу помнить каждого их автора?

— Я думал, что вы сможете вспомнить, — сказал Пуаро, — потому что несколько дней назад миссис Макгинти была убита.

— Как вы сказали? — Забыв о том, что она спешит в Шеффилд, мисс Хорсфолл уселась верхом на стул. — Макгинти... Макгинти... Я помню это имя. Ее пристукнул жилец. Не слишком интересное преступление с точки зрения публики. Ни капли секса. Вы говорите, эта женщина написала мне?

— Думаю, что она написала в «Санди комет».

— Это не имеет значения. Письмо все равно переслали бы ко мне. Да, я должна вспомнить — ведь ее имя упоминалось в сводке новостей... Постойте! Письмо было, но оно пришло не из Бродхинни, а из Бродвея.

— Значит, вы припоминаете?

— Ну, я не уверена. Мне помнится фамилия — Макгинти — смешная, правда? Да, письмо было, и притом написанное ужасным почерком и совершенно безграмотное. Но я уверена, что оно пришло из Бродвея.

— Вы же сами говорите, что почерк был плохой, — заметил Пуаро, — а слова «Бродхинни» и «Бродвей» выглядят похоже.

— Да, может быть и так. В конце концов, просто невозможно разобраться в этих нелепых деревенских названиях. Макгинти... да, теперь я отчетливо помню. Наверное, благодаря убийству.

— А вы не могли бы припомнить, что говорилось в этом письме?

— Что-то о фотографиях. Она знала, где была такая же фотография, как в газете, и спрашивала, заплатим ли мы ей за это и сколько.

— И что вы ответили?

— Дорогой мой, зачем нам это нужно? Мы послали ей стандартный ответ. Вежливая благодарность — и только. Но так как мы отправили его в Бродвей, то она вряд ли его получила.

«Она знала, где была фотография...»

В голове Пуаро мелькнуло воспоминание. Беспечный голос Морин Саммерхейз, говорящий: «Конечно, она немного любила совать нос в чужие дела».

Да, миссис Макгинти, несомненно, это любила. Она была честной, но весьма любопытной — ей хотелось побольше знать обо всем. А многие люди подолгу хранят разные мелочи — либо по сентиментальным причинам, либо просто забывая о них.

Миссис Макгинти увидела старую фотографию и позже узнала ее в «Санди комет». Ее заинтересовало, нельзя ли получить за это деньги...

Пуаро быстро поднялся:

— Благодарю вас, мисс Хорсфолл. Простите, но были ли опубликованные вами сведения абсолютно точными? Например, я заметил, что дата суда над Крейгом указана неправильно. Это произошло на год позже. Далее: мужа миссис Кортленд, по-моему, звали Херберт, а не Хьюберт. Тетя Лили Гэмболл жила в Бакингемшире, а не в Беркшире.

Мисс Хорсфолл взмахнула сигаретой:

— Дорогой мой, о точности не может быть и речи. Все это романтический бред от начала до конца. Я только немного подзубрила факты и, приукрасив, выпустила их на вольный воздух.

— Значит, и характеры ваших героинь, возможно, тоже не вполне соответствуют действительности?

Памела издала звук, напоминающий лошадиное ржание:

— А вы как думали? Конечно не соответствуют. Я сомневаюсь, что Ева Кейн была обычной маленькой сучкой, а вовсе не оскорбленной невинностью. А что касается Дженис Кортленд, то, как по-вашему, почему она молча страдала восемь лет, живя с извращенцем и садистом мужем? Потому, что у него были деньги, а у ее юного друга их не было.

— А несчастный ребенок, Лили Гэмболл?

— Не хотела бы я, чтобы она неподалеку от меня играла с ножом для мяса.

— В вашей статье говорилось, что они уехали за границу, в Новый Свет, в доминионы, чтобы начать новую жизнь. Но ничего не доказывает, что они впоследствии не возвратились в эту страну?

— Ничего, — согласилась мисс Хорсфолл. — А теперь мне пора бежать.

В тот же вечер Пуаро позвонил Спенсу.

— Как ваши дела, Пуаро? — осведомился суперинтендант. — Есть какие-нибудь успехи?

— Я навел справки, — отозвался Пуаро.

— Ну?

— И вот их результат. Все обитатели Бродхинни очень симпатичные люди.

— Что вы имеете в виду, мсье Пуаро?

— Подумайте, друг мой. «Очень симпатичные люди». И тем не менее у кого-то из них нашелся мотив для убийства.

Глава 9

1

— Все они очень симпатичные люди, — пробормотал Пуаро, сворачивая в калитку «Кроссуэйз», неподалеку от станции.

Медная табличка на дверном косяке извещала, что здесь проживает доктор Ренделл.

Доктор оказался полным веселым человеком лет сорока. Он приветствовал гостя с должным empressement[1].

---

[1] Усердие (фр.).

— Наша спокойная маленькая деревушка удостоилась посещения великого Эркюля Пуаро, — сказал он.

— Следовательно, — осведомился весьма польщенный Пуаро, — вы слышали обо мне?

— Ну разумеется. Кто же не слышал о вас?

Ответить на это — означало нанести ущерб чувству собственного достоинства Пуаро. Поэтому он ограничился вежливой фразой:

— Мне повезло, что я застал вас дома.

На самом деле это являлось результатом не везения, а тонкого расчета времени. Но доктор Ренделл простодушно ответил:

— Да, это верно. Я постоянно занят. Ну, чем могу быть вам полезен? Я жажду узнать, что привело вас сюда. Состояние здоровья? Или в наших краях произошло преступление?

— Произошло, но не сейчас.

— Не сейчас? Не помню...

— Миссис Макгинти.

— Ах да. Я и забыл. Но неужели вы занимаетесь этим делом? Ведь прошло столько времени...

— Говоря по секрету, я нанят защитой. Появились свежие улики, на которых будет основана апелляция.

— Какие еще свежие улики? — резко спросил доктор Ренделл.

— Это, увы, я не вправе сообщить вам.

— О, ради Бога, простите.

— Но я столкнулся с вещами, которые кажутся весьма любопытными и... как бы это получше выразиться?.. наводящими на размышления. Я пришел к вам, доктор Ренделл, потому что, насколько я понял, миссис Макгинти иногда работала у вас.

— Да, это верно... Что вы будете пить? Шерри или виски. Предпочитаете шерри? Я тоже.

Принеся два бокала, доктор Ренделл уселся рядом с Пуаро и продолжал:

— Она обычно приходила раз в неделю делать кое-какую дополнительную уборку. У нас есть великолепная экономка, но когда дело доходит до мытья пола в кухне, то нашей миссис Скотт не особенно нравится ползать на коленях. А миссис Макгинти это удавалось значительно лучше.

— Вы считали ее правдивой женщиной?

— Правдивой? Странный вопрос! У меня не было возможности в этом удостовериться. Но, насколько я мог судить, она была вполне правдивой.

— Следовательно, если она кому-то о чем-то сообщила, то, по-вашему, ее сообщению можно было верить?

Доктор Ренделл казался сбитым с толку.

— Вообще-то я не могу в этом ручаться — я слишком мало ее знал. Можно спросить миссис Скотт — ей это наверняка лучше известно.

— Нет-нет, лучше этого не делать.

— Вы возбуждаете мое любопытство, — добродушно заметил доктор Ренделл. — Что же миссис Макгинти должна была сообщить? Какую-нибудь клевету?

Пуаро покачал головой.

— Понимаете, — сказал он, — в настоящее время все это не подлежит разглашению. Я ведь только начал расследование.

— И вам приходится спешить, не так ли? — довольно сухо осведомился доктор Ренделл.

— Вы правы. У меня не так много времени.

— Должен сказать, что вы удивили меня. Мы здесь все были абсолютно уверены, что это дело рук Бентли. Ни у кого не было никаких сомнений.

— И вам это казалось обычным грязным преступлением, в котором нет ничего интересного, — вы это имели в виду?

— Совершенно справедливо.

— Вы знали Джеймса Бентли?

— Он дважды приходил ко мне, так как нервничал из-за своего здоровья. По-моему, его чересчур избаловала мать. Впрочем, это бывает сплошь и рядом. В нашей деревушке есть точно такой же случай.

— В самом деле?

— Да. Миссис Апуорд — Лора Апуорд. Она обожает своего сына, хотя и держит его под каблуком. Он умный парень, хотя, между нами говоря, не настолько умный, как мнит о себе, но все-таки, безусловно, талантливый. Наш Робин — многообещающий драматург.

— Они давно живут здесь?

— Три или четыре года. В Бродхинни никто не живет очень давно. Раньше деревня состояла только из нескольких коттеджей, группировавшихся вокруг «Лонг-Медоус». Вы, кажется, там остановились?

— Да, — ответил Пуаро без особого восторга.

— Прямо настоящая гостиница, — рассмеялся доктор Ренделл. — А ведь эта женщина ровным счетом ничего не знает о ведении хозяйства в гостиницах. Всю свою замужнюю жизнь она прожила в Индии, окруженная слугами. Держу пари, что вам там не очень удобно. Никто у них подолгу не задерживается. Что же касается бедняги Саммерхейза, то у него ничего не выйдет из этого выращивания овощей для продажи, которым он пробует заниматься. Он славный парень, но ничего не смыслит в коммерции, а без этого в наши дни невозможно удержаться на плаву. По-вашему, я исцеляю больных? Вовсе нет — я просто мастерски выписываю рецепты и справки. А в общем, мне нравятся Саммерхейзы. Она очаровательное существо, а он, хотя и дьявольски вспыльчив, все-таки из старой гвардии. Так сказать, парень из верхнего ящика. А если бы вы знали старого полковника Саммерхейза — это был настоящий бурбон, и притом чертовски гордый.

— Вы имеете в виду отца майора Саммерхейза?

— Да. Он умер, почти не оставив денег, да и налог на наследство тоже здорово по ним ударил, но они твердо решили держаться старого дома. Прямо не знаешь, то ли восхищаться ими, то ли в глаза назвать идиотами.

Доктор посмотрел на часы.

— Я, должно быть, задерживаю вас, — предположил Пуаро.

— У меня есть еще несколько минут. Кроме того, я хотел бы представить вас жене. Понятия не имею, куда она девалась. Она очень заинтересовалась, узнав, что вы приехали сюда. Мы ведь оба любим читать о преступлениях.

— Какую же литературу по этому предмету вы предпочитаете — труды по криминалистике, детективные романы или воскресные газеты? — улыбаясь, спросил Пуаро.

— И ту, и другую, и третью.

— И вы снисходите даже до «Санди комет»?

Ренделл рассмеялся:

— Во что бы превратилось без нее воскресенье?

— Примерно пять месяцев назад там было напечатано несколько интересных статей. В частности, одна из них, о традициях в жизни женщин, замешанных в убийствах.

— Да, припоминаю. Вообще-то это порядочная чушь.

— Вы так полагаете?

— Ну, о деле Крейга я только читал, но что касается Дженис Кортленд, то могу вас уверить, что она вовсе не была трагической жертвой обстоятельств. Я знаю это, потому что мой дядя лечил ее мужа. Он был, конечно, порядочной дрянью, но его жена немногим лучше. Несомненно, она подстрекала к убийству этого несчастного парня. В результате он угодил в тюрьму, а она, оставшись богатой вдовой, снова вышла замуж.

— «Санди комет» об этом не упоминала. Вы не помните, кто ее второй муж?

Ренделл покачал головой:

— Не думаю, чтобы я когда-нибудь слышал его имя, но кто-то говорил мне, что она вышла замуж весьма удачно.

— Читая эту статью, интересуешься, где эта женщина теперь, — задумчиво произнес Пуаро.

— Вполне возможно, что кто-нибудь из нас столкнулся с одной из них на вечеринке на прошлой неделе. Держу пари, что все они молчат о своем прошлом. А по этим фотографиям их, безусловно, невозможно узнать. Они, должно быть, ничем не отличаются от других.

Часы начали бить, и Пуаро поднялся:

— Не буду больше вас задерживать. Вы были чрезвычайно любезны.

— Не думаю, что я чем-нибудь помог вам. В конце концов, мужчины редко имеют дело с прислугой. Но подождите еще немного — жена мне никогда не простит, если вы уйдете, не повидавшись с ней.

Он вышел в холл, пригласив туда же и Пуаро, и громко позвал:

— Шила! Шила!

Сверху послышался отклик.

— Иди сюда, — продолжал звать доктор. — У меня есть для тебя кое-что интересное.

Худая бледная блондинка быстро спустилась с лестницы.

— Это мсье Эркюль Пуаро, Шила. Что ты на это скажешь?

— О! — Миссис Ренделл, казалось, онемела. Ее светло-голубые глаза с тревогой смотрели на Пуаро.

— Мадам, — промолвил Пуаро, склонившись над ее рукой в своей подчеркнуто иностранной манере.

— Мы слышали, что вы здесь, — сказала Шила Ренделл. — Но мы не знали... — Она внезапно замолчала, бросив быстрый взгляд на мужа.

«Действует только по его указке», — подумал Пуаро. Произнеся несколько цветистых фраз, он откланялся.

Да, любопытное впечатление произвел на него столь добродушный доктор Ренделл и его молчаливая, чем-то встревоженная жена, у которых миссис Макгинти работала утром по вторникам.

2

«Хантерс-Клоуз» оказался солидным строением викторианской эпохи, к которому вела длинная аллея, заросшая сорной травой. Видимо, первоначально он не был задуман как большой дом, но теперь он разросся достаточно для того, чтобы причинять неудобства в хозяйстве.

Пуаро осведомился о миссис Уэзерби у молодой прислуги-иностранки, открывшей ему дверь.

— Войдите, пожалуйста, — сказала женщина. — Я не знаю, дома ли миссис Уэзерби. Надо спросить у миссис Хендерсон.

Она оставила Пуаро в холле, который, говоря словами агентов по продаже домов, был «полностью меблирован» различными антикварными изделиями со всех концов света, видимо нуждавшимися в чистке.

Вернувшись, девушка пригласила Пуаро в маленькую прохладную комнату с письменным столом. На каминной доске стоял весьма зловещего вида модный кофейник с загнутым носиком, напоминавший огромный крючковатый нос.

Сзади открылась дверь, и в комнату вошла девушка.

— Моя мать прилегла отдохнуть, — сказала она. — Не могу ли я заменить ее?

— Вы мисс Уэзерби?

— Хендерсон. Мистер Уэзерби — мой отчим.

Это была довольно некрасивая девушка лет тридцати, большая и неуклюжая, с настороженным взглядом.

— Я хотел бы услышать, что вы можете рассказать мне о миссис Макгинти, которая иногда работала здесь.

Мисс Хендерсон уставилась на него:

— Миссис Макгинти? Но она умерла.

— Я знаю это, — мягко заметил Пуаро. — И тем не менее я хотел бы услышать о ней.

— Вы по поводу страхования?

— Вовсе нет. Дело в том, что появились кое-какие новые доказательства.

— Новые доказательства? Вы имеете в виду доказательства, проливающие свет на ее смерть?

— Я нанят защитой, — объяснил Пуаро, — с целью провести расследование в пользу Джеймса Бентли.

— Но разве не он убил ее? — спросила девушка, все еще глядя на Пуаро.

— Присяжные решили, что он. Но присяжные иногда ошибаются.

— Значит, на самом деле ее убил кто-то другой?

— Вполне возможно.

— Кто же? — резко спросила она.

— Это еще предстоит выяснить.

— Но я не понимаю...

— Не могли бы вы мне рассказать что-нибудь о миссис Макгинти?

— Ну, вообще-то могла бы, — неохотно промолвила девушка. — Что вы хотите знать?

— Во-первых, что вы о ней думали?

— Ничего особенного. Она была такая же, как все.

— Разговорчивая или молчаливая? Любопытная или замкнутая? Добродушная или угрюмая? Одним словом, симпатичная женщина или не слишком?

71

Мисс Хендерсон задумалась.

— Она работала хорошо, но чересчур много болтала. Иногда она говорила довольно забавные вещи... но мне она не очень нравилась.

Дверь открылась, и вошла иностранная служанка.

— Мисс Дейрдре, ваша мать сказала: «Пожалуйста, просите», — сообщила она.

— Мама хочет, чтобы я провела этого джентльмена к ней наверх?

— Да, пожалуйста.

Дейрдре Хендерсон с сомнением поглядела на Пуаро:

— Вы подниметесь к моей матери?

— Ну разумеется.

Дейрдре направилась через холл вверх по лестнице, по дороге весьма неуместно заметив:

— От этих иностранцев так устаешь.

Так как она, несомненно, имела в виду прислугу, а не гостя, то Пуаро не обиделся. Он только подумал, что Дейрдре Хендерсон кажется довольно простодушной девушкой — простодушной до неловкости.

Комната наверху была забита безделушками. Это была комната женщины, которая много путешествовала и считала своим долгом отовсюду привозить сувениры. Большинство этих сувениров были специально изготовлены для доверчивых туристов. Кроме того, в комнате было слишком много диванов, столов, стульев и драпировок (а следовательно, слишком мало воздуха). Посреди всего этого великолепия пребывала сама миссис Уэзерби.

В огромных размеров комнате миссис Уэзерби производила впечатление трогательной, маленькой женщины. На самом деле она была гораздо выше, чем казалась.

Миссис Уэзерби удобно устроилась на диване, поместив рядом с собой несколько книг, вязанье, стакан апельсинового сока и коробку конфет.

— Простите, что я не встаю, — быстро сказала она, — но врачи настаивают на моем каждодневном отдыхе, и все меня ругают, если я не выполняю их распоряжений.

Пуаро взял протянутую руку и почтительно склонился над ней, бормоча что-то почтительное.

Сзади послышался голос бескомпромиссной Дейрдре:

— Он хочет узнать о миссис Макгинти.

Нежная ручка, бесстрастно лежавшая в руке Пуаро, на момент показалась ему не куском дрезденского фарфора, а острым и хищным когтем или птичьим клювом.

— Что за глупости, Дейрдре, дорогая, — слегка улыбнувшись, сказала миссис Уэзерби. — Что это еще за миссис Макгинти?

— О, мама! Как ты не помнишь? Она же работала у нас, пока ее не убили.

Миссис Уэзерби закрыла глаза и вздрогнула:

— Не надо, милая. Все это было так ужасно. Я потом несколько недель не могла прийти в себя. Бедная старуха, как глупо было держать деньги под полом. Она должна была положить их в банк. Конечно, я помню эту историю — только забыла имя.

— Он хочет узнать о ней, — вяло повторила девушка.

— Садитесь, мсье Пуаро. Я вне себя от любопытства. Миссис Ренделл только что позвонила мне и сказала, что к нам приехал знаменитый криминалист. А когда эта глупая Фрида описала мне внешность гостя, я поняла, что это вы, и попросила вас подняться наверх. Теперь сообщите мне причину вашего визита.

— Как сказала ваша дочь, я хочу узнать о миссис Макгинти. Насколько я понял, она работала у вас по средам. Умерла она тоже в среду. Значит, она была у вас в день своей смерти?

— Думаю, что да. Хотя я точно не помню — ведь это было так давно.

— Да, несколько месяцев назад. В тот день она не говорила вам ничего особенного?

— Люди такого типа всегда много говорят, — с отвращением сказала миссис Уэзерби. — Обычно к ним не прислушиваешься. Как бы то ни было, ведь не могла же она сообщить мне, что ее ограбят и убьют сегодня вечером?

— Возможно, это причина и следствие, — заметил Пуаро.

Миссис Уэзерби наморщила лоб:

— Не понимаю, что вы имеете в виду.

— Возможно, я сам еще не вполне понимаю. Иногда одно слово может рассеять темноту... Вы получаете воскресные газеты, миссис Уэзерби?

Голубые глаза женщины широко открылись.

— Да, конечно. Мы получаем «Обсервер» и «Санди таймс». А что?

— Просто интересно. Миссис Макгинти, например, получала «Санди комет» и «Ньюс оф зе уорлд».

Он сделал паузу, но обе женщины молчали. Миссис Уэзерби вздохнула и полузакрыла глаза.

— Весьма печальная история, — заговорила она. — Этот ужасный жилец... Думаю, что он был не в своем уме. Как будто он образованный человек. Впрочем, это еще хуже.

— Вы полагаете?

— Конечно. Такое жестокое преступление. Ножом для мяса — бр-р!..

— Полиция не нашла оружия, — заметил Пуаро.

— Он, наверное, выбросил его в пруд.

— Они прочищали дно пруда, — вмешалась Дейрдре. — Я сама видела.

— Дорогая, не нужно! — вздохнула ее мать. — Ты же знаешь, как я ненавижу думать о таких вещах. У меня просто раскалывается голова.

Внезапно девушка повернулась к Пуаро.

— Прекратите этот разговор, — потребовала она. — Маме от него плохо. Она настолько впечатлительная, что даже не может читать детективных романов.

— Приношу свои извинения, — сказал Пуаро, поднявшись. — Правда, у меня есть оправдание. Этого человека должны повесить через три недели, и если он не виновен...

Миссис Уэзерби приподнялась на локте. Ее голос стал пронзительным.

— Конечно, он виновен! — закричала она.

Пуаро покачал головой:

— Я в этом не так уверен.

Он быстро вышел и стал спускаться по лестнице. Поспешившая за ним девушка догнала его в холле.

— Что это значит? — спросила она.

— Только то, что я сказал, мадемуазель.

— Да, но... — Она умолкла.

Пуаро ничего не говорил.

— Вы расстроили мою мать, — медленно произнесла Дейрдре Хендерсон. — Она ненавидит такие вещи — грабежи, убийства, насилие...

— Следовательно, для нее было тяжелым ударом, когда ее прислугу убили?

— О да, конечно... Она просто не могла слышать об этом. Я... Мы стараемся щадить ее чувства.

— Как же она пережила войну?

— К счастью, у нас не упало ни одной бомбы.

— А чем вы занимались во время войны, мадемуазель?

— Работала в добровольном медицинском объединении в Килчестере, водила машину для женской добровольной службы. Я не могла покинуть дом, так как мама нуждалась во мне. Она возражала даже против моих отлучек. Да, это было трудное время. К тому же постоянная возня со слугами — ведь мама, естественно, никогда не делала никакой работы по дому: она очень слаба. А слуг найти нелегко. Вот почему миссис Макгинти казалась нам сокровищем. Она действительно хорошо работала, хотя тоже ничего похожего на довоенную прислугу.

— И вас это очень огорчало, мадемуазель?

— Меня? Вовсе нет. — Она показалась удивленной. — Но мама — другое дело. Она уже давно живет прошлым.

— Как и многие другие, — заметил Пуаро, вспоминая комнату, которую он только что покинул. Там стояло бюро с наполовину выдвинутым ящиком, до отказа набитым разнообразным хламом: шелковая подушечка для булавок, сломанный веер, серебряный кофейник, несколько старых журналов. Ящик был настолько переполнен, что не мог закрыться. — Все эти люди, — мягко продолжал Пуаро, — хранят вещи в память о прошлых днях — программы балов, веера, фотографии старых друзей, даже ресторанное меню и театральные программки — потому что, когда они смотрят на эти вещи, прошлое оживает.

— Вы правы, — сказала Дейрдре. — Я не могу этого понять. Сама я ничего не храню.

— Вы живете завтрашним, а не вчерашним днем, не так ли?

— Не знаю, — медленно промолвила Дейрдре. — Обычно мне достаточно сегодняшнего.

Парадная дверь открылась, и в холл вошел высокий и худощавый пожилой мужчина. Увидев Пуаро, он остановился как вкопанный, бросив взгляд на Дейрдре, и его брови вопрошающе поднялись.

— Это мой отчим, — сказала Дейрдре. — Я... Я не знаю вашего имени.

— Я Эркюль Пуаро, — объявил Пуаро таким тоном, как будто произнес королевский титул.

Мистер Уэзерби оставался бесстрастным. Он только сказал: «А!» — и повернулся, чтобы повесить шляпу.

— Он пришел расспросить о миссис Макгинти, — пояснила Дейрдре.

Несколько секунд мистер Уэзерби не двигался с места, потом повесил пальто на крючок.

— Весьма любопытно, — заметил он. — Но эта женщина умерла несколько месяцев назад, и, хотя она работала здесь, у нас нет никаких сведений о ней или ее семье. А если бы они у нас были, то мы бы сообщили в полицию. — Окончив фразу, мистер Уэзерби посмотрел на часы. — Надеюсь, ленч будет готов через пятнадцать минут?

— Боюсь, что сегодня он несколько запоздает.

Брови мистера Уэзерби снова приподнялись.

— В самом деле? Могу я узнать почему?

— Фрида была очень занята.

— Мне приходится снова напоминать, дорогая Дейрдре, что задача управления прислугой лежит на тебе. Я бы хотел несколько большей пунктуальности.

Пуаро открыл дверь и вышел, глянув по дороге через плечо.

Во взгляде мистера Уэзерби, устремленном на падчерицу, светилась холодная неприязнь. В глазах смотревшей на него девушки было что-то, очень похожее на ненависть.

Глава 10

Пуаро направился нанести свой третий визит только после завтрака. Завтрак состоял из тушеного воловьего хвоста, картофельного пюре и странного на вид блюда, которое Морин со свойственным ей оптимизмом именовала блинами.

Медленно Пуаро взбирался вверх на холм. Свернув направо, он увидел «Лабернемс» — два коттеджа, соединенные в один и реконструированные в современном стиле. Здесь проживали миссис Апуорд и ее сын — многообещающий молодой драматург Робин Апуорд.

У ворот Пуаро на минуту остановился, чтобы пригладить усы. В этот момент показался автомобиль, медленно ползущий вниз с холма, и брошенный с силой огрызок яблока ударил детектива по щеке.

Испуганный Пуаро издал протестующий вопль. Машина остановилась, и из окна высунулась голова.

— Простите. Я вас не ушибла?

Не отвечая, Пуаро внимательно разглядывал благообразное лицо, высокий лоб и нуждавшуюся в прическе копну пепельных волос. Все это вкупе с яблочным огрызком пробудило его память.

— Ну конечно! — воскликнул он. — Ведь это миссис Оливер!

Это и в самом деле оказалась знаменитая писательница детективных романов.

С криком «Мсье Пуаро!» она попыталась вылезти из машины, что было нелегким делом вследствие маленьких размеров автомобиля и крупных — миссис Оливер. Пуаро поспешил на помощь.

— Совсем одеревенела после долгой езды, — объяснила миссис Оливер, внезапно очутившись на дороге, что весьма напоминало извержение вулкана. Множество яблок весело покатилось вниз с холма.

— Сумка порвалась, — снова объяснила миссис Оливер.

Она смахнула со своего обширного бюста остатки съеденного яблока и встряхнулась, словно большой черный ньюфаундленд. При этом движении последнее яблоко присоединилось к своим собратьям.

— Жаль, что сумка порвалась, — продолжала миссис Оливер. — Яблоки я приобрела у Кокса. Хотя думаю, что в этой деревне достаточно яблок, если только они все не отправлены на продажу. Ну, как поживаете, мсье Пуаро? Надеюсь, вы здесь не живете? Если нет, то вас могло привести сюда только очередное убийство. Хорошо бы, если бы убитой оказалась не моя хозяйка.

— А кто ваша хозяйка?

— Владелица этого дома, — сказала миссис Оливер. — Если, конечно, это «Лабернемс» — на полдороге вниз с холма, за церковью. А что собой представляет эта миссис Апуорд?

— Вы не знаете ее?

— Нет, я приехала, так сказать, в творческую командировку. Робин Апуорд инсценировал или, вернее, инсценирует одну из моих книг, и мы решили вместе поработать над этим.

— Поздравляю вас, мадам.

— Поздравлять не с чем, — вздохнула миссис Оливер. — Пока что это мучительное занятие. Не знаю, зачем я позволила втравить себя в эту историю. Мои книги приносят мне вполне достаточно денег, которые, кстати, у меня высасывают все, кому не лень, прямо пропорционально их количеству, поэтому я себя не особенно перетруждаю. Вы себе не можете представить, какие испытываешь страдания, когда ваших героев заставляют говорить и делать такое, на что бы они никогда не решились. А если начинаешь протестовать, то тебе тут же отвечают, что этого требует театральная специфика. И Робин Апуорд не лучше остальных. Все считают его очень умным, но если он в самом деле такой умный, то почему он не пишет собственных пьес и не оставит в покое моего несчастного финна? Кстати, он уже не финн. Он превратился в участника норвежского движения Сопротивления. — Она быстро провела рукой по волосам. — Куда я дела свою шляпу?

Пуаро заглянул в машину:

— По-видимому, мадам, вы сидели на ней.

— Как будто так оно и есть, — согласилась миссис Оливер, осматривая то, что когда-то было шляпой. — Ну ничего, — бодро продолжала она. — Мне она всегда не особенно нравилась. Но я собираюсь в церковь в воскресенье, и, хотя архиепископ на этом не настаивает, мне все же кажется, что в церкви пристойнее появляться в шляпе, как требовало более старомодное духовенство.

Но расскажите мне о вашем убийстве. Кстати, вы еще не забыли наше убийство?

— Конечно нет.

— Забавная была история, верно? Я имею в виду не само убийство — это мне не доставило никакого удовольствия, — а его последствия. Кто же убит на этот раз?

— Не такая колоритная личность, как мистер Шайтана[1]. Пять месяцев назад здесь убили и ограбили одну пожилую поденщицу — миссис Макгинти. Вы, может быть, читали об этом. Молодого человека, снимавшего у нее комнату, признали виновным в убийстве и приговорили к смерти...

— В то время как он не сделал этого, но вы знаете настоящего преступника и намерены это доказать, — выпалила миссис Оливер. — Великолепно!

— Вы слишком торопитесь, — со вздохом сказал Пуаро. — Я пока что не знаю, кто убийца, и до доказательства еще очень далеко.

— Мужчины всегда так медлительны, — с пренебрежением произнесла миссис Оливер. — Ничего, скоро я вам сообщу, кто убийца. Полагаю, это кто-нибудь из местных? Дайте мне день-два на то, чтобы осмотреться, и я найду преступника. Женская интуиция — это как раз то, чего вам не хватает. В деле Шайтаны я ведь оказалась совершенно права.

Галантность Пуаро не позволила ему напомнить миссис Оливер о ее быстрых переменах мнения в отношении подозреваемых во время расследования этого дела.

— Вы всего лишь мужчины, — снисходительно заметила миссис Оливер. — Вот если бы женщина возглавляла Скотленд-Ярд...

Но ей пришлось оставить эту весьма избитую тему, так как ее окликнули из-за двери коттеджа.

— Хэлло, — произнес приятный тенор. — Это вы, миссис Оливер?

— Я, — отозвалась миссис Оливер и прошептала Пуаро: — Не беспокойтесь, я буду соблюдать осторожность.

— Нет-нет, мадам. Я не требую от вас осторожности. Напротив...

---

[1] См. роман «Карты на стол».

Робин Апуорд вышел из дома и направился по аллее к калитке. Он был без плаща, в очень старых серых фланелевых брюках и в спортивном пиджаке столь же сомнительного вида. Но, благодаря склонности к полноте, это не портило его внешности.

— Ариадна, дорогая моя! — воскликнул он, горячо ее обнимая. — У меня как раз появилась изумительная идея относительно второго акта.

— Неужели? — осведомилась миссис Оливер без особого энтузиазма. — Это мсье Эркюль Пуаро.

— Отлично, — сказал Робин. — У вас есть какие-нибудь вещи?

— Да, в багажнике.

Робин вытащил пару чемоданов.

— Живем в такой дыре, да еще почти без прислуги, — сказал он. — Только старая Дженет, которую приходится щадить, что весьма неудобно. Какие у вас тяжелые чемоданы! Что вы в них держите — бомбы?

Пошатываясь, Робин зашагал по аллее, бросив через плечо:

— Заходите, выпейте чего-нибудь.

— Он имел в виду вас, — сказала миссис Оливер, снимая с переднего сиденья сумочку, книгу и пару старых туфель. — Вы в самом деле хотите, чтобы я была неосторожной?

— Да, и чем больше, тем лучше.

— Я бы действовала не так, — заметила миссис Оливер, — но это ведь ваше убийство. Я буду помогать, чем могу.

В дверях снова появился Робин.

— Заходите, заходите, — позвал он. — О машине мы позаботимся позднее. Мадре умирает от волнения видеть вас.

Миссис Оливер быстро пошла по аллее, Эркюль Пуаро последовал за ней.

Интерьер «Лабернемс» был очарователен. Пуаро сразу понял, что на это затратили немало денег, результатом чего явилась эта дорогостоящая простота. Все было сделано из натурального дуба.

Сидевшая у камина в кресле на колесиках Лора Апуорд приветливо улыбнулась. Это была энергичная на вид женщина лет шестидесяти с лишним, с волосами серо-стального цвета и упрямым подбородком.

— Очень рада видеть вас, миссис Оливер, — сказала она. — Вы, наверное, не любите, когда с вами говорят о ваших книгах, но они служили мне утешением долгие годы — особенно с тех пор, как я превратилась в инвалида.

— Очень любезно с вашей стороны, — со смущенным видом ответила миссис Оливер, сплетая руки, как школьница. — Это мой старый друг, мсье Пуаро. Мы случайно встретились около вашего дома. Я нечаянно угодила в него яблочным огрызком. Как Вильгельм Телль, только наоборот.

— Здравствуйте, мсье Пуаро. Робин!

— Да, мадре?

— Принеси чего-нибудь выпить. А где сигареты?

— На этом столе.

— Вы тоже писатель, мсье Пуаро? — спросила миссис Апуорд.

— О нет, — сказала миссис Оливер, — он детектив. Совсем как Шерлок Холмс — разве что не играет на скрипке. А сюда он приехал разгадывать убийство.

Послышался слабый звон разбитого бокала.

— Робин, будь осторожен, — резко сказала миссис Апуорд и добавила, обращаясь к Пуаро: — Это очень интересно, мсье Пуаро.

— Значит, Морин Саммерхейз была права! — воскликнул Робин. — Она что-то болтала о том, что у нее живет детектив. Ей это казалось весьма забавным, но ведь на самом деле это вполне серьезно, не так ли?

— Конечно серьезно, — подтвердила миссис Оливер. — Ведь где-то среди нас есть убийца.

— И кого же он убил — или это строго секретно?

— Вовсе нет, — сказал Пуаро. — Вы уже знаете об этом убийстве.

— Миссис Мак... как ее?.. уборщица. Прошлой осенью, — продолжала миссис Оливер.

— О! — В голосе Робина Апуорда слышалось разочарование. — Но ведь с этим уже все покончено.

— Нет, не все, — возразила миссис Оливер. — Они арестовали не того, кого нужно, и его повесят, если мсье

Пуаро вовремя не найдет убийцу. Все это страшно интересно.

Робин распределил бокалы.

— Тебе «Белую даму», мадре?

— Спасибо, мой мальчик.

Пуаро слегка нахмурился. Робин подал бокал миссис Оливер и ему.

— Ну, — сказал Робин, поднимая бокал. — За преступление. — Он выпил. — Кстати, она раньше у нас работала.

— Миссис Макгинти? — спросила миссис Оливер.

— Да... Правда, мадре?

— Она приходила сюда только раз в неделю.

— Иногда и почаще.

— Что она собой представляла? — спросила миссис Оливер.

— Ужасно респектабельная и до безумия аккуратная особа, — ответил Робин. — Она была просто помешана на уборках и всегда рассовывала вещи по ящикам так, что их потом невозможно было найти.

— Если не делать уборку хоть раз в неделю, — заметила миссис Апуорд, — то в дом скоро нельзя будет зайти.

— Я знаю, мадре, знаю. Но если вещи лежат не там, куда я их положил, я просто не могу работать, так как в моих записях везде беспорядок.

— Как скверно быть такой беспомощной, — вздохнула миссис Апуорд. — У нас есть старая преданная горничная, но она в состоянии только готовить.

— А что с вами? — спросила миссис Оливер. — Артрит?

— Какая-то форма артрита. Боюсь, что вскоре мне понадобится постоянная сиделка. Как это скучно! Мне всегда нравилось быть независимой.

— Ну, дорогая, — успокаивающе промолвил Робин, похлопав ее по руке. — Не надо расстраиваться.

Миссис Апуорд улыбнулась ему с внезапной нежностью.

— Робин относится ко мне как дочь, — сказала она. — Он успевает обо всем подумать и все сделать. Никто бы не мог быть более внимательным.

Мать и сын улыбнулись друг другу.

Эркюль Пуаро поднялся.

— Увы, — сказал он. — Я должен идти. Мне нужно нанести еще один визит и, кроме того, поспеть на поезд. Благодарю вас за гостеприимство, мадам. Мистер Апуорд, желаем успеха вашей пьесе.

— А вам желаю успеха с вашим убийством, — вставила миссис Оливер.

— Это действительно серьезно, мсье Пуаро? — спросил Робин Апуорд. — Или это всего лишь мистификация?

— Какая еще мистификация, — запротестовала миссис Оливер. — Это совершенно серьезно. Мсье Пуаро не сказал мне, кто убийца, но он, разумеется, знает это, не так ли?

— Нет-нет, мадам. — Протест Пуаро звучал нарочито неубедительно. — Я же говорил вам, что это мне неизвестно.

— Вы-то говорили, но, по-моему, вы все отлично знаете. Ведь вы такой скрытный.

— Значит, это не шутка? — резко осведомилась миссис Апуорд.

— Это не шутка, мадам, — подтвердил Пуаро.

Поклонившись, он удалился.

Идя по дорожке, Пуаро услышал тенор Робина Апуорда.

— Все это очень хорошо, дорогая Ариадна, — говорил он, — но как можно принимать всерьез субъекта с такими усами? Вы в самом деле считаете, что он чего-нибудь стоит?

Пуаро улыбнулся про себя.

Пересекая узкую аллею, он как раз вовремя отскочил в сторону.

Мимо него с угрожающим урчанием промчался огромный автомобиль Саммерхейзов. За рулем сидел майор Саммерхейз.

— Простите, — крикнул он. — Спешу на поезд. — И уже издали послышалось: — Ковент-Гарден...

Пуаро также намеревался успеть на поезд — на местный поезд, идущий в Килчестер, где у него была назначена встреча с суперинтендантом Спенсом.

Но у него еще оставалось время для того, чтобы нанести последний визит.

Поднявшись на воронку холма, Пуаро прошел сквозь калитку и направился по дорожке к вполне современному зданию из глазированного бетона с квадратной крышей и множеством окон. Это был дом мистера и миссис Карпентер. Гай Карпентер, очень богатый человек, был компаньоном в крупном инженерном предприятии. В последнее время он начал заниматься политикой. Он и миссис Карпентер поженились совсем недавно.

Дверь была открыта не горничной-иностранкой и не старой преданной служанкой, а невозмутимым слугой, который был явно не расположен впускать Пуаро в дом. По его мнению, Эркюль Пуаро принадлежал к той категории визитеров, которых следует оставлять за дверью, так как они обычно являются с целью что-нибудь продать.

— Мистера и миссис Карпентер нет дома.

— Может быть, я могу подождать?

— Я не знаю, когда они вернутся.

И он закрыл дверь.

Но Пуаро, вместо того чтобы отправиться восвояси, обошел угол дома и почти столкнулся с высокой молодой женщиной в норковой шубке.

— Хэлло, — сказала она. — Какого дьявола вам здесь нужно?

Пуаро галантно приподнял шляпу:

— Я пришел повидать мистера или миссис Карпентер. Могу я надеяться, что передо мной миссис Карпентер?

— Да, я миссис Карпентер.

Она говорила не особенно вежливо, но в ее голосе слышалась слабая нотка облегчения.

— Мое имя Эркюль Пуаро.

Никакого впечатления. По-видимому, ей не только было незнакомо это прославленное имя, но она даже не признала в нем нового постояльца Морин Саммерхейз. Очевидно, в этом доме не действовал местный беспроволочный телеграф. Маленький, но, возможно, значительный факт.

— Ну?

— Я хотел видеть мистера или миссис Карпентер, и вы, мадам, больше устраиваете меня, так как я хочу побеседовать с вами о домашних делах.

— У нас пылесос уже есть, — весьма нелюбезно ответила миссис Карпентер.

Пуаро улыбнулся:

— Нет-нет, вы меня не так поняли. Я просто хотел бы задать вам несколько вопросов по этому поводу.

— О, так вы — один из этих пристовал с анкетами. Мне это кажется нелепым занятием... — Сделав паузу, она добавила: — Но нам лучше войти в дом.

Пуаро снова слегка улыбнулся, заметив, что миссис Карпентер еле удержалась от резкого замечания. Имя мужа, занимающегося политикой, заставляло ее воздерживаться от критики действий правительства.

Она проводила его через холл в солидных размеров комнату, окна которой выходили в тщательно ухоженный сад. Комната показалась совсем новой и была меблирована обитым парчой гарнитуром, состоящим из дивана, двух кресел, трех-четырех стульев в стиле «Чиппендейл», бюро и письменного стола. Видно было, что здесь не жалели денег, — вся мебель была от лучших фирм — и в то же время не чувствовалось никаких признаков индивидуального вкуса.

Молодая жена хозяина дома либо была ко всему безразлична, либо, напротив, проявляла осторожность, подумал Пуаро.

Он окинул миссис Карпентер оценивающим взглядом, когда та отвернулась. Красивая и дорогостоящая молодая женщина. Очень светлая блондинка, обильно пользующаяся косметикой и с огромными голубыми глазами, пристальным застывшим взглядом смотрела на собеседника.

— Садитесь, — продолжила она, уже более вежливо, но явно пытаясь скрыть скуку.

— Вы очень любезны, мадам, — сказал Пуаро, сев на предложенное место. — Вопрос, который я хочу вам задать, касается миссис Макгинти, умершей, вернее, убитой в прошлом ноябре.

— Миссис Макгинти? Не знаю, что вы имеете в виду.

Теперь ее взгляд стал холодным и подозрительным.

— Вы помните миссис Макгинти?

— Нет. Я ничего о ней не знаю.

— Но убийство-то вы помните? Или это настолько обычная вещь в ваших краях, что вы даже не обратили на него внимания?

— Ах, убийство? Да, конечно, помню. Я просто забыла, как звали эту старуху.

— Несмотря на то, что она работала у вас в этом доме?

— Нет, тогда я здесь еще не жила. Мистер Карпентер и я поженились только три месяца назад.

— И все же она работала у вас. Кажется, по пятницам утром. Тогда вы были миссис Селкерк и жили в «Розовом коттедже».

— Если у вас на все есть ответ, — угрюмо промолвила миссис Карпентер, — то я не понимаю, зачем вам нужно задавать вопросы. И вообще, что все это значит?

— Я расследую обстоятельства убийства.

— Зачем? И почему вы пришли ко мне?

— Возможно, вы знаете что-нибудь, что могло бы помочь мне.

— Откуда я могу знать? Она была всего лишь глупой старухой уборщицей, хранившей деньги под полом, из-за чего ее убили и ограбили. Отвратительная история — такое можно разве что прочитать в воскресных газетах.

Пуаро моментально переключился на поданную тему:

— Вот именно, в воскресных газетах. Например, в «Санди комет». Возможно, вы читаете «Санди комет»?

Миссис Карпентер вскочила и нетвердым шагом направилась к открытому французскому окну, ударившись об оконную раму. Пуаро она напоминала большую красную бабочку, беспомощно порхающую в свете ослепившей ее лампы.

— Гай, Гай! — позвала она.

Откуда-то послышался мужской голос:

— Эви?

— Иди скорей сюда.

В поле зрения появился высокий мужчина лет тридцати пяти. Он ускорил шаг и направился через террасу к окну.

— Этот человек — иностранец, — сбивчиво заговорила Эви Карпентер. — Он задает мне всевозможные вопросы об этой старухе уборщице. Ты же знаешь, как я ненавижу такие вещи.

Гай Карпентер нахмурился и вошел в гостиную через окно. На его длинной и бледной лошадиной физиономии было написано презрение. Держался он предельно напыщенно.

Эркюлю Пуаро Карпентер показался весьма антипатичным субъектом.

— Могу я узнать, в чем дело? — осведомился он. — Почему вы расстроили мою жену?

Пуаро всплеснул руками:

— Я бы никогда не осмелился расстраивать столь очаровательную леди. Я просто надеялся, что так как покойная работала у нее, то она сможет мне помочь в моем расследовании.

— В каком еще расследовании?

— Да, спроси его об этом, — настаивала миссис Карпентер.

— Необходимо заново рассмотреть обстоятельства смерти миссис Макгинти.

— Чепуха. Ведь дело уже закончено.

— Нет-нет. Вы ошибаетесь. Оно еще не закончено.

— Пересмотреть обстоятельства смерти? — Гай Карпентер нахмурился. — А как же полиция? — с подозрением спросил он. — Ведь вы не связаны с полицией?

— Совершенно верно. Я действую независимо от полиции.

— Он из прессы, — вмешалась Эви Карпентер. — Из какой-то ужасной воскресной газеты. Он сам так сказал.

Выражение лица Гая Карпентера сразу же изменилось. В его положении ему было невыгодно противодействовать прессе. Поэтому он заговорил более дружелюбно:

— Моя жена очень чувствительна. Убийства, грабежи и тому подобные вещи огорчают ее. По-моему, вам незачем ее беспокоить. Она ведь едва знала эту женщину.

— Она была просто неграмотной старой поденщицей, — горячо произнесла Эви. — Я уже говорила ему это. И к тому же ужасной лгуньей.

— О, это интересно. — Пуаро переводил взгляд, в котором зажегся огонек, с одного на другую. — Итак, она лгала. Это дает нам очень важное указание.

— Не вижу какое, — мрачно заметила Эви.

— Мотив, — объяснил Пуаро. — Я веду расследование по этой линии.

— Но ведь ее ограбили, — резко произнес Карпентер. — В этом заключается мотив преступления.

— Так ли это? — мягко промолвил Пуаро. Он встал, словно актер, дождавшийся своей реплики. — Сожалею, если я причинил мадам боль, — сказал он вежливо. — Увы, такие дела всегда неприятны.

— Безусловно, — быстро заговорил Карпентер. — Естественно, что моей жене не нравится, когда ей об этом напоминают. Простите, но мы ничем не можем вам помочь.

— О, но вы уже смогли.

— Прошу прощения?

— Миссис Макгинти лгала, — мягко произнес Пуаро. — Это важный факт. В чем же выражалась ее ложь, мадам?

Он вежливо ожидал ответа Эви Карпентер.

— О, ни в чем особенном, — наконец заговорила она. — Я... я не помню. — По-видимому, сознавая, что оба мужчины смотрят на нее выжидающе, Эви сказала: — Она говорила о людях разные глупости — вещи, которые никак не могли быть правдой.

Последовала минутная пауза, затем Пуаро снова заговорил:

— Понимаю, у нее был опасный язык.

Эви Карпентер нервно дернулась:

— О, я вовсе не имела этого в виду. Она была просто сплетницей — вот и все.

— Просто сплетницей, — повторил Пуаро и встал, давая понять, что прощается.

Гай Карпентер проводил его в холл.

— Какую воскресную газету вы представляете?

— Газета, о которой я упомянул мадам, — осторожно ответил Пуаро, — была «Санди комет».

— «Санди комет», — задумчиво повторил Гай Карпентер. — Боюсь, что я редко читаю ее.

— Там иногда попадаются интересные статьи и иллюстрации. — Не желая затягивать паузу, которая обещала быть слишком долгой, Пуаро поклонился. — Au revoir[1],

---

[1] До свидания *(фр.)*.

мистер Карпентер. Простите, если я причинил вам беспокойство.

Выйдя за ворота, Пуаро еще раз бросил взгляд на дом.

— Интересно, — пробормотал он. — Да, весьма интересно...

Глава 11

Сидящий напротив Пуаро суперинтендант Спенс глубоко вздохнул.

— Я не могу сказать, что вы ничего не добились, мсье Пуаро, — промолвил он.— По-моему, вы кое-чего достигли, но этого мало, чертовски мало.

Пуаро кивнул:

— Но это еще далеко не все.

— Да, мне и моему сержанту следовало бы в свое время заняться этой газетой.

— Нет-нет, вам не в чем обвинять себя. Ведь все говорило за то, что это убийство с целью ограбления. В комнате все перерыто, деньги исчезли. Не мудрено, что вы в подобных обстоятельствах не обратили внимания на рваную газету.

— Все равно, я должен был ею заняться, — упрямо повторил Спенс. — И бутылкой чернил также.

— О ней я узнал совершенно случайно.

— Однако это навело вас на мысль.

— Только благодаря нечаянной фразе о письме. Мы с вами, Спенс, пишем много писем — для нас это самое обычное дело, а вот для миссис Макгинти...

Вздохнув, суперинтендант Спенс положил на стол четыре фотографии.

— Это те, что вы просили меня достать, — оригиналы снимков, которые были напечатаны в «Санди комет». На них изображение более отчетливо, чем в газете. Но и они немного стоят — старые и выгоревшие. К тому же прическа очень меняет женщину. А здесь не видно ничего определенного — ни ушей, ни профиля. Шляпа-«колокол», нелепые прически, розы... Все это не дает нам ни малейшего шанса.

— Вы согласны с тем, что Веру Блейк мы можем сбросить со счетов?

— Пожалуй, да. Если бы Вера Блейк находилась в Бродхинни, то об этом бы уже все знали, так как, судя по всему, она каждому встречному рассказывала печальную историю своей жизни.

— А что вы скажете о других?

— Я выяснил о них все, что смог. Ева Кейн покинула страну после казни Крейга, взяв себе символически звучащую фамилию Хоуп[1].

— Да, — пробормотал Пуаро. — Весьма романтично. «Прекрасная Эвелин Хоуп мертва» — это строка одного из ваших поэтов[2]. Кстати, ее звали Эвелин?

— По-моему, да. Но ее все знали как Еву. Между прочим, мсье Пуаро, мнение полиции о Еве Кейн весьма не похоже на то, что написано в этой статье.

Пуаро улыбнулся:

— Мнение полиции не считается доказательством, но оно обычно служит хорошим ориентиром. Что же полиция думала о Еве Кейн?

— То, что она вовсе не была такой невинной жертвой, какой ее считала публика. Я тогда еще был молодым парнем и слышал, как это дело обсуждалось между моим стариком шефом и инспектором Трейллом, которому оно было поручено. Трейлл не сомневался (правда, не имея никаких доказательств), что идейка об устранении миссис Крейг принадлежала Еве Кейн и что она не только задумала это, но и осуществила. В один прекрасный день Крейг пришел домой и обнаружил, что его подружка наделала дел. Ева, по-видимому, считала, что это сочтут за естественную смерть. Но Крейг был поумнее. Он напугался, спрятал труп в подвал и разработал план, по которому миссис Крейг должна была якобы умереть за границей. Позже, когда все открылось, Крейг настаивал на том, что он действовал в одиночку и что Ева Кейн ничего об этом не знала. Ну, — суперинтендант Спенс пожал плечами, — никто не мог доказать обратного. Яд был в доме, и оба они могли им

---

[1] Хоуп (hope) — надежда *(англ.)*.
[2] Элизабет Бэрретт Браунинг (1806—1861). Поэма «Эвелин Хоуп».

воспользоваться. Красавица Ева очень ловко изображала оскорбленную невинность — она была превосходной актрисой. У инспектора Трейлла оставались сомнения, но ничего доказать было невозможно.

— Но это значит, что по крайней мере хоть одна из этих четырех трагических женщин была не только жертвой, но и убийцей вдобавок. Следовательно, при достаточно сильном побуждении она могла совершить второе убийство... Ну, перейдем к Дженис Кортленд. Что вы можете сообщить о ней?

— Я тщательно просмотрел ее дело. Весьма скверная особа. Если мы повесили Эдит Томпсон, то мы, безусловно, должны были повесить и Дженис Кортленд. Они со своим супругом друг друга стоили. Она обрабатывала этого типа до тех пор, пока он полностью не попал ей под каблук. К тому времени на горизонте появился один богатый человек, и Дженис, по-видимому, хотела устранить мужа, чтобы выйти за него замуж.

— И она вышла за него замуж?

Спенс покачал головой:

— Понятия не имею.

— А что же произошло с ней, когда она уехала за границу?

Спенс снова покачал головой:

— Против нее не имелось никаких обвинений. Поэтому ее дальнейшая судьба нам неизвестна.

— И каждый может в любой день встретиться с ней на вечеринке, — промолвил Пуаро, вспомнив замечание доктора Ренделла.

— Вот именно!

Пуаро устремил взгляд на последнюю фотографию:

— А девочка? Лили Гэмболл?

— Она была слишком мала, чтобы обвиняться в убийстве, поэтому ее отправили в исправительную школу. Оттуда о ней поступали только хорошие отзывы. Она училась стенографии и машинописи и работала в течение испытательного срока. Последние известия о ней были из Ирландии. Знаете, мсье Пуаро, мне кажется, что мы можем отмести ее так же, как Веру Блейк. В конце концов, она искупила свою вину, и, вообще, нельзя же вечно подозревать человека только потому, что он двенадцатилетним ребенком в припадке гнева совершил преступление. Как вы на это смотрите?

— Я бы согласился с вами, — заметил Пуаро, — если бы не нож для мяса. Ведь нельзя отрицать, что им воспользовалась Лили Гэмболл и что неизвестный убийца миссис Макгинти совершил преступление похожим оружием.

— Возможно, вы правы. Ну, мсье Пуаро, теперь выкладывайте ваши карты. Как я понял, никто не пытался вас прикончить.

— Нет-нет... — протянул Пуаро, слегка вздрогнув.

— Должен признаться, что со времени нашей встречи в Лондоне я не раз боялся за вас. Так что вы скажете об обитателях Бродхинни?

Пуаро открыл свою маленькую записную книжечку:

— Еве Кейн, если она еще жива, должно быть около шестидесяти, а ее дочери, чью предполагаемую жизнь «Санди комет» столь трогательно расписывала, — примерно тридцать, как и Лили Гэмболл. Дженис Кортленд сейчас лет под пятьдесят.

Спенс кивнул.

— Теперь давайте рассмотрим с этой точки зрения обитателей Бродхинни, особенно тех, у кого работала миссис Макгинти, — предложил Пуаро.

— Совершенно с вами согласен.

— Правда, это усложняется тем, что миссис Макгинти выполняла случайную работу почти по всей деревне, но мы временно будем считать, что она видела фотографию (если только она действительно видела фотографию) в одном из домов, где работала регулярно.

— Правильно.

— Тогда начнем с семейства Уэзерби, где миссис Макгинти работала в день своей смерти. Возраст миссис Уэзерби соответствует возрасту Евы Кейн, кроме того, у нее есть дочь от первого брака как раз в возрасте дочери Евы Кейн.

— А как насчет фотографии?

— Mon cher, идентификация с помощью этих фотографий совершенно невозможна. С тех пор, так сказать, утекло слишком много воды. Конечно, миссис Уэзерби в молодости была хорошенькой женщиной — это видно даже теперь. Для убийцы она выглядит слишком хрупкой и беспомощной, но ведь в свое время то же самое говорили о Еве Кейн. Что же касается того, сколько физической силы требовалось для убийства миссис Макгинти, то об этом трудно говорить, не зная точно, что послужило орудием убийства, веса и формы его рукоятки, степени остроты лезвия и так далее.

— Да-да, поэтому-то нам и не удалось найти его. Но продолжайте.

— Теперь что касается мистера Уэзерби. Он произвел на меня очень неприятное впечатление. Дочь фантастически предана матери и ненавидит своего отчима. Я не делаю акцента на этих фактах, а просто предлагаю их для рассмотрения. Дочь могла убить, чтобы прошлое матери не дошло до ушей отчима. Мать могла убить по той же причине. Отчим мог убить, чтобы предотвратить скандал. По таким поводам совершалось немало убийств. А в общем Уэзерби — «симпатичные люди».

Спенс кивнул.

— Если — заметьте, я говорю «если» — если здесь замешана Ева Кейн или ее дочь, то семейство Уэзерби подходит больше всего, — заметил он.

— Совершенно верно. Единственное другое лицо в Бродхинни, чей возраст соответствует возрасту Евы Кейн, — это миссис Апуорд. Но против нее как кандидата в убийцы говорят следующие два аргумента. Первый: она страдает артритом и проводит большую часть времени в кресле на колесиках...

— В книгах, — с тоской произнес Спенс, — кресла на колесиках обычно оказываются ловкой симуляцией, но в настоящей жизни это случается редко.

— Второй, — продолжал Пуаро, — миссис Апуорд производит впечатление женщины, обладающей сильным и упорным характером и склонной скорее ссориться, чем льстить и убеждать. Это не согласуется с описанием характера нашей молодой Евы. С другой стороны, людские характеры меняются, а самоуверенность — качество, которое часто приходит с возрастом.

— Это справедливо, — согласился Спенс. — Итак, миссис Апуорд не невозможна, но маловероятна. Рассмотрим теперь Дженис Кортленд?

93

— Которую, я думаю, мы можем исключить. В Бродхинни нет ни одной женщины ее лет.

— Если это только не одна из более молодых женщин, чье лицо загримировано. Ну-ну, не возражайте, я просто пошутил.

— В деревне есть три женщины лет тридцати с лишним. Это Дейрдре Хендерсон, жена доктора Ренделла и жена Гая Карпентера. Одна из них может быть Лили Гэмболл или дочерью Евы Кейн, так как их возраст примерно одинаков.

— А помимо возраста?

Пуаро вздохнул:

— Дочь Евы Кейн может быть высокой или низенькой, брюнеткой или блондинкой — у нас нет никаких указаний на этот счет. Мы уже рассмотрели Дейрдре Хендерсон как кандидата на эту роль. Перейдем теперь к двум другим. Прежде всего я должен сообщить вам следующее: миссис Ренделл чего-то боится.

— Боится вас?

— Очень возможно.

— Это может быть важным, — медленно произнес Спенс. — Вы предполагаете, что миссис Ренделл может оказаться дочерью Евы Кейн или Лили Гэмболл? Она брюнетка или блондинка?

— Блондинка.

— Лили Гэмболл была светловолосой девочкой.

— Миссис Карпентер также светловолосая. Правда, на ней столько косметики, что трудно понять степень ее природной красоты. Одно сразу заметно — ее огромные, прекрасные темно-голубые глаза.

— Ну знаете, Пуаро... — Спенс укоризненно покачал головой.

— Когда миссис Карпентер выбежала из комнаты, чтобы позвать мужа, она напомнила мне красивого порхающего мотылька. Она натыкалась на мебель и водила руками по воздуху, как слепая.

Спенс снисходительно поглядел на него.

— Порхающие мотыльки, прекрасные темно-голубые глаза, — повторил он. — А вы романтик, мсье Пуаро.

— Вовсе нет, — запротестовал Пуаро. — Вот мой друг Гастингс действительно был романтической и сентиментальной натурой, но я — никогда! Я прожженный практик. Просто я хочу вам доказать, что если красота девушки главным образом сосредоточена в ее глазах, то она, несмотря на любую близорукость, не будет носить очки и научится ходить без них, постепенно привыкнув к неясным очертаниям предметов.

И Пуаро тихонько постучал указательным пальцем по фотографии маленькой Лили Гэмболл в толстых безобразных очках.

— Так, значит, вы считаете, что она — Лили Гэмболл?

— Нет, я просто говорю, что это может быть. В момент смерти миссис Макгинти миссис Карпентер была еще не миссис Карпентер, а просто молодой вдовой, живущей в посредственном коттедже и весьма нуждающейся в деньгах. Она была помолвлена со своим соседом — богатым человеком, наделенным незаурядным честолюбием, которое он удовлетворял на политическом поприще, и сознанием огромной важности собственной персоны. Если бы Гай Карпентер узнал, что его невеста — особа низкого происхождения, к тому же убившая в детстве собственную тетю ножом для мяса, или что она дочь Крейга — одного из самых знаменитых преступников века, по-видимому занявшего место в музее восковых фигур, — как вы думаете, женился бы он на ней? Вы, возможно, скажете, что да, если он любил эту девушку. Но он не принадлежит к людям такого сорта. Мне он показался эгоистичным, честолюбивым субъектом, который весьма заботится о своей репутации. Думаю, что если молодая миссис Селкерк, как ее тогда звали, хотела выйти за него замуж, то она бы очень беспокоилась, как бы слухи о ее прошлом не достигли ушей жениха.

— Значит, вы думаете, что это она?

— Я снова говорю вам, mon cher, не знаю. Я просто исследую каждую возможность. А миссис Карпентер насторожил мой визит — она выглядела очень встревоженной.

— Это не говорит в ее пользу.

— Да, но все не так просто. Однажды я остановился в деревне с несколькими приятелями, и они уговорили меня отправиться на охоту. Вы, конечно, знаете, что собой представляет это занятие. Туда идут с собаками, они вспугивают птицу, и начинается пальба. Вот так и у нас с вами. В лесу много птиц, и мы, возможно, вспугнем далеко не одну. По-видимому, большинство из них не представляют для нас интереса. Но сами птицы этого не знают. Наша задача, cher ami, — твердо убедиться в том, которая из птиц та, которая нам нужна. Возможно, миссис Карпентер волнует всего лишь ее нескромное поведение во время вдовства. Конечно, должна быть какая-то причина, по которой она заявила, что миссис Макгинти была лгуньей.

Суперинтендант Спенс с раздражением почесал нос.

— Давайте говорить откровенно, Пуаро. Что вы думаете на самом деле?

— Что я думаю, не имеет значения. Я должен знать. Пока что собаки только прочесывают лес.

— Если бы у нас было хоть что-нибудь определенное, — пробормотал Спенс. — Одно по-настоящему подозрительное обстоятельство. Ведь мы все время обсуждаем теории, которые, честно говоря, притянуты за уши. Как я уже сказал, у нас очень мало материала. Можно ли вообще совершить убийство по тем причинам, которые мы с вами рассматривали?

— Это зависит от множества семейных обстоятельств, которые нам неизвестны, — ответил Пуаро. — Во всяком случае, забота о сохранении респектабельности достигает иногда очень сильной степени. Здесь нет художников или других представителей богемы. Как сказала почтмейстерша — миссис Суитимен, в Бродхинни живут очень симпатичные люди. А симпатичные люди обычно желают сохранить свое обаяние. Никто не хочет, чтобы годы счастливой семейной жизни омрачило известие о том, что вы были замешаны в сенсационном процессе об убийстве, или чтобы ваш ребенок узнал, что его мать знаменитая преступница. Они, возможно, говорят: «Я скорее умру, чем мой муж или моя дочь узнают о моем прошлом». А потом, возможно, приходят к мысли, что будет лучше, если умрет миссис Макгинти.

— Итак, вы все-таки думаете, что это Уэзерби? — настаивал Спенс.

— Нет, хотя они кажутся наиболее подходящими кандидатами. Но если говорить о складе характера, то миссис Апуорд больше похожа на убийцу, чем миссис Уэзерби. У нее хватит решительности и силы воли, и к тому же она просто помешана на своем сыне. Мне кажется, она на многое пошла бы, чтобы скрыть от сына позорное прошлое и сохранить семейное счастье.

— А сын бы очень огорчился, узнав подобное о своей матери?

— Лично я так не думаю. Юный Робин обладает вполне современным скептическим складом мышления; он эгоист до мозга костей и, во всяком случае, любит мать куда меньше, чем она его. В этом отношении он не похож на Джеймса Бентли.

— А если бы миссис Апуорд была Евой Кейн, ее сын Робин не мог бы убить миссис Макгинти, чтобы предотвратить разглашение этого факта?

— Ни в коем случае. Он бы еще постарался нажиться на нем, используя его в качестве рекламы для своих пьес. Нет, я не могу представить себе Робина Апуорда, убивающего во имя сохранения респектабельности своей семьи, во имя преданности матери и вообще во имя чего бы то ни было, кроме солидной выгоды для себя лично.

— Да, — вздохнул Спенс. — Перед нами широкое поле деятельности. Возможно, нам удастся извлечь что-нибудь из прошлого этих людей. Но на это нужно время. Война многое перепутала. Уничтожение многих архивов предоставило массу возможностей для людей, желающих замести следы с помощью чужих паспортов, особенно после катастроф, когда нельзя разобрать, где чей труп. Если бы мы могли сконцентрировать внимание на ком-нибудь одном, но ведь мы должны заниматься многими людьми, мсье Пуаро.

— Может быть, мы вскоре сумеем свести это количество к минимуму.

Когда Пуаро покинул кабинет суперинтенданта, на душе у него было вовсе не так весело, как он хотел показать. Ему, так же как и Спенсу, не хватало времени. Если бы только у него было время...

К тому же ему не давало покоя сомнение: а были ли правы они со Спенсом? Что, если Джеймс Бентли на самом деле виновен?

Пуаро старался не допускать такой возможности, но она беспокоила его. Ожидая поезда на килчестерской платформе, он снова и снова вспоминал свое интервью с Джеймсом Бентли. Был базарный день, и платформа была переполнена. Люди валом валили через шлагбаум.

Пуаро наклонился вперед. Да, поезд наконец подходил. Но прежде чем Пуаро смог выпрямиться, он ощутил внезапный сильный толчок в поясницу. Удар был настолько неожиданным, что застал его врасплох. В следующую секунду Пуаро неминуемо оказался бы на рельсах под подошедшим поездом, если бы мужчина, стоящий позади него на платформе, вовремя не схватил бы его и не оттащил назад.

— Что это с вами, приятель? — осведомился неожиданный спаситель — высокий, плотный сержант. — Хватили лишнего? Вы ведь чуть не угодили под поезд.

— Благодарю вас, тысячу раз благодарю. — Вокруг них уже сновала толпа покидающих и штурмующих поезд.

— Ну, теперь все в порядке? Я помогу вам войти.

Дрожащий Пуаро еле дополз до сиденья.

До этого вечера он все время был настороже. Но после шутливых расспросов Спенса о том, не произошло ли на него покушения, он постепенно начал смотреть на опасность как на нечто почти невероятное.

Как же он был не прав!

Одно из его интервью в Бродхинни достигло цели. Кто-то испугался, испугался настолько, что попытался положить конец его опасному расследованию уже законченного дела.

Из телефонной будки на станции Бродхинни Пуаро позвонил суперинтенданту Спенсу.

— Это вы, mon ami?[1] У меня есть для вас новость — и превосходная новость. Кто-то пытался убить меня!

Он с удовлетворением прислушивался к потоку фраз на другом конце провода.

---

[1] Мой друг *(фр.)*.

— Нет, со мной все в порядке. Но я чуть-чуть не погиб... Да, под поезд... Нет, я не видел, кто сделал это. Но будьте уверены, друг мой, я найду его. Теперь мы знаем, что мы на правильном пути!

Глава 12

1

Мужчина, проверявший показания электрического счетчика, беседовал с дворецким Гая Карпентера, наблюдавшим за ним.

— Расчеты за электричество скоро будут производиться по-другому, — сказал он. — В зависимости от количества живущих в доме.

— По-видимому, — скептически заметил дворецкий, — платить придется еще дороже, как и за все остальное.

— Как сказать. Все будут платить поровну — вот в чем дело. Вы были на митинге в Килчестере вчера вечером?

— Нет.

— Говорят, ваш хозяин, мистер Карпентер, произнес там отличную речь. Как вы думаете, он пройдет на выборах?

— В прошлый раз это едва не случилось.

— Да, получил большинство в сто двадцать пять голосов. Вы отвозите его на эти митинги или он сам водит машину?

— Обычно сам. У него есть «роллс-бентли», и ему нравится водить самому.

— Это хорошо. А миссис Карпентер тоже сама водит?

— Да, только, по-моему, слишком быстро.

— Ну что ж вы хотите — женщина! А она тоже вчера была на митинге? Или ее не интересует политика?

— Во всяком случае, притворяется, что интересует, — усмехнулся дворецкий. — Но вчера вечером она не поддалась этому интересу. У нее как будто заболела голова, и она ушла в середине митинга.

— Так. — Электрик заглянул в ящик с пробками. — Все в порядке.

Задав еще несколько вопросов, он собрал инструменты и удалился.

Зайдя за угол ворот, он остановился и сделал заметку в своей записной книжке.

«К. уезжал вчера вечером один. Вернулся около 22.30. Мог быть на килчестерском вокзале в указанное время. М-с К. рано покинула митинг. Приехала домой только на десять минут раньше К. Сказала, что возвращалась поездом».

Это была вторая запись в книжечке электромонтера. Первая гласила:

«Доктор Р. ездил вчера вечером к больному в направлении Килчестера. Мог находиться на килчестерском вокзале в указанное время. М-с Р. весь вечер была одна в доме. Но это не точно, так как м-с Скотт, экономка, не видела ее после того, как подала ей кофе. У нее есть свой маленький автомобиль».

2

В «Лабернемс» работа была в разгаре.

— Неужели вы не видите, что можно сделать из этой линии? — горячо доказывал Робин Апуорд. — Если мы сумеем изобразить чувство сексуального антагонизма между парнем и девушкой, то это придаст всему еще большее напряжение!

Сидевшая с унылым видом миссис Оливер провела рукой по седым волосам, выглядевшим так, как будто над ними поработал не обычный ветер, а торнадо.

— Вы понимаете, что я имею в виду, Ариадна, дорогая?

— О, хорошо понимаю, — мрачно произнесла миссис Оливер.

— Но главное, что вам это нравится.

Нужно было обладать очень большой долей воображения, чтобы считать миссис Оливер довольной происходящим.

— В этот момент, — весело продолжал Робин, — ваш красивый молодой человек спускается на парашюте...

— Ему шестьдесят лет, — прервала миссис Оливер.

— О нет!

— Не нет, а да!

— А я его себе таким не представляю. Ему никак не больше тридцати пяти.

— Но я пишу о нем книги в течение тридцати лет, и в первой ему было по крайней мере тридцать пять.

— Дорогая, если ему шестьдесят, то у него не может быть связи с этой девушкой... как ее?.. Ингрид. В таком случае он превратится в мерзкого развратного старикашку!

— Несомненно!

— Ну вот, вы сами видите, что ему должно быть тридцать пять лет! — победно воскликнул Робин.

— Тогда это уже не Свен Хьерсон. Сделайте его просто молодым норвежцем — участником Сопротивления.

— Но, дорогая Ариадна, Свен Хьерсон — это гвоздь пьесы; ведь ваши читатели ему поклоняются, и каждому захочется увидеть его на сцене. Он создаст кассовый сбор!

— Но люди, которые читали мои книги, знают, как он выглядит! Вы не можете выдумать молодого человека из норвежского партизанского отряда и называть его Свеном Хьерсоном.

— Боже мой, Ариадна, я же объяснял вам! Это не книга, дорогая, это пьеса! И она должна быть эффектной! Поэтому совершенно необходим антагонизм между Свеном Хьерсоном и этой... как ее?.. Карен. Понимаете, они все время ссорятся, и в то же время их властно влечет друг к другу.

— Свен Хьерсон никогда не интересовался женщинами, — холодно произнесла миссис Оливер.

— Но вы же не можете делать его гомосексуалистом, дорогая. Это не годится для такой пьесы. Ведь действие развертывается не среди зеленых лавровых деревьев, а на фоне ужасов и убийства — на вольном воздухе.

Упоминание о вольном воздухе возымело действие.

— Пожалуй, я выйду погулять, — поспешно заявила миссис Оливер. — Мне срочно необходим воздух.

— Мне пойти с вами? — любезно предложил Робин.

— Нет, я лучше пойду одна.

— Как хотите, дорогая. Возможно, вы правы. Я тогда схожу приготовить пиво с желтком для мадре. Бедняжка огорчается, когда ее оставляют без внимания. А вы продумайте эту сцену в подвале, ладно? Пока все идет отлично. Не сомневаюсь, что пьесу ждет огромный успех!

Миссис Оливер вздохнула.

— Но самое главное, — продолжал Робин, — чтобы она доставила вам радость!

Бросив на Робина взгляд, весьма далекий от восхищения, миссис Оливер накинула на свои обширные плечи безвкусный, военного покроя плащ, который она приобрела в Италии, и направилась в Бродхинни. Миссис Оливер решила позабыть о своих огорчениях, обратившись к расследованию настоящего преступления. Эркюль Пуаро нуждался в помощи. Поэтому ей необходимо бросить взгляд на обитателей Бродхинни, поупражнять свою женскую интуицию, которая никогда ее не подводила, и сообщить Пуаро, кто убийца. Тогда ему останется только добыть нужные доказательства.

Миссис Оливер начала свои поиски, спустившись с холма на почту и купив два фунта яблок. Производя покупку, она завязала дружескую беседу с миссис Суитимен.

Согласившись, что погода стоит очень теплая для этого времени года, миссис Оливер сообщила, что остановилась у миссис Апуорд в «Лабернемс».

— Да, я знаю. Вы та леди из Лондона, которая пишет книги об убийствах? Здесь в магазине есть три ваши книги, изданные «Пингвином».

Миссис Оливер бросила взгляд на книги «Пингвина», слегка прикрытые детскими болотными сапогами.

— «Случай со второй золотой рыбкой», — пробормотала она. — Это неплохая вещица. «Умер кот» — здесь у меня паяльная трубка оказалась на фут длиннее чем надо — семь футов вместо шести. Непонятно, почему паяльные трубки должны быть обязательно такого размера, но кто-то из какого-то музея тут же написал мне об этом. Иногда мне кажется, что люди читают книги только в надежде найти в них ошибки. А где же третья книга? О, «Смерть дебютантки» — ужасающая халтура! У меня там сульфонал растворяется в воде, а на самом деле он не растворяется, и весь сюжет оказался невозможным с начала до конца. До того как Свена Хьерсона наконец осенило, восемь человек успело умереть.

— Эти книги очень популярны, — заметила миссис Суитимен, не тронутая уничтожающей самокритикой. — Правда, я сама их не читала, так как у меня не хватает времени для чтения.

— В вашей деревне произошло убийство, не так ли? — спросила миссис Оливер.

— Да, в прошлом ноябре. Почти что по соседству.

— Я слышала, что сюда даже приехал какой-то детектив?

— А, вы имеете в виду этого маленького иностранного джентльмена из «Лонг-Медоус»? Он заходил сюда только вчера...

Миссис Суитимен прервалась на полуслове, увидев очередного покупателя, требующего марок. Она поспешила в почтовое отделение.

— Доброе утро, мисс Хендерсон. Сегодня необычайно тепло для этого времени года.

— Да, в самом деле.

Миссис Оливер уставилась в спину девушки, державшей на поводке силихэма[1].

— Значит, фруктовые деревья потом померзнут, — печально вздохнула миссис Суитимен. — Как себя чувствует миссис Уэзерби?

— Хорошо, спасибо. Она, правда, почти не выходит. В последние дни дул такой холодный восточный ветер.

— В Килчестере идет очень хороший фильм, мисс Хендерсон. Вы должны обязательно пойти.

— Я хотела пойти вчера вечером, но не смогла.

— На будущей неделе там пойдет картина с Бетти Грейбл...[2] Пятишиллинговые марки у меня кончились. Дать вам две по два шиллинга шесть пенсов?

— Миссис Уэзерби — инвалид? — спросила миссис Оливер, когда девушка вышла.

---

[1] Силихэм-терьер — порода декоративных собак.
[2] Бетти Грейбл — американская киноактриса.

— Как вам сказать, — поморщилась миссис Суитимен. — Если все время лежать, как она, то поневоле станешь инвалидом.

— Совершенно с вами согласна, — сказала миссис Оливер. — Я говорила как-то миссис Апуорд, что если она приложит некоторые усилия и будет побольше ходить, то это принесет ей только пользу.

— Когда ей нужно, она ходит — по крайней мере, я так слышала, — улыбнулась миссис Суитимен.

— От Дженет? — Миссис Оливер рискнула осведомиться об источнике информации.

— Дженет Грум часто мне жалуется, — сказала миссис Суитимен. — И ее можно понять. Мисс Грум сама не так молода, к тому же у нее ревматизм, который разыгрывается при восточном ветре. Точно такая же болезнь у джентри[1] именуется артритом, при котором необходимы инвалидные кресла и прочая ерунда. Конечно, лучше не рисковать, а то можно и без ног остаться. Но теперь стоит людям палец отморозить, как они тут же бегут к врачу, чтобы оправдать денежки, которые взимает национальное здравоохранение. Если будешь все время думать о том, как ты себя плохо чувствуешь, то из этого не выйдет ничего хорошего.

— Пожалуй, вы правы, — согласилась миссис Оливер.

Она уложила свои яблоки и отправилась в погоню за Дейрдре Хендерсон. Это оказалось нетрудным, так как ее силихем был старым, весьма упитанным и по пути постоянно занимался изучением травы, наслаждаясь приятными запахами.

Миссис Оливер всегда считала, что собаки — отличное средство для знакомства.

— Какая милая! — воскликнула она.

Высокая молодая женщина с некрасивым лицом выглядела обрадованной.

— Он действительно очень симпатичный, — сказала она. — Правда, Бен?

Бен поднял морду кверху, слегка вздрогнул своим похожим на колбасу туловищем и выразил одобрение изучаемой траве соответствующим способом.

---

[1] Д ж е н т р и — здесь: образованные классы, интеллигенция.

— Он у вас не драчун? — спросила миссис Оливер. — Силихемы любят драться.

— Да, ужасный драчун. Поэтому я и держу его на поводке.

— Так я и думала.

Некоторое время обе женщины продолжали обсуждение Бена.

— Вы Ариадна Оливер, не так ли? — внезапно спросила Дейрдре Хендерсон.

— Да. Я остановилась у Апуордов.

— Я знаю. Робин сообщил нам о вашем приезде. Должна сказать, что мне очень нравятся ваши книги.

Миссис Оливер, как обычно, густо покраснела от смущения.

— Очень рада, — печально вздохнула она.

— К сожалению, многих я не читала, потому что мы получаем книги из клуба «Таймс», а мама не любит детективных романов. Она очень чувствительна и потом не может ночью заснуть. А я их обожаю.

— У вас здесь произошло настоящее преступление, верно? — осведомилась миссис Оливер. — В каком доме это случилось? В одном из тех коттеджей?

— Да, в третьем, — казалось, с трудом произнесла Дейрдре Хендерсон.

Миссис Оливер бросила взгляд на бывшее обиталище миссис Макгинти, порог которого в данный момент был занят двумя юными Киддлами, с восторгом истязавшими кошку. Когда миссис Оливер протестующе шагнула вперед, кошке удалось вырваться с помощью когтей.

Старший ребенок, которому основательно досталось, начал громко вопить.

— Поделом, — заметила миссис Оливер и обернулась к Дейрдре Хендерсон: — По-моему, не похоже, что в этом доме произошло убийство.

— Да, действительно, — согласилась Дейрдре.

— Значит, — продолжала миссис Оливер, — тут жила старая поденщица, которую кто-то убил и ограбил?

— Ее жилец. Она хранила под полом немного денег.

— Понятно.

— А может быть, это и не он, — внезапно заявила Дейрдре Хендерсон. — Сюда приехал один забавный маленький человечек — иностранец. Его имя — Эркюль Пуаро.

— Эркюль Пуаро? О да, я все о нем знаю.

— Он в самом деле детектив?

— Да, и притом один из наиболее знаменитых. Он дьявольски умен.

— Тогда, возможно, ему удастся выяснить, что он ни в чем не виноват.

— Кто?

— Ну, жилец. Джеймс Бентли. О, надеюсь, что он выпутается!

— Надеетесь? Почему?

— Потому что я не хочу, чтобы он оказался убийцей.

Миссис Оливер с любопытством поглядела на девушку, удивленная страстью, звучащей в ее голосе:

— Вы знали его?

— Нет, — медленно ответила Дейрдре. — Я его не знала. Но однажды Бен попал ногой в капкан, и он помог мне его освободить. Тогда мы поговорили немного.

— Что он собой представляет?

— Он был ужасно одиноким. Его мать, которую он очень любил, недавно умерла.

— А вы тоже любите свою мать? — быстро спросила миссис Оливер.

— Да. Поэтому я хорошо его поняла. У меня кроме мамы никого нет.

— А мне говорил Робин, что у вас есть отчим...

— О да, есть, — с горечью произнесла Дейрдре.

— Конечно, отчим — это не то же самое, что родной отец, — рассеянно заметила миссис Оливер. — А вы помните вашего отца?

— Нет, он умер еще до моего рождения. Мама вышла замуж за мистера Уэзерби, когда мне было четыре года. Я... я всегда ненавидела его. — Сделав паузу, она добавила: — У меня очень печальная жизнь. Ни сочувствия, ни понимания. Мой отчим — холодный и суровый человек.

Кивнув, миссис Оливер заметила:

— Этот Джеймс Бентли как будто не похож на преступника.

— Я никогда не думала, что полиция арестует его. Здесь поблизости иногда появляются эти ужасные бродяги. Уверена, что убийца — один из них.

— Может быть, Эркюль Пуаро узнает правду, — постаралась утешить девушку миссис Оливер.

— Да, может быть...

И Дейрдре свернула в калитку «Хантерс-Клоуз».

Миссис Оливер несколько секунд смотрела ей вслед, потом вынула из сумочки маленькую записную книжку и написала: «*Не* Дейрдре Хендерсон», с такой решительностью подчеркнув частицу «не», что карандаш сломался.

3

Пройдя полпути вверх на холм, она встретила Робина Апуорда, идущего вниз в сопровождении красивой, молодой платиновой блондинки.

Робин представил их друг другу.

— Это наша замечательная Ариадна Оливер, Эви, — сказал он. — По ее благожелательному виду никогда не скажешь, что она погрязла в преступлениях. А это Эви Карпентер. Ее муж на следующих выборах наверняка станет членом парламента. Теперешний депутат, сэр Джордж Картрайт, — форменная старая развалина. А еще бегает за девушками.

— Робин, как вам не стыдно выдумывать такой вздор! Вы же дискредитируете партию.

— А мне какое дело? Это не моя партия. Я — либерал. Это единственная партия, к которой можно принадлежать в наши дни. Правда, у нее нет ни малейшей надежды на успех, но я всегда на стороне побежденных. — Он обернулся к миссис Оливер: — Эви приглашает нас выпить сегодня вечером. Эта вечеринка специально для вас, Ариадна. Мы все в восторге от того, что у нас гостит такая знаменитость. Не могли бы вы перенести в Бродхинни место вашего очередного убийства?

— О да, миссис Оливер, — поддержала Эви Карпентер.

— Свену Хьерсону ничего не стоит приехать сюда, — продолжал Робин. — Он мог бы, как Эркюль Пуаро,

107

остановиться в гостинице у Саммерхейзов. Мы как раз направляемся туда, так как я рассказал Эви, что Эркюль Пуаро так же знаменит в своей области, как вы в своей. Эви говорит, что вчера она обошлась с ним довольно грубо, поэтому она хочет пригласить на вечеринку и его. Но серьезно, дорогая, пускай ваше следующее убийство произойдет в Бродхинни. Мы будем на седьмом небе от радости.

— О, пожалуйста, миссис Оливер! Это будет так забавно, — присоединилась Эви Карпентер.

— Кто же будет убийцей, а кто жертвой? — осведомился Робин.

— Ваша очередная уборщица, — предложила миссис Оливер.

— О, дорогая, с нас довольно подобных убийств. Это очень скучно. Вот из Эви могла бы выйти великолепная жертва. Что, если задушить ее собственным нейлоновым чулком? Хотя нет, такое уже было.

— Пусть лучше убьют вас, Робин, — воспротивилась Эви. — Подающий надежду драматург зарезан в деревенском коттедже.

— Мы еще не выбрали убийцу, — заметил Робин. — Как вы смотрите на мою маму? Можно использовать ее кресло на колесиках, чтобы не оставлять следов ног.

— Но она вряд ли захочет зарезать вас, Робин.

Робин задумался.

— Пожалуй, вы правы. Но зато она сможет задушить вас. Против этого она возражать не станет.

— Но я хочу, чтобы вы были жертвой. А убить вас может Дейрдре Хендерсон, замкнутая, некрасивая девушка, на которую никто не обращает внимания.

— Слово за вами, Ариадна, — сказал Робин. — Вам преподнесли сюжет очередного романа. Вам остается только написать его, придумав несколько ложных улик. О Господи, какие у Морин ужасные собаки!

Они свернули в ворота «Лонг-Медоус», и две ирландские овчарки бросились им навстречу, оглушительно лая.

Морин Саммерхейз выбежала во двор с ведром в руках:

— Лежать, Флин! Сюда, Кормик! Хэлло, я как раз чистила хлев нашего Пигги.

— Мы поняли это по запаху, дорогая, — сказал Робин. — Ну, как поживает Пигги?

— Вчера он нас ужасно перепугал. Лежал и отказывался от завтрака. Мы с Джонни только и делали, что изучали различные болезни свиней, и заснуть не могли от беспокойства. Но сегодня с ним уже все в порядке. Когда Джонни принес ему пищу, он от восторга сбил его с ног, так что Джонни пришлось принять ванну.

— Да, вы с Джонни ведете поистине волнующую жизнь, — заметил Робин.

— Вы и Джонни приедете к нам сегодня вечером выпить чего-нибудь? — спросила Эви.

— С удовольствием.

— Там вы встретитесь с миссис Оливер, — сказал Робин. — Хотя вы уже с ней встретились. Вот она.

— В самом деле? — удивилась Морин. — Как интересно! Вы вместе с Робином пишете пьесу?

— Все идет великолепно! — заявил Робин. — Кстати, Ариадна, когда вы утром ушли, у меня появилась отличная мысль относительно распределения ролей.

— О, распределение ролей, — облегченно вздохнула миссис Оливер.

— Эрика должен играть Сесил Лич — он играет в театре в Калленки. Мы как-нибудь съездим туда вечерком посмотреть спектакль с его участием.

— Мне нужна ваша персона грата, — сказала Эви Морин. — Он уже встал? Я хочу пригласить и его.

— Мы его приведем, — пообещала Морин.

— Лучше я сама приглашу его. А то я была с ним вчера немного груба.

— Он где-то здесь — должно быть, в саду, — сказала Морин. — Флин, Кормик, что за несносные собаки! — Она с грохотом уронила ведро и побежала в сторону пруда, откуда доносилось бешеное утиное кряканье.

Глава 13

К концу вечеринки у Карпентеров миссис Оливер с бокалом в руке направилась к Эркюлю Пуаро. До этого момента и она и он находились в плотном кольце восторженных почитателей. После поглощения изрядного количества джина гости и хозяева занялись пересказом местных скандалов, и двое посторонних смогли наконец уединиться.

— Пойдемте на террасу, — тоном заговорщика прошептала миссис Оливер.

В тот же момент она сунула в руку Пуаро листок бумаги.

Выйдя через французское окно, они зашагали по террасе. Пуаро развернул записку.

— Доктор Ренделл, — прочитал он и вопрошающе взглянул на миссис Оливер, которая энергично кивнула, уронив на лицо клок седых волос.

— Он убийца, — заявила миссис Оливер.

— Почему вы так думаете?

— Я в этом не сомневаюсь. Он типичный убийца. Такой общительный и искренний...

— Ну, может быть и так. — Но в голосе Пуаро не слышалось особого убеждения. — А какой, по-вашему, у него мотив?

— Очевидно, миссис Макгинти знала о его поведении, противном врачебной этике, — предположила миссис Оливер. — Но каков бы ни был мотив, вы можете не сомневаться, что это он. Я тщательно изучила всех и уверена, что права.

В ответ Пуаро спокойно сообщил:

— Вчера вечером кто-то пытался столкнуть меня на рельсы на килчестерском вокзале.

— Боже мой! Вы имеете в виду, что вас хотели убить?

— Вне всякого сомнения.

— А доктор Ренделл в это время, конечно, был у больного?

— Как будто да.

— Тогда все ясно, — с удовлетворением заметила миссис Оливер.

— Не вполне, — возразил Пуаро. — Мистер и миссис Карпентер были вчера вечером в Килчестере и вернулись домой каждый сам по себе. Никто не знает, провела миссис Ренделл вечер дома, слушая радио, или нет. Мисс Хендерсон часто ездит в Килчестер в кино.

110

— Но вчера вечером она была дома. Она сама мне сказала.

— Нельзя же верить всему, что вам говорят, — укоризненно произнес Пуаро. — Родственники поддерживают друг друга. А Фрида, иностранная служанка, сама была вчера вечером в кино, поэтому она не может сообщить нам, кто был и кого не было дома в «Хантерс-Клоуз»! Как видите, нельзя так легко делать выводы.

— Но за своих хозяев я, возможно, могу поручиться, — сказала миссис Оливер. — В какое время, вы говорите, это произошло?

— Ровно в 9.35.

— В таком случае обитатели «Лабернемс» вне подозрений. С восьми до пол-одиннадцатого Робин, его мать и я играли в покер.

— А я думал, что вы оставались наедине с Робином, работая над пьесой.

— В то время как миссис Апуорд воспользовалась велосипедом с мотором, спрятанным в кустарнике? — засмеялась миссис Оливер. — Нет, мадре все время была на наших глазах. — Миссис Оливер печально вздохнула. — Пьеса, — с горечью произнесла она, — это просто кошмар! Вам бы понравилось, если бы вы в один прекрасный день увидели на суперинтенданте Бэттле[1] большие черные усы и вам бы сказали, что это вы?

— Ужасное предположение! — воскликнул Пуаро.

— Тогда вы должны понять мои страдания.

— Я тоже страдаю, — сказал Пуаро. — Стряпня мадам Саммерхейз просто не поддается описанию. Ее вообще невозможно есть. А сквозняки, холодный ветер, кошки с расстройством желудка, разбросанная повсюду собачья шерсть, стулья со сломанными ножками, ужасающая кровать, на которой я сплю... — Пуаро зажмурил глаза, вспоминая о своих мучениях, — чуть теплая вода в ванной, дырявые ковры и кофе — невозможно себе представить ту жидкость, которая там именуется кофе! Это просто оскорбляет мой желудок!

---

[1] Б э т т л — полицейский офицер, персонаж ряда произведений А. Кристи. В романе «Карты на стол» участвует в расследовании вместе с Пуаро и миссис Оливер.

— Боже мой, — посочувствовала миссис Оливер. — И все же она очень славная женщина.

— Миссис Саммерхейз? Она просто очаровательна. И это еще больше осложняет положение.

— Вот она идет к нам, — сказала миссис Оливер.

К ним приближалась Морин Саммерхейз. В руке она держала бокал, а на лице было написано выражение восторга.

— По-моему, я немного опьянела, — улыбнулась она. — Но у них такой превосходный джин. Вообще, мне нравятся вечеринки. В Бродхинни их не часто устраивают. Разве что в честь таких знаменитостей, как вы. Я бы тоже хотела писать книги. Но беда в том, что я ничего не могу делать как следует.

— Зато вы хорошая жена и мать, мадам, — заметил Пуаро.

Морин широко открыла свои карие глаза, казавшиеся особенно привлекательными на маленьком веснушчатом лице.

«Сколько ей может быть лет? — подумала миссис Оливер. — Никак не больше тридцати».

— В самом деле? — спросила Морин. — Вряд ли. Правда, я их всех обожаю, но разве этого достаточно?

Пуаро кашлянул.

— Не сочтите меня нахальным, мадам, но жена, искренне любящая своего мужа, должна заботиться о его желудке. Желудок — это очень важно.

Морин выглядела слегка обиженной.

— У Джонни отличный желудок, — с возмущением сказала она. — Правда, у него нет аппетита.

— Я имею в виду содержимое его желудка.

— А, моя стряпня, — поняла Морин. — Но мне никогда не казалось важным, кто что ест.

Пуаро тяжело вздохнул.

— Или кто во что одет, — мечтательно продолжала Морин, — или кто что делает. По-моему, такие вещи не имеют никакого значения.

Несколько секунд она молчала, устремив вдаль помутневшие от алкоголя глаза.

— На днях я читала в газете письмо одной женщины, — внезапно заговорила Морин. — Очень глупое письмо. Она спрашивала, что лучше — позволить, чтобы твоего ребенка усыновил кто-нибудь, кто может обеспечить ему все преимущества, то есть хорошее образование, одежду, комфорт и так далее, или воспитывать его самой, несмотря на то что она не может дать ему этих преимуществ. По-моему, это очень глупо. Ребенка нужно воспитывать самой, если только есть чем кормить его. — Морин внимательно вглядывалась в свой пустой бокал, словно это был магический кристалл. — Я знаю это по себе, — продолжала она, — так как меня саму удочерили. Моя мать отдала меня, и я получила все так называемые удобства. Но это ужасно обидно — чувствовать, что ты не была нужна даже собственной матери.

— Возможно, она принесла эту жертву ради вашей пользы, — заметил Пуаро.

Глаза Морин встретились с его глазами.

— Вряд ли. Этим они успокаивают сами себя. А на самом деле они просто могут без вас отлично обойтись. Но я бы ни за какие преимущества в мире не рассталась со своими детьми!

— По-моему, вы абсолютно правы, — заявила миссис Оливер.

— Я также согласен с вами, — присоединился Пуаро.

— Тогда все в порядке, и спорить больше не о чем, — весело сказала Морин.

— А о чем вы спорите? — спросил подошедший к ним Робин.

— Об усыновлении, — ответила Морин. — Мне не нравится быть приемышем, а вам?

— Ну, это гораздо лучше, чем быть сиротой, не так ли, дорогая? Однако нам пора идти, как вы считаете, Ариадна?

Гости начали расходиться. Доктор Ренделл куда-то поспешно уехал. Остальные зашагали вниз по холму, болтая с той непринужденной веселостью, которую вызывает солидная порция коктейлей.

Когда они подошли к калитке «Лабернемс», Робин настоял на том, чтобы они заглянули туда.

— Расскажем мадре о вечеринке. Ведь ей, бедняжке, так скучно сидеть дома только потому, что нога не позволяет ей двигаться. А она терпеть не может оставаться в стороне от событий.

Все охотно согласились. Миссис Апуорд казалась очень обрадованной гостям.

— А кто еще был на вечеринке? — спросила она. — Уэзерби?

— Миссис Уэзерби неважно себя чувствовала, а мисс Хендерсон не захотела оставлять ее одну.

— Как она трогательна! — воскликнула Шила Ренделл.

— По-моему, почти патологически, — вставил Робин.

— Мать сама во всем виновата, — сказала Морин. — Некоторые матери просто жить не дают своим детям.

Встретившись с насмешливым взглядом миссис Апуорд, она внезапно покраснела.

— Робин, разве я не даю тебе жить? — спросила миссис Апуорд.

— Что ты, мадре! Конечно нет!

Чтобы скрыть смущение, Морин быстро начала рассказывать о своих опытах по разведению ирландских овчарок, и разговор перешел в другое русло.

— Нельзя не учитывать фактора наследственности, имея дело как с людьми, так и с собаками, — решительно заявила миссис Апуорд.

— А окружение, по-вашему, не имеет значения? — спросила Шила Ренделл.

— Нет, дорогая, не думаю, — обрезала ее миссис Апуорд. — Окружение может придать внешний лоск — не более. Все равно кровь даст себя знать.

Взгляд Эркюля Пуаро с любопытством задержался на раскрасневшемся лице миссис Ренделл.

— Но это же жестоко, несправедливо! — с неожиданной горячностью произнесла она.

— Жизнь вообще несправедлива, — заметила миссис Апуорд.

— Я согласен с миссис Апуорд, — послышался неторопливый голос Джонни Саммерхейза. — Кровь рано или поздно дает себя знать. Я никогда в этом не сомневался.

— Значит, вы считаете, — спросила миссис Оливер, — что все может передаваться «до третьего и четвертого рода»?

— Но эта цитата продолжается: «...и творящий милость до тысячи родов»[1], — внезапно заговорила Морин Саммерхейз. Серьезная нотка, звучащая в ее высоком мелодичном голосе, слегка смутила окружающих.

Чтобы переменить тему, они перенесли внимание на Пуаро.

— Расскажите нам о миссис Макгинти, мсье Пуаро. Почему появились сомнения в виновности ее мрачного жильца?

— Я часто встречал его, — сказал Робин. — Он бродил повсюду и что-то бормотал себе под нос. Выглядел он, по-моему, чертовски странно.

— Должна же у вас быть какая-то причина, мсье Пуаро, для того, чтобы считать его невиновным в убийстве? Пожалуйста, расскажите нам.

Пуаро улыбался, покручивая ус.

— Если не он убил ее, то кто же?

— В самом деле, кто же?

— Не смущайте его, — сухо сказала миссис Апуорд. — Возможно, он подозревает одного из нас.

— Одного из нас? О-о!

Среди протестующих возгласов Пуаро удалось бросить быстрый взгляд на миссис Апуорд. В ее глазах светилось веселье и что-то еще — возможно, вызов.

— Он подозревает одного из нас, — с наслаждением подхватил Робин и с видом типичного прокурора обратился к миссис Саммерхейз: — Итак, Морин, где вы были вечером... когда это произошло?

— Двадцать второго ноября, — сказал Пуаро.

— Вечером двадцать второго ноября?

— Боже мой, понятия не имею! — ответила Морин.

— Никто этого не знает — ведь прошло столько времени, — сказала миссис Ренделл.

— А я знаю, — возразил Робин, — потому что в тот вечер я выступал по радио. Я ездил в Коулпорт проводить беседу о некоторых аспектах театра и подробно останавливался на уборщице из «Серебряной шкатулки» Голсуорси. А так как на следующий день миссис Макгинти нашли

---

[1] Библия. Исход. 20:5, 6.

убитой, то меня заинтересовало, была ли она похожа на ту уборщицу.

— Это верно, — вмешалась Шила Ренделл. — Я теперь тоже вспомнила, потому что вы сказали, что ваша мать останется одна, так как у Дженет выходной день, и я пришла сюда составить ей компанию. Только, к сожалению, она не слышала моего стука.

— Дайте мне подумать, — сказала миссис Апуорд. — О, конечно! Я легла в кровать с головной болью, а моя спальня выходит на задний двор.

— А на следующий день, — продолжала Шила, — когда я узнала, что миссис Макгинти убили, то подумала: «Боже, ведь я могла в темноте встретить убийцу!» Сначала мы думали, что это какой-то бродяга-взломщик.

— А вот я не могу вспомнить, чем тогда занималась, — сказала Морин. — Но следующее утро я помню. Пришел булочник и сказал: «Старую миссис Макгинти прикончили!» Мне сразу показалось странным, что она не пришла, как обычно. Ужасно! — Она слегка вздрогнула.

Миссис Апуорд все еще наблюдала за Пуаро.

«Она очень умная женщина, — подумал он. — Умная, безжалостная и самоуверенная. И что бы она ни сделала, ее не будут терзать сомнения и угрызения совести...»

Послышался тонкий надоедливый голосок Шилы Ренделл:

— У вас есть какие-нибудь улики, мсье Пуаро?

Длинное смуглое лицо Джонни Саммерхейза внезапно просветлело.

— Вот именно — улики, — с энтузиазмом подхватил он. — Вот что мне больше всего нравится в детективных романах. Улики, которые сыщику говорят все, а вам — ничего, до самого конца, когда вы подпрыгиваете до потолка от изумления. Не могли бы вы дать нам хоть один маленький ключ к разгадке, мсье Пуаро?

На него смотрели улыбающиеся лица. Для всех их (возможно, кроме одного) это была всего лишь игра. Но убийство не игра — оно опасно.

Внезапно резким движением Пуаро извлек из кармана четыре фотографии.

— Вам нужен ключ к разгадке? — переспросил он. — Voilà.

И драматическим жестом он бросил их на стол.

Все столпились вокруг стола. Послышались возбужденные восклицания:

— Смотрите!

— Как они смешно одеты!

— Взгляните только на эти розы!

— Боже мой, что за шляпа!

— Какой ужасный ребенок!

— Но кто они такие?

— Ну разве эти люди не нелепы?

— А эта женщина недурна собой.

— Но почему это ключ к разгадке?

— Кто они?

Пуаро медленно оглядел лица окружающих, но он увидел лишь то, что ожидал увидеть.

— Вы не узнаете никого из них?

— Узнаем?

— Может, вы видели какую-нибудь из этих фотографий раньше? Вот вы, миссис Апуорд? Вы что-то вспомнили, не так ли?

Миссис Апуорд колебалась:

— Да, возможно.

— Какую же из фотографий вы узнали?

Указательный палец миссис Апуорд задержался на детском очкастом лице Лили Гэмболл.

— Вы видели эту фотографию — когда?

— Совсем недавно... Вот только не могу вспомнить, где? Но я уверена, что видела такую фотографию.

Миссис Апуорд сидела нахмурившись. Она очнулась от размышлений только тогда, когда миссис Ренделл подошла к ней.

— До свидания, миссис Апуорд. Надеюсь, вы придете ко мне на чашку чая, если будете хорошо себя чувствовать?

— Спасибо, дорогая, я приду, если Робин сможет отнести меня вверх на холм.

— Конечно, мадре. Передвигая это кресло, я развил отличные мускулы. Помнишь тот день, когда мы ходили к Уэзерби и было так грязно...

— Ах! — внезапно воскликнула миссис Апуорд.

— Что, мадре?

— Ничего. Продолжай.

— Пришлось поднимать тебя на холм. Правда, кресло так буксовало, что я думал, мы никогда не доберемся домой.

Смеясь, гости начали расходиться.

«Алкоголь, — подумал Пуаро, — определенно развязывает языки».

Умно или глупо он поступил, показав эти фотографии? Или это тоже было результатом алкоголя? В этом он сомневался.

Извинившись перед спутниками, Пуаро толкнул калитку и снова зашагал к дому. Сквозь открытое окно слева доносилось бормотание двух человек. Голоса принадлежали Робину и миссис Оливер, причем миссис Оливер говорила очень мало, а Робин очень много.

Открыв входную дверь, Пуаро свернул направо и опять очутился в комнате, которую покинул несколько минут назад. Миссис Апуорд сидела у камина. На лице ее застыло мрачное выражение. Она так глубоко задумалась, что появление Пуаро испугало ее.

Услышав его тихое извиняющееся покашливание, она, вздрогнув, подняла голову:

— О, это вы? Вы напугали меня.

— Простите, мадам. А вы думали, что это кто-то другой? Кто же?

Оставив без ответа этот вопрос, миссис Апуорд осведомилась:

— Вы что-нибудь забыли?

— Боюсь, что я забыл об опасности.

— Об опасности?

— Да, об опасности, грозящей вам, потому что вы узнали одну из этих фотографий.

— Может быть, это и не так. Все старые фотографии выглядят похожими друг на друга.

— Послушайте, мадам. Миссис Макгинти, по-видимому, тоже узнала какую-то из этих фотографий. И теперь миссис Макгинти мертва.

Глаза миссис Апуорд неожиданно весело блеснули.

— «Миссис Макгинти мертва. Как она умерла? Высунув голову, как я». Вы это имели в виду?

— Да. Если вы знаете что-нибудь, расскажите мне это сейчас. Так будет безопаснее.

— Все не так просто. Я вовсе не уверена, что я что-то знаю. Ведь нельзя же полагаться на смутные воспоминания. Нужно знать, что, когда, где и так далее.

— Но мне кажется, что вы уже это знаете.

— В таком случае моих знаний еще недостаточно. Приходится учитывать различные факторы. А ваша настойчивость, мсье Пуаро, ни к чему не приведет. Я не из тех, кто действует быстро и необдуманно. У меня есть свое мнение, и мне требуется время, чтобы прийти к решению. Лишь тогда я начинаю действовать — и никак не раньше.

— Вы скрытная женщина, мадам.

— Возможно. Знание — это сила, которой нужно пользоваться с осторожностью. Простите меня, но вы, вероятно, не вполне понимаете особенности нашей английской, деревенской жизни.

— Другими словами, вы хотите сказать, что я всего лишь проклятый иностранец.

— Ну, не так грубо, — слегка улыбнулась миссис Апуорд.

— Если вы не хотите сказать мне, скажите суперинтенданту Спенсу.

— Дорогой мсье Пуаро, полиции пока что незачем об этом знать.

Пуаро пожал плечами.

— Я предупредил вас, — сказал он.

Теперь он был твердо уверен в том, что миссис Апуорд хорошо помнит, когда и где она видела фотографию Лили Гэмболл.

Глава 14

1

— Определенно, — сказал себе Пуаро на следующее утро, — началась весна.

Его вчерашние опасения казались совершенно необоснованными.

Миссис Апуорд была вполне благоразумной женщиной и могла о себе позаботиться.

И все же она чем-то заинтриговала его. Он не совсем понимал линию ее поведения. Ясно было одно: она узнала фотографию Лили Гэмболл, но не пожелала быть откровенной с Пуаро, намереваясь действовать в одиночку.

Раздумывая над этим, Пуаро шагал по садовой дорожке. Внезапно он вздрогнул, услышав позади себя голос:

— Мсье Пуаро!

Миссис Ренделл подошла так тихо, что он не почувствовал ее приближения, а со вчерашнего дня нервы у него были явно не в порядке.

— Pardon[1], мадам, вы напугали меня.

«Если я нервничаю, — подумал Пуаро, — то она взволнована еще больше».

Руки женщины судорожно сжимались, одно веко нервно подергивалось.

— Надеюсь, я не помешала вам. Может быть, вы заняты?

— Нет, я не занят. Погода отличная, и я наслаждаюсь весной. Во дворе сейчас хорошо, а в доме миссис Саммерхейз покоя нет от того, что англичане называют сквозняком.

— Да, вы правы.

— Двери там постоянно открываются, а окна вообще невозможно запереть.

— Это довольно ветхий дом, а у Саммерхейзов не хватает средств его отремонтировать. На их месте я бы его продала. Правда, в доме уже сотни лет жили предки майора, но в наши дни невозможно цепляться за вещи ради одной только сентиментальности.

— Да, теперь сентиментальность не в моде.

Последовало молчание. Уголком глаза Пуаро наблюдал за дрожащими белыми руками. Он ждал, что миссис Ренделл возьмет на себя инициативу.

— Полагаю, — внезапно заговорила она, — что, когда вы... ну, занимаетесь расследованиями, вам всегда необходим предлог?

Пуаро задумался над вопросом. Он не глядел на собеседницу, но чувствовал на себе ее нетерпеливый взгляд.

— Вообще-то, мадам, — уклончиво ответил Пуаро, — это довольно удобно.

---

[1] Простите *(фр.)*.

— Чтобы объяснить ваше присутствие и задавать вопросы?

— Быть может, и так.

— Тогда объясните мне истинную причину вашего приезда в Бродхинни, мсье Пуаро.

Он удивленно посмотрел на нее:

— Но, моя дорогая леди, я же говорил вам: я приехал, чтобы расследовать обстоятельства смерти миссис Макгинти.

— Я помню, что вы говорили, — резко сказала миссис Ренделл. — Но это чушь!

Пуаро поднял брови:

— В самом деле?

— Безусловно. Никто в это не верит.

— И все же уверяю вас, что это истинная правда.

В светло-голубых глазах Шилы Ренделл мелькнул огонек, затем она отвела взгляд в сторону:

— Значит, вы не хотите рассказать мне...

— Что рассказать, мадам?

Внезапно миссис Ренделл переменила тему:

— Я хотела спросить вас об анонимных письмах.

— Да? — ободряюще произнес Пуаро, видя, что женщина колеблется.

— Они ведь всегда лживы — не так ли?

— Они *иногда* лживы, — осторожно поправил Пуаро.

— Как правило? — продолжала настаивать она.

— Мне не совсем ясно, что вы имеете в виду.

— Ведь писать анонимные письма — трусливо и подло, — горячо произнесла Шила Ренделл.

— В этом я с вами полностью согласен.

— И вы бы не поверили тому, что говорилось бы в таких письмах?

— Это довольно сложный вопрос, — задумчиво промолвил Пуаро.

— А я бы не поверила ничему подобному. Я знаю, зачем вы сюда приехали. И что бы там ни было, это неправда!

Резко повернувшись, она зашагала прочь.

Брови Эркюля Пуаро заинтересованно поползли вверх. «Как это понимать? — подумал он. — Меня хотят сбить со следа? Или это вообще птичка из другого гнезда?»

Визит миссис Ренделл еще больше запутал ситуацию.

Шила Ренделл заявила, что она не верит в то, что Пуаро приехал сюда по делу миссис Макгинти. Ей казалось, что это только предлог.

В самом ли деле она так думала? Или просто хотела спутать ему карты?

И при чем здесь анонимные письма?

Неужели на фотографии, которую миссис Апуорд недавно где-то видела, была изображена миссис Ренделл?

Другими словами, не являлась ли миссис Ренделл в действительности Лили Гэмболл? Лили Гэмболл была полностью восстановлена в правах, и последние вести о ней были получены из Ирландии. Может быть, доктор Ренделл повстречал ее там и женился на ней, не зная ее истории? Ведь Лили Гэмболл изучала стенографию и могла легко познакомиться с доктором на этой почве.

Пуаро покачал головой и вздохнул.

Все это вполне возможно, но он не был в этом уверен.

Внезапно подул холодный ветер, и солнце скрылось за тучу.

Пуаро вздрогнул и зашагал к дому.

Да, он должен твердо убедиться во всем. Если бы только ему удалось найти орудие убийства...

И в этот момент он увидел его!

2

Впоследствии Пуаро часто спрашивал себя, не обратил ли он подсознательно внимание на этот предмет гораздо раньше. Ведь он, по-видимому, лежал там с самого начала пребывания Пуаро в «Лонг-Медоус» — на пыльном книжном шкафу около окна.

«Почему же я не замечал его раньше?» — подумал он.

Сняв со шкафа таинственный предмет, Пуаро взвесил его на руке, тщательно осмотрел со всех сторон и поднял вверх, словно пытаясь нанести удар...

В комнату ворвалась Морин, сопровождаемая двумя собаками.

— Хэлло! — весело воскликнула она. — Вы что, играете с резцом для сахара?

— Так эта штука — резец для сахара?

— Да. Или сахарный молоток. Забавная вещичка, правда? Совсем как игрушка — с этой маленькой птичкой наверху.

Пуаро продолжал вертеть в руках инструмент. Сделанный из пышно разукрашенной латуни, он напоминал по форме тяжелое тесло с острым лезвием, сверху донизу усеянное красными и светло-голубыми камешками. Наверху торчала птичка с бирюзовыми глазками.

— Отличное орудие убийства, верно? — заметила Морин.

Забрав предмет у Пуаро, она нанесла им сокрушительный удар по воздуху.

— Совсем легко, — заметила она. — Как это сказано в «Королевских идиллиях»?[1] «Так поступает Марк», — сказал он и череп раскроил ему». Действительно, такой вещицей можно запросто раскрошить человеку череп.

Пуаро задумчиво посмотрел на ее веселое веснушчатое лицо.

— Ну, скажу Джонни, что с ним произойдет, если он когда-нибудь мне надоест, — продолжала Морин. — Такая штука — лучший друг жены. — Засмеявшись, она положила на место молоток и повернулась к двери. — Зачем я сюда пришла? — задумчиво промолвила Морин. — Никак не могу вспомнить... Ну ладно, пойду посмотрю, не нужно ли подлить воды в кастрюлю с пудингом.

Прежде чем она вышла, Пуаро остановил ее:

— Вы, наверное, привезли эту вещицу из Индии?

— Нет, — ответила Морин. — Я достала его в «П. и п.» на Рождество.

— В «П. и п.»? — Пуаро был озадачен.

— «Приносите и покупайте», — объяснила Морин. — Такое заведение иногда устраивают в доме викария. Туда можно принести ненужные вещи и что-нибудь купить. Иногда там достаешь кое-что любопытное, хотя это случается довольно редко. Я там купила эту штуку и еще

---

[1] «К о р о л е в с к и е и д и л л и и» — цикл стихотворений Альфреда Теннисона.

вон тот кофейник. В кофейнике мне понравился носик, а в молотке — маленькая птичка.

Маленький медный кофейник с кривым носиком показался Пуаро знакомым.

— По-моему, их привезли из Багдада, — сказала Морин. — По крайней мере, так говорили Уэзерби. Или, может быть, не из Багдада, а из Персии.

— Значит, эти вещи из дома Уэзерби?

— Да. У них вообще полно хлама. Ну, я должна заняться пудингом.

Морин вышла, и дверь оглушительно хлопнула. Пуаро снова взял в руки резец для сахара и поднес его к окну.

На режущей грани виднелись едва заметные пятнышки.

Пуаро покачал головой.

После минутного колебания он отнес резец к себе в спальню. Там он тщательно упаковал его в коробку, аккуратно завернул в бумагу и завязал тесемкой. Затем, спустившись вниз, вышел из дома.

Он не боялся, что кто-нибудь заметит исчезновение резца, так как домашнее хозяйство в «Лонг-Медоус» велось крайне небрежно.

3

В «Лабернемс» совместное творчество двух литераторов следовало своим тернистым путем.

— По-моему, совершенно незачем делать его вегетарианцем, дорогая, — возражал Робин. — Это чудачество, не дающее никакого эффекта.

— Ничего не поделать, — упорствовала миссис Оливер. — Он всегда был вегетарианцем. У него даже есть машинка для растирания моркови и репы.

— Но, Ариадна, милая, зачем это нужно?

— Откуда я знаю? — сварливо сказала миссис Оливер. — Откуда я знаю, зачем я вообще выдумала этого отвратительного субъекта? Я, должно быть, спятила. Почему он финн, когда я ничего не знаю о Финляндии? Почему он вегетарианец? Почему у него такие идиотские манеры? Все это происходит совершенно случайно. Вы придумываете что-нибудь, людям как будто это нравится, тогда вы продолжаете об этом писать, и все кончается тем, что кто-то, вроде этого полоумного Свена Хьерсона, привязывается к вам на всю жизнь. И все не сомневаются, что вы обожаете его. Обожаю! Если бы я встретила этого тощего, долговязого вегетарианца-финна в настоящей жизни, то я совершила бы убийство, гораздо лучшее, чем те, которые когда-либо придумывала.

Робин Апуорд с восторгом уставился на нее:

— Знаете, Ариадна, это великолепная идея! Вы убиваете настоящего Свена Хьерсона! Книга об этом стала бы вашей лебединой песней и была бы опубликована после́ вашей смерти.

— Так дело не пойдет, — возразила миссис Оливер. — А как же быть с деньгами? Ведь плата за мои убийства мне нужна при жизни.

— Здесь я вынужден с вами согласиться. — Возбужденный драматург шагал взад-вперед по комнате. — Эта Ингрид становится довольно надоедливой, — заявил он. — К тому же после потрясающей сцены в подвале я не вижу, как мы сможем избежать разрядки напряженности в следующей сцене.

Миссис Оливер хранила молчание. Она чувствовала, что сопоставление сцен было уязвимым местом Робина Апуорда.

Робин бросил на нее недовольный взгляд.

Этим утром миссис Оливер внезапно не понравилась ее не защищенная от ветра прическа. Щеткой, смоченной в воде, она плотно пригладила пепельные локоны. Своим высоким лбом, массивными очками и суровым выражением лица она все больше и больше напоминала Робину его школьную учительницу, внушающую ему благоговейный страх. Ему становилось все труднее называть ее «дорогая» и даже обращаться к ней «Ариадна».

— Знаете, — капризно сказал он, — сегодня я не в настроении. Возможно, во всем виноват вчерашний джин. Давайте прервем работу и займемся распределением ролей. Если мы сможем заполучить Дениса Кэллори, то это будет просто замечательно. Но в настоящее время он занят в кино. Из Джин Белльюс получится отличная Ингрид — к счастью, она согласна играть эту роль. Что касается Эрика, то я уже говорил вам о своих намерениях. Съездим сегодня вечером в театр, ладно? И вы мне тогда скажете, подходит ли Сесил на эту роль.

Миссис Оливер охотно согласилась с этим предложением, и Робин направился к телефону.

— Ну вот, — сказал он, вернувшись. — Все устроено.

4

Чудесное утро не сдержало своих обещаний. Днем сгустились тучи, явно угрожавшие дождем. Шагая по аллее, густо обсаженной кустарником, к парадному входу «Хантерс-Клоуз», Пуаро думал о том, что ему вряд ли пришлось бы по вкусу жить в этой долине у подножия холма. Дом скрывали деревья, стены были увиты плющом. По мнению Пуаро, здесь бы очень пригодился топор дровосека. (Топор или резец для сахара?)

Он позвонил в звонок и, не получив ответа, позвонил еще.

Дверь открыла Дейрдре Хендерсон. Она казалась удивленной.

— О, это вы...

— Могу я войти и поговорить с вами?

— Да, разумеется...

Она провела его в небольшую темную гостиную, в которой он ожидал появления хозяев во время своего первого визита. На камине стоял старший брат маленького кофейника, который Пуаро видел у Морин. Его огромный крючковатый нос словно подавлял своей восточной дикостью маленькую европейскую комнатку.

— Боюсь, — виновато заговорила Дейрдре, — что у нас сегодня неприятности. Наша прислуга-немка... она уезжает. Она проработала у нас месяц, так как ей нужно было задержаться в Англии — у нее здесь жених. А теперь у них все уладилось, и она собирается отбывать сегодня вечером.

Пуаро прищелкнул языком:

— Весьма прискорбно.

— Мой отчим говорит, что это незаконно. Но даже если это и так, то мы все равно ничего не сможем сделать. Мы бы даже не узнали о ее намерении, если бы я случайно не увидела, как она упаковывает вещи. Она бы ушла из дома, не сказав никому ни слова.

— Увы, в нашу эпоху предупредительность не в моде.

— Да, в самом деле, — уныло подтвердила Дейрдре, потирая лоб тыльной стороной руки. — Я устала, — сказала она, — очень устала.

— Да, — мягко произнес Пуаро. — Я понимаю, что вы очень устали.

— Что вы хотели узнать, мсье Пуаро?

— Я хотел спросить у вас о резце для сахара.

Ее лицо было озадаченным и непонимающим.

— Инструмент из латуни с птицей наверху, инкрустированный голубыми, красными и зелеными камнями, — пояснил Пуаро.

— О да, припоминаю.

В ее голосе не слышалось ни интереса, ни оживления.

— Насколько я понял, он сперва находился в вашем доме?

— Да. Мама купила его на базаре в Багдаде. Потом мы отнесли его вместе с другими вещами на распродажу в дом викария.

— В «Приносите и покупайте»?

— Да. У нас такие мероприятия часто устраивают. Жертвовать деньги на церковные нужды нелегко заставить, а лишние вещи всегда найдутся.

— Итак, резец был здесь, в этом доме, до Рождества, когда вы отнесли его на распродажу «Приносите и покупайте». Это верно?

Дейрдре нахмурилась:

— Но это было не на рождественской распродаже, а на предыдущей — в праздник урожая.

— Когда же был этот праздник? В октябре? В сентябре?

— В конце сентября.

В комнате было очень тихо. Пуаро смотрел на девушку, а она на него. Выражение ее лица казалось кротким, бесстрастным, незаинтересованным. Что же крылось за этой внешней апатией? Возможно, ничего. Может быть, Дейрдре, как явствовало из ее слов, просто устала...

— Вы вполне уверены, — настойчиво заговорил Пуаро, — что эта распродажа происходила во время праздника урожая, а не на Рождество?

— Абсолютно уверена.

Ее глаза оставались спокойными.

То, чего ожидал Эркюль Пуаро, не произошло.

— Ну, не стану вас больше задерживать, мадемуазель, — формально заявил он.

Дейрдре проводила его до дверей, и вскоре он уже шагал по дорожке.

Два противоречащих друг другу заявления.

Кто же был прав — Морин Саммерхейз или Дейрдре Хендерсон?

Если резец был использован в качестве орудия убийства, то этот вопрос становился крайне важным. Праздник урожая отмечается в конце сентября. Между ним и Рождеством, 22 ноября, была убита миссис Макгинти. Кому же в это время принадлежал резец?

Пуаро направился к почте. Миссис Суитимен, как всегда, была рада помочь. Она присутствовала на обеих распродажах — всегда посещает такие мероприятия. Там можно приобрести множество славных вещичек. Она помогала также разбирать присланные вещи, хотя большинство людей приносит их с собой, а не присылает заранее.

Латунный молоток, похожий на топор, с цветными камнями и маленькой птичкой. Нет, она точно не помнит. Там была страшная путаница, и много вещей расхватали сразу же. Хотя да, она припоминает нечто подобное — эта штука была оценена в пять шиллингов вместе с медным кофейником, но на дне кофейника оказалась дырка, так что его можно было использовать только как украшение. Но она не помнит, когда это было, — может быть, на Рождество, а может быть, и раньше.

Миссис Суитимен приняла у Пуаро посылку и зарегистрировала ее.

Она написала адрес, и Пуаро, получив квитанцию, заметил заинтересованный блеск в ее проницательных черных глазах.

Глубоко задумавшись, Эркюль Пуаро начал взбираться вверх на холм.

Пожалуй, Морин Саммерхейз — веселая, беспечная и неаккуратная — могла ошибиться скорее, чем Дейрдре Хендерсон. Для нее все едино — что праздник урожая, что Рождество.

А медлительная и неуклюжая Дейрдре, наверное, более точно помнит время и даты.

И все же кое-что оставалось неясным. Почему Дейрдре, услышав его вопросы, не осведомилась, зачем ему нужно это знать? Ведь это был бы вполне естественный и почти неминуемый при данных обстоятельствах вопрос.

Но Дейрдре Хендерсон не задала его.

Глава 15

1

— Кто-то вам звонил, — крикнула Морин из кухни, когда Пуаро вошел в дом.

— Звонил? Кто же?

Это известие удивило его.

— Не знаю. Но я записала номер в телефонной книжке.

— Благодарю вас, мадам.

Пуаро направился в гостиную и подошел к письменному столу. У телефона лежала раскрытая книжка, в которой было написано: «Килчестер, 350».

Сняв телефонную трубку, Пуаро набрал номер и услышал женский голос:

— Контора Бризера и Скаттла.

В голове Пуаро мелькнула догадка.

— Могу я поговорить с мисс Мод Уильямс?

После минутного интервала в трубке послышалось густое контральто:

— У телефона мисс Уильямс.

— Это Эркюль Пуаро. Вы, по-видимому, звонили мне?

— Да, звонила. Это по поводу поместья, о котором вы на днях спрашивали меня.

— Поместья? — В первый момент Пуаро был озадачен. Потом он сообразил, что Мод, очевидно, не одна в конторе и она не хочет, чтобы разговор подслушали. —

Кажется, я вас понял. Вы имеете в виду дело Джеймса Бентли и убийство миссис Макгинти?

— Совершенно верно. Не можем ли мы что-нибудь сделать для вас?

— Вы хотите помочь мне? Вы не одна в комнате?

— Вы правы.

— Я так и подумал. Слушайте внимательно. Вы в самом деле хотите помочь Джеймсу Бентли?

— Да.

— Можете ли вы уволиться с работы?

— Да, — без колебания ответила Мод.

— Готовы ли вы заняться домашним хозяйством, и притом для не очень симпатичных хозяев?

— Да.

— Вы можете уйти с работы сразу же? Например, завтра?

— О да, мсье Пуаро. Думаю, что это можно устроить.

— Вы понимаете, чего я от вас хочу? Вам придется превратиться в прислугу. Вы умеете готовить?

— Очень хорошо. — В голосе Мод послышалась веселая нотка.

— Bon Dieu[1], какая редкость! Теперь слушайте: я сейчас же еду в Килчестер и буду ждать вас во время ленча в том же кафе, где мы встретились в первый раз.

— Хорошо.

Пуаро положил трубку.

«Великолепная молодая женщина, — подумал он. — Решительная, толковая и даже умеет готовить».

С большим трудом Пуаро отыскал местный телефонный справочник, лежавший под трактатом о разведении свиней, и нашел в нем номер Уэзерби.

Голос, ответивший ему, принадлежал миссис Уэзерби.

— Алло. Это мсье Пуаро — вы помните, мадам?

— Не припоминаю.

— Мсье Эркюль Пуаро.

— О, конечно, простите меня. Сегодня у нас неполадки по хозяйству.

— По этой причине я и звоню вам. Я осведомлен о ваших затруднениях.

---

[1] Боже мой (фр.).

— Эти иностранки такие неблагодарные! Ведь ей оплатили даже проезд. Я так ненавижу неблагодарность!

— Да-да, я вам сочувствую. Это в самом деле чудовищно. Поэтому я и звоню вам, что, кажется, нашел выход. По счастливой случайности я знаю одну молодую женщину, которая хочет наняться в прислуги. Правда, боюсь, что она недостаточно вышколена.

— О, на такие вещи в наши дни рассчитывать не приходится. Но будет ли она готовить — ведь большинство этих девушек отказываются от этой работы?

— Не беспокойтесь, она умеет готовить. Значит, вы позволите мне прислать ее к вам, хотя бы на испытательный срок? Ее имя Мод Уильямс.

— О, пожалуйста, мсье Пуаро. Это так любезно с вашей стороны. Какой бы она ни оказалась, это все же лучше, чем ничего. Мой муж всегда придирается к бедной Дейрдре, когда с хозяйством не все гладко. Мужчины не могут понять, как это сложно в наши дни. Я... — Внезапно разговор прервался. Миссис Уэзерби заговорила с кем-то, вошедшим в комнату, и, хотя она прикрыла трубку рукой, до Пуаро доносился ее слегка приглушенный голос. — Это тот самый маленький сыщик — он знает женщину, которая хочет поступить к нам на место Фриды... Нет, она, слава Богу, англичанка. Такая забота обо мне, право, большая любезность с его стороны... О, дорогая, не спорь, пожалуйста. Какое это имеет значение? Ты же знаешь причуды Роджера... Думаю, что она не слишком ужасна. — Закончив эту беседу, миссис Уэзерби снова заговорила с Пуаро: — Большое спасибо, мсье Пуаро. Мы вам очень признательны.

Пуаро положил трубку и, взглянув на часы, направился в кухню.

— Мадам, к ленчу меня не будет. Я должен ехать в Килчестер.

— Слава Богу! — воскликнула Морин. — А то я не управилась с этим пудингом вовремя. Он получился немного пережаренным. Ну ничего, если его нельзя будет есть, то я открою банку малинового варенья, которую держу с прошлого лета. Правда, там сверху появилась плесень, но теперь это считается даже полезным — вроде пенициллина.

Пуаро вышел из дома, радуясь, что ему не придется есть пережаренный пудинг и новое снадобье, конкурирующее с пенициллином. Гораздо лучше пообедать макаронами, драченой и сливовым джемом в «Голубой кошке», чем питаться кулинарными импровизациями Морин Саммерхейз.

2

В «Лабернемс» происходил крупный разговор.

— Конечно, Робин, ты никогда ни о чем не помнишь, когда работаешь над пьесой.

Робин был полон раскаяния.

— Извини, ради Бога, мадре. Я забыл, что сегодня вечером Дженет не будет дома.

— Это совершенно не имеет значения, — ледяным тоном произнесла миссис Апуорд.

— Нет, это имеет большое значение. Я позвоню в театр и скажу им, что мы приедем не сегодня, а завтра.

— Тебе незачем это делать. Раз вы решили ехать сегодня вечером, то поезжайте.

— Но послушай...

— Все решено.

— Может быть, мне попросить Дженет остаться сегодня дома?

— Еще чего! Она терпеть не может, когда нарушают ее планы.

— Я уверен, что она не будет возражать, если я скажу ей...

— Ничего ты ей не скажешь, Робин. Пожалуйста, не огорчай Дженет. Мне вовсе не хочется чувствовать себя вздорной старухой, которая портит жизнь окружающим.

— Мадре, дорогая...

— Хватит, Робин. Поезжай и развлекайся на здоровье. Я знаю, кого я попрошу составить мне компанию.

— Кого же?

— Это мой секрет, — сказала миссис Апуорд, к которой вернулось хорошее настроение. — И перестань суетиться, Робин.

— Я позвоню Шиле Ренделл...

— Спасибо, я сама позвоню кому надо. Приготовь перед уходом кофе и оставь в кофейнике, чтобы я могла его подогреть. О, и лучше приготовь, чтобы хватило на две чашки — на тот случай, если у меня будет гость.

Глава 16

Сидя за ленчем в «Голубой кошке», Пуаро инструктировал Мод Уильямс.

— Итак, вы поняли, что вам надлежит делать?

Мод Уильямс кивнула.

— Вы уже уладили дела в конторе?

— Я послала сама себе телеграмму, что моя тетя опасно заболела, — улыбнулась Мод.

— Отлично. Мне осталось только напомнить вам, что где-то в деревне скрывается убийца. Следовательно, пребывание там не совсем безопасно.

— Вы предостерегаете меня?

— Да.

— Я могу о себе позаботиться, — сказала Мод Уильямс.

— Смотрите, как бы эта фраза не попала в антологию «Знаменитые последние слова», — пошутил Пуаро.

Мод от души расхохоталась. Сидящие за соседними столиками обернулись, глядя на нее.

Пуаро также окинул Мод задумчивым взглядом. Эта сильная, энергичная и уверенная в себе молодая женщина охотно бралась за выполнение опасного задания. Почему? Он снова подумал о Джеймсе Бентли, о его тихом печальном голосе и безжизненной апатии. Да, игра природы бывает весьма любопытной.

— Вы же сами просили меня заняться этим, — снова заговорила Мод. — Почему же теперь вы как будто отговариваете меня?

— Потому что, если человек берется выполнять данное ему поручение, он должен знать, чем оно чревато.

— Не думаю, чтобы мне грозила какая-нибудь опасность, — уверенно заявила Мод.

— В настоящий момент я и сам этого не думаю. Вас не знают в Бродхинни?

Мод задумалась.

— Ну, вообще-то нет.

— Вы бывали там?

— Один-два раза — по делам фирмы, разумеется. Последний раз я была там месяцев пять назад.

— Кого вы там видели? Куда вы ходили?

— Я ходила повидать старую леди — миссис Карстерс или Карлайл — точно не помню. Она покупала маленький участок неподалеку отсюда, и мне нужно было выяснить у нее кое-какие вопросы, передать ей документы и доклад землемера. Она останавливалась в том же пансионе, что и вы.

— В «Лонг-Медоус»?

— Да. Неуютный на вид дом с множеством собак.

Пуаро кивнул.

— Вы видели миссис Саммерхейз или майора Саммерхейза?

— Миссис Саммерхейз я как будто видела. Она проводила меня в спальню. Старуха не вставала с кровати.

— Как вы думаете, миссис Саммерхейз помнит вас?

— Едва ли. А даже если и так, какое это имеет значение? В конце концов, в наши дни все часто меняют работу. Но, по-моему, она даже не смотрела на меня. Такие, как она, не обращают на меня внимание.

В голосе Мод Уильямс послышалась горечь.

— А вы видели еще кого-нибудь в Бродхинни?

— Ну, — смущенно ответила Мод, — я видела мистера Бентли.

— А, вы видели мистера Бентли. Случайно?

Мод заерзала на стуле:

— Не совсем. Я послала ему открытку, предупреждая о своем приезде и спрашивая, не могли ли бы мы где-нибудь встретиться. Правда, пойти там было некуда. В этой дыре нет ни кино, ни кафе. Фактически мы просто поболтали на автобусной остановке, пока я ожидала автобуса назад.

— Это было до смерти миссис Макгинти?

— О да. Но незадолго до этого. Через несколько дней в газетах появилось сообщение об убийстве.

— А мистер Бентли ничего не говорил вам о своей квартирной хозяйке?

— По-моему, нет.

— И больше вы ни с кем в Бродхинни не разговаривали?

— Ну, только с мистером Робином Апуордом. Я слышала, как он выступал по радио. Увидев, как он выходит из коттеджа, я узнала его по фотографии и попросила автограф.

— И он дал вам его?

— Да, он был очень любезен. У меня не было с собой книжечки, но я дала ему листок почтовой бумаги — он вынул авторучку и сразу же расписался.

— Знаете ли вы в лицо кого-нибудь еще из обитателей Бродхинни?

— Конечно, я знаю Карпентеров. Они часто бывают в Килчестере. У них очень красивая машина, и миссис Карпентер всегда великолепно одевается. Около месяца назад она открывала благотворительный базар. Говорят, что на следующих выборах мистер Карпентер пройдет в парламент.

Пуаро кивнул. Затем он вытащил из кармана конверт, который повсюду таскал с собой, и разложил на столе четыре фотографии.

— Вы узнаете кого-нибудь из... Что случилось?

— Только что отсюда вышел мистер Скаттл. Надеюсь, он не увидел меня с вами. Это ему показалось бы немного странным. Знаете, о вас многое болтают. Говорят, что вы приехали из Парижа, что вас послала Суртей[1] или что-то в этом роде.

— Я не француз, а бельгиец, но это не имеет значения.

— Так что же с этими фотографиями? — Мод низко склонилась над столом, внимательно рассматривая четырех женщин. — Выглядят они довольно старомодно.

— Самому старому из этих снимков — тридцать лет.

— Да, вышедшие из моды туалеты кажутся ужасно нелепыми. В них женщины выглядят на редкость глупыми.

— Вы видели кого-нибудь из них раньше?

— Вы имеете в виду женщин или фотографии?

— И то и другое.

_____

[1] С у р т е й — искаженное «Сюрте» — французская криминальная полиция.

— Как будто вот этот снимок я видела. — Мод указала на Дженис Кортленд в ее шляпе-«колоколе». — В какой-то газете, но не могу вспомнить когда. Девочка тоже кажется мне немного знакомой.

— Все эти фотографии были напечатаны в «Санди комет», вышедшей в воскресенье перед убийством миссис Макгинти.

Мод быстро взглянула на него:

— И они имеют какое-то отношение к убийству? Так вот почему вы хотите, чтобы я...

Она не окончила фразу.

— Да, — сказал Эркюль Пуаро. — Именно поэтому. — Вытащив из кармана вырезку из «Санди комет», он положил ее на стол. — Прочтите это, — попросил он.

Ярко-золотистая голова девушки склонилась над клочком газетной бумаги.

Прочитав заметку, Мод снова посмотрела на Пуаро:

— Так вот кто они такие. И чтение этой статьи подало вам идею?

— Вы не могли выразиться более точно.

— Но я не понимаю... — Мод умолкла, задумавшись.

Пуаро не нарушал молчания. Как бы он ни был удовлетворен собственными идеями, он был всегда готов выслушать идеи других.

— И вы думаете, что кто-то из этих женщин находится в Бродхинни?

— Может быть, да, а может быть, и нет.

— Конечно, они могут быть где угодно. — Мод указала пальцем на хорошенькое, глупо улыбающееся личико Евы Кейн. — Сейчас она уже старая. Ей должно быть столько лет, сколько миссис Апуорд.

— Около этого.

— По-видимому, многие мужчины теряли голову из-за этой женщины.

— Вероятно, — медленно произнес Пуаро, — весьма вероятно. — Внезапно он спросил: — Вы помните дело Крейга?

— Кто же его не помнит? — сказала Мод Уильямс. — Ведь он попал даже в музей мадам Тюссо. Я тогда была еще ребенком, но газеты всегда вспоминают о нем, сравнивая его дело с другими преступлениями. Не думаю, чтобы о нем когда-нибудь забыли.

Пуаро внимательно посмотрел на девушку.

Его заинтересовало, чем вызвана нотка горечи, внезапно зазвучавшая в ее голосе.

Глава 17

Смущенная миссис Оливер попыталась спрятаться в крошечной театральной туалетной. Но ей это не удалось в силу ее комплекции. Напротив, время от времени ее окружали прыткие молодые люди, стиравшие полотенцами грим с лица, и заставляли пить подогретое пиво.

Миссис Апуорд, к которой вернулось хорошее настроение, настояла на их поездке. Робин принял все меры для того, чтобы обеспечить матери комфорт во время их отсутствия, и даже пару раз возвращался домой уже из машины, чтобы посмотреть, все ли в порядке.

В последний раз он сел в автомобиль, весело усмехаясь.

— Мадре только что звонила по телефону и упорно не хочет говорить кому. Но я держу пари, что знаю, с кем она говорила.

— Я тоже знаю, — сказала миссис Оливер.

— С кем же?

— С Эркюлем Пуаро.

— И я тоже думаю. Она в конце концов доведет его до изнеможения. Мадре обожает иметь свои маленькие тайны. Теперь, дорогая, что касается сегодняшнего спектакля. Очень важно, чтобы вы честно мне сказали, что вы думаете о Сесиле и соответствует ли он вашим представлениям об Эрике...

Излишне говорить, что Сесил Лич совершенно не соответствовал представлениям миссис Оливер об Эрике. По ее мнению, трудно было подобрать менее подходящего кандидата на эту роль. Сама пьеса ей понравилась, но последующие мероприятия были совершенно ужасны.

Робин, напротив, чувствовал себя в своей стихии. Прижав к стене Сесила (по крайней мере, миссис Оливер казалось, что это был Сесил), он трещал без умолку. Миссис Оливер Сесил приводил в ужас. Она предпочитала ему субъекта по имени Майкл, обращавшегося к ней в данный момент. Майкл хоть не требовал от нее ответов — он как будто вообще отдавал предпочтение монологу. Его приятель Питер иногда вставлял замечания, но это ему удавалось довольно редко.

— ...Очень мило со стороны Робина, — говорил Майкл. — Мы умоляли его приехать и посмотреть спектакль. Но ведь он полностью под каблуком этой ужасной старухи. Ходит перед ней на задних лапках. А ведь у Робина блестящие способности, но он вынужден приносить их в жертву матриархату. Да, женщины иногда совершенно невыносимы. Знаете, что она сделала с бедным Алексом Росковым? Целый год не знала, как ему угодить, а потом выяснила, что он вовсе не русский эмигрант. Алекс действительно плел ей всякие забавные небылицы, и все мы знали, что это неправда. Как только она узнала, что он на самом деле сын портного из Ист-Энда, она тут же выставила его за дверь. Терпеть не могу снобов! Алекс был рад, что избавился от нее. Он говорил, что она иногда пугала его, — ему казалось, что у нее не все дома... Робин, дорогой, мы как раз говорили о вашей чудесной мадре. Как жаль, что она не смогла сегодня приехать, но зато мы повидали миссис Оливер — автора множества великолепных убийств.

Внезапно пожилой джентльмен подошел к миссис Оливер и мертвой хваткой стиснул ей руку.

— Как мне отблагодарить вас?! — заговорил он глубоким басом. — Вы неоднократно спасали мне жизнь!

Наконец вся публика выбралась на свежий воздух и направилась в «Голову пони», где с новой силой возобновились беседы на театральные темы, сопровождаемые обильными возлияниями.

К тому времени как миссис Оливер и Робин поехали на автомобиле домой, миссис Оливер чувствовала себя полностью измочаленной. Она откинулась назад и закрыла глаза. Сидевший рядом Робин, напротив, безостановочно болтал.

— ...По-вашему, это неплохая идея? — закончил он свою речь.

— Что? — Миссис Оливер резко открыла глаза.

Она испытывала ностальгическую тоску по дому. Стены, расписанные экзотическими птицами и растениями. Сосновый стол, пишущая машинка, черный кофе, валяющиеся повсюду яблоки... Восхитительное, непередаваемое блаженство одиночества! Как она ошиблась, покинув свою обитель! Очевидно, все писатели — люди необщительные, и, искупая этот порок, они сами выдумывают себе компаньонов и собеседников.

— Боюсь, что вы устали, — сказал Робин.

— Не очень. Все дело в том, что я не знаю, как держать себя с незнакомыми людьми.

— Я обожаю людей, а вы? — весело осведомился Робин.

— А я нет, — твердо ответила миссис Оливер.

— Как же так? Этого не скажешь по героям ваших книг.

— Ну, это другое дело. По-моему, деревья значительно приятнее людей — во всяком случае, они гораздо спокойнее.

— Мне люди необходимы, — заявил Робин. — Они меня стимулируют.

Автомобиль подъехал к калитке «Лабернемс».

— Вы идите в дом, — сказал Робин, — а я отведу машину.

Миссис Оливер, как всегда, с трудом вылезла из автомобиля и зашагала по дорожке.

— Двери не заперты, — крикнул ей вслед Робин.

Это соответствовало действительности. Миссис Оливер открыла дверь и вошла. Свет был выключен, что показалось ей весьма невежливым со стороны ее хозяйки. Хотя, возможно, это было сделано с целью экономии. Богатые люди обычно на всем экономят. В холле стоял запах каких-то духов. На момент миссис Оливер усомнилась, туда ли она попала, потом она нащупала выключатель и нажала кнопку.

Свет залил квадратный, отделанный дубом холл. Дверь в гостиную была приоткрыта, и миссис Оливер увидела ногу миссис Апуорд. По-видимому, она не ложилась в постель, а заснула в кресле, и так как свет не горел, то заснула уже давно.

Миссис Оливер подошла к двери и включила свет в гостиной.

— Мы вернулись... — начала она и внезапно умолкла. — Миссис Оливер почувствовала комок в горле. Ей хотелось закричать, но она смогла только пролепетать: — Робин... Робин...

Услышав, что Робин, насвистывая, идет по дорожке, она быстро повернулась и побежала навстречу ему в холл.

— Не входите туда... не входите! Ваша мать... она... она мертва... по-моему, ее убили!..

Глава 18

— Чистая работа, — заметил суперинтендант Спенс, обращаясь к Эркюлю Пуаро. Его красное деревенское лицо было сердитым. — Мерзкая история, — продолжал он. — Ее задушили собственным шарфом, который был на ней в тот день, — убийце осталось только скрестить оба конца и потянуть. Быстро и эффективно. В Индии так делали члены секты душителей. Из-за сжатия сонной артерии жертва не может ни кричать, ни сопротивляться.

— Значит, для этого требуются специальные знания?

— Не обязательно. Правда, при обдумывании убийства сведения можно почерпнуть из книг. Особого труда тут не требуется, тем более если жертва ни о чем не подозревает, — а она явно ни о чем не подозревала.

Пуаро кивнул:

— Да, так как убийца был ее знакомый.

— Вот именно. Они пили вместе кофе. Одна чашка стояла напротив нее, а другая напротив таинственного гостя. Отпечатки пальцев с чашки гостя были тщательно стерты, но остались слабые следы губной помады — ее стереть не так легко.

— Следовательно, это женщина?

— Но ведь вы этого и ожидали, не так ли?

— О да. Все на это указывало.

— Миссис Апуорд, — продолжал Спенс, — узнала одну из этих фотографий — фотографию Лили Гэмболл. Значит, это связано с убийством миссис Макгинти.

— Да, — согласился Пуаро. — Это определенно связано с убийством миссис Макгинти.

Он вспомнил слегка насмешливое выражение лица миссис Апуорд, когда она сказала:

«Миссис Макгинти мертва.

Как она умерла?

Высунув голову, как я».

— Миссис Апуорд воспользовалась удобной возможностью, — снова заговорил Спенс. — Ее сын и миссис Оливер уехали в театр. Она позвонила этой загадочной персоне и пригласила ее к себе. По-видимому, она решила поиграть в сыщика. Вы согласны со мной?

— Да, наверное, все так и было. Во всем виновато любопытство. Миссис Апуорд держала свои знания при себе, но ей хотелось узнать больше. Она не понимала, насколько опасно это занятие. — Пуаро вздохнул. — К сожалению, много людей считают убийство игрой, но это не игра. Я предупреждал ее, но она меня не послушала.

— Да, нам это известно. Ну, все как будто ясно. Когда молодой Робин собирался уезжать с миссис Оливер и забежал на минутку домой, его мать только что закончила с кем-то телефонный разговор. Она не пожелала сказать, с кем говорила, а Робин и миссис Оливер решили, что с вами.

— Хотел бы я, чтобы это было так, — промолвил Эркюль Пуаро. — У вас нет никаких сведений, кому она звонила?

— Никаких. Здесь же все автоматизировано.

— А горничная ничем не могла вам помочь?

— Ничем. Она явилась около половины одиннадцатого (у нее свой ключ от задней двери), прошла прямо в свою комнату рядом с кухней и легла спать. В доме было темно, и горничная решила, что миссис Апуорд легла в постель, а другие еще не вернулись. К тому же, — добавил Спенс, — она глуховата и капризна. По-видимому, она мало обращает внимание на происходящее и вообще больше ворчит, чем работает.

— Значит, горничная не принадлежит к разряду старых преданных слуг?

— Нет. Она работает у Апуордов всего пару лет.

Констебль просунул голову в дверь.

— Молодая леди хочет видеть вас, сэр, — сказал он. — Она говорит, что хочет сообщить вам кое-что насчет вчерашнего вечера.

— Насчет вчерашнего вечера? Пусть войдет.

Вошла Дейрдре Хендерсон. Она выглядела побледневшей, взволнованной и, как всегда, довольно неуклюжей.

— Я решила, что мне лучше прийти, — сказала она. — Если я, конечно, вам не помешала...

— Вовсе нет, мисс Хендерсон.

Спенс встал и придвинул девушке стул. Она села на него нескладно, словно школьница.

— Так что же вы хотите рассказать нам насчет вчерашнего вечера? — ободряюще спросил Спенс. — Вы имеете в виду миссис Апуорд?

— Да. Это правда, что ее убили? Так сказали почтальон и булочник, а мама говорит, что этого не может быть... — Она умолкла.

— К сожалению, ваша мама ошибается. Это правда. Ну, вы пришли нам что-то сообщить?

— Да, — кивнула Дейрдре. — Видите ли, я была там.

Поведение Спенса слегка изменилось. Его манеры стали, может быть, еще более мягкими, но за ними ощущалась суровость полицейского офицера.

— Итак, вы были в «Лабернемс», — сказал он. — В какое время?

— Точно не знаю, — ответила Дейрдре. — По-моему, между половиной девятого и девятью. Может быть, около девяти. Во всяком случае, после обеда. Дело в том, что миссис Апуорд звонила мне.

— Звонила вам?

— Да. Она сказала, что Робин и миссис Оливер уезжают в театр в Калленки и что она будет одна весь вечер. Поэтому она попросила, чтобы я пришла и выпила с ней кофе.

— И вы пришли?

— Да.

— И пили с ней кофе?

Дейрдре покачала головой:

— Нет. Я пришла туда, постучала, но не получила ответа. Тогда я открыла дверь и вошла в холл. Там было совершенно темно — снаружи я видела, что в гостиной тоже нет света. Это меня удивило. Я позвала миссис Апуорд, но мне никто не ответил. Я решила, что произошла какая-то ошибка.

— Какая же здесь могла быть ошибка?

— Ну, возможно, она поехала в театр вместе с ними.

— И не дала вам знать?

— Да, это выглядело странным.

— А вам не пришло на ум какое-нибудь другое объяснение?

— Ну, я подумала, может быть, Фрида что-то не так поняла из телефонного разговора. Она ведь иностранка и часто все путает. К тому же вчера вечером она была взволнована, так как собиралась уезжать.

— Что же вы сделали затем, мисс Хендерсон?

— Ушла.

— Ушли домой?

— Да... Но сначала я немного погуляла. Была очень хорошая погода.

Несколько секунд Спенс молчал, глядя на девушку. Пуаро заметил, что он смотрит на ее рот. Потом он встал и пожал ей руку:

— Ну, благодарю вас, мисс Хендерсон. Вы правильно поступили, рассказав нам об этом. Мы вам очень признательны.

— Я считала, что должна прийти к вам, — сказала Дейрдре. — А мама не хотела, чтобы я шла.

— Вот как?

— Но я решила, что лучше пойти.

— И были совершенно правы.

Спенс проводил девушку до двери и вернулся.

Сидя за столом, он барабанил пальцами по полированной поверхности, глядя на Пуаро.

— На ней нет губной помады, — заметил он. — Или это только сегодня утром?

— Нет, не только. Она никогда ею не пользуется.

— В наши дни это кажется довольно странным.

— Она вообще весьма странная девушка.

— Запаха духов я тоже не почувствовал. Миссис Оливер говорит, что вчера вечером в доме чувствовался запах дорогих духов. Робин Апуорд это подтверждает. Причем этими духами не пользовалась его мать.

— Думаю, что эта девушка не пользуется никакими духами, — заметил Пуаро.

— Выглядит она как капитан хоккейной команды для девочек из старомодной школы, — продолжал Спенс, — но ей, должно быть, не меньше тридцати. Что у нее — заторможенное развитие?

— Не похоже, — задумчиво произнес Пуаро.

— Странно, — нахмурился Спенс. — Ни губной помады, ни духов. К тому же у нее хорошая мать, а мать Лили Гэмболл погибла в пьяной драке в Кардиффе, когда Лили было девять лет, так что мисс Хендерсон как будто не может быть Лили Гэмболл. И все же вчера вечером миссис Апуорд звонила ей и просила ее прийти — этот факт нельзя отрицать... — Суперинтендант раздраженно почесал нос.

— А что говорится в медицинском заключении?

— Ничего обнадеживающего. Единственное, что мог сказать полицейский врач, это то, что миссис Апуорд умерла около половины десятого.

— Значит, когда Дейрдре Хендерсон приходила в «Лабернемс», она, возможно, уже была мертвой?

— Да, если девушка говорит правду. По ее словам, мать не хотела, чтобы она шла к нам. Вам это не кажется странным?

Пуаро задумался.

— В общем, нет — этого и следовало от нее ожидать. Видите ли, миссис Уэзерби принадлежит к тому типу людей, которые стремятся избежать неприятностей.

Спенс вздохнул:

— Итак, Дейрдре Хендерсон побывала вчера на месте преступления. Очевидно, что кто-то побывал там раньше. И этот «кто-то» — женщина, пользующаяся губной помадой и дорогими духами.

— Наведите справки... — начал Пуаро.

— Я этим и занимаюсь, — прервал его Спенс. — Только приходится проделывать это крайне тактично. Мы не хотим никого тревожить. Что делали Эви Карпентер и Шила Ренделл вчера вечером? Десять против одного, что они сидели дома. Сам Карпентер был на каком-то политическом собрании.

— Эви, — задумчиво повторил Пуаро. — Мода на имена меняется, не так ли? В наши дни вы едва ли услышите имя Ева. Оно исчезло, а вот Эви, напротив, стало популярным.

— Она может себе позволить пользоваться дорогими духами, — сказал Спенс, следуя своим мыслям. — Надо бы покопаться в ее прошлом. Быть вдовой офицера весьма удобно. Можно появляться где угодно, сохраняя скорбный вид и нося траур по молодому летчику. Никто не станет задавать лишних вопросов. — Вздохнув, Спенс переменил тему: — Что же касается молотка для сахара, который вы мне прислали, то думаю, что вы попали в точку. Миссис Макгинти была убита этим оружием. Доктор соглашается, что нанести им такой удар было бы весьма удобно. К тому же на нем обнаружена человеческая кровь. Конечно, его вымыли, но в наши дни с помощью химии можно установить даже микроскопическое количество крови. И это снова приводит нас к семейству Уэзерби и к мисс Хендерсон.

— Дейрдре Хендерсон утверждает, что молоток для сахара отнесли на распродажу во время праздника урожая.

— А миссис Саммерхейз точно так же утверждает, что приобрела его во время рождественской распродажи?

— Миссис Саммерхейз никогда ни в чем не уверена, — уныло произнес Пуаро. — Она очаровательное существо, но понятия не имеет о порядке и методе. Все дело в том, что двери и окна в «Лонг-Медоус» всегда открыты, — увы, мне это хорошо известно. Любой мог взять оттуда что угодно, а потом положить это на место, и ни майор Саммерхейз, ни миссис Саммерхейз этого бы не заметили. Если бы они обнаружили отсутствие резца, то Морин подумала бы, что муж взял его, чтобы разделать кролика или наколоть дров, а майор решил бы, что жена взяла его, чтобы нарезать мясо для собак. В этом доме каждый хватает все, что под руку попадется, кладет куда попало и никто ничего не помнит. Если бы я вел такой образ жизни, то не знал бы ни минуты покоя, но их это как будто вообще не трогает.

Спенс снова вздохнул:

— Во всем этом есть один положительный момент — Джеймса Бентли не казнят, пока все окончательно не выяснится. Мы отправили письмо в министерство внутренних дел. Это дает нам то, в чем мы так нуждались, — время.

— Пожалуй, — заметил Пуаро, — теперь, когда мы знаем немного больше, я бы снова хотел повидать Джеймса Бентли.

2

Во внешности Джеймса Бентли произошло мало изменений. Он оставался тем же тихим, отчаявшимся существом, только еще более похудевшим и издерганным.

Эркюль Пуаро заговорил, с осторожностью подбирая слова. Обнаружены кое-какие новые улики. Полиция возобновила дело. Следовательно, появилась надежда...

Но Джеймса Бентли это не ободрило.

— Ничего из этого не выйдет, — сказал он. — Разве они могут найти что-нибудь новое?

— Ваши друзья, — продолжал Эркюль Пуаро, — стараются изо всех сил.

— Мои друзья? — Он пожал плечами. — У меня их нет.

— Вы не должны так говорить. У вас есть по крайней мере два друга.

— Два друга? Хотел бы я знать, кто они такие.

Но в его тоне не чувствовалось любопытства — только усталость и недоверие.

— Во-первых, суперинтендант Спенс...

— Спенс? Полицейский суперинтендант, который вел мое дело? Весьма забавно.

— Это не забавно, а удачно. Спенс очень толковый и добросовестный полицейский офицер, поэтому он хочет быть вполне уверенным, что поймал настоящего преступника.

— Он достаточно в этом уверен.

— Как ни странно, нет. И потому, как я сказал, он ваш друг.

— Ничего себе, друг!

Эркюль Пуаро молча ожидал. Ведь даже Джеймсу Бентли не может быть совершенно чуждо элементарное человеческое любопытство.

И в самом деле, вскоре Бентли спросил:

— Ну а кто же второй друг?

— Второй друг — Мод Уильямс.

Это имя не произвело на Бентли впечатления.

— Мод Уильямс? Кто это такая?

— Она работала в конторе Бризера и Скаттла.

— О, вы имеете в виду ту мисс Уильямс.

— Précisément[1], ту мисс Уильямс.

— Но какое это к ней имеет отношение?

В определенные моменты Джеймс Бентли так раздражал Эркюля Пуаро, что он искренне хотел поверить в то, что Бентли виновен в убийстве миссис Макгинти. Но, к несчастью, чем больше Бентли его изводил, тем больше он проникался образом мыслей Спенса. Пуаро никак не мог представить себе Джеймса Бентли в роли убийцы. Если, как утверждал Спенс, самонадеянность являлась характерной чертой убийц, то Бентли, безусловно, таковым не был.

Сдерживая раздражение, Пуаро сказал:

— Мисс Уильямс интересуется вашим делом, потому что она убеждена, что вы не виновны.

— Не вижу, откуда она это может знать.

— Она знает вас.

Джеймс Бентли прищурился.

— Ну, вообще-то она меня знает, — неохотно согласился он, — но не слишком хорошо.

— Вы ведь работали с ней в конторе, не так ли? Иногда, должно быть, вместе закусывали?

— Да, однажды или дважды. В кафе «Голубая кошка». Оно как раз напротив конторы.

— А вы никогда не ходили с ней гулять?

— Да, один раз. Просто прошлись туда-сюда.

— Ma foi![2] — взорвался Эркюль Пуаро. — Чего вы оправдываетесь, как будто я вытягиваю из вас подробности о совершенном преступлении? Разве не естественно поддерживать компанию с хорошенькой девушкой? Разве вам это не доставляет удовольствия?

— Ни малейшего, — отрезал Бентли.

---

[1] Вот именно *(фр.)*.
[2] Честное слово! *(фр.)*

147

— Но в вашем возрасте наслаждаться женским обществом — вполне нормальное явление.

— У меня почти не было знакомых девушек.

— Ça se voit![1] Но вы должны стыдиться, а не хвастаться этим! Вы знали мисс Уильямс, работали и беседовали с ней, иногда вместе закусывали, а однажды ходили гулять. Но когда я упомянул о ней, вы даже не вспомнили ее имени!

Джеймс Бентли покраснел:

— Ну, видите ли, я вообще мало имел дела с девушками. А она ведь, что называется, не вполне леди. Конечно, она очень милая, но я не мог отделаться от чувства, что мама сочла бы ее чересчур простой.

— В чем же это выражалось?

Бентли покраснел еще гуще:

— Ну, ее прическа, манера одеваться... Мама, разумеется, была старомодной, но... — Он умолк.

— И все же, вы считаете мисс Уильямс весьма симпатичной?

— Она всегда была очень добра, — медленно произнес Джеймс Бентли. — А что касается воспитания, то ее мать умерла, когда она еще была маленьким ребенком.

— А когда вы потеряли работу и не могли найти другую, — продолжал Пуаро, — мисс Уильямс, насколько я понял, встретилась с вами как-то раз в Бродхинни?

Бентли уныло кивнул:

— Да, она приехала туда по делу и прислала мне открытку, в которой просила меня встретиться с ней. Не знаю, зачем ей это понадобилось. Ведь мы были едва знакомы.

— Но вы тем не менее с ней встретились?

— Да. Я не хотел быть грубым.

— И вы пошли в кино или в кафе?

Джеймс Бентли выглядел шокированным.

— Что вы, конечно нет!.. Мы... э... только немного поболтали, пока она ждала автобуса.

— Представляю, как это было весело для бедной девушки!

---

[1] Оно и видно! *(фр.)*

— Не забывайте, — резко проговорил Бентли, — что у меня не было ни пенни.

— Разумеется. Это было за несколько дней до убийства миссис Макгинти, не так ли?

— Да, это было в понедельник, а ее убили в среду.

— Скажите, мистер Бентли, миссис Макгинти получала «Санди комет»?

— Да.

— А вы когда-нибудь брали ее читать?

— Она мне часто ее предлагала, но я почти всегда отказывался. Маме не нравились такие газеты.

— И газету за воскресенье, предшествующее убийству, вы тоже не просматривали?

— Нет.

— А миссис Макгинти не говорила о чем-нибудь, прочитанном ею в этой газете?

— Конечно говорила, — неожиданно ответил Бентли. — Эта газета ее просто привела в восторг.

— Ах вот как? Привела в восторг! Что же она говорила? Подумайте тщательно — это очень важно.

— Я точно не помню. Это касалось какого-то давнишнего дела об убийстве. Кажется, фамилия убийцы была Крейг, а может быть, и нет. Как бы то ни было, она сказала, что кто-то, связанный с этой историей, сейчас живет в Бродхинни. Не понимаю, какое ей было до этого дело.

— А она сказала, кто этот человек?

— По-моему, — безразличным тоном ответил Бентли, — она имела в виду ту женщину, чей сын пишет пьесы.

— Она назвала ее по имени?

— Право, не помню — это было так давно...

— Умоляю вас, постарайтесь вспомнить. Вы ведь хотите снова выйти на свободу?

— На свободу? — удивленно переспросил Бентли.

— Да, на свободу.

— Ну... вообще-то да...

— Тогда подумайте! Что говорила миссис Макгинти?

— Что-то вроде: «Она так горда собой, а если бы все стало известно, это бы поубавило ей спеси. А ведь, глядя на фотографию, никогда не скажешь, что это та же самая женщина. Еще бы, ведь прошло столько лет».

— А почему вы считаете, что она говорила о миссис Апуорд?

— Даже не знаю. У меня просто создалось такое впечатление. Она что-то говорила о миссис Апуорд, а потом я потерял интерес ко всему этому и перестал слушать. Одним словом, сейчас я уже не помню точно, с кем она говорила. Она вообще любила много болтать.

Пуаро вздохнул.

— Думаю, — сказал он, — что она все же имела в виду не миссис Апуорд, а кого-то другого... Да, было бы весьма нелепо, если бы вас повесили только потому, что вы не уделяли должного внимания людям, которые с вами беседовали... А миссис Макгинти говорила с вами о домах, где она работала, или о хозяйках этих домов?

— Да, иногда, но не спрашивайте меня об этом. Поймите, мсье Пуаро, что тогда у меня было гораздо больше оснований тревожиться за собственную жизнь, чем прислушиваться к чужим сплетням.

— Теперь у вас еще больше таких оснований! Говорила ли миссис Макгинти о миссис Карпентер — тогда она была еще миссис Селкерк — или о миссис Ренделл?

— Карпентер — это тот, у которого новый дом на вершине холма и большой автомобиль? Да, он был помолвлен с миссис Селкерк. Миссис Макгинти всегда ее ругала и называла выскочкой — не знаю почему.

— А Ренделлы?

— Он, кажется, доктор? Не помню, чтобы она говорила про них что-нибудь особенное.

— А Уэзерби?

— О миссис Уэзерби миссис Макгинти говорила, что у нее не хватает терпения выдерживать ее капризы и причуды, а о мистере Уэзерби — что из него никогда слова не выжмешь. И еще она как-то сказала... — Джеймс Бентли сделал небольшую паузу, — что это несчастная семья.

Эркюль Пуаро задумался. На момент в голосе Бентли послышались какие-то новые нотки. Он уже не послушно перечислял все, что мог вспомнить. На какое-то краткое мгновение его мозг вырвался из апатии. Джеймс Бентли подумал о жизни, текущей в «Хантерс-Клоуз», об обитающей там несчастной семье. Он стал объективно мыслить.

— Вы знали их? — мягко спросил Пуаро. — Мать? Отца? Дочь?

— Дочь, и то немного. Ее собака — силихем — попала в капкан. Она не могла ее освободить, и я помог ей.

И снова в тоне Джеймса Бентли почувствовалось что-то новое. В словах «я помог ей» слышалось слабое эхо гордости.

Пуаро припомнил рассказ миссис Оливер о ее беседе с Дейрдре Хендерсон.

— Вы говорили с ней? — спросил он.

— Да. Она сказала мне, что ее мать много страдала. Она очень любит мать.

— И вы рассказывали ей о вашей матери?

— Да, — просто ответил Джеймс Бентли.

Пуаро молча ожидал продолжения.

— Жизнь очень жестока и несправедлива, — вновь заговорил Бентли. — Многие люди вообще никогда не видят счастья.

— Увы, да, — согласился Эркюль Пуаро.

— Думаю, что к ним принадлежит и мисс Уэзерби.

— Хендерсон.

— Ах да. Она говорила мне, что у нее есть отчим.

— Дейрдре Хендерсон, — промолвил Пуаро. — Дейрдре Печальная...[1] Красивое имя, но оно как будто досталось не особенно красивой девушке?

Джеймс Бентли покраснел.

— Мне она показалась довольно хорошенькой, — сказал он.

Глава 19

— Пожалуйста, выслушай меня, — сказала миссис Суитимен.

Эдна засопела. Она уже давно слушала миссис Суитимен, и эта тоскливая беседа вращалась по замкнутому кругу. Миссис Суитимен неоднократно повторяла одно и то же, причем почти не изменяя порядка слов. Эдна сопела,

---

[1] Д е й р д р е П е ч а л ь н а я — героиня ирландской саги «Три сына Уснаха».

всхлипывала и изредка вносила свой вклад в дискуссию, выражающийся в двух фразах — первая: «Не могу» и вторая: «Папа спустит с меня шкуру».

— Вполне возможно, — согласилась миссис Суитимен, — но убийство есть убийство, и если ты что-то видела (тут Эдна снова засопела), то ты должна... — Миссис Суитимен оборвала себя на полуслове и перенесла внимание на миссис Уэзерби, которая пришла купить шерсти и вязальные спицы. — Давно я вас не видела, мэм, — весело сказала миссис Суитимен.

— В последние дни я неважно себя чувствовала, — ответила миссис Уэзерби. — Все сердце. — Она глубоко вздохнула. — Приходится лежать.

— Я слышала, вы наконец наняли прислугу, — заметила миссис Суитимен и добавила: — Для такой светлой шерсти вам нужны темные спицы.

— Вы правы. Прислуга у нас действительно появилась — довольно расторопная и даже сносно готовит. Но ее манеры! И внешность! Крашеные волосы, безобразный, обтягивающий фигуру джемпер.

— Ах, — вздохнула миссис Суитимен. — В наши дни девушки не получают нужной подготовки к такой работе. Моя мать начала работать с тринадцати лет, и она вставала каждое утро в четверть шестого. А кончила она главной горничной, и под ее началом были три служанки. Уж их-то она муштровала как следует, будьте уверены. Но теперь девушки занимаются только образованием, как Эдна.

Обе женщины посмотрели на Эдну, которая, облокотившись на прилавок, с безучастным видом жевала мятную лепешку и громко сопела. В качестве примера образования она едва ли делала честь системе просвещения.

— Ужасная история с миссис Апуорд, — продолжала беседу миссис Суитимен, в то время как миссис Уэзерби сортировала спицы различных цветов.

— Ужасная, — согласилась миссис Уэзерби. — Мне даже не хотели об этом говорить, а когда сказали, то у меня началось жуткое сердцебиение — я ведь так чувствительна!

— Это был удар для всех нас, — сказала миссис Суитимен. — Особенно для молодого мистера Апуорда. Он чуть с ума не сошел! Эта писательница не покидала его, пока не пришел доктор и не дал ему успокоительное. Сейчас мистер Робин переехал в «Лонг-Медоус» в качестве постояльца, так как он не смог оставаться в «Лабернемс», и я его за это не виню. Дженет Грум уехала домой к племяннице, и полиция забрала ключ от коттеджа. Леди, которая пишет книги об убийствах, вернулась в Лондон, но она снова приедет сюда на дознание.

Гордая своей осведомленностью, миссис Суитимен с радостью делилась информацией. Миссис Уэзерби, намерение которой купить вязальные спицы, очевидно, было подсказано желанием побольше узнать о происшедшем, заплатила за покупку.

— Все это очень скверно, — сказала она. — В деревне стало просто опасно жить: ведь где-то поблизости бродит маньяк-убийца. Боже, когда я думаю о том, что моя дочь куда-то выходила в тот вечер и что ее тоже могли убить...

Миссис Уэзерби закрыла глаза и покачнулась. Миссис Суитимен с интересом, но без особого волнения наблюдала за ней.

— Это место должно охраняться патрулями! — открыв глаза, с достоинством заявила миссис Уэзерби. — После наступления темноты молодых людей нельзя выпускать из дому, а все двери нужно крепко запирать. А то вы знаете, что творится в «Лонг-Медоус»? Миссис Саммерхейз никогда не запирает двери — даже ночью. Она оставляет открытыми и черный ход, и окно в гостиной, так что собаки и кошки постоянно бегают туда-сюда. Я считаю это совершеннейшим безумием, но она говорит, что всегда так делает и что если бы воры хотели залезть в дом, так они бы уже давно залезли.

— Думаю, что в «Лонг-Медоус» вору нечем особенно поживиться, — заметила миссис Суитимен.

Миссис Уэзерби печально покачала головой и удалилась со своей покупкой.

Миссис Суитимен и Эдна возобновили дискуссию.

— Ты не должна ничего скрывать, — убеждала миссис Суитимен. — Убийство есть убийство. Скажи всю правду и посрами дьявола — вот мой совет.

— Папа спустит с меня шкуру, будьте уверены, — упорствовала Эдна.

— Я поговорю с твоим папой.

Но Эдна стояла на своем.

— Миссис Апуорд умерла, — сказала миссис Суитимен, — и ты видела что-то, о чем не знает полиция. Ты ведь работаешь на почте, верно? Это значит, ты государственный служащий и должна исполнить свой долг. Поэтому пойди к Берту Хейлингу.

Эдна снова начала реветь.

— Нет, только не к Берту! Как я могу идти к Берту? Ведь это же сразу разнесется по всей деревне.

— Тогда к этому иностранному джентльмену, — весьма неуверенно предложила миссис Суитимен.

— Еще чего — к иностранцу!

— Ну, в этом ты, может быть, и права.

Снаружи послышался визг автомобильных тормозов. Лицо миссис Суитимен просветлело.

— Это майор Саммерхейз. Ты обо всем ему расскажешь, и он посоветует тебе, что делать.

— Не могу, — сказала Эдна, но с меньшим упорством.

Вошел Джонни Саммерхейз, шатаясь под тяжестью трех картонных коробок.

— Доброе утро, миссис Суитимен, — весело поздоровался он. — Надеюсь, здесь не окажется излишка веса?

Миссис Суитимен с присущей ей профессиональной ловкостью занялась посылками. В то время как Саммерхейз облизывал марки, она сказала:

— Извините, сэр, но я хотела бы попросить у вас совета.

— Да, миссис Суитимен?

— Вы ведь родом из этих мест и поэтому лучше знаете, как поступить при таких обстоятельствах.

Саммерхейз кивнул. Его всегда приводил в умиление феодальный дух, царящий в английских деревнях. Жители Бродхинни очень мало его знали, но, так как его отец, дед и множество прадедов жили в «Лонг-Медоус», они считали вполне естественным обращаться к нему за советами и указаниями.

— Это касается Эдны, — продолжала миссис Суитимен.

Эдна засопела. Джонни Саммерхейз с сомнением посмотрел на нее. Ему казалось, что он никогда не видел более непривлекательной девицы. Выглядит как ободранный кролик и к тому же, кажется, полоумная. При всем желании она не смогла бы попасть ни в какую «некрасивую» историю. Да и миссис Суитимен в таком случае не стала бы спрашивать у него совета.

— Ну, — ободряюще спросил он. — В чем дело?

— Это по поводу убийства, сэр. В тот вечер, когда произошло убийство, Эдна что-то видела.

Джонни Саммерхейз переводил взгляд с одной на другую.

— Что же ты видела, Эдна? — спросил он.

Эдна начала хныкать, и миссис Суитимен вновь взяла на себя инициативу:

— Конечно, ходят всякие слухи, и неизвестно, что правда, а что нет. Но говорят, что в тот вечер какая-то леди пила кофе с миссис Апуорд. Это так, сэр?

— Как будто так.

— Я знаю, что это правда, потому что мы слышали это от Берта Хейлинга.

Элберт Хейлинг был местным констеблем, которого Саммерхейз хорошо знал. Это был самодовольный субъект, медленно цедящий слова.

— Ну, допустим, — сказал Саммерхейз.

— Но ведь она не знает, кто была эта леди? Так вот, Эдна видела ее.

Джонни Саммерхейз поглядел на Эдну, сморщив губы, будто собирался свистнуть:

— Значит, ты ее видела, Эдна? Входящей или выходящей?

— Входящей, — ответила Эдна. Ощущение важности происходившего слегка развязало ей язык. — Я была на другой стороне дороги — как раз на повороте, под деревьями, где совсем темно. Я видела, как она прошла через калитку, поднялась к двери, постояла там немного и затем вошла в дом.

Чело Джонни Саммерхейза прояснилось.

— Тогда все в порядке, — сказал он. — Это была мисс Хендерсон. Полиция об этом знает, потому что она сама пришла и все рассказала.

Эдна покачала головой:

— Это была не мисс Хендерсон.

— Тогда кто же?

— Не знаю. Я не видела ее лица. Она шла спиной ко мне. Но это была не мисс Хендерсон.

— Откуда же ты знаешь, что это была не мисс Хендерсон, если ты не видела ее лица?

— Потому что у нее были светлые волосы, а мисс Хендерсон брюнетка.

— Но ведь было очень темно, — недоверчиво заметил Джонни Саммерхейз. — Вряд ли ты могла рассмотреть цвет волос.

— И все-таки я видела. Мистер Робин и эта писательница уехали в театр и оставили свет над крыльцом. Она стояла прямо под лампой в тонком пальто и без шляпы, а волосы при свете просто блестели.

Джонни присвистнул. Его глаза стали серьезными.

— В какое время это было? — спросил он.

Эдна засопела:

— Точно не знаю.

— Ну хотя бы примерно? — вмешалась миссис Суитимен.

— Еще не было девяти. Я слышала церковный колокол. И это было позже половины девятого.

— Значит, между половиной девятого и девятью. И сколько же она там пробыла?

— Не знаю, сэр. Я больше не стала ждать. И я ничего не слышала — ни стонов, ни криков.

Голос Эдны звучал слегка удрученно. Но Джонни Саммерхейз знал, что никаких стонов и криков там не было.

— Ну, теперь осталось только одно, — серьезно сказал он. — Сообщить обо всем в полицию.

Эдна сразу же разревелась.

— Папа спустит с меня шкуру, — вновь захныкала она. — Вот увидите!

Бросив на миссис Суитимен умоляющий взгляд, она убежала в заднюю комнату.

— Вот так, сэр, — ответила миссис Суитимен на немой вопрос Саммерхейза. — Эдна вела себя глупо. Конечно, ее отец очень строг с ней — может быть, даже немного чересчур строг, — но, по-видимому, в наши дни это даже лучше. Эдна сначала дружила с одним славным парнем из Каллавона — он и ее отцу нравился. Но Редж не торопит дела, а вы знаете, каковы девушки. Эдна теперь встречается с Чарли Мастерсом.

— Мастерс? Это тот, что работает на ферме Коула?

— Да, рабочий с фермы. Женатый человек с двумя детьми, а все время бегает за девушками. У Эдны нет ни капли здравого смысла, и ее отец решил этому положить конец. И совершенно правильно. Так вот, сэр, в тот вечер Эдна сказала отцу, что едет в Каллавон, чтобы пойти в кино с Реджем, а на самом деле она пошла на свидание к Мастерсу и стала ждать его у поворота аллеи, где они обычно встречались. Ну а он не пришел. То ли его жена не пустила, то ли он волочится за другой девчонкой. Эдна ждала-ждала и ушла. А теперь она не знает, как объяснить отцу, что она там делала, когда ей в это время следовало ехать на автобусе в Каллавон.

Джонни Саммерхейз кивнул. Скрывая неуместное удивление по поводу того, что Эдна с ее внешностью смогла привлечь внимание сразу двух мужчин, он перешел к практической стороне дела.

— Значит, она не хочет идти к Берту Хейлингу и обо всем рассказать? — осведомился он, быстро оценив обстановку.

— Вот именно, сэр.

— И все же полиция должна об этом знать! — задумчиво произнес Саммерхейз.

— Это я ей и говорила, сэр, — сказала миссис Суитимен.

— Но они, безусловно, будут тактичны, касаясь... э... данных обстоятельств. Может быть, ей не придется давать показания. А то, что она скажет им, они будут держать при себе. Я бы мог позвонить Спенсу и попросить его приехать сюда, но лучше я отвезу Эдну в Килчестер на своей машине. Если она обратится в килчестерский полицейский участок, то здесь никто ни о чем не узнает. Я только сначала позвоню им и предупрежу о нашем приезде.

Таким образом, после краткого телефонного разговора всхлипывающая Эдна, закутанная в пальто и несколько ободренная прощальным напутствием миссис Суитимен, села в большой автомобиль, который тотчас же быстро поехал по направлению к Килчестеру.

Глава 20

Эркюль Пуаро находился в кабинете суперинтенданта Спенса в Килчестере. Он сидел откинувшись назад, закрыв глаза и соединив кончики пальцев.

Суперинтендант выслушал рапорты, дал инструкции сержанту и наконец обернулся к собеседнику.

— Ну как, мсье Пуаро, у вас появилась какая-нибудь идея? — осведомился он.

— Я думаю, — ответил Пуаро. — Я размышляю.

— Кстати, я забыл вас спросить. Ваша последняя беседа с Джеймсом Бентли дала какой-нибудь результат?

Пуаро покачал головой и нахмурился.

Как раз в этот момент он думал о Джеймсе Бентли.

Какая жалость, что жертва обстоятельств этого дела, за которое он взялся без всякой надежды на вознаграждение, а только из чувства дружбы и уважения к честному суперинтенданту, начисто лишена какого бы то ни было ореола романтизма и привлекательности. Вместо попавших в беду прекрасной молодой девушки или отважного юноши, «не склонившего главу окровавленную» (за последнее время Пуаро ознакомился со многими образцами английской поэзии), ему приходилось возиться с Джеймсом Бентли, надломленным созданием, никогда не думавшим ни о ком, кроме себя. Этот человек не только не был признателен за усилия, прилагаемые с целью его спасения, — он, казалось, вовсе ими не интересовался.

«Не могу понять, — подумал Пуаро, — зачем я спасаю его от петли?»

И все же бросить это дело он не мог.

Вопрос суперинтенданта Спенса прервал его размышления.

— Наша беседа, — сказал Пуаро, — была на редкость непродуктивной. Ничего полезного Бентли припомнить не мог, а то, что он вспомнил, было настолько смутно и неопределенно, что на этом ничего невозможно построить. Но во всяком случае, кажется несомненным, что миссис Макгинти была взволнована статьей в «Санди комет» и, говоря об этом с Бентли, упомянула, что кто-то, связанный с этим делом, живет в Бродхинни.

— С каким делом? — резко спросил Спенс.

— Этого наш приятель точно не помнит, — ответил Пуаро. — Ему кажется, что с делом Крейга, но это, возможно, потому, что дело Крейга — единственное, о котором он когда-либо слышал. Одно ясно: этот кто-то — женщина. Бентли даже цитировал слова миссис Макгинти. «У нее поубавилось бы гордости, если бы все стало известно».

— Гордости?

— Mais oui![1] — кивнул Пуаро. — Это слово наводит на размышления, не так ли?

— И кто же эта гордая леди?

— Бентли считает, что миссис Апуорд, но, насколько я понял, без достаточных оснований.

Спенс покачал головой:

— Очевидно, дело в том, что миссис Апуорд вообще была гордой и властной женщиной. Но нашей таинственной незнакомкой никак не могла быть миссис Апуорд, так как она мертва, и мертва по той же самой причине, что и миссис Макгинти, — потому что она узнала фотографию.

— Я предупреждал ее, — печально промолвил Пуаро.

— Лили Гэмболл! — с раздражением воскликнул Спенс. — На ее роль по возрасту подходят только двое: миссис Ренделл и миссис Карпентер. Я не считаю мисс Хендерсон — ее прошлое не вызывает сомнений.

— А у других разве вызывает?

Спенс вздохнул:

— Вы же знаете — война все смешала. Исправительная школа, где отбывала наказание Лили Гэмболл, была разрушена прямым попаданием бомбы, и все отчеты погибли. Людей проверять ничуть не легче. Единственные люди в Бродхинни, о которых мы что-то знаем, — это семейство Саммерхейзов, чьи предки живут там уже триста лет, и Гай Карпентер, семья которого уже давно возглавляет инженерную фирму. О всех остальных у нас сведения весьма смутные. Мы знаем, где обучался и где практиковался доктор Ренделл, так как он фигурирует в медицинском справочнике, но о его прошлом нам ни-

---

[1] Ну да! *(фр.)*

чего не известно. Его жена приехала сюда из-под Дублина. Эви Селкерк до брака с Гаем Карпентером жила на положении молодой вдовы, потерявшей мужа на войне. Но любая женщина может так говорить о себе. Что касается Уэзерби, то они как будто объездили весь свет. Зачем? Почему? Может быть, он растратил банковские деньги? Или они влезли в какую-то скандальную историю? Я не говорю, что мы не можем досконально выяснить прошлое людей, которые нас интересуют, но на это требуется время, а от самих подозреваемых помощи ждать не приходится.

— Потому что им есть что скрывать, хотя это не обязательно убийство, — заметил Пуаро.

— Конечно. Это могут быть какие-нибудь неприятности с законом, темное происхождение или публичный скандал. Но как бы то ни было, они скрывают множество былых огорчений, и докопаться до них нелегко.

— Но не невозможно.

— Разумеется, не невозможно, но на это опять же необходимо время. Как я сказал, если Лили Гэмболл живет в Бродхинни, то ею может оказаться либо Эви Карпентер, либо Шила Ренделл. Я расспрашивал и ту и другую. Обе говорят, что во время убийства сидели одни дома. Миссис Карпентер смотрела на меня широко раскрытыми невинными глазами. Миссис Ренделл нервничала — но она вообще нервная особа.

— Да, — задумчиво повторил Пуаро. — Весьма нервная особа.

Он вспомнил о своем разговоре с миссис Ренделл в саду «Лонг-Медоус». Судя по тому, что она говорила, она получила какое-то анонимное письмо. Да, это весьма интересно.

— К тому же мы вынуждены соблюдать осторожность, — продолжал Спенс, — потому что, даже если один из них виноват, то другие не виновны.

— А Гай Карпентер — будущий член парламента и важная особа в этих краях.

— Если он виновен в убийстве или в соучастии в убийстве, то это ему не поможет, — мрачно проговорил Спенс.

— Знаю. И все же вам следует твердо убедиться в том, что вы правы, прежде чем начать действовать.

— Безусловно. Но вы согласны, что выбор свелся к одной из этих двух женщин?

Пуаро вздохнул:

— Нет, я бы этого не сказал. Есть и другие возможности.

— А именно?

Несколько секунд Пуаро молчал, потом заговорил совершенно иным, почти небрежным тоном:

— Почему люди хранят фотографии?

— Почему? Кто их знает! Зачем они вообще хранят всякий хлам? Они так делают — вот и все!

— В этом я с вами согласен. Некоторые люди хранят вещи, а некоторые выбрасывают их, как только они им надоедают. Это вопрос характера. Но сейчас я говорю именно о фотографиях. Почему люди их хранят?

— Ну, во-первых, как я уже говорил, потому, что они вообще держат дома всякую дребедень, а во-вторых, потому, что они им напоминают...

Пуаро ухватился за последние слова:

— В том-то и дело. Они им многое напоминают. Теперь еще один вопрос: почему женщина хранит фотографию, на которой изображена она в годы своей молодости? Я бы сказал, что причина номер один — это тщеславие. Она была хорошенькой девушкой и потому держит у себя фотографию, напоминающую ей об этом. Карточка подбадривает ее, когда она видит в зеркало малоприятное зрелище. Друзьям она говорит: «Это я, когда мне было восемнадцать» — и при этом глубоко вздыхает... Вы со мной согласны?

— Ну, вообще-то да.

— Итак, причина номер один — тщеславие. Перейдем к причине номер два — сентиментальность.

— Разве в данном случае это не одно и то же?

— Нет-нет, не совсем. Потому что эта причина побуждает их хранить не только свои фотографии, но и снимки других людей... карточки дочери, играющей на каминном коврике, в то время как она давно уже замужем.

— Да, я часто видел такие, — усмехнулся Спенс.

— Дочерей подобные вещи смущают, а матерей, наоборот, радуют. Сыновья и дочери, в свою очередь, хранят фотоснимки матерей, особенно если те умерли молодыми. Они показывают их своим лучшим друзьям и говорят: «Это моя мать, когда она была девочкой».

— Начинаю понимать, куда вы клоните, Пуаро.

— Но есть и третья причина — не тщеславие, не чувствительность, не любовь, а ненависть.

— Ненависть?

— Да. Ненависть и жажда мести. Кто-то может хранить фотографию человека, оскорбившего его, чтобы питать свою ненависть воспоминаниями.

— Но разве это применимо к нашему случаю?

— А разве нет?

— Каковы же ваши предположения?

— Газетные статьи часто допускают неточности. «Санди комет» утверждает, что Ева Кейн была нанята Крейгами в качестве гувернантки. Это соответствует действительности?

— Да. Но ведь мы исходим из предположения, что объект наших поисков — Лили Гэмболл.

Пуаро внезапно выпрямился и погрозил пальцем Спенсу:

— Смотрите. Вот фотография Лили Гэмболл. Она отнюдь не красива. Откровенно говоря, с такими зубами и в этих очках она выглядит просто безобразной. Ни одна женщина не стала бы хранить это фото по первой из перечисленных нами причин — тщеславию. Если бы Эви Карпентер или Шила Ренделл (кстати, они обе, особенно Эви Карпентер, очень красивые женщины) имели подобный фотоснимок, изображающий их в детстве, они бы изорвали его на мелкие кусочки, чтобы он никому не попадался на глаза!

— Да, вы, пожалуй, правы.

— Итак, отметаем причину номер один. Перейдем к сентиментальности. Любил ли кто-нибудь Лили Гэмболл в этом возрасте? Судя по всему, нет. Она была никому не нужным ребенком. Единственным человеком, который любил ее, была ее тетя, но с тетей она разделалась без лишних слов. Следовательно, сентиментальность тоже не подходит. Остается месть? Вряд ли кто-нибудь ее ненавидел. Убитая ею тетя была одинокой женщиной, не имевшей ни мужа, ни близких друзей. Нет, к этому несчастному ребенку, выросшему в трущобах, можно испытывать не ненависть, а только жалость.

— Но, мсье Пуаро, из ваших слов вытекает, что ни у кого в Бродхинни не было фотографии Лили Гэмболл.

— Совершенно верно — это результат моих размышлений.

— Но ведь миссис Апуорд видела ее.

— Разве?

— Черт возьми! Вы же сами говорили, что она узнала ее фотографию.

— Да, она так сказала, — подтвердил Пуаро. — Но покойная миссис Апуорд была весьма скрытной женщиной. Ей нравилось все делать по-своему. Я показал фотографии, и она узнала одну из них. Но какую именно — это она решила сохранить в тайне, так как хотела сама разобраться в создавшейся ситуации. И, будучи очень сообразительной особой, она нарочно указала не на ту карточку, оставив таким образом свои знания при себе.

— Но зачем?

— Чтобы играть в одиночку.

— Но ведь она не собиралась заняться шантажом! Миссис Апуорд была очень богатой женщиной, вдовой крупного фабриканта с Севера.

— О, разумеется, шантаж тут ни при чем. Скорее здесь имело место желание сделать добро. Допустим, что миссис Апуорд благосклонно относится к нашей таинственной персоне и не хотела, чтобы ее секрет был разглашен. Тем не менее она была любопытной и поэтому намеревалась поговорить с этой персоной, чтобы узнать, имела ли она какое-нибудь отношение к смерти миссис Макгинти. Вот примерная картина происшедшего.

— Значит, она узнала какую-то из трех других фотографий?

— Вот именно. Миссис Апуорд собиралась при первой удобной возможности встретиться с человеком, который ее интересовал. Такая возможность представилась, когда ее сын и миссис Оливер уехали в театр в Калленки.

— И миссис Апуорд позвонила Дейрдре Хендерсон. Значит, она и ее мать снова попадают в центр внимания! — Суперинтендант Спенс уныло покачал головой. — До чего же вам нравится все усложнять, мсье Пуаро, — вздохнул он.

Глава 21

Миссис Уэзерби возвратилась домой с почты походкой, необычайно проворной для инвалида.

Однако, войдя в дом, она тотчас начала пошатываться, шаркать ногами и, еле-еле дотащившись до гостиной, плюхнулась на диван и позвонила в звонок.

Так как ответа не последовало, она позвонила снова, долго не снимая пальца с кнопки.

Вскоре вошла Мод Уильямс, одетая в цветастый рабочий халат и с тряпкой в руках:

— Вы звонили, мадам?

— Я звонила дважды. Когда я звоню, вы должны сразу же являться. Ведь я опасно больна.

— Простите, мадам. Я была внизу.

— Я знаю, где вы были. Вы были в моей комнате. Я слышала, как вы там наверху выдвигаете все ящики, и не знаю, зачем вы это делаете. Рыться в моих ящиках не входит в ваши обязанности.

— Я не рылась. Я просто немного прибралась.

— Чепуха! Все вы любите совать нос в чужие дела. А я этого не переношу. Я и так еле ноги таскаю. Мисс Дейрдре дома?

— Она пошла погулять с собакой.

— Безобразие! Разве она не знает, что я не могу без нее обойтись? Принесите мне гоголь-моголь и добавьте немного бренди. Бренди стоит на буфете в столовой.

— На следующее утро к завтраку останутся только три яйца.

— Значит, кому-нибудь придется обойтись без яиц. Поторопитесь, пожалуйста. Что вы стоите и глазеете на меня? И не злоупотребляйте косметикой. Это неприлично!

Мод вышла. В холле послышался лай, и в комнату вошла Дейрдре со своим силихемом.

— Я услышала твой голос, — слегка запыхавшись, сказала она. — О чем ты с ней говорила?

— Так, ни о чем.

— Но она вышла чернее тучи.

— Я просто поставила ее на место. Весьма дерзкая девица.

164

— О, мама, дорогая, стоит ли волноваться из-за пустяков? Ведь сейчас так трудно достать прислугу. А она очень хорошо готовит.

— А то, что она мне грубит, конечно, не имеет значения? Ну ничего, я уже недолго буду докучать вам. — Миссис Уэзерби закатила глаза и часто задышала. — Я сегодня так набегалась, — прошептала она.

— Ты не должна этого делать, мама. Почему ты мне не сказала, что куда-то идешь?

— Я думала, что воздух будет мне полезен. Здесь так душно. Но это не имеет значения. Не стоит хотеть жить, если ты только всех беспокоишь.

— Но ты никого не беспокоишь, дорогая. Я бы умерла без тебя.

— Ты хорошая девочка. Представляю, как я утомляю тебя и действую тебе на нервы.

— Что ты, вовсе нет! — горячо возразила Дейрдре. Миссис Уэзерби вздохнула и опустила веки.

— Мне нельзя долго разговаривать, — прошептала она. — Я должна побольше отдыхать.

— Пойду потороплю Мод, чтобы она поскорее приготовила желток с вином.

Дейрдре поспешно вышла из комнаты, задев локтем стол, отчего бронзовый идол со стуком упал на пол.

— Какая ты неловкая, — вздрогнув, буркнула миссис Уэзерби.

Дверь открылась, в комнату вошел мистер Уэзерби и остановился, ожидая, пока его супруга откроет глаза.

— О, это ты, Роджер?

— Что здесь был за шум? В этом доме даже почитать спокойно невозможно.

— Это Дейрдре, дорогой. Она приходила сюда с собакой.

Мистер Уэзерби нагнулся и поднял уродливое бронзовое изделие.

— Стоит Дейрдре где-нибудь появиться, как все сразу же летит кубарем.

— Она просто неуклюжая.

— В ее возрасте пора бы перестать быть неуклюжей. И не могла бы она заставить этого пса не лаять?

— Я поговорю с ней, Роджер.

— Если она намерена жить здесь, то пусть считается с нашими желаниями, а не ведет себя так, как будто этот дом принадлежит ей.

— Пожалуй, тебе было бы лучше, если бы она отсюда ушла, — заметила миссис Уэзерби, наблюдая за мужем сквозь полуприкрытые веки.

— Что ты, конечно нет. Разумеется, ее дом там же, где и наш. Я только хотел бы, чтобы у нее было побольше здравого смысла. — Помолчав, он добавил: — Ты куда-то выходила, Эдит?

— Да, спускалась на почту.

— Не слышно никаких новостей о бедной миссис Апуорд?

— Полиция все еще не знает, кто убийца.

— Они, кажется, совершенно беспомощны. Хоть с мотивом разобрались? Кто наследует ее деньги?

— По-видимому, сын.

— Ну, тогда ее, наверное, убил какой-то бродяга. Ты должна сказать этой девушке, чтобы она держала запертой парадную дверь, а когда стемнеет, открывала ее только на цепочке, а то эти бандиты совсем обнаглели.

— У миссис Апуорд как будто ничего не украли.

— Странно.

— Не то что у миссис Макгинти, — сказала миссис Уэзерби.

— Миссис Макгинти? А, эта уборщица! А какое отношение она имеет к миссис Апуорд?

— Она работала у нее, Роджер.

— Не будь глупой, Эдит.

Миссис Уэзерби снова закрыла глаза и улыбнулась про себя, когда ее муж вышел из комнаты.

Вскоре она увидела перед собой Мод, стоящую со стаканом в руке.

— Ваш гоголь-моголь, мадам, — сказала Мод. Ее голос, звучный и ясный, эхом отозвался во всем доме.

Миссис Уэзерби смотрела на нее со странным чувством тревоги. Высокая фигура девушки напоминала ей статую Судьбы. Подумав об этом, миссис Уэзерби удивилась, почему такое странное сравнение пришло ей в голову.

Приподнявшись на локте, она взяла стакан.

— Благодарю вас, Мод.

Мод повернулась и вышла из комнаты.

Миссис Уэзерби все еще испытывала смутное ощущение беспокойства.

Глава 22

1

Эркюль Пуаро на такси возвращался в Бродхинни.

Он устал от собственных размышлений, которые были весьма утомительны и не принесли ему особого удовлетворения. Как будто он держал в руках кусок материи, на которой был вышит узор — одноцветный и настолько запутанный, что разобрать его было почти невозможно.

По дороге из Килчестера такси Пуаро чуть не столкнулось с огромным автомобилем Саммерхейза, едущим в противоположном направлении. Джонни сидел за рулем и вез пассажира. Погрузившись в размышления, Пуаро едва заметил их.

Вернувшись в «Лонг-Медоус», он вошел в гостиную и сел на наиболее надежный стул, предварительно сняв с него дуршлаг со шпинатом. Сверху доносился стук пишущей машинки. Это Робин Апуорд трудился над пьесой, три варианта которой, по его же собственным словам, он уже изорвал. Очевидно, Робин никак не мог сосредоточиться.

Возможно, вполне искренне переживая смерть матери, он оставался все тем же Робином Апуордом, заинтересованным прежде всего в собственной персоне.

— Мадре, — торжественно заявил он, — хотела бы, чтобы я продолжал свою работу.

Эркюлю Пуаро доводилось слышать немало подобных фраз. Осведомленность о желаниях покойных часто оказывалась весьма удобной, так как родственники умерших обычно не сомневались, что эти желания в точности совпадают с их собственными.

Но в данном случае это, вероятно, соответствовало действительности. Миссис Апуорд преклонялась перед литературной деятельностью Робина и очень гордилась им.

Пуаро откинулся назад и закрыл глаза.

Он подумал о миссис Апуорд. Что она собой представляла? Ему вспомнилась фраза, услышанная им как-то от одного полицейского офицера: «Хорошо бы разрезать его на части и посмотреть, что у него внутри».

Что же было внутри у миссис Апуорд?

Послышался грохот, и вошла Морин Саммерхейз. Ее волосы были растрепаны до предела.

— Не понимаю, что случилось с Джонни, — сказала она. — Он пошел на почту отправить посылки и должен был вернуться час назад. Мне он нужен, чтобы укрепить дверь в курятнике.

Пуаро побаивался, что истинному джентльмену следовало бы галантно предложить самому заняться дверью курятника. Но он этого не сделал, так как хотел продолжать размышления о двух убийствах и о характере миссис Апуорд.

— И я не могу найти бланк министерства сельского хозяйства, — пожаловалась Морин.

— Шпинат лежит на диване, — любезно указал Пуаро.

Но шпинат Морин не интересовал.

— Бланки прислали на прошлой неделе, — размышляла вслух она. — И я куда-то его сунула. Наверное, это было, когда я штопала Джонни пуловер.

Морин подбежала к бюро и начала выдвигать ящики. Большинство их содержимого она безжалостно швыряла на пол. Наблюдать за ней было страданием для Эркюля Пуаро.

Внезапно она издала торжествующий крик:

— Нашла!

Морин выбежала из комнаты.

Эркюль Пуаро вновь предался размышлениям.

Если рассмотреть ситуацию, руководствуясь порядком и методом...

Он нахмурился. Груда предметов, валявшихся на полу около бюро, мешала ему сосредоточиться. Разве можно так обращаться с вещами!

Нет, решительно, порядок и метод необходимы во всем!

Хотя он повернул стул в другую сторону, беспорядок на полу все еще стоял перед его глазами. Заштопанная одежда, куча носков, письма, шерсть для вязания, журналы, восковая печать, фотографии, пуловер...

Просто невыносимо...

Пуаро встал, подошел к бюро и быстрыми ловкими движениями начал складывать предметы в открытые ящики.

Пуловер, носки, шерсть для вязания... в следующий ящик восковую печать, фотографии, письма...

Внезапный телефонный звонок заставил его вздрогнуть. Он подошел к аппарату и поднял трубку:

— Алло.

Послышался голос суперинтенданта Спенса:

— А, это вы, мсье Пуаро! Вы-то мне и нужны. — Голос Спенса стал почти неузнаваемым. Вместо беспокойства в нем теперь слышалась уверенность. — Зря вы мне морочили голову с этими фотографиями, — с упреком начал он. — У нас появились новые доказательства. Майор Саммерхейз привез к нам девушку, которая работает на почте в Бродхинни. Оказывается, в тот вечер она стояла практически напротив «Лабернемс» и видела, как между половиной девятого и девятью туда вошла женщина. И это была не Дейрдре Хендерсон, так как у нее были светлые волосы. Таким образом, это вновь возвращает нас к Эви Карпентер и Шиле Ренделл. Вопрос только в том, к которой из них?

Пуаро открыл рот, но не проронил ни слова. Вместо этого он не спеша положил трубку на рычаг, продолжая стоять около телефона и глядя перед собой невидящими глазами.

Телефон снова зазвонил.

— Алло!

— Могу я поговорить с мсье Пуаро?

— У телефона Эркюль Пуаро.

— Это Мод Уильямс. Не могли бы вы прийти на почту минут через пятнадцать?

— Хорошо, приду.

Пуаро положил трубку и взглянул на свои ноги. Не следует ли ему переменить ботинки? Ноги уже начинали побаливать. А впрочем, это не имеет значения.

С решительным видом Пуаро нахлобучил шляпу и вышел из дому.

Когда он спускался с холма, его окликнул один из людей суперинтенданта Спенса, только что вышедший из «Лабернемс»:

— Доброе утро, мсье Пуаро.

Пуаро вежливо ответил на приветствие. Он заметил, что сержант Флетчер выглядит возбужденным.

— Супер прислал меня сюда еще раз все проверить, — объяснил сержант. — Мало ли что, а вдруг мы что-нибудь упустили? Мы, конечно, обыскали письменный стол, но супер вбил себе в голову, что там может быть потайной ящик, — должно быть, начитался всякой шпионской дребедени. Ну, никакого потайного ящика там, разумеется, не оказалось. Но после стола я занялся книгами. Знаете, люди иногда суют письма в книги, которые они читают.

— И вы нашли что-нибудь? — осведомился Пуаро.

— Писем там не было, но все-таки я нашел там кое-что интересное — по крайней мере, мне это показалось интересным. Посмотрите-ка. — Он снял газетную обложку со старой и довольно потрепанной книги. — Она стояла на одной из полок — старая книга, изданная много лет назад. Но взгляните сюда. — Сержант открыл книгу и показал форзац. На нем было написано карандашом: «Эвелин Хоуп». — Интересно, верно? Ведь это имя, которое...

— Да, я помню, это имя, которое приняла Ева Кейн, покинув Англию, — сказал Пуаро.

— Выглядит так, как будто миссис Макгинти видела одну из этих фотографий у нашей миссис Апуорд. Это здорово усложняет дело.

— Еще как усложняет! — с чувством подхватил Пуаро. — Уверяю вас, что когда вы сообщите эту новость суперинтенданту Спенсу, то он начнет рвать на себе волосы.

— Ну, думаю, что до этого дело не дойдет, — успокаивающе заметил сержант Флетчер.

Пуаро не ответил. Он продолжал спускаться с холма, но уже прекратил бесплодные размышления. Казалось, все вокруг потеряло всякий смысл.

Войдя на почту, Пуаро увидел Мод Уильямс, рассматривающую узоры для вязания. Но он не заговорил с ней, а направился к прилавку с марками. Когда Мод закончила покупку, миссис Суитимен подошла к нему, и они занялись марками. Мод вышла из лавки.

Миссис Суитимен казалась озабоченной и неразговорчивой. Благодаря ее необщительности, Пуаро смог быстро последовать за Мод. Вскоре он догнал ее и зашагал по дороге позади ее.

Миссис Суитимен, выглянув из окна почты, с неодобрением подумала: «Ох уж эти иностранцы! Вечно у них одно на уме. Ведь он же ей в дедушки годится!»

2

— Eh bien[1], — сказал Пуаро, — вы хотели мне что-то сообщить?

— Не знаю, насколько это важно. Кто-то пытался влезть в окно комнаты миссис Уэзерби.

— Когда?

— Этим утром. Она куда-то ушла, девушка вышла погулять с собакой, а этот старый мороженый сазан, как обычно, заперся у себя в кабинете. Я работала на кухне, а потом решила, что представляется удобная возможность... ну, вы сами понимаете для чего...

Пуаро кивнул.

— Я тихонько поднялась в спальню старой ведьмы и увидела, что к окну приставлена лестница, а на ней стоит какой-то мужчина и пытается открыть шпингалет. (После убийства она стала все запирать, так что в доме можно просто задохнуться.) Как только этот тип заметил меня, он сразу же смылся. Лестница принадлежала садовнику — он подрезал плющ и отлучился на минутку позавтракать.

— Кто был этот человек? Вы можете описать его?

— Я видела его только мельком. Когда я подошла к окну, он уже опустился с лестницы и убегал спиной ко мне, а когда я впервые его увидела, то не смогла рассмотреть его лица, потому что солнце светило мне в глаза.

— А вы уверены, что это был мужчина?

Мод задумалась.

— На нем был мужской костюм и старая фетровая шляпа, но, конечно, это могла быть и женщина...

— Интересно, — проговорил Пуаро. — Весьма интересно... Что скажете еще?

---

[1] Итак *(фр.)*.

171

— Да, в общем, ничего. У миссис Уэзерби полно разного хлама. Должно быть, она немного спятила. Сегодня утром она наорала на меня за то, что я сую нос в чужие дела, — услышала, что я роюсь в ее спальне. В следующий раз я ее просто пристукну. Если кого-нибудь и следует убить, так это ее. На редкость скверная старуха.

— Эвелин Хоуп... — тихонько пробормотал Пуаро.

— Что? — Мод резко обернулась.

— Вам знакомо это имя?

— Ну... да... Это имя, которое приняла Ева... как ее там?.. когда она уехала в Австралию. Оно упоминалось в газете — в «Санди комет».

— В «Санди комет» упоминалось многое, но только не это имя. А полиция обнаружила его написанным на одной из книг в доме миссис Апуорд.

— Так, значит, она не умерла там!.. — воскликнула Мод. — Майкл был прав.

— Майкл?

— Ну, мне пора, — внезапно заторопилась Мод. — А то я опоздаю сервировать ленч. Я оставила на плите еду, и все может пересохнуть.

Она быстро побежала прочь. Пуаро стоял, глядя ей вслед.

Миссис Суитимен, прижав нос к оконному стеклу почты, терзалась любопытством, сделал ли девушке этот пожилой иностранец предложение определенного сорта...

3

Вернувшись в «Лонг-Медоус», Пуаро снял ботинки и надел пару комнатных туфель. Конечно, это было не совсем comme il faut[1], но зато он испытал огромное облегчение.

Пуаро снова уселся в кресло и начал думать. К этому времени у него появилась новая пища для размышлений.

Какую-то маленькую деталь он пропустил, а ведь оставалось только сложить все воедино, чтобы получить правильную картину.

---

[1] Как полагается *(фр.)*.

Морин с бокалом в руке задает вопрос мечтательным тоном... Рассказ миссис Оливер о вечере, проведенном в театре... Сесил? Майкл? Он был почти уверен, что она упоминала какого-то Майкла... Ева Кейн, гувернантка Крейгов...

Эвелин Хоуп...

Ну конечно, Эвелин Хоуп!

Глава 23

1

Войдя в дом Саммерхейзов через первую попавшуюся дверь или окно, Эви Карпентер разыскала Эркюля Пуаро и без лишних слов приступила к делу.

— Слушайте, — начала она. — Вы — детектив, и вроде бы знаменитый детектив. Так вот, я нанимаю вас.

— Нанимаете меня? Mon Dieu, я же не шофер такси!

— Вы частный детектив, а частным детективам как будто платят жалованье, не так ли?

— Допустим.

— Ну, так я буду платить вам. И притом много платить.

— За что? Что вы хотите, чтобы я сделал?

— Я хочу, чтобы вы защитили меня от полиции, — резко сказала Эви Карпентер. — Они все там просто спятили — считают, что это я убила миссис Апуорд. Поэтому они все время пристают ко мне с расспросами, что-то ищут, вынюхивают. Это сведет меня с ума!

Пуаро задумчиво поглядел на нее. В какой-то мере ее слова соответствовали действительности. Она словно постарела на несколько лет с тех пор, как он впервые увидел ее несколько недель тому назад. Под глазами появились круги, свидетельствующие о бессонных ночах, от рта к подбородку пролегли морщины, а руки, зажигавшие сигарету, нервно дрожали.

— Вы должны прекратить это, — настаивала она. — Должны!

— Мадам, что я могу сделать?

— Как-нибудь заставить этих наглецов перестать преследовать меня. Если бы только Гай был настоящим мужчиной, он бы сам этого добился.

— Разве он не принимает никаких мер?

— А я его ни о чем и не просила. Он только произносит напыщенные речи о том, что необходимо оказывать полиции всевозможное содействие. Ему хорошо говорить — он в тот вечер был на каком-то дурацком митинге.

— А вы?

— А я сидела дома и слушала радио.

— Но если вы можете это доказать...

— Каким образом? Я предложила Крофтам баснословную сумму за то, чтобы они сказали, что заходили ко мне и видели меня дома, так эти проклятые свиньи отказались.

— Это был очень неблагоразумный шаг с вашей стороны.

— Не понимаю, почему? Если бы они согласились, все было бы в порядке.

— Вы, возможно, убедили ваших слуг в том, что вы совершили убийство.

— Ну, я и так заплатила Крофту за...

— За что?

— Так, ни за что.

— Если вы ждете от меня помощи, так будьте откровенны.

— О, это не имеет никакого отношения. Просто Крофт разговаривал с ней по телефону.

— С миссис Апуорд?

— Да. Она просила меня прийти к ней в тот вечер.

— И вы не пошли?

— А чего ради я бы пошла к этой нудной старухе? Больше мне делать нечего!

— Когда она вам звонила?

— Я тогда вышла из дома. Думаю, что между шестью и семью. С ней разговаривал Крофт.

— И вы заплатили ему, чтобы он об этом забыл. Зачем?

— Не будьте идиотом. Я не хотела быть замешанной в эту историю.

— И тогда вы предложили ему деньги, чтобы обеспечить себе алиби? Что же теперь подумают он и его жена?

— Кого может заинтересовать их мнение?

— Присяжных, — ответил Пуаро.

Она уставилась на него:

— Вы серьезно?

— Вполне серьезно.

— Значит, по-вашему, они больше поверят слугам, чем мне?

Пуаро бросил на нее неприязненный взгляд.

Эта глупая и бестактная женщина своим нелепым поведением способна только восстановить против себя людей, которые могли бы ей помочь. На редкость близорукая политика. Близорукая...

Эви Карпентер продолжала смотреть на него широко открытыми голубыми глазами.

— Почему вы не носите очки, мадам? — спокойно спросил Пуаро. — Вы явно в них нуждаетесь.

— Что? О, я носила их в детстве.

— И тогда же вы носили пластину в зубах?

— Ну да. — Она изумленно посмотрела на него. — Но при чем здесь все это?

— Гадкий утенок превратился в лебедя.

— О, я была достаточно гадкой.

— И ваша мать тоже так считала?

— Я не помню своей матери, — резко сказала она. — И вообще, какого дьявола вы меня об этом расспрашиваете? Вы принимаете мое предложение?

— К сожалению, я не могу этого сделать.

— Почему?

— Потому что в этом доме я действую в интересах Джеймса Бентли.

— Джеймса Бентли? О, вы имеете в виду того полоумного, который убил старуху уборщицу. А какое отношение он имеет к Апуордам?

— Возможно, никакого.

— Значит, это вопрос денег. Сколько?

— В этом ваша величайшая ошибка, мадам. Вы говорите и мыслите только на языке денег. У вас есть деньги, и вам кажется, что только они имеют значение.

— У меня не всегда были деньги, — медленно произнесла Эви Карпентер.

Пуаро мягко кивнул:

— Я так и думал. Это многое объясняет и многое прощает.

2

Эви Карпентер вышла из дома, двигаясь ощупью, как будто дневной свет слепил ей глаза. Пуаро обратил на это внимание еще при первой встрече.

— Эвелин Хоуп... — задумчиво пробормотал он.

Итак, миссис Апуорд звонила Дейрдре Хендерсон и Эвелин Карпентер. Возможно, она звонила кому-то еще. Возможно...

В комнату с шумом ворвалась Морин Саммерхейз:

— Где мои ножницы? Простите, что мы запаздываем с ленчем. У меня было три пары ножниц, и я не могу найти ни одной.

Она подбежала к бюро, и процесс, который Пуаро уже имел счастье наблюдать, начался во второй раз. Только теперь объект поисков был найден гораздо быстрее. С радостным криком Морин удалилась.

Почти машинально Пуаро встал и снова начал рассовывать вещи по ящикам. Восковая печать, почтовая бумага, корзинка для швейных принадлежностей, фотографии...

Фотографии...

Пуаро стоял, глядя на фотографию, которую держал в руке.

Сзади в коридоре послышались шаги.

Невзирая на преклонный возраст, Пуаро действовал достаточно проворно. Он бросил фотографию на диван и накрыл ее подушкой, на которую сел сам к тому времени, как в комнате вновь появилась Морин.

— Куда я положила дуршлаг со шпинатом?

— Вот он, мадам.

Он указал на дуршлаг, лежащий на диване рядом с ним.

— Так вот куда я его дела. — Морин схватила дуршлаг. — Сегодня я все теряю... — Ее взгляд упал на Эркюля Пуаро, сидящего настолько прямо, будто он аршин проглотил. — Зачем вы сидите на этом диване? На нем даже на подушке сидеть невозможно — тут все пружины сломаны.

— Я знаю, мадам. Но я... любуюсь этой картиной на стене.

Морин бросила взгляд на картину, написанную маслом и изображающую морского офицера с подзорной трубой:

— Да, это, пожалуй, единственная стоящая вещь во всем доме. Может быть, это даже Гейнсборо[1]. — Она вздохнула. — Джонни ни за что не хочет ее продать. Это какой-то его прапрапрадедушка, который последним покинул борт своего корабля или совершил другой подвиг... Джонни им страшно гордится.

— Да, — мягко сказал Пуаро. — Вашему мужу есть чем гордиться!

3

Было три часа, когда Пуаро подошел к дому доктора Ренделла.

Он позавтракал тушеным кроликом, шпинатом с картошкой и сомнительным на вкус пудингом, на этот раз не пережаренным, а почти жидким, запив все это мутного цвета кофе. Особого наслаждения ему эта процедура не доставила.

Двери открыла пожилая экономка, миссис Скотт. Пуаро спросил, может ли он повидать миссис Ренделл.

Шила Ренделл сидела в гостиной, слушая радио. При появлении Пуаро она вскочила.

Сейчас она производила на него то же впечатление, что и в первый раз. Настороженная, испуганная женщина, со страхом ожидавшая каждого его слова.

За это время Шила Ренделл сильно осунулась и казалась еще более бледной и мрачной.

— Я хочу задать вам вопрос, мадам.

— Вопрос? Какой вопрос?

— Звонила ли вам миссис Апуорд в день своей смерти?

Миссис Ренделл пристально посмотрела на него, потом кивнула.

— В какое время?

---

[1] Г е й н с б о р о Томас (1727—1788) — английский художник.

— С ней разговаривала миссис Скотт. По-моему, это было около шести часов.

— Она просила вас прийти к ней этим вечером?

— Да. Она сказала, что миссис Оливер и Робин собираются в Килчестер, а она остается одна, так как у Дженет этот вечер выходной, и спросила, не могу ли я прийти и составить ей компанию.

— И на какое же время она вас пригласила?

— На десять часов или позже.

— Вы пошли?

— Хотела пойти. Но после обеда я так крепко заснула, что проснулась в десятом часу и решила, что уже слишком поздно.

— Вы не сообщили полиции о звонке миссис Апуорд?

Ее глаза расширились. В них появилось выражение детской невинности.

— Разве я должна была это сделать? Я считала, что так как я не пошла, то это не имеет значения. Иногда я даже чувствовала себя виноватой. Быть может, если бы я приняла ее приглашение, она была бы сейчас жива. — Шила тяжело вздохнула. — О, надеюсь, что это не так.

— Весьма возможно, — промолвил Пуаро. Сделав паузу, он внезапно спросил: — Чего вы боитесь, мадам?

Миссис Ренделл резко задержала дыхание:

— Боюсь? Я ничего не боюсь.

— Нет, боитесь.

— Что за чепуха! Чего я должна бояться?

Помолчав, Пуаро медленно произнес:

— Думаю, что вы, возможно, боитесь меня.

Она не ответила, но ее глаза раскрылись еще шире. Медленно и нерешительно миссис Ренделл покачала головой.

Глава 24

1

— В конце концов мы угодим в Бедлам, — заметил Спенс.

— Все вовсе не так уж плохо, — успокоил его Пуаро.

— Как сказать! Каждый клочок информации, который попадает к нам в руки, только усложняет дело. Сейчас вы утверждаете, что миссис Апуорд звонила трем женщинам и просила их прийти. Почему трем? Что, она сама не знала, которая из них Лили Гэмболл? Или дело Лили Гэмболл здесь вообще ни при чем? А книга, на которой стоит имя Эвелин Хоуп! Ведь из этого следует, что миссис Апуорд и Ева Кейн — одно и то же лицо.

— Что в точности согласуется с впечатлением, которое вынес Джеймс Бентли из слов миссис Макгинти.

— А я считал, что он в этом не уверен.

— Он и в самом деле не уверен. Разве Джеймс Бентли может быть уверен хоть в чем-нибудь? Он толком не слушал, что ему говорила миссис Макгинти. Тем не менее у него создалось впечатление, что она говорила о миссис Апуорд, а впечатления часто соответствуют истине.

— Судя по последним сведениям, полученным нами в Австралии (кстати, Ева Кейн уехала в Австралию, а не в Америку), «миссис Хоуп» как будто умерла там двадцать лет назад.

— Я уже слышал об этом, — сказал Пуаро.

— Вы вообще всегда все знаете, не так ли, Пуаро?

— С одной стороны, — продолжал Пуаро, не обратив внимания на насмешку, — «миссис Хоуп» скончалась в Австралии. А с другой?

— С другой перед нами миссис Апуорд, вдова богатого фабриканта с Севера. Она жила с мужем около Лидса и имела сына. Муж умер. Мальчик был предрасположен к туберкулезу, и после смерти мужа она жила главным образом за границей.

— А когда она вышла замуж?

— Через четыре года после отъезда из Англии Евы Кейн. Апуорд познакомился с женой за границей и привез ее на родину после женитьбы.

— Следовательно, миссис Апуорд могла быть Евой Кейн. Какая у нее была девичья фамилия?

— Кажется, Харгрейвс. Но какое это имеет значение?

— Большое. Возможно, что Ева Кейн, или Эвелин Хоуп, действительно умерла в Австралии. Но может быть, она лишь ловко организовала свою «кончину», воскресла под именем Харгрейвс и нашла себе богатого мужа.

— С тех пор прошло очень много лет, — сказал Спенс. — Но предположим, что это правда. Допустим, она хранила свою фотографию, а миссис Макгинти увидела ее — выходит, что это она убила миссис Макгинти.

— Это вполне возможно. Робин Апуорд в тот вечер выступал по радио. Миссис Ренделл хотела прийти в «Лабернемс», но на ее стук никто не ответил. А судя по словам миссис Суитимен, Дженет Грум говорила ей, что миссис Апуорд вовсе не такая уж калека, какой старается казаться.

— Хорошо, Пуаро, но ведь факт остается фактом — ее саму убили, когда она узнала фотографию. Значит, по-вашему, эти две смерти не связаны между собой?

— Нет-нет, я этого не говорил. Они, безусловно, связаны.

— Тогда я вообще отказываюсь понимать что бы то ни было.

— Эвелин Хоуп. Вот ключ ко всей проблеме.

— Вы намекаете на Эвелин Карпентер — что она не Лили Гэмболл, а дочь Евы Кейн? Но не могла же она убить собственную мать?

— Нет, матереубийство тут ни при чем.

— Знаете, Пуаро, вы совершенно невыносимы! Сейчас вы скажете, что и Ева Кейн, и Лили Гэмболл, и Дженис Кортленд, и Вера Блейк — все четыре подозреваемые — живут в Бродхинни!

— У нас их больше четырех. Вспомните, ведь Ева Кейн работала у Крейгов гувернанткой.

— Ну и что из этого?

— Где есть гувернантка, там должны быть и дети — или по крайней мере один ребенок. Что произошло с детьми Крейга?

— По-моему, у него были мальчик и девочка. Их взяли к себе какие-то родственники.

— Таким образом, можете добавить в ваш перечень ее двоих детей, которые могли хранить фотографию по третьей причине — из жажды мести.

— Я не верю в это, — заявил Спенс.

Пуаро вздохнул:

— Так или иначе, это надо обдумать. Мне кажется, я знаю правду, хотя один факт сбивает меня с толку.

— Очень рад, что вас хоть что-то может сбить с толку, — усмехнулся Спенс.

— Скажите, mon cher Спенс, Ева Кейн покинула страну до казни Крейга, не так ли?

— Совершенно верно.

— И в то время она ожидала ребенка?

— Да.

— Mon Dieu[1], как я был глуп! — воскликнул Эркюль Пуаро. — Ведь все так просто, верно?

Последнее замечание было чревато третьим убийством — убийством Эркюля Пуаро, совершенным суперинтендантом Спенсом прямо в килчестерском полицейском участке.

2

— Я хочу, — сказал Эркюль Пуаро, — побеседовать с миссис Ариадной Оливер.

Это желание было не так легко исполнить. Миссис Оливер работала и не желала, чтобы ее отрывали. Пуаро, однако, продолжал настаивать. Вскоре он услышал весьма раздраженный голос писательницы.

— Ну, что там у вас? — проворчала миссис Оливер. — Неужели обязательно было звонить мне именно теперь? У меня как раз появилась великолепная идея насчет убийства в старомодной лавчонке, где продают комбинезоны и забавные жилеты с длинными рукавами — знаете такие?

— Не знаю, — отрезал Пуаро. — И вообще, я должен поговорить с вами по куда более важному делу.

— Не может быть, — возразила миссис Оливер. — По крайней мере, для меня оно никак не более важное. Если мне не удастся хоть вкратце набросать сюжет, то все пропало!

_____
[1] Господи _(фр.)._

Не обращая внимания на эти муки творчества, Пуаро резким, повелительным тоном начал задавать вопросы, на которые рассеянно отвечала миссис Оливер.

— Да... да... это захудалый театр — даже не знаю, как он называется... ну, одного из них звали Сесил... как бишь его?.. а другого, с которым я беседовала, — Майкл.

— Отлично. Это я и хотел узнать.

— Но при чем здесь Сесил и Майкл?

— Можете возвращаться к вашим комбинезонам и жилетам, мадам.

— Не понимаю, почему вы до сих пор не арестовали доктора Ренделла? — заметила миссис Оливер. — Будь я во главе Скотленд-Ярда, я бы уже давно это сделала.

— Весьма возможно. Желаю вам удачи с вашим убийством в магазине одежды.

— Идея улетучилась, — вздохнула миссис Оливер. — Вы разрушили ее.

Пуаро рассыпался в извинениях.

Положив трубку, он улыбнулся Спенсу:

— Теперь мы отправимся — по крайней мере, я отправлюсь — проинтервьюировать молодого актера по имени Майкл, который играет второстепенные роли в театре в Калленки. Я только молю Бога, чтобы он оказался тем самым Майклом.

— Какого черта...

Пуаро ловко охладил возрастающий гнев суперинтенданта Спенса:

— Вы знаете, cher ami, что такое secret de Polichinelle?[1]

— Это что, урок французского языка? — сердито осведомился суперинтендант.

— Secret de Polichinelle — это секрет, который может узнать каждый. По этой причине человек, не знающий его, никогда его не узнает — ведь если все считают, что секрет ему известен, то никто не станет ему о нем рассказывать.

— Не знаю, что мне мешает придушить вас, — пробурчал суперинтендант Спенс.

---

[1] Секрет Полишинеля *(фр.)*.

Глава 25

Дознание было закончено — вердикт гласил: убийство, совершенное одним или несколькими неизвестными лицами.

По приглашению Эркюля Пуаро все, присутствующие на дознании, собрались в «Лонг-Медоус».

Усердно поработав, Пуаро привел большую гостиную в некое подобие порядка. Стулья были расставлены аккуратным полукругом, собаки Морин с трудом изолированы от общества, а сам Эркюль Пуаро, взявший на себя роль лектора, расположился в дальнем конце комнаты и, откашлявшись, приступил к делу.

— Mesdames et Messieurs...[1]

Пуаро сделал паузу. Когда же он заговорил снова, его следующие слова казались совершенно нелепыми:

Миссис Макгинти мертва.
Как она умерла?
Стоя на коленях, как я.

Миссис Макгинти мертва.
Как она умерла?
Протянув руку, как я.

Миссис Макгинти мертва.
Как она умерла?
Вот так!..

Нет, я не сошел с ума, — продолжал Пуаро, глядя на лица присутствующих. — То, что я прочитал вам детский стишок из детской игры, еще не означает, что я сам впал в детство. Многие из вас в детские годы играли в ту игру — в том числе и миссис Апуорд. Она даже привела мне цитату из этого стишка, но с некоторыми изменениями. Вот что она сказала: «Миссис Макгинти мертва. Как она умерла? Высунув голову, как я». Она так и сделала — высунула голову и умерла, как и миссис Макгинти.

Ради достижения цели мы должны вернуться к самому началу — к миссис Макгинти, стоящей на коленях и скребущей полы в чужих домах. Ее убили, а Джеймса

---

[1] Дамы и господа (фр.).

Бентли арестовали, судили и приговорили к смерти. По некоторым причинам суперинтендант Спенс, полицейский офицер, который занимался этим делом, не был убежден в виновности Бентли, несмотря на то что против него были веские улики. Я согласился с ним и приехал сюда, чтобы выяснить, как умерла миссис Макгинти и *почему* она умерла.

Я не стану терзать вас длинными и запутанными историями. Первый ключ к разгадке мне дала такая простейшая вещь, как бутылка чернил. В «Санди комет», которую миссис Макгинти читала в воскресенье, предшествовавшее ее смерти, были опубликованы четыре фотографии. Вы уже все о них знаете, поэтому я только добавлю: миссис Макгинти вспомнила, что она видела одну из этих фотографий в каком-то из домов, где она работала.

Она рассказала об этом Джеймсу Бентли, но он не придал этому значения ни тогда, ни впоследствии. Фактически он вообще едва ее слушал. Но у него создалось впечатление, что миссис Макгинти видела фотографию в доме миссис Апуорд и что когда она говорила о женщине, у которой бы поубавилось гордости, если бы все стало известно, то она имела в виду миссис Апуорд. Конечно, мы не можем полностью полагаться на его показания, но миссис Макгинти, безусловно, говорила о какой-то гордой особе, а нет сомнения, что миссис Апуорд была гордой и властной женщиной.

Как всем вам известно — многие из вас при этом присутствовали, а другие слышали, — я показывал эти четыре фотографии в доме миссис Апуорд. На ее лице я заметил удивление, понял, что она узнала какую-то фотографию, и напрямик спросил ее об этом. Миссис Апуорд вынуждена была признать, что где-то видела одну из фотографий, но не помнит, где именно. Когда я спросил, какой фотоснимок ей знаком, она указала на фотографию маленькой Лили Гэмболл. Но дело в том, что *это была неправда*. По каким-то причинам миссис Апуорд хотела сохранить свое открытие в тайне и поэтому указала мне не на ту фотографию.

Но убийцу это не обмануло. Убийца знал, чью фотографию узнала миссис Апуорд. Скажу без обиняков, что это была фотография Евы Кейн — женщины, которая была соучастницей, жертвой, а может быть, вдохновителем преступления в знаменитом деле Крейга.

На следующий вечер миссис Апуорд убили — убили по той же самой причине, что и миссис Макгинти. Выражаясь фигурально, они обе «высунули голову» — результат получился один и тот же.

Перед смертью миссис Апуорд трем женщинам — миссис Карпентер, миссис Ренделл и миссис Хендерсон — позвонили по телефону. Звонки были от миссис Апуорд, которая просила всех троих прийти к ней вечером. Служанки в этот вечер не было дома, а ее сын и миссис Оливер уехали в Калленки. Значит, ей хотелось поговорить без свидетелей с этими тремя женщинами.

Почему же *с тремя?* Знала ли миссис Апуорд, где она видела фотографию Евы Кейн? Или она только знала, что видела ее, но не могла вспомнить где? Были ли эти три женщины чем-то похожи друг на друга? Как будто ничем, если не считать возраста. Им всем около тридцати.

Возможно, вы читали статью в «Санди комет». Там в сентиментальных тонах расписывалась предполагаемая жизнь дочери Евы Кейн. Так вот, возраст каждой из женщин, приглашенных миссис Апуорд, соответствует возрасту дочери Евы Кейн.

Значит, можно было допустить, что в Бродхинни живет молодая женщина — дочь знаменитого убийцы Крейга и его любовницы Евы Кейн, которая не остановилась перед двумя убийствами, чтобы сохранить тайну своего рождения. Ибо, когда миссис Апуорд нашли мертвой, на ее столе стояли две использованные кофейные чашки, и на чашке гостя обнаружили следы губной помады.

Теперь давайте вернемся к трем женщинам, которые получили приглашение по телефону. Миссис Карпентер утверждает, что не ходила в «Лабернемс». Миссис Ренделл собиралась пойти, но проспала. Мисс Хендерсон ходила туда, но в доме было темно, ей никто не ответил, и она решила вернуться.

Таковы их показания. Но многое им противоречит. Во-первых, вторая кофейная чашка со следами губной помады. Во-вторых, посторонний свидетель, девушка Эдна, утверждает, что она видела светловолосую женщину, которая *вошла* в дом. В-третьих, запах духов — весьма дорогих духов, которыми из всех троих пользуется только миссис Карпентер.

— Это ложь! — закричала Эви Карпентер. — Ужасная, бессовестная ложь! Это была не я! Я туда даже близко не подходила! Гай, ну неужели ты не можешь это прекратить?

Гай Карпентер побледнел от гнева:

— Позвольте вам заметить, мсье Пуаро, что существует закон о клевете, и все, присутствующие здесь, свидетели...

— Разве клевета говорить, что ваша супруга пользуется духами — кстати, и помадой — определенного сорта?

— Это совершеннейший вздор! — воскликнула Эви. — Кто-то мог просто побрызгать там моими духами.

Неожиданно Пуаро весело улыбнулся:

— Mais oui, вот именно! Безусловно, мог. Причем это был вовсе не ловкий ход, а, напротив, грубый и неуклюжий. Он не только не достиг своей цели, а даже подал мне идею.

Духи и следы помады на чашке... Но ведь избавиться от этих следов ничего не стоило — чашку нужно было только тщательно вытереть или вообще убрать и вымыть. Почему же этого не сделали? Ведь в доме никого не было. Ответ напрашивается сам собой: чтобы подчеркнуть то, что убийцей была *женщина*. Тогда я задумался над этими телефонными звонками. Во всех трех случаях со звонившим разговаривали слуги, которые потом передали приглашение хозяйкам. Значит, возможно, звонила не миссис Апуорд, а кто-то, кто хотел впутать в преступление женщину — причем какую угодно женщину. Снова я спросил себя: почему? И снова ответ один: потому что убийца миссис Апуорд не женщина, а *мужчина!*

Пуаро окинул взглядом аудиторию. Все сидели не шелохнувшись. Реакция последовала только со стороны двух человек.

— Вот теперь вы говорите разумно, — со вздохом облегчения сказала Эви Карпентер.

— Конечно, — подтвердила миссис Оливер, энергично кивнув.

— Итак, мы подошли к пункту, что убийца миссис Апорд, а следовательно, и миссис Макгинти, мужчина. Кто же он? Мотив убийства остается тем же самым — фотография. В чьем же распоряжении находилась эта фотография и зачем ее хранили?

Ответить на этот вопрос не так уж трудно. Скажем, сначала ее хранили по сентиментальным причинам, и даже после того, как миссис Макгинти... э-э... убрали, фотографию незачем было уничтожать. Другое дело — после второго убийства. На этот раз фотографию, безусловно, связали бы с преступлением. Хранить ее стало опасно. Таким образом, ее вроде бы следовало уничтожить.

Все присутствовавшие кивнули, соглашаясь.

— Но, несмотря на это, фотографию не уничтожили! Нет, не уничтожили! Я знаю это, потому что я нашел ее. Нашел ее несколько дней назад в ящике вот этого бюро, которое стоит у стены. Вот она! — Он вытащил поблекшую фотографию глупо улыбающейся девицы с розами. — Да, — сказал Пуаро. — Это Ева Кейн. А на обороте карточки написаны карандашом два слова: «Моя мать».

Его серьезный обвиняющий взгляд остановился на Морин Саммерхейз. Она откинула со лба волосы и уставилась на него широко открытыми удивленными глазами:

— Не понимаю. Я никогда...

— Да, миссис Саммерхейз, вы действительно не понимаете. Могло быть только две причины для того, чтобы хранить эту фотографию после второго убийства. Первая из них — невинная сентиментальность. Вы не чувствовали за собой вины и могли спокойно хранить у себя карточку. На вечеринке у миссис Карпентер вы сами сказали, что вас удочерили. Думаю, что вы вообще не знали, как зовут вашу мать. Но кое-кто знал это. Некто, обладающий развитым чувством фамильной гордости — гордости, заставлявшей его жить в полуразрушенном, но перешедшем по наследству доме, гордости своими предками, своим происхождением. Этот человек скорее умер бы, чем позволил, чтобы весь мир, и в том числе его дети, узнали, что Морин Саммерхейз — дочь убийцы Крейга и Евы Кейн. Да, он бы скорее умер, но так как его смерть не исправила бы положения, то он предпочел убить двух других людей.

Джонни Саммерхейз поднялся со стула. Его голос, когда он заговорил, звучал совершенно спокойно и даже дружелюбно:

— Сколько чепухи вы тут наболтали. До чего же вам нравится разводить всякие теории! Сказать такое о моей жене!.. — Его гнев внезапно прорвался бешеным потоком. — Ах вы, паршивая, грязная свинья!..

И прежде чем кто-нибудь успел опомниться, он с быстротой молнии бросился на Пуаро, но тот ловко отскочил, и суперинтендант Спенс вовремя встал между ними.

— Ну-ну, майор Саммерхейз, возьмите себя в руки.

— Простите. Но все это чушь! В конце концов, кто угодно мог сунуть фотографию в ящик.

— Совершенно верно, — согласился Пуаро. — И самое интересное то, что на этой фотографии нет отпечатков пальцев, хотя они должны быть там. Ведь если мисс Саммерхейз, ни о чем не подозревая, хранила эту фотокарточку, то на ней были бы ее отпечатки пальцев.

— По-моему, вы сошли с ума! — воскликнула Морин. — Я никогда в глаза не видала этой фотографии, кроме того дня у миссис Апуорд.

— К счастью для вас, — сказал Пуаро, — я знаю, что вы говорите правду. Фотографию положили в ящик *всего за несколько минут до того, как я нашел ее там*. В то утро содержимое бюро дважды выбрасывали на пол, и оба раза я водворял его на место. Но в первый раз фотографии в ящике не было, а во второй раз она была там. Значит, ее положили в ящик в течение этого промежутка времени, *и я знаю, кто это сделал*.

Новые нотки прозвучали в его голосе. Из смешного маленького человечка с нелепыми усами и крашеными волосами он превратился в охотника, подкрадывающегося к своей добыче.

— Оба преступления были совершены мужчиной, и совершены по простейшей причине — ради денег. В доме миссис Апуорд нашли книгу, на форзаце которой было написано: «Эвелин Хоуп». Фамилию «Хоуп» приняла Ева Кейн, когда покинула Англию. Если ее настоящее имя было Эвелин, то вполне возможно, что она дала это имя ребенку, которого родила. *Но Эвелин может быть и женским и мужским именем.* Ведь мы считали, что Ева Кейн родила девочку, только потому, что так писала «Санди комет». Но ведь все сведения о ребенке газета почерпнула из своего романтического интервью с Евой Кейн, а Ева Кейн уехала из Англии *до* рождения ребенка — следовательно, о поле младенца газета никак знать не могла.

Небрежность склонной к сентиментальным откровениям прессы ввела в заблуждение и меня.

Эвелин Хоуп, *сын* Евы Кейн, приезжает в Англию. Будучи одаренным молодым человеком, он привлекает внимание очень богатой женщины, которая ничего не знает о его происхождении, кроме того, что он сам о себе ей рассказал, — трагической истории о молодой балерине, умершей в Париже от туберкулеза.

Одинокая женщина только что потеряла сына и решила усыновить талантливого молодого драматурга.

Ведь ваше настоящее имя Эвелин Хоуп, не так ли, мистер Апуорд?

— Конечно нет! — пронзительно закричал Робин Апуорд. — Я не знаю, о чем вы говорите!

— Вам не удастся это отрицать. Есть люди, которые знали вас под этим именем. Имя «Эвелин Хоуп» написано в книге вашим почерком — как и слова «Моя мать» на обороте фотографии. Миссис Макгинти увидела фотографию и надпись, когда убирала ваши вещи, и рассказала вам о ней после того, как прочитала «Санди комет». Однако она была уверена, что это фотоснимок миссис Апуорд в молодости, так как понятия не имела, что миссис Апуорд — не ваша настоящая мать. Но вы знали, что миссис Макгинти болтлива и если это дойдет до ушей миссис Апуорд, то для вас это будет конец. Миссис Апуорд придерживалась фанатических взглядов в вопросах наследственности, и она ни на минуту не потерпела бы в своем доме приемного сына, который на самом деле был сыном знаменитого убийцы. К тому же она не простила бы вам рассказанную ей лживую историю своей жизни.

Итак, миссис Макгинти нужно было любой ценой заставить замолчать. Возможно, вы пообещали ей небольшой подарок, если она будет держать язык за зубами. На следующий вечер, по дороге в радиостудию, вы зашли к ней и убили ее! *Вот так!..*

Внезапным движением Пуаро схватил с полки молоток для сахара, замахнулся и резко опустил его вниз, словно собираясь размозжить Робину голову.

Жест был настолько угрожающим, что в комнате послышались крики.

— Нет-нет!.. — испуганно завизжал Робин Апуорд. — Это был несчастный случай! Клянусь вам, я не хотел ее убивать! Я просто потерял голову!..

— Вы смыли кровь и снова принесли молоток в эту комнату, где вы его и взяли. Но существуют новые научные методы выявления кровавых пятен и стертых отпечатков пальцев.

— Говорю вам, я не хотел убивать ее... Это ошибка! И как бы то ни было, это не моя вина! Я не отвечаю за то, что в моих жилах течет кровь убийцы! Вы не можете меня за это повесить!

— Не можем? — пробормотал Спенс себе под нос. — Ну, это мы еще посмотрим! — И он добавил сухим официальным тоном: — Должен предупредить вас, мистер Апуорд, что все, что вы скажете...[1]

Глава 26

— Когда же, мсье Пуаро, вы начали подозревать Робина Апуорда?

Пуаро окинул самодовольным взглядом лица присутствующих. Он всегда обожал давать объяснения.

— Я должен был заподозрить его гораздо раньше. Простейшим ключом к разгадке была фраза миссис Саммерхейз, которую она обронила на вечеринке у миссис Карпентер. Она сказала Робину Апуорду: «Мне не нравится быть приемышем, *а вам?*» Последние два слова «а вам?» были весьма знаменательны. Они могли означать

---

[1] Начало британского официального предупреждения подозреваемому в момент ареста: «Все, что вы скажете, может быть использовано против вас».

только то, что миссис Апуорд не была родной матерью Робина.

Миссис Апуорд очень беспокоилась, чтобы кто-нибудь не узнал о том, что Робин не ее сын. Должно быть, она наслушалась разных мерзких историй о прытких молодых людях, живущих на содержании у пожилых женщин. Лишь маленький coterie[1] работников театра знал о том, где она впервые встретилась с Робином. Поэтому миссис Апуорд и решила поселиться в этой деревушке, вдалеке от своего родного Йоркшира. Даже встречая друзей своей молодости, она не открывала им, что Робин — не тот Робин, которого они знали маленьким мальчиком.

С самого начала в поведении обитателей «Лабернемс» мне почудилось нечто не вполне естественное. Отношение Робина к миссис Апуорд не походило на отношение к матери избалованного ребенка или любящего сына. Это было отношением протеже к патрону. Причудливое обращение «мадре» имело театральный оттенок. А миссис Апуорд, несмотря на то что она очень любила Робина, тем не менее обращалась с ним как с собственностью, за которую заплачено.

Итак, Робин Апуорд удобно устроился, обзаведясь «мадре» с толстым кошельком, как вдруг в его спокойную и обеспеченную жизнь вторгается миссис Макгинти, узнавшая фотографию, которую он хранил в ящике стола и на обратной стороне которой написано: «Моя мать». А ведь он говорил миссис Апуорд, что его мать, талантливая молодая балерина, умерла от туберкулеза! Миссис Макгинти, конечно, считала, что фотография изображает миссис Апуорд в молодости, — ведь она не сомневалась, что Робин ее родной сын. Не думаю, чтобы мысль о шантаже могла прийти в голову миссис Макгинти, — очевидно, она просто надеялась на маленький подарок, который ей бы преподнесли за молчание о своем открытии, так как оно бы не доставило особого удовольствия такой гордой женщине, как миссис Апуорд.

Но Робин Апуорд не мог допустить, чтобы его приемная мать узнала об этом. Он крадет молоток для сахара, который миссис Саммерхейз в шутку назвала отлич-

---

[1] Кружок *(фр.)*.

ным орудием убийства, и на следующий вечер, по дороге в радиостудию, заходит в коттедж миссис Макгинти. Та, ни о чем не подозревая, впускает его в гостиную, и он убивает ее. Робин знает, где она хранила свои сбережения, — об этом, кажется, знали все в Бродхинни, — и он инсценирует ограбление, пряча деньги во дворе. Бентли арестован за убийство, и Робин Апуорд чувствует себя в полной безопасности.

Но затем я показываю эти четыре фотографии, и миссис Апуорд в фотографии Евы Кейн узнает снимок балерины — матери Робина! Ей нужно время, чтобы все обдумать. Ведь здесь замешано убийство. Неужели Робин?.. Нет, она не может в это поверить!

Что бы она предприняла в конце концов, нам неизвестно. Робин принял меры, чтобы помешать ей действовать. Он разыгрывает целую mis en scène[1]. Визит в театр в тот вечер, когда Дженет нет дома, телефонные разговоры, чашка кофе, слегка испачканная губной помадой, взятой из сумочки Эви Карпентер; он даже покупает флакон духов, которыми она обычно пользуется. Как видите, для спектакля был приготовлен весь необходимый реквизит. Пока миссис Оливер ожидала в автомобиле, Робин дважды возвращался домой. Убийство было совершено во второй раз. После этого он быстро использовал по назначению «реквизит». От миссис Апуорд Робин унаследовал по условиям завещания крупное состояние, причем его не должна была коснуться даже тень подозрения, так как казалось несомненным, что преступление совершила женщина. Одну из трех женщин, приглашенных в коттедж в тот вечер, несомненно, должны были заподозрить. Так, в сущности, и вышло.

Но Робин, подобно всем преступникам, оказался беспечным и чересчур самонадеянным. Он не только оставил в коттедже книгу, на которой было написано его настоящее имя, но и продолжал хранить роковую фотографию, правда, с определенной целью. Для него было бы гораздо безопаснее уничтожить ее, но он думал, что в нужный момент ему удастся с ее помощью навести на кого-нибудь подозрение.

---

[1] Мизансцена *(фр.)*.

Робин, вероятно, решил проделать это с миссис Саммерхейз. По-видимому, по той причине он и переехал в «Лонг-Медоус». В конце концов, молоток для сахара принадлежал ей. Кроме того, Робин знал, что миссис Саммерхейз была приемышем, и ей, возможно, было бы не так легко доказать, что она не является дочерью Евы Кейн.

Однако, когда Дейрдре Хендерсон призналась, что побывала на месте преступления, Робин задумал спрятать фотографию среди ее вещей. Он и попытался это сделать, используя лестницу, оставленную садовником у окна. Но миссис Уэзерби нервничала и настояла на том, чтобы все окна запирались крепко-накрепко, поэтому Робин не достиг цели. Тогда он вернулся сюда и сунул фотографию в ящик, содержимое которого я, к несчастью для него, только что перебирал.

Таким образом я понял, что фотографию подложили и что сделать это мог только единственный постоялец, находившийся в доме, кроме меня, и усердно печатавший на машинке над моей головой.

Так как имя «Эвелин Хоуп» было написано на форзаце книги, найденной в «Лабернемс», то людьми, носящими это имя, могли быть миссис Апуорд или Робин Апуорд.

Имя Эвелин увело меня в сторону. Оно ассоциировалось у меня с миссис Карпентер, так как ее зовут Эви. Но Эвелин может быть не только женским, но и мужским именем.

Я вспомнил разговор в театре в Калленки, о котором мне рассказывала миссис Оливер. Молодой актер, беседовавший с ней, мог подтвердить мою теорию, которая заключалась в том, что Робин не был родным сыном миссис Апуорд. Из его слов явствовало, что он знал об этом. А его рассказ о молодом человеке, которого миссис Апуорд быстро выпроводила за то, что он солгал ей относительно своего происхождения, наводил на размышления.

Конечно, я должен был увидеть истину гораздо раньше. Но меня ввел в заблуждение один факт. Я не сомневался, что меня нарочно хотели столкнуть на железнодорожную линию и что это дело рук убийцы миссис Макгинти. Но Робин Апуорд был практически единственным человеком в Бродхинни, который не мог в то время находиться на килчестерском вокзале.

— Возможно, это была какая-нибудь базарная торговка с корзиной, — усмехнулся Джонни Саммерхейз. — Они вечно всех толкают.

— Робин Апуорд был слишком самоуверен, чтобы бояться меня, — продолжал Пуаро. — Это обычная черта всех убийц. В данном случае она пришлась как нельзя более кстати, потому что в этом деле было очень мало улик.

Миссис Оливер заерзала на стуле.

— Вы имеете в виду, — недоверчиво осведомилась она, — что Робин убил свою мать, пока я сидела в магазине, а мне ничего и в голову не пришло? Но ему просто бы не хватило времени.

— О, вполне хватило. Людские представления о времени обычно неправильны до нелепости. Обратите как-нибудь внимание, как быстро меняют сцену в театре. Ведь это главным образом вопрос перестановки реквизита. А это убийство — один из примечательных образцов театрального преступления.

— А я торчала себе в машине и ни о чем не догадывалась!

— Боюсь, — пробормотал Пуаро, — что ваша женская интуиция взяла выходной день...

Глава 27

— Я не собираюсь возвращаться к Бризеру и Скаттлу, — сказала Мод Уильямс. — Эта паршивая контора мне надоела.

— Тем не менее она сослужила свою службу.

— Что вы имеете в виду, мсье Пуаро?

— Зачем вы вообще приехали сюда?

— Полагаю, что, будучи мистером Всезнайкой, вы считаете, что вам это известно?

— У меня есть одна маленькая идейка.

— И в чем же заключается эта знаменитая идейка?

Пуаро задумчиво поглядел на волосы Мод.

— Я еще никому о ней не говорил, — сказал он, — Предполагалось, что блондинка, которую Эдна видела входящей в дом миссис Апуорд, была миссис Карпентер и что она отрицала это просто из страха быть замешанной в убийстве. Так как выяснилось, что убийца — Робин Апуорд, то ее присутствие там стало не более значительным, чем присутствие мисс Хендерсон. Но, по-моему, мисс Уильямс, Эдна видела не миссис Карпентер, а вас!

— Почему меня?

Ее голос внезапно стал резким.

Пуаро ответил рядом вопросов на вопрос:

— Что вас так интересовало в Бродхинни? Почему, приехав сюда, вы попросили автограф у Робина Апуорда? Вы ведь не принадлежите к типу охотников за автографами. Что вы знали об Апуордах? Почему вы вообще сюда приехали? Откуда вам было известно, что Ева Кейн умерла в Австралии, и какое имя она приняла, оставив Англию?

— А вы ловко разгадываете загадки. Ну что же, мне нечего скрывать.

Она открыла сумочку и вытащила из старого бумажника маленькую измятую газетную вырезку. С нее на Пуаро смотрело хорошо знакомое ему жеманное личико Евы Кейн. На вырезке было написано от руки: «Она убила мою мать».

— Я так и думал, — сказал Пуаро, возвращая вырезку девушке. — Ваша настоящая фамилия Крейг?

Мод кивнула:

— Меня воспитали дальние родственники. Они ни о чем мне не рассказывали, но я была уже достаточно взрослая, когда это случилось, чтобы запомнить на всю жизнь. Я много думала об этой женщине. Мой отец был просто безвольным, слабым человеком, которого эта ядовитая гадина окончательно скрутила по рукам и ногам. И все же он взял вину на себя. Я не сомневаюсь, что убийцей была она. Конечно, отец являлся соучастником, но это все-таки не то же самое. И я решила узнать, что с ней сталось. Когда я выросла, я наняла для этой цели детективов. Они напали на ее след в Австралии и сообщили мне, что она умерла, оставив сына, которого звали Эвелин Хоуп.

Казалось, мне следовало прекратить это занятие. Но потом я познакомилась с одним молодым актером, который упомянул в разговоре некоего Эвелина Хоупа — драматурга, приехавшего сюда из Австралии и называющего себя теперь Робином Апуордом. Меня это заинтересовало. И вот однажды вечером мне показали Робина Апуорда, который был со своей матерью. Значит, решила я, Ева Кейн не умерла, а просто скрылась из Австралии с кучей денег.

Мне удалось устроиться здесь на работу. Сознаюсь, что мной руководило не только любопытство, но и желание как-нибудь рассчитаться с ней за все.... Когда вы дали мне понять, что Джеймс Бентли, возможно, не виновен, мне внезапно пришла в голову мысль, что это миссис Апуорд убила миссис Макгинти, — я подумала, что Ева Кейн вновь принялась за старое. От Майкла Уэста я случайно узнала, что Робин Апуорд и миссис Оливер собирались в тот вечер ехать в Калленки на спектакль. И тогда я решила приехать в Бродхинни и повидаться с миссис Апуорд с глазу на глаз. Я хотела... а впрочем, я и сама точно не знаю, что я хотела. Признаюсь вам откровенно, у меня еще с войны оставался маленький пистолет. Собиралась ли я только напугать ее или сделать что-нибудь большее? Не знаю...

Ну, я пришла туда. В доме не было ни звука. Дверь была не заперта. Я вошла и увидела ее мертвую, с багровым и распухшим лицом. Сразу же все мои намерения показались мне глупыми и мелодраматичными. Я, конечно, знала, что когда дойдет до дела, то я не смогу никого убить. И все же я понимала, что мне было бы затруднительно объяснить свое присутствие в доме. Но я не сомневалась, что никто меня не видел, а так как вечер был холодный, то на мне были перчатки, и я нигде не могла оставить отпечатки пальцев. — Сделав паузу, Мод внезапно спросила: — Ну, что же вы теперь собираетесь делать?

— Ничего, — ответил Эркюль Пуаро. — Я желаю вам счастья, вот и все!

Эпилог

Эркюль Пуаро и суперинтендант Спенс праздновали успешное окончание дела в «La vieille grand'mère».

Когда подали кофе, Спенс откинулся назад и удовлетворенно вздохнул.

— А здесь неплохо кормят, — с одобрением заметил он. — Конечно, вся пища несколько офранцужена, но разве сейчас где-нибудь можно достать приличный бифштекс с картофелем?

— Знаете, — вспомнил Пуаро, — я обедал здесь в тот вечер, когда вы в первый раз пришли ко мне.

— Да, с тех пор много воды утекло. Должен признаться, что вы были на высоте, мсье Пуаро. — На его лице мелькнула улыбка. — К счастью, этот парень не понял, что у нас очень мало доказательств. Хороший адвокат сделал бы из обвинения отбивную! Но он потерял голову и выдал себя. Да, это была большая удача!

— Это была не только удача, — укоризненно заметил Пуаро. — Я поймал его, как рыбу на крючок! Он думал, что я всерьез обвиняю миссис Саммерхейз, а когда это оказалось не так, он растерялся, и это его погубило. К тому же Робин трус, и, когда я замахнулся молотком, он смертельно перепугался, что я его ударю. Фактически он пострадал от собственной невыдержанности.

— Хорошо, что вы сами не пострадали от невыдержанности майора Саммерхейза, — с усмешкой сказал Спенс. — Да, это джентльмен с характером — я вовремя успел встать между вами. Надеюсь, он уже простил вас?

— О да, теперь мы лучшие друзья. Я даже подарил миссис Саммерхейз поваренную книгу и научил ее готовить омлет. Bon Dieu, как я мучился в этом доме!

Он закрыл глаза.

— Дело было в целом довольно запутанное, — задумчиво проговорил Спенс, которого мало интересовали тяжелые воспоминания Пуаро. — Оно показало нам, как правдива старая поговорка о том, что каждому есть что скрывать. Миссис Карпентер чуть было не арестовали по обвинению в убийстве. Если какая-нибудь женщина и вела себя как виновная, так это она! А почему?

— Eh bien[1], почему же? — с любопытством спросил Пуаро.

— Из-за неприглядного прошлого. Она работала профессиональной партнершей в дансинге, и у нее было немало чересчур близких друзей среди мужчин. Обоснов-

---

[1] Ну *(фр.)*.

шись в Бродхинни, она выдала себя за вдову, потерявшую мужа на войне, но на самом деле была не вдовой, а, как теперь говорят, «гражданской женой». Разумеется, это не пришлось бы по вкусу такому напыщенному субъекту, как Гай Карпентер, поэтому она наплела ему всякие небылицы. А больше всего она боялась, чтобы мы не начали копаться в ее прошлом и все не выплыло наружу. — Он отпил кофе и усмехнулся. — Или возьмите семейство Уэзерби. Зловещий дом, полный ненависти и злобы, несчастная подавленная девушка и тому подобное. А что же кроется за этим? Ничего зловещего! Всего лишь деньги — фунты, шиллинги и пенсы!

— Так просто?

— Да, у девушки есть порядочная сумма, оставленная ей теткой. Поэтому мать держит ее в узде, боясь, как бы она не вышла замуж, а отчим ненавидит ее, так как у нее есть деньги и она оплачивает счета. Думаю, что он всегда терпел неудачу во всех своих начинаниях. Скаредный мерзавец — а впрочем, и сама миссис Уэзерби не лучше — форменный яд в сахаре.

— По-видимому, вы правы. — Пуаро с удовлетворением кивнул. — Весьма удачно, что у девушки есть деньги. В таком случае ее брак с Джеймсом Бентли устроить гораздо легче.

— Дейрдре Хендерсон собирается выйти замуж за Джеймса Бентли? — удивленно переспросил Спенс. — Кто это вам сказал?

— Я сам это говорю, — ответил Пуаро. — Так как после решения нашей маленькой проблемы у меня опять появилось слишком много свободного времени, то я займусь устройством их брака. Правда, пока они оба еще даже не думали об этом, но все же они нравятся друг другу. Если они будут предоставлены сами себе, то, может быть, ничего и не произойдет, но, как только вмешается Эркюль Пуаро, дело пойдет — вот увидите!

— До чего же вам нравится совать нос в чужие дела! — улыбнулся Спенс.

— Mon cher, чья бы корова мычала, — с укором произнес Пуаро.

— Вы правы. Но все же этот Джеймс Бентли — жалкое создание.

— Безусловно. И в настоящий момент он, возможно, удручен тем, что его не повесили.

— По-моему, он должен за это на коленях вас благодарить, — сказал Спенс.

— Это по-вашему. Но он, очевидно, так не считает.

— Странный тип.

— Да, и все же им заинтересовались уже две женщины. Природа ведет себя весьма неожиданно.

— А я считал, что вы собираетесь женить его на Мод Уильямс.

— Он сам выберет, — ответил Пуаро. — Сам решит, кому, так сказать, присудить яблоко раздора. Но думаю, что он остановит свой выбор на Дейрдре Хендерсон. Мод Уильямс для него чересчур энергична. В ее обществе он еще глубже залезет в свою скорлупу.

— Не могу понять, что они обе в нем нашли?

— Пути природы неисповедимы.

— Знаете, Пуаро, вы берете на себя работу не по силам. Спасти человека от виселицы — это еще куда ни шло, но спасти девушку от ее гадюки мамаши, которая будет драться за нее когтями и зубами, куда тяжелее.

— Успех всегда на стороне больших батальонов.

— Вы хотите сказать, на стороне больших усов? — расхохотался Спенс.

Эркюль Пуаро самодовольно пригладил усы и предложил выпить бренди.

— Не возражаю, мсье Пуаро.

Пуаро сделал заказ.

— Да, — спохватился Спенс. — Я должен еще кое о чем рассказать вам. Вы помните Ренделлов?

— Разумеется.

— Так вот, когда мы начали проверять его, то обнаружили кое-что интересное. Когда его первая жена умерла в Лидсе, где он тогда практиковал, полиция получила несколько анонимных писем, в которых утверждалось, что он отравил ее. Ну, такие разговоры вообще-то не редкость. Врач, который лечил его жену, как будто считал ее смерть вполне естественной. Обращает на себя внимание только тот факт, что они оба застраховали свои жизни в пользу друг друга. Кроме этого здесь нет никаких подозрительных обстоятельств и все же мне хотелось бы знать, что вы об этом думаете.

Пуаро вспомнил испуганное лицо миссис Ренделл, ее упоминание об анонимных письмах и настойчивое утверждение, что им нельзя верить. Ему припомнилось также ее убеждение, что расследование убийства миссис Макгинти, которым он занимался, только предлог.

— Думаю, — промолвил Пуаро, — что анонимные письма получила не только полиция.

— Вы считаете, что их посылали и миссис Ренделл?

— Да. Когда я появился в Бродхинни, она решила, что я напал на след ее мужа и что дело миссис Макгинти — всего лишь предлог. И он, по-видимому, тоже так думал... Да, это объясняет все! Это доктор Ренделл пытался столкнуть меня под поезд в тот вечер!

— А вам не кажется, что в один прекрасный день ему захочется разделаться и с этой женой?

— Надеюсь, что у нее хватит ума не застраховать свою жизнь в его пользу, — сухо сказал Пуаро. — Но если доктор Ренделл будет знать, что полиция за ним наблюдает, то он наверняка будет вести себя смирно.

— Мы сделаем, что сможем. Не спустим глаз с нашего доброго доктора и дадим ему это понять.

Пуаро поднял бокал с бренди.

— За миссис Оливер, — сказал он.

— Почему вы вдруг о ней вспомнили?

— Женская интуиция, — объяснил Пуаро.

После минутной паузы Спенс вновь заговорил:

— Робин Апуорд предстанет перед судом на будущей неделе. Знаете, Пуаро, я не могу избавиться от сомнения...

— Mon Dieu! Неужели вы сомневаетесь в виновности Робина Апуорда? Вы что, хотите начать все сначала?

— Что вы, конечно нет, — успокоил его суперинтендант Спенс. — Он, безусловно, убийца! — Помолчав, Спенс добавил: — Во всяком случае, нахальства и самомнения у него достаточно!

Конец человеческой глупости

Роман

Dead Man's Folly

Глава 1

К телефону подошла мисс Лемон, деловая и энергичная секретарша мистера Пуаро.

Отложив в сторону блокнот для стенографирования, она скучающим голосом произнесла:

— Трафальгар 8137.

Эркюль Пуаро, откинувшись в кресле, смежил глаза. Пальцы его размеренно постукивали по краю стола. Мысленно он продолжал шлифовать абзацы письма, которое только что диктовал.

Прикрыв ладонью трубку, мисс Лемон шепотом спросила:

— По личному вопросу из Нэссекомба, Девон, ответите?

Пуаро нахмурился. Название места ничего ему не говорило.

— Кто спрашивает? — предусмотрительно осведомился он.

Мисс Лемон повторила телефонистке вопрос.

— Какой рейд? — удивилась она. — О да... пожалуйста, повторите последнее слово еще раз! — И снова обернулась к Пуаро: — Миссис Ариадна Оливер.

Брови Пуаро полезли на лоб, ему вспомнились растрепавшиеся на ветру седые волосы... орлиный профиль...

Он поднялся и подошел к телефону.

— Говорит Эркюль Пуаро, — торжественно заявил он.

— Сам мистер Пуаро? — недоверчиво переспросила телефонистка.

Пуаро заверил ее, что это именно так.

— Соединяю с мистером Пуаро.

Тонкий пронзительный свист сменился оглушительным контральто, заставившим Пуаро поспешно отдернуть трубку на несколько дюймов от уха.

— Мистер Пуаро, это в самом деле вы? — спросила миссис Оливер.

— Собственной персоной, мадам.

— Это миссис Оливер. Не знаю, помните ли вы меня...

— Разумеется, помню, мадам. Можно ли вас забыть?

— Забывают, — посокрушалась миссис Оливер. — Частенько забывают. Не такая ведь я примечательная личность. А может, дело в том, что я постоянно колдую со своими прическами. Но не в том суть. Надеюсь, я вам не помешала?

— Нет, нет, вы ни в малейшей степени меня не потревожили.

— Большое спасибо... Не хотелось бы быть докучливой. Но вы мне позарез нужны.

— Нужен вам?

— Немедленно. Можете вылететь?

— Я не пользуюсь самолетами. Меня укачивает.

— И меня тоже. Во всяком случае, думаю, это будет не быстрее, чем поездом; единственный аэропорт находится в Экзетере, а до него несколько миль. Приезжайте поездом. Двенадцатичасовым от Паддингтона до Нэссекомба. Прекрасно успеете. В вашем распоряжении три четверти часа, если мои часы не обманывают... хотя такое с ними редко случается.

— Но где вы, мадам? И что все это значит?

— «Нэссе-Хаус», Нэссекомб. Машина или такси будет вас ждать на вокзале.

— Зачем я вам понадобился? В чем дело? — настойчиво повторил Пуаро.

— Телефоны всегда ставятся в самых неподходящих местах, — сказала миссис Оливер. — Этот находится в прихожей... Полно людей, шум несусветный... Ничего не слышу. Жду вас. Приезжайте, не пожалеете. До свидания.

204

В трубке послышался щелчок. Раздались негромкие гудки.

В полнейшей растерянности Пуаро опустил трубку, пробормотал под нос что-то невнятное. Мисс Лемон с карандашом наготове спокойно дожидалась окончания разговора. Негромко повторила окончание записанной ею фразы:

— ...позвольте мне уверить вас, дорогой сэр, что высказанное вами предположение...

Решительным жестом Пуаро отмел в сторону высказанное предположение.

— Это миссис Оливер, — объяснил он. — Ариадна Оливер, сочинительница детективных историй. Наверное, читали... — Пуаро осекся, припомнив, что мисс Лемон ценит только высоконравственные сочинения и со снисходительным высокомерием отвергает всякие надуманные преступления. — Она хочет, чтобы я сегодня же выехал в Девоншир, немедленно, через... — Пуаро поглядел на часы. — Через тридцать пять минут.

Мисс Лемон неодобрительно вскинула брови.

— Забавно, — воскликнула она. — С какой стати?

— Спрашиваете! Она не объяснила.

— Очень интересно. Почему же?

— Потому что, — в раздумье протянул Пуаро, — боялась, как бы ее не подслушали. Да, очень прозрачно намекнула.

— Вот уж, — возмутилась мисс Лемон. — Чего только люди себе не позволяют! Вообразила, будто вы очертя голову броситесь вдогонку за диким гусем! Вы-то, с вашим достоинством! Я всегда замечала, что эти художники и писатели на редкость взбалмошные людишки... никакого чувства реальности. Телеграфировать: «Сожалею, не имею возможности выехать»?

Секретарша потянулась к телефону. Но властный голос Пуаро остановил ее.

— Нет, — приказал он. — Как раз наоборот. Будьте добры, немедленно вызовите такси. — И тут же закричал: — Джордж! Туалетные принадлежности в мой саквояж. И поживее, не то я опоздаю на поезд.

Глава 2

Поезд на предельной скорости отмахал сто восемьдесят с лишком миль и, пыхтя и отплевываясь, протащился оставшиеся тридцать до Нэссекомба. Только один человек вышел из вагона, им был Эркюль Пуаро. Он с опаской преодолел разверзшуюся между подножкой и платформой пропасть, огляделся. В конце поезда рабочий загружал багажный вагон. Пуаро подхватил свой саквояж и зашагал к выходу. Здесь он предъявил билет контролеру и получил разрешение покинуть станцию.

Возле вокзала его поджидал гигантских размеров лимузин, из которого выскочил облаченный в шоферское одеяние водитель.

— Мистер Эркюль Пуаро? — спросил он с почтением. И, взяв чемоданчик Пуаро, отворил дверцу автомобиля. Они миновали перекинутый над железнодорожными путями мост и свернули на проселочную дорогу, огражденную с обеих сторон высокими изгородями. Неожиданно ограждение с правой стороны оборвалось, и открылся великолепный вид на реку и холмы, окутанные вдали голубоватой дымкой. Шофер притормозил.

— Река Хелм, сэр, — объяснил он. — А дальше Дартмур.

Пуаро понял, что в этот момент следует выразить свое восхищение. Он издал подобающие случаю звуки и несколько раз пробормотал слово «Чудесно!». По правде говоря, природа не особенно его волновала. Ухоженный палисадник под кухонным окном приводил его в более восторженное состояние. Две девушки тащились вверх по холму. Они были одеты в шорты, их головы обвязывали цветастые косынки, за спинами возвышались тяжеленные рюкзаки.

— Рядом с нами находится молодежный лагерь, сэр, — объяснил шофер, добровольно взявший на себя обязанности экскурсовода. — Худаун-парк. Раньше принадлежал мистеру Флетчеру. А теперь Молодежная ассоциация его приобрела и в летнее время эксплуатирует. Больше сотни за ночь грабастают. Пару ночей проведешь — и сматывайся. Парни с девушками там селятся, в основном иностранцы.

Пуаро рассеянно кивнул. Не в первый раз он задумался о причудах моды, позволявшей женщинам надевать шорты, зажмурил глаза от отвращения. С какой стати молодые бабы так себя уродуют? Эти ярко-красные ляжки на редкость непривлекательны!

— Смотрю, они нагрузились, — пробормотал Пуаро.

— Да, сэр, от вокзала и автобусной остановки далековато им топать. Добрых две мили до Худаун-парка. — И спросил нерешительно: — Не возражаете, сэр, если мы их подбросим?

— Непременно, непременно, — охотно согласился Пуаро. Не ехать же ему одному в роскошном автомобиле, когда эти две задыхающиеся, вспотевшие простушки, понятия не имеющие, как преподнести себя мужчинам, будут надрываться под тяжестью своих рюкзаков.

Шофер медленно подрулил к девушкам. Их разгоряченные вспотевшие лица осветились робкой надеждой.

Пуаро распахнул дверь, девушки взобрались в машину.

— Вы очень добры, — сказала белокурая девица с заметным иностранным акцентом. — Идти дальше, чем я думаю, да.

Ее спутница с загорелым вспотевшим лицом и каштановыми, выбивающимися из-под косынки прядками несколько раз согласно кивнула, сверкнула зубами и пролепетала: «Грацие». А блондинка продолжала тараторить:

— Я в Англию приехать две недели отпуск. Я приехать из Голландии. Я очень люблю Англию. Я была в Стратфорде-он-Эйвоне, в шекспировском театре и замке Варвика. Потом я была в Кловели, теперь я увидела собор в Эксетере и Торки... очень прекрасно... Я приехать сюда в замечательное красивое место и завтра через реку поехать в Плимут.

— А вы, синьорина? — обратился Пуаро к другой девушке. Но та лишь улыбалась и потряхивала кудряшками.

— Она не может много говорить по-английски, — ответила блондинка. — Мы обе немного говорить по-французски... так вот мы говорили в поезде. Она приехала из Милана, а ее родственница в Англии замужем за джентльменом, у которого магазин для многих товаров. У нее вчера был в Эксетере дружок, но дружок съел нехороший пирог с телятиной из магазина в Экзетере и заболел. Нехорошо в жаркую погоду пирог с телятиной.

Машина подкатила к развилке. Девушки вылезли и, рассыпаясь на разных языках в благодарностях, побрели в левую сторону. Шофер вдруг утратил свою олимпийскую невозмутимость и с чувством произнес:

— Дело не только в пироге с телятиной... Остерегайтесь и корнуолльского паштета. Кладут что попало в паштет, время-то отпускное!

Он включил мотор и направился в правую сторону, дорога вскоре скрылась в лесной чащобе. Шофер со всей откровенностью высказался об обитателях молодежного лагеря:

— Есть среди них неплохие бабенки, но никак не уразумеют, что нечего на чужую территорию соваться. Совершенно ничего не соображают. Кажется, не трудно понять, что здесь другой господин хозяйничает. Так нет, через наши леса прутся и притворяются, будто не понимают, что ты им говоришь. — Шофер злобно замотал головой.

Машина спустилась вниз по крутому, поросшему лесом холму, миновала массивные узорчатые ворота и покатила по аллее, которая, изогнувшись, привела их к большому белому викторианскому дому с видом на реку.

Шофер открыл дверцу машины, а на ступеньках дома появился высокий темноволосый лакей.

— Мистер Эркюль Пуаро? — негромко спросил он.

— Да.

— Миссис Оливер ожидает вас, сэр. Вы найдете ее вон там внизу. Разрешите мне проводить вас.

Сопровождаемый лакеем, Пуаро прошел по вьющейся вдоль леса тропке, внизу сверкала река. Тропка полого сбегала вниз и наконец привела к поляне, окруженной низким, с уступами парапетом. На парапете сидела миссис Оливер.

Она поднялась навстречу Пуаро, с ее колен упали и покатились в разные стороны яблоки. Вероятно, яблоки составляли существенный элемент задуманного ею ритуала встречи.

— Не понимаю, почему я всегда все роняю, — невнятно, поскольку еще не успела прожевать яблоко, произнесла миссис Оливер. — Как поживаете, мистер Пуаро?

— Прекрасно, дорогая мадам, — вежливо ответил Пуаро. — А вы?

Со времени их последней встречи внешность миссис Оливер несколько изменилась; причина этого, как она уже намекнула по телефону, заключалась прежде всего в очередном эксперименте с прической. В прошлую их встречу это были развевающиеся по ветру пряди. Сегодня ее искусно подсиненные седые волосы были уложены массивной копной с множеством маленьких искусственных локонов — такие, вероятно, в эпоху Людовика XIV носили французские маркизы. Но на этом сходство с маркизами заканчивалось; костюм миссис Оливер олицетворял сельскую повседневность: жакет и юбка из грубого твида цвета яркого яичного желтка и джемпер, словно измазанный горчицей.

— Я знала, что вы приедете! — радостно воскликнула миссис Оливер.

— Вы никак не могли этого знать, — угрюмо возразил Пуаро.

— О нет, знала.

— Я сам задаю себе вопрос, почему я здесь.

— Что ж, вот вам ответ. Из-за собственного любопытства.

Пуаро взглянул на нее, в его глазах засверкали искорки.

— Ваша хваленая женская интуиция, — сказал он, — наверное, не однажды давала осечку.

— Не смейтесь над моей женской интуицией. Разве я не всегда точно определяла преступника?

Пуаро галантно промолчал. Он мог бы ответить: «С пятой попытки, возможно, да и то не всегда!»

Но вместо этого, оглядевшись вокруг, сказал:

— Как у вас здесь красиво.

— Здесь? Но все это принадлежит не мне, мистер Пуаро. А вы думали, что это мое? О нет, это собственность некоего человека по фамилии Стабз.

— Кто он такой?

— Никто, — отмахнулась миссис Оливер. — Просто богач. А я здесь выполняю свои профессиональные обязанности, работаю.

— А, собираете материал для одного из ваших очередных шедевров.

— Нет, нет. Именно то, о чем я сказала. Работаю. Меня наняли организовать убийство.

Пуаро от удивления выпучил глаза.

— О, не настоящее, — успокоила его миссис Оливер. — Завтра здесь состоится большое празднество, которое должно увенчаться Поисками Убийцы. Сценарий написан мною. Понимаете, вроде Поисков спрятанного сокровища; только Поиски сокровища уже всем приелись, захотелось чего-то новенького. Вот мне и предложили за весьма приличное вознаграждение приехать сюда и подготовить Поиски Убийцы. Забавно, во всяком случае, не похоже на приевшуюся обыденность.

— Как же вы это сделаете?

— Видите ли, должна быть, разумеется, Жертва. И Улики. И Подозреваемые. И традиционные Авантюристка, Шантажист, Юные Влюбленные, Зловещий Лакей и так далее. Платите за вход полкроны и получаете первую Улику, пользуясь ею, вам предстоит отыскать Жертву, Оружие, определить Преступника и Мотив преступления. Установлены призы.

— Замечательно! — воскликнул Эркюль Пуаро.

— Действительно, — согласилась миссис Оливер, — но организовать все это гораздо труднее, чем вы думаете. Учтите, здесь вы имеете дело с реальными сообразительными людьми, а не с придуманными персонажами и ситуациями, как в моих книгах.

— И чтобы помочь вам исполнить свою задачу, вы пригласили меня?

Пуаро даже не пытался подавить зазвучавшее в его голосе раздражение.

— О нет, — сказала миссис Оливер. — Разумеется, нет! Все уже сделано. Все приготовлено. Нет, вы понадобились мне по совершенно иной причине.

— Какой же?

Миссис Оливер всплеснула над головой руками. По привычке она едва не вцепилась себе в волосы, но вовремя вспомнила про свою великолепную прическу. И дала выход чувствам, подергав себя за мочки ушей.

— Я, наверное, дура, — сказала она. — Но думаю, здесь что-то кроется.

Наступило молчание; пораженный Пуаро оглядел собеседницу. Потом резко спросил:

— Что кроется? Что вы имеете в виду?

— Не знаю... Я и хочу, чтобы вы помогли мне это установить. Но я чувствую... все сильнее и сильнее... что тут замышляется что-то неладное... кроется какое-то надувательство... Считайте, если хотите, меня идиоткой, но я не удивлюсь, если завтра здесь произойдет настоящее, а не придуманное мной убийство!

Пуаро удивленно посмотрел на нее, миссис Оливер ответила ему вызывающим взглядом.

— Любопытно, — протянул Пуаро.

— Наверное, вы считаете, что я спятила, — попробовала оправдаться миссис Оливер.

— Совсем нет, — ответил Пуаро.

— Я знаю, вы всегда говорите об интуиции.

— Вещи можно называть по-разному, — сказал Пуаро. — Я готов поверить, вы что-то заметили или услышали нечто, показавшееся вам подозрительным. Возможно, сами вы даже не осознаете значения увиденного, замеченного или услышанного вами. Вы имеете в виду только сам результат. Позволю себе сказать, вы сами толком не знаете того, что подсознательно угадываете. Если хотите, назовите это интуицией.

— Вот поэтому и чувствуешь себя идиоткой, — горестно призналась миссис Оливер, — никакой определенности.

— Сейчас разберемся, — подбодрил ее Пуаро. — Вы говорите, что ощущаете, будто происходит — как вы выразились — что-то неладное, какое-то надувательство? Не могли бы объяснить чуточку яснее, что вы имели в виду?

— Видите ли, это довольно трудно... Понимаете, это касается, так сказать, моего убийцы. Я все обдумала, рассчитала, все подогнано — никаких шероховатостей. Знаете, писатели обычно не выносят советов. Люди говорят: «Замечательно, но не лучше ли было бы сделать то-то и то-то?» Или: «А может, сделать жертвой А, а не В? Или вместо Е превратить в убийцу Д?» В таких случаях следует отвечать: «Хорошо, только, если вы этого хотите, пишите все сами!»

Пуаро кивнул:

— И что же, все именно так и происходит?

— Не совсем... Делаются подобные глупые замечания, я вспыхиваю, они уступают, и все заканчивается самой обычной банальностью, а поскольку я соглашаюсь с этой банальностью, многое исчезает незамеченным.

— Понимаю, — сказал Пуаро. — Да... интересная уловка... Выпячивается топорно сработанная подделка, не имеющая существенного значения. И какой-то маленький пустячок оказывается незамеченным. Это вы имели в виду?

— Вот именно! — воскликнула миссис Оливер. — Разумеется, даром воображения я не обделена, и все-таки определенных подозрений не возникает. Какое-то щемящее беспокойство, какая-то гнетущая атмосфера.

— Кто и что создает эту настороженность?

— Разные люди, — ответила миссис Оливер. — Если бы все исходило от какого-то одного человека, я бы чувствовала себя увереннее. Но это не один человек... впрочем, возможно, кто-то затаился незамеченным. Хочу сказать, некая неизвестная личность вертит ничего не подозревающими людьми.

— И кто бы это мог быть?

Миссис Оливер покачала головой.

— Кто-то, — сказала она. — Какой-то очень умный и осмотрительный человек.

— Кто здесь обитает? — спросил Пуаро. — Самые важные?

— Итак, — начала миссис Оливер. — Прежде всего, сэр Джордж Стабз, владелец поместья. Богатый, простоватый и, сдается мне, откровенный дурак во всем, что не имеет отношения к его бизнесу, но, возможно, в этом-то я и ошибаюсь. Затем, леди Стабз... Хэтти... чуть ли не на двадцать лет моложе его, довольно мила, но глупа, как рыба... мне вообще кажется, что она немного не в себе. Разумеется, польстилась на деньги, на уме одни тряпки и побрякушки. Затем, Майкл Вайман... архитектор, изящный молодой прелестник. Он проектирует теннисный павильон для сэра Джорджа и реставрирует «Глупость».

— «Глупость»? Нечто маскарадное?

— Нет, архитектурная достопримечательность. Что-то вроде небольшого храма, белого, с колоннами. Похожего на те, которые вам, наверное, доводилось видеть в Кью. Стоит упомянуть мисс Бревис, секретаря-экономку Джорджа Стабза; она следит за хозяйством и ведет переписку — деловая и всегда мрачная особа. Еще здесь околачивается много всякого пришлого люда. Молодые супруги Алек и Пегги Легг занимают стоящий возле реки флигель... Потом, капитан Вобартон, доверенное лицо Мастертонов. И разумеется, сами Мастертоны; да, еще престарелая миссис Фоллиат, которая проживает во флигеле, некогда служившем привратницкой. Родственники ее мужа раньше владели всем этим поместьем. Но кто-то скончался, а кто-то погиб на войне, в общем, смерть никого не пощадила, и последний наследник решил запродать это место.

Пуаро внимательно выслушал этот длинный перечень ничего не значащих для него имен и фамилий. И заговорил о главном:

— Кто додумался устроить Поиски Убийцы?

— Кажется, миссис Мастертон. Жена местного члена парламента, отменный организатор. Именно она уговорила сэра Джорджа закатить здесь празднество. Учтите, усадьба долгие годы пустовала, вот она и рассчитала, что народ охотно раскошелится, чтобы поболтаться здесь.

— Все это выглядит пока довольно мило и безобидно, — сказал Пуаро.

— Это лишь кажется безобидным, — возразила миссис Оливер, — но на самом деле совсем не так. Поверьте, мистер Пуаро, здесь что-то кроется.

Пуаро смерил миссис Оливер испытующим взглядом; она ответила ему точно таким же.

— Как вы объясните здесь мое присутствие? Под каким предлогом вы меня пригласили? — спросил Пуаро.

— О, это совсем просто, — успокоила его миссис Оливер. — В предстоящей игре вам предстоит раздавать призы. Все взвыли от восторга, когда я сказала, что знакома с вами, и пообещала уговорить вас приехать сюда, уверив, что ваше имя вызовет повышенный интерес, — разумеется, так оно и есть на самом деле, — дипломатично добавила миссис Оливер.

— И ваше предложение было принято — без возражений?

— Я же сказала, все были в диком восторге.

Миссис Оливер не сочла нужным упомянуть, что среди юного поколения отыскалось несколько чудаков, осведомившихся: «А кто это такой — Эркюль Пуаро?»

— Все? И никто не возразил?

Миссис Оливер решительно покачала головой.

— Жаль, — проговорил Пуаро.

— Вы хотите сказать, в этом случае у нас была бы какая-то зацепка?

— Возможного настоящего преступника едва ли обрадовало бы мое присутствие.

— Кажется, вы считаете, будто я все это придумала, — с горечью сказала миссис Оливер. — Признаюсь, до разговора с вами я и не подозревала, сколь несостоятельны мои соображения.

— Успокойтесь, — добродушно утешил Пуаро. — Меня эта история заинтересовала сейчас не меньше, чем вас. С чего мы начнем?

Миссис Оливер поглядела на часы:

— Как раз наступило время пить чай. Пойдемте в дом, там мы непременно кого-нибудь встретим.

Она направилась по другой тропке, не по той, которая привела сюда Пуаро. Казалось, эта дорожка уходила в противоположную сторону.

— Так мы пройдем мимо лодочной пристани, — пояснила миссис Оливер.

Лишь только она это произнесла, пристань открылась их взгляду. Длинным уступом она уходила далеко в реку, соломенная крыша придавала помещению, в котором хранились лодки, невыразимое очарование.

— В этом месте надлежит находиться Трупу, — объявила миссис Оливер. — Я имею в виду задуманные мною Поиски Убийцы.

— И кому же уготована участь Жертвы?

— О... одной девушке, экскурсоводу, то есть по сюжету она из Югославии, первая жена молодого ученого-атомщика, — затараторила миссис Оливер.

Пуаро прищурил глаза.

— Разумеется, дело представлено так, будто атомщик сам прикончил свою подругу... Но не все так просто, как кажется на первый взгляд.

— Естественно... коль здесь потрудились вы.

Взмахом руки миссис Оливер поблагодарила за комплимент.

— На самом деле, — продолжала она, — ее убивает владелец поместья... и повод для этого довольно хитроумный... не думаю, чтобы многим было по силам догадаться... хотя пятая улика весьма недвусмысленно указывает на мотивы убийства.

Сюжетные тонкости, созданные воображением миссис Оливер, не заинтересовали Пуаро, большее значение он придавал практическим вопросам.

— Каким образом вам удалось отыскать исполнителя, подходящего для роли Трупа?

— Нашлась девушка — и впрямь экскурсовод, — сказала миссис Оливер. — Сперва на эту роль прочили Пегги Легг... а потом всем вдруг захотелось обрядить ее в чалму и превратить в предсказательницу судьбы. Тогда на смену ей появилась девушка по имени Марлен Такер, существо довольно безответное, — посчитала нужным сделать некоторые пояснения миссис Оливер. — Но роль у нее проста... ей предстоит, услышав приближающиеся к сараю шаги, растянуться на полу и обмотать вокруг шеи веревку. Невеселая участь уготована бедняжке — пребывать в этом сарае, пока ее не отыщут, но я подобрала для Марлен стопку иллюстрированных журналов... кстати, на одном из них нацарапано имя убийцы... как видите, все подготовлено.

— Поразительная предусмотрительность! Вы все продумали!

— Это совсем не трудно, — сказала миссис Оливер. — Вредно слишком много размышлять, тогда появляются различные осложнения, вы пытаетесь их преодолеть, и все рушится. Сейчас нам предстоит взобраться по этой дорожке.

Тропка, извиваясь, круто поползла вверх, вскоре они снова вышли к реке, которая теперь уже оказалась далеко внизу. Попетляв между деревьями, они вышли к лужайке, где увидели небольшой храм с белыми колоннами. Возле него стоял парень в замызганных фланелевых брюках и в рубашке ядовито-зеленого цвета. Он обернулся в их сторону.

— Мистер Майкл Вайман, мистер Эркюль Пуаро, — представила их друг другу миссис Оливер.

Парень небрежно кивнул.

— Невероятно, — посетовал он, — как только можно до такого додуматься! До такого безобразия! Храм сооружен не более года назад... в целом неплохо и в стиле поместья. Но почему же здесь? Такие сооружения должны хорошо просматриваться... «располагаться на возвышении»... как принято выражаться... их должны окружать уютные газоны с бледно-желтыми нарциссами и тому подобное. Но здесь, затерянное среди деревьев, это сооружение кажется жалким уродцем... оно скрыто от глаз... нужно вырубить не менее двух десятков деревьев, чтобы его можно было увидеть хотя бы с реки.

— Вероятно, не нашлось другого места, — предположила миссис Оливер.

Майкл Вайман неодобрительно хмыкнул:

— Высокий, поросший травой берег неподалеку от дома — превосходное место для этого. Но нет, все эти новоявленные толстосумы одинаковы — вкуса ни на грош. Заблагорассудилось ему поставить «Глупость», как Стабз называет храм, именно здесь. Прикидываю, как можно было бы его отговорить. Ага, соображаю, массивный дуб обрушивается под ветром. Уродует здание. «О, здесь самое надежное место для сооружения «Глупости», — настаивает старый осел. Вот присущий богачам уровень мышления, главное — надежность! Интересно, уж не собирается ли он раскинуть вокруг дома клумбы с ярко-красными геранями и синими колокольчиками! Таких людей я бы лишал права владения поместьями!

Он кипятился все больше.

«Этот парень, — заметил про себя Пуаро, — явно недолюбливает сэра Джорджа Стабза».

— Здание поставлено на бетоне, — продолжал Вайман. — Почва под ним ненадежная... Она оседает. Вскоре вверх пойдут трещины... появится опасность... Лучше все это сооружение сломать и воздвигнуть новое на высоком берегу возле дома. Вот мой совет, но упрямый дурак и слышать об этом не желает.

— А как идет строительство теннисного павильона? — поинтересовалась миссис Оливер.

Лицо юноши еще больше помрачнело.

— Стабзу нужно что-то вроде китайской пагоды, — простонал он. — С драконами, ни больше, ни меньше. И все из-за того, что леди Стабз пришло в голову напялить себе на голову шляпу, которую носят китайские кули! А что делать архитектору? У человека с хорошим вкусом, как правило, не бывает средств, а те, у кого денег куры не клюют, Бог знает что выдумывают.

— От души вам сочувствую, — посетовал Пуаро.

— Джордж Стабз, — с болью в голосе проговорил архитектор, — кто он такой? Пристроился во время войны в глубоком тылу на тепленькое местечко в Адмиралтействе... отрастил бороду и уверяет всех, будто и в самом деле участвовал в сражениях и конвоировал транспорты. Нечистым путем нажил он деньги... нечистым.

— Ну и что же, — решительно возразила миссис Оливер, — вашему брату архитектору молиться нужно на людей, у которых есть возможность потратить деньги на свои прихоти, не то вы бы без работы насиделись.

Она направилась к дому, Пуаро и разгневанный архитектор последовали за ней.

— Эти толстосумы, — мрачно проговорил Майкл, на прощанье решительно пнув ногой покосившуюся «Глупость», — не способны понять главного: если ненадежен фундамент, то и все сооружение закачается.

— Глубоко верная мысль, — подтвердил Пуаро. — Весьма глубокая.

Лес неожиданно расступился, дорожка, по которой они шли, вывела их к белому особняку, красиво вырисовывавшемуся на фоне темной зелени деревьев.

— Великолепно, — пробормотал Пуаро.

— Он хочет соорудить здесь бильярдную, — не без сарказма объявил мистер Вайман.

На спускающемся к реке косогоре маленькая старушка срезала у вытянувшихся вдоль берега кустов засохшие ветки. Слегка задыхаясь, она поднялась вверх по склону, чтобы засвидетельствовать подошедшим свое почтение.

— За долгие годы тут все пошло прахом, — сказала она. — Теперь так тяжело подыскать человека, понимающего толк в садоводстве. В марте и апреле этот склон должен буйствовать красками, но вот беда — прошедшей осенью никто не удосужился срезать отмершие сучья.

— Мистер Эркюль Пуаро, миссис Фоллиат, — сказала миссис Оливер.

Старушка вся засияла:

— Так это вы великий мистер Пуаро! Как вы любезны, что откликнулись на наше приглашение. Эта умная женщина, миссис Оливер, столько нам загадок загадала... все так в диковинку.

Неумеренные восторги старушки несколько озадачили Пуаро. Она могла бы быть, подумал он, хозяйкой этого поместья.

Он вежливо пояснил:

— Миссис Оливер — моя давнишняя приятельница. Мне было весьма приятно отозваться на ее просьбу. Здесь превосходно, в этом особняке чувствуешь себя человеком.

Миссис Фоллиат одобрительно закивала:

— Да. Его построил прадед моего мужа в 1790 году. А до этого здесь был дом в стиле королевы Елизаветы. Его долго не ремонтировали, и он сгорел примерно в 1700 году. Наша семья жила здесь с 1598 года.

Говорила она деловито и спокойно. Пуаро внимательнее посмотрел на нее. Перед ним стояла маленькая, но ладно скроенная женщина в потрепанной одежде из твида. Приковывали внимание немного раскосые с голубоватым отливом глаза. Седые волосы были туго стянуты сеткой. Держалась она просто и непринужденно, но в ее облике чувствовалась некая неуловимая и непередаваемая словами особенность.

Все вместе они направились к дому.

— Вам, вероятно, тяжело видеть здесь посторонних людей, — нерешительно заметил Пуаро.

— В жизни много тяжелого, мистер Пуаро, — ответила после непродолжительной паузы миссис Фоллиат. Голос у нее был ясный, уверенный и на удивление бесстрастный.

Глава 3

Миссис Фоллиат проводила Пуаро в дом. Это было изящное сооружение с на редкость пропорциональными линиями. Дверь, в которую прошла миссис Фоллиат, привела их в небольшую, со вкусом обставленную гостиную, к которой примыкал салон, там было полно людей и так шумно, что казалось, все они говорили одновременно.

— Джордж, — сказала миссис Фоллиат. — Это мистер Пуаро, он был столь любезен, что согласился приехать сюда. А это сэр Джордж Стабз.

Говоривший зычным голосом сэр Джордж резко обернулся. Это был здоровенный мужчина с багрово-красным лицом и не совсем соответствующей его облику, словно приклеенной бородой. Казалось, будто артист, пребывающий в раздумье, играть ли ему роль сельского сквайра или приехавшего из какого-нибудь доминиона аборигена, позабыл отцепить ее от своего лица. Речь и манеры у него были непринужденными, но маленькие внимательные бледно-голубые глаза, казалось, буравили вас насквозь.

Он вежливо приветствовал Пуаро.

— Мы так довольны, что ваша знакомая миссис Оливер смогла уговорить вас приехать сюда, — сказал он. — Ума этой даме не занимать. Ваше присутствие будет хорошей приманкой. — Он огляделся вокруг: — Хэтти? — И повторил громче: — Хэтти!

Леди Стабз отдыхала в массивном кресле в стороне от всех. Казалось, она не обращала ни малейшего внимания на царившую в зале суету. С блаженной улыбкой она созерцала собственную руку, покоившуюся на подлокотнике кресла, поворачивая ее то влево, то вправо, так что массивный изумруд на безымянном пальце излучал из своих зеленоватых глубин таинственное сияние.

Женщина испуганно, как-то по-детски, вскинула глаза и произнесла:

— Здравствуйте.

Пуаро поцеловал ей руку.

Сэр Джордж продолжал знакомить его с присутствующими:

— Миссис Мастертон.

Дородная дама показалась Пуаро похожей на породистую собаку. У нее была массивная отвисшая челюсть и печальные, налитые влагой глаза.

Она поклонилась и продолжала вещать раскатистым голосом, снова напомнившим Пуаро лай породистой собаки.

— Глупо ставить там чайный киоск, Джим, — настаивала она. — Нужно же иметь чувство реальности. Мы ничего не увидим из-за этих придурковатых местных селянок.

— О, разумеется, — отвечал человек, к которому она обращалась.

— Капитан Вобартон, — представил сэр Джордж.

Капитан Вобартон, в клетчатом пиджаке спортивного покроя, смахивавший на наездника, обнажил в улыбке волчий оскал и продолжал прерванный разговор.

— Не волнуйтесь, я это улажу, — сказал он. — Пойду и обо всем договорюсь. Где разместим киоск предсказательницы? Возле магнолии? Или в конце лужайки рядом с рододендронами?

Сэр Джордж продолжал исполнять обязанности хозяина:

— Мистер и миссис Легг.

Долговязый парень с облезшим от загара лицом приветливо улыбнулся. Его жена, веснушчатая рыжеволосая красавица, дружески кивнула и снова бросилась спорить с миссис Мастертон, ее звонкий дискант сливался с зычным лаем миссис Мастертон в великолепный дуэт.

— ...Какая магнолия... там не протиснешься...

— ...Нужно все разбросать... вдруг будет очередь...

— ...Гораздо прохладнее. По-моему, в доме много солнца...

— ...И ларек с орехами не поставишь около дома... Эти шалопаи так любят всем швыряться...

— А это, — сказал сэр Джордж, — мисс Бревис — наша главная домоправительница.

Мисс Бревис, худощавая деловитая женщина лет сорока, с прекрасными манерами, восседала за огромным серебряным чайным сервизом.

— Рада познакомиться с вами, мистер Пуаро, — сказала она. — Надеюсь, путешествие вас не утомило. В это время года поезда ужасно переполнены. Позвольте предложить вам чай. Молоко? Сахар?

— Чуточку молока, мадемуазель, и четыре кусочка сахара.

Пока она готовила чай, Пуаро произнес:

— Вижу, вы все тут страшно заняты.

— Не говорите. Как обычно, все делается в последнюю минуту. И кругом такая неразбериха. Надо сделать навесы, расставить палатки, стулья и тому подобное. И за всем приходится следить. Я половину утра просидела на телефоне.

— А как насчет раздевалок, Аманда? — спросил сэр Джордж. — И запасных клюшек для гольфа?

— Все приготовлено, сэр Джордж. Мистер Бенсон из гольф-клуба — сама любезность. Она протянула Пуаро чашечку. — Сандвич, мистер Пуаро? Вот с томатами, а эти с паштетом. А может, — мисс Бревис припомнились четыре кусочка сахара, — вы предпочтете пирожное с кремом?

Пуаро и в самом деле обожал пирожные с кремом, никогда не упуская возможности полакомиться ими.

С превеликими предосторожностями, дабы не расплескать чай, он отошел и пристроился подле леди Стабз. Та все еще любовалась игрой лучей, исходящих от украшавшей ее руку драгоценности, и улыбнулась Пуаро радостной детской улыбкой.

— Взгляните, — сказала она. — Великолепно, не правда ли?

Пуаро внимательно оглядел хозяйку дома. На ней была надета огромная шляпа из ярко-красной соломки, какую носят китайские кули. Отражаемые от полей шляпы блики бросали розовый отсвет на мертвенно-бледное лицо. Косметикой, как видно, леди Стабз пользовалась с несвойственной англичанкам экзотической щедростью. Матовая белизна кожи, ярко подведенные губы, сильно намазанные глаза. Из-под шляпы виднелись черные «лоснящиеся», похожие на плотный вельвет волосы. В общем, красивое томное лицо. Думалось, что этот выросший под тропическим солнцем цветок лишь в силу чистой случайности оказался в английской гостиной. Взгляд ее удивил Пуаро. В нем была присущая детям безмятежность и почти полное отсутствие мысли.

Заданный ею вопрос тоже дышал детской непосредственностью, и так же, будто беседовал с ребенком, ответил ей Пуаро.

— Очень славное колечко, — сказал он.

Леди Стабз была довольна.

— Джордж дал мне его вчера, — прошептала она, словно сообщала великую тайну. — Он дарит мне много всяких вещей. Он очень добрый.

Пуаро еще раз поглядел на кольцо, на лежавшую на подлокотнике руку. Длинные ногти были густо накрашены.

На память невольно пришло изречение: «Они не жнут и не ткут...»

И в самом деле, трудно было представить леди Стабз жницей или ткачихой. Но еще труднее было назвать ее выросшим на воле цветком. Она была тепличным созданием.

— У вас великолепная комната, мадам, — сказал Пуаро, восхищенно озираясь по сторонам.

— Неплохая, — безразличным тоном отозвалась леди Стабз.

Она по-прежнему не отводила взгляда от своего кольца, любуясь зеленым свечением в его глубинах, появлявшимся всякий раз, когда она поворачивала руку.

Заговорщическим шепотом женщина проговорила:

— Видите? Оно мне подмигивает.

И тут последовал приступ хохота, изрядно смутивший Пуаро. Смех был громким, безудержным.

На другом конце комнаты раздался голос сэра Джорджа:

— Хэтти.

Голос был добрым, но с чуть заметными нотками осуждения. Леди Стабз перестала смеяться.

Пуаро попробовал продолжить беседу:

— Девоншир — изумительное место. Вы согласны, леди Стабз?

— Днем здесь мило, — ответила та. — Когда нет дождя. — И добавила с грустью: — Но совсем нет ночных клубов.

— А, так вы любите ночные клубы?

— О да, — восторженно заявила леди Стабз.

— Почему вы любите ночные заведения?

— Там музыка, танцы. Я — в моих лучших нарядах и украшениях. Они есть и у других женщин, но им всем далеко до меня.

На ее лице появилась улыбка победительницы. Пуаро стало немного жаль ее.

— И вас это забавляет?

— Да. А еще я люблю казино. Почему в Англии нет казино?

— Я тоже задумывался об этом, — вздохнул Пуаро. — Наверное, казино не в характере англичан.

Она попыталась осмыслить услышанное и немного пододвинулась к Пуаро:

— Однажды в Монте-Карло я выиграла шестьдесят тысяч франков. Поставила на двадцать седьмой номер, и он выиграл.

— Волнующее событие, мадам.

— О, конечно. Джордж дает мне денег на игру... но обычно я проигрываю.

Она пригорюнилась.

— Печально, — посочувствовал Пуаро.

— О, это не имеет значения. Джордж очень богат. Хорошо быть богатым, правда?

— Думаю, что неплохо, — согласился Пуаро.

— Не будь я богатой, я бы выглядела так же, как Аманда. — Она неприязненно посмотрела на восседавшую за чайным столом мисс Бревис. — Не правда ли, она безобразна?

В эту минуту мисс Бревис посмотрела в их сторону. И хотя леди Стабз говорила негромко, Пуаро испугался, не услышала ли их разговор Аманда Бревис.

Он отвел в сторону глаза и увидел капитана Вобартона. Взгляд у того был насмешливым и любопытным.

Пуаро решил переменить тему разговора.

— Приготовления к празднеству не очень вас утомили? — спросил он.

Хэтти Стабз покачала головой:

— О нет, я почти не имею к ним отношения; дело это довольно нудное и бестолковое. Есть же слуги и садовники. Чем им еще заниматься?

— О, моя дорогая, — послышался голос миссис Фоллиат. Она незаметно устроилась возле Хэтти Стабз на софе. — Вы воспитаны на ваших заморских традициях. Но в Англии иная жизнь. Ничего не поделаешь. — Последовал вздох. — Теперь приходится почти все делать самим.

Леди Стабз пожала плечами:

— Это глупо. Какой прок от богатства, если нужно все делать самой?

— Иногда люди получают от этого удовольствие, — улыбнулась миссис Фоллиат. — Я, например, хотя и не богата. Переутомляться не надо, но и поработать не мешает. Мне нравится копаться в саду и устраивать праздники вроде предстоящего завтра.

— Соберутся гости? — с надеждой в голосе полюбопытствовала миссис Стабз.

— Конечно... очень много гостей.

— Как в Аскоте? Нарядные и в огромных шляпах?

— Ну... не совсем как в Аскоте, — ответила миссис Фоллиат. И добавила с утешением: — Думаю все же, что наше сельское веселье понравится вам, Хэтти. Но вы должны были нам помочь нынешним утром, а вместо этого провалялись в постели до самого чая.

— У меня болела голова, — надула губки Хэтти. Но вдруг настроение ее переменилось, и она приветливо улыбнулась миссис Фоллиат. — Завтра я буду молодцом. И сделаю все, что вы скажете.

— Вы прелесть, дорогая.

— У меня есть новое платье. Его прислали сегодня утром. Пойдемте, я вам его покажу.

Миссис Фоллиат не знала, что и ответить. Но леди Стабз поднялась с кресла и настойчиво повторила:

— Пойдемте. Ну пожалуйста. Замечательное платье. Пойдемте же!

— Ну хорошо. — Миссис Фоллиат снисходительно улыбнулась и тоже поднялась.

Маленькая миссис Фоллиат засеменила за длинноногой Хэтти, безмятежная улыбка на лице старушки сменилась выражением тоскливой покорности, что немало удивило Пуаро. Наверное, она решила дать себе небольшую передышку и сбросила маску, носить которую предписывают общественные приличия. Но не исключено и другое. Возможно, она страдала каким-то заболеванием, о котором предпочитала умалчивать. Как бы то ни было, подумалось Пуаро, миссис Фоллиат, по-видимому, не вызывала у окружающих ни жалости, ни симпатии.

В покинутом Хэтти Стабз кресле разместился капитан Вобартон, который тоже глядел вслед уходящим, но, в отличие от Пуаро, не пожилая дама привлекла его внимание. Растягивая слова, он проговорил, слегка усмехнувшись:

— А ведь великолепное создание, а? — Краешком глаза он покосился на выходящего в сад сэра Джорджа; за ним тащились миссис Мастертон и миссис Оливер. — Совсем окрутила старину Стабза. Ни в чем нет отказа! Украшения, меха, все, что пожелает. Доходит ли до него, что она чуточку не в себе? Или он не придает этому значения? Впрочем, этим денежным мешкам человеческие чувства неведомы.

— Кто его жена по национальности? — поинтересовался Пуаро.

— Похожа на латиноамериканку. Кажется, она из Вест-Индии. С одного из тех островов, которые снабжают нас ромом и сахаром. Она креолка — из семьи аборигенов, но не скажу, что из знатной. Говорят, на этих островах все родственники друг на друге переженились. Отсюда их слабоумие.

К ним присоединилась юная миссис Легг.

— Послушай, Джим, — сказала она. — Ты должен меня поддержать. Эту палатку нужно поставить там, где мы решили, — в конце лужайки рядом с рододендронами. Самое подходящее место.

— Матушка Мастертон так не считает.

— Значит, ты должен с ней об этом поговорить.

— Миссис Мастертон — мой босс. — Вобартон улыбнулся ей по-лисьи.

— Твой босс — Уилфрид Мастертон. Член парламента.

— Разумеется, и все-таки... Всем верховодит его супруга, мне ли этого не знать.

У дверей в сад снова появился сэр Джордж.

— О, вот и вы, Пегги, — сказал он. — Вы нам нужны. Само собой ничего не сделается, надо приготовить сдобные булочки, призы для лотереи, занавески для киосков. Где Эми Фоллиат? Лишь она может управиться с этими людьми.

— Она пошла наверх с Хэтти.

— О, пошла...

Сэр Джордж беспомощно озирался, мисс Бревис бросила надписывать билеты и подскочила к нему со словами:

— Я приведу ее, сэр Джордж.

— Спасибо, Аманда.

Мисс Бревис вышла из залы.

— Нужно поправить на заборе колючую проволоку, — пробормотал сэр Джордж.

— У нас? К празднику?

— Нет, нет. В лесу, на границе с Худаун-парком. Старая совсем проржавела, вот все здесь и шляются.

— Кто шляется?

— Все, кому не лень! — воскликнул сэр Джордж.

Пегги Легг засмеялась:

— Вы рассуждаете, как сражавшаяся с ослами Бетси Тротвуд.

— Бетси Тротвуд? Кто это такая? — простодушно спросил сэр Джордж.

— Диккенс.

— А, Диккенс. Читал его «Записки Пиквикского клуба». Неплохо. Знаете ли, совсем неплохо. Но я о другом. Нет, серьезно, как открыли это идиотское общежитие, вся эта шпана совершенно обнаглела. Лезут изо всех дыр в самых невероятных одежках... Сегодня утром встретил мальчишку в рубахе, разрисованной ползущими черепахами... Так у меня в глазах зарябило. Половина из них не говорят по-английски... бормочут что-то несусветное. — Сэр Джордж попытался это изобразить: — О, пожа... да могла ты... сказать моя... т-та дорога на переправу? Я говорю нет, не та, та дорога вон там, и посылаю их в обратную сторону, откуда они только что пришли, но до них это не доходит, уставятся как идиоты и ничего не соображают. А девчонки еще хихикают. Кого тут только нет — итальянцы, югославы, датчане, финны... не удивлюсь, если тут окажутся и эскимосы! Наверное, все они коммунисты, — закончил сэр Стабз мрачно.

— Перестаньте, Джордж, оставьте в покое коммунистов, — сказала миссис Легг. — Я помогу вам договориться с этими вздорными женщинами. — Она потянула его в сад, крикнув через плечо: — За мной, Джим! За мной, не оглядываясь.

— Хорошо, но я хочу рассказать мистеру Пуаро про Поиски Убийцы, ведь ему предстоит присуждать призы.

— Ты успеешь это сделать потом.

— Я подожду вас здесь, — дружелюбно сказал Пуаро. Наступило молчание, Алек Легг вытянулся в кресле и тяжело вздохнул.

— О женщины! — сказал он. — Надоедливы, как пчелы. — Он повернул голову и посмотрел в сад. — К чему всё это? Какой-то глупейший, никому не нужный праздник.

— Очевидно, — возразил Пуаро, — есть люди, которым он нужен.

— Куда подевался здравый смысл? — продолжал Легг. — Отчего люди перестали думать? Думать о пропасти, в которую катится мир. Неужели никто не понимает, что обитатели земного шара совершают самоубийство?

Пуаро решил оставить этот вопрос без ответа. Он просто с сомнением покачал головой.

— Пока еще можно что-то сделать, потом будет поздно... — Алек Легг не договорил. Лицо его сделалось сердитым. — О да, — сказал он, — я знаю, о чем вы думаете. Что я нервный, психопат и так далее. Как и эти проклятые доктора, прописывающие отдых, смену обстановки и морской воздух. Прекрасно, Пегги и я приехали сюда, на три месяца сняли коттедж, я выполняю все врачебные предписания. Рыбачу, купаюсь, подолгу гуляю, загораю.

— Да, я заметил, что вы принимали солнечные ванны, — вежливо сказал Пуаро.

— Ах это? — Алек дотронулся до своего облупившегося лица. — Это результат как никогда великолепного нынешнего английского лета. Ну и какой толк во всем этом? Если бы можно было убежать от правды, сменив место жительства.

— Согласен, от правды не убежишь.

— Здесь, в сельской глуши, особенно остро ощущаешь, какая чудовищная апатия овладела людьми в этой стране. Даже Пегги, которая достаточно умна, и та ничем от других не отличается. К чему волноваться? Вот что она говорит. Меня это бесит! К чему волноваться!

— Но в чем, по-вашему, суть дела?

— Боже, и вы?

— Не сердитесь. Мне просто хотелось бы узнать ваш ответ.

— Неужели вы не понимаете, что кто-то должен что-то совершить.

— И этот кто-то — вы?

— Нет, нет, не обо мне речь. В такие времена о себе не думаешь.

— Не понимаю почему. Даже в «такие времена», как вы выражаетесь, люди остаются людьми.

— Но этого не должно быть! В смутные времена, когда решается вопрос о жизни и смерти всего человечества, нельзя думать о своих пустяковых болячках и неурядицах.

— Уверяю вас, вы ошибаетесь. В войну во время одного страшного авиационного налета меня тревожила не мысль о смерти, а мешавшая на мизинце мозоль. Удивительно. «Подумай, — говорил я себе, — в любую минуту может наступить смерть». Но мысль о мозоли не оставляла меня — и мучила ничуть не меньше страха смерти. Для человека всякий пустяк зачастую приобретает огромное значение. Однажды я видел женщину, сбитую на улице машиной, у нее была сломана нога, но она разрыдалась, увидев спущенную на чулке петлю.

— Что лишний раз свидетельствует о женской глупости!

— Скорее это свидетельствует о сути человеческой природы. Наверное, именно внимание к пустякам приводит к выживанию человечества в целом.

Алек Легг печально улыбнулся.

— Временами, — сказал он, — я об этом жалею.

— Знаете, это своеобразная форма смирения, — возразил Пуаро. — А смирение само по себе бесценно. Помню, во время войны в метро висел лозунг: «Все зависит от тебя». Думаю, он успокаивал, вселял надежду... но, на мой взгляд, это было опасное и прискорбное заблуждение. Поскольку оно противоречит истине. Ничто не зависит, скажем, от какой-нибудь миссис Бленк. Но если она в этом усомнится, то ничем хорошим это для нее не кончится. Пока она будет размышлять о своей роли в мировых проблемах, ее ребенок опрокинет на себя чайник.

— Думается, у вас довольно старомодные представления. Сформулируйте в таком случае ваш лозунг человеческого бытия.

— Мне нет нужды это делать. В этой стране уже давно сформулирован лозунг, с которым я полностью согласен.

— Какой же?

— «Надейся на Бога и держи свой порох сухим».

— Прекрасно, прекрасно... — Это утверждение пришлось по душе Алеку Леггу. — Не ожидал услышать от вас такое. А вы знаете, что мне хотелось бы увидеть в этой стране?

— Нечто не вызывающее сомнений, поражающее воображение и малопривлекательное по своей сути, — улыбнулся Пуаро.

Алек Легг оставался серьезным.

— Мне хотелось бы покончить со слабоумными. Целиком и полностью! Не позволять им размножаться. Если в течение только одного поколения станут размножаться лишь интеллектуалы, представляете, каков будет итог!

— Вероятно, резкое увеличение пациентов в психиатрических лечебницах, — сухо ответил Пуаро. — Нам нужны корни, как и цветам на клумбе, мистер Легг. Как бы ни были могучи и прекрасны цветы, но, если повредить корневища, цветов не останется. — И, продолжая разговор, добавил: — А леди Стабз вы не думаете поместить в камеру смертников?

— Безусловно. Какая польза от такой женщины? Что дает она обществу? Занята лишь тряпками, мехами и украшениями. Какой от нее прок?

— Вот мы с вами, — добродушно промолвил Пуаро, — безусловно, намного умнее ее. Но, — он печально покачал головой, — боюсь, не украшаем жизнь столь яркими красками.

— Украшаем... — свирепо зарычал Алек, но вошедшие с веранды миссис Оливер и капитан Вобартон не дали ему договорить.

229

Глава 4

— Пойдемте познакомимся с условиями игры, — предложила миссис Оливер.

Пуаро поднялся и послушно направился за ними.

Втроем они миновали коридор и очутились в маленькой, похожей на кабинет комнате.

— Слева от вас орудия убийства. — Капитан Вобартон указал на маленький, крытый зеленым сукном карточный стол. На нем лежали крошечный пистолет, обрубок свинцовой трубы с запекшимся на нем зловещим пятном крови, голубая бутылочка с надписью «Яд», длинная бельевая веревка и шприц для подкожных инъекций.

— Вот это оружие, — пояснила миссис Оливер, — а это подозреваемые.

Она протянула Пуаро отпечатанную типографским шрифтом карточку, которую он с интересом прочитал.

Э т е л ь Г л и н н — блистательная и несколько таинственная женщина, гостья полковника Бланта — местного сквайра, чья дочь Джоан замужем за Питером Гайе — молодым ученым-атомщиком.

М и с с В и л л и н г — экономка.

К в а й е т — дворецкий.

М а й я С т а в и с к а я — девушка-экскурсовод.

Э с т е б а н Л а й о л а — незваный гость.

Пуаро, прищурившись, с немым изумлением взглянул на миссис Оливер.

— Великолепный набор персонажей, — вежливо похвалил он. — Но позвольте спросить, мадам, что должны делать соревнующиеся?

— Переверните карточку, — предложил капитан Вобартон.

Пуаро так и сделал.

На другой стороне было напечатано:

Фамилия и адрес
Решение
Имя убийцы
Оружие

Мотив.
Время и место
Причины, по которым
вы приняли данное решение

— Все, кто приходит сюда, получают одну из таких карточек, — скороговоркой объяснил капитан Вобартон. — А также записную книжку и карандаш, чтобы зарисовывать улики. Предстоит отыскать шесть улик. Вы идете от одной до другой, как при поисках сокровища, орудия спрятаны в тайниках. Вот первая улика: фотографический снимок. Именно с него все начинают.

Пуаро взял протянутый ему небольшой отпечаток и, нахмурившись, начал внимательно его разглядывать. Потом перевернул фотографию вверх ногами, но заданную загадку не разгадал. Вобартон рассмеялся.

— Фотография с маленьким секретом, а? — посочувствовал он. — Очень просто, надо лишь догадаться, что это такое.

Пуаро не мог догадаться и почувствовал некоторое раздражение.

— Вроде бы окно с решеткой? — предположил он.

— Согласен, похоже. Но это часть теннисной сетки.

— Хм. — Пуаро еще раз взглянул на фотографию. — Да... вы правы... когда тебе объяснят, тогда все делается ясным.

— Это зависит от вашей проницательности, — засмеялся Вобартон.

— Справедливое замечание.

— Вторая улика спрятана в коробке под серединой теннисной сетки. В коробке пустая бутылка из-под яда — вот она — и отвинченная пробка.

— Обратите внимание, — вмешалась миссис Оливер, — бутылка с отвинчивающейся пробкой, поэтому пробка тоже веская улика.

— Мадам, вы неистощимы на выдумки, но я не совсем понимаю...

— О, разумеется, — воскликнула миссис Оливер, — это целая история! Словно в журнале с продолжением. — Она обернулась к капитану Вобартону: — Листовки получены?

— Пока еще не отпечатаны.

— Но они же обещали!

— Знаю. Знаю. Обещать легко. Будут готовы к шести. Я съезжу за ними на машине.

— Хорошо.

Миссис Оливер вздохнула и повернулась к Пуаро:

— Итак, нужно вам все рассказать. Но я не очень хорошо умею рассказывать. На бумаге все получается гладко, а на словах черт-те что; поэтому я никогда ни с кем не обсуждаю свои сюжеты. Научена горьким опытом; когда я пробовала это делать, на меня тупо смотрели и цедили: «...Хм... да... ничего не понимаю... безусловно, иначе здесь не получится». Вот обычно такая оценка. Несправедливая, потому что, когда я пишу, все получается!

Миссис Оливер передохнула и продолжала:

— Так вот в чем тут дело. В центре всего молодой ученый-атомщик Питер Гайе; подозревают, что он подкуплен коммунистами; он женат на девушке по имени Джоан Блант; полагают, что его первая жена умерла, но это оказывается неправдой, она жива и является будто бы шпионкой, впрочем, нет, на самом деле она экскурсовод... а жена Питера кое в чем замешана; этот самый Лайола, оказывается, встречается с Майей и шпионит за ней, появляется вымогательское письмо, — наверное, его подбросила экономка, а может быть, дворецкий; исчезает револьвер, неизвестно, кому адресовано это письмо; во время обеда под столом обнаруживают шприц для подкожных инъекций, после этого исчезает...

Миссис Оливер замолчала, пытаясь понять, усвоил ли Пуаро хоть что-нибудь из сказанного ею.

— Наверное, — повинилась она, — мои слова кажутся вам Бог весть какой тарабарщиной, но в действительности это не так... у меня в голове... и на листочках, которые вы получите, все изложено более вразумительно.

Однако для вас, — продолжала миссис Оливер, — суть дела, я думаю, не столь существенна. Все, что вам предстоит сделать, — это вручить призы — очень симпатичные призы, первый приз — серебряный портсигар в виде револьвера — и сказать, каким остроумным было найденное решение!

Про себя Пуаро подумал, что решение должно быть и в самом деле на редкость остроумным. Если вообще найдется какое-то решение. Сейчас содержание и правила игры «Отыщите убийцу» казались ему окутанными плотной завесой тумана.

— Итак, — посмотрев на часы, бодро воскликнул капитан Вобартон, — пора съездить в типографию за материалами. Они уже готовы. Я звонил туда.

Вобартон вышел из комнаты, а миссис Оливер, тут же схватив Пуаро за руку, шепотом прохрипела:

— Итак?

— Что — итак?

— Вы что-нибудь заметили? Или кого-то заподозрили?

— Все выглядит абсолютно нормальным, — спокойно ответил Пуаро.

— Нормальным?

— Может, это слово не совсем точно. Леди Стабз, как вы заметили, безусловно, немного не в себе, и мистер Легг — личность явно патологическая.

— О, мистер Легг молодец, — пылко воскликнула миссис Оливер. — Просто он пережил нервное потрясение.

Пуаро не стал задавать лишних вопросов и лишь обронил:

— Когда готовятся к подобного рода развлечениям, людей всегда охватывает нервное возбуждение, нетерпеливое ожидание. Они испытывают перенапряжение сил и повышенную раздражительность. Вот только определить...

— Ш-ш!.. — сжала ему руку миссис Оливер. — Кто-то идет.

Это походило на дурную мелодраму, Пуаро почувствовал, что и его самого охватывает нервное возбуждение.

Из двери показалось спокойное лицо мисс Бревис.

— А, вот и вы, мистер Пуаро. Я хочу показать вам вашу комнату.

Секретарша повела его вверх по лестнице, и, миновав длинный коридор, они оказались в просторной, полной свежего воздуха комнате с видом на реку.

— Ванная вот тут — напротив. Сэр Джордж поговаривает о том, чтобы сделать еще несколько ванных, но тогда уменьшатся размеры полезной площади. Надеюсь, вам здесь будет спокойно?

— Да, разумеется. — Взгляд Пуаро с удовольствием скользнул по небольшой книжной полке, настольной лампе и коробке с надписью «Бисквит» на туалетном столике. — У вас в доме все превосходно устроено. Я должен выразить свое восхищение вам или нашей очаровательной хозяйке?

— Время леди Стабз полностью посвящено заботам об ее очаровательной внешности, — ответила мисс Бревис с едва заметной неприязнью в голосе.

— Она броская женщина, — пробормотал Пуаро.

— Вот именно.

— Но в других отношениях, возможно... — Он замолчал. — Простите. Наверное, я сказал нечто такое, о чем мне не следовало упоминать.

Мисс Бревис в упор посмотрела на Пуаро и сухо произнесла:

— Леди Стабз сама прекрасно знает, что делает. К тому же она не только, как вы выразились, броская, но и довольно хитрая женщина.

И прежде чем Пуаро успел изобразить на своем лице удивление, мисс Бревис, резко повернувшись, вышла из комнаты. Что же было у нее на уме? Имела ли она какие-то веские основания для своих слов? И зачем было говорить об этом ему — совершенно постороннему человеку? А может быть, именно потому и сказала, что он посторонний? К тому же иностранец. По своему опыту Пуаро знал, что зачастую англичане не считают для себя зазорным сообщать иностранцам всякую всячину, о которой в своей среде принято молчать.

Он нахмурился, в полном недоумении все еще разглядывая дверь, за которой скрылась мисс Бревис. Затем подошел к окну и посмотрел вниз. Тут он увидел, как из дома вышли леди Стабз и миссис Фоллиат и остановились, разговаривая, возле развесистой магнолии. Потом миссис Фоллиат кивнула на прощанье, подхватила садовую корзину с перчатками и засеменила по дорожке. Леди Стабз посмотрела ей вслед, рассеянно притянула к себе цветок магнолии, понюхала его и, не торопясь, побрела по тропинке, петлявшей между деревьев, к реке. Несколько раз она обернулась, потом скрылась из виду. И тут же, как тень, из-за куста магнолии появился Майкл Вайман, потоптался в нерешительности, а затем его высокая худощавая фигура замелькала между деревьями.

Красивый парень, своего не упустит, подумал Пуаро. Без сомнения, для леди Стабз кусочек более лакомый, нежели ее супруг.

Но если и так, что из этого? Жизнь постоянно рисует на своих холстах подобные узоры. Богатый пожилой некрасивый муж, юная очаровательная жена без твердых моральных устоев, пылкий молодой человек. И стоило ли из-за этого так настойчиво требовать Пуаро к телефону? Несомненно, у миссис Оливер богатое воображение, но...

«К тому же, — мысленно пробормотал Пуаро, — вряд ли я смогу дать дельный совет неопытным влюбленным».

А может, и в самом деле миссис Оливер заподозрила что-то недоброе? В голове у нее всегда царила страшная путаница, уму непостижимо, как из этой мешанины ей удавалось изготовлять довольно приличные детективные истории; к тому же, к немалому удивлению Пуаро, она нередко высказывала и дельные соображения.

— Времени в обрез, — пробормотал он. — Так где же зарыта собака, как утверждает миссис Оливер? Видимо, в поместье что-то происходит. Но что именно? Нужно как можно больше разузнать об обитателях этого дома. Но кто бы смог мне в этом помочь?

После непродолжительного раздумья Пуаро схватил шляпу, опасаясь подставлять вечерней прохладе неприкрытую голову, торопливо вышел из комнаты и спустился по лестнице. Издали доносились оглушительные раскаты властного голоса миссис Мастертон. Чуть ближе звучали слова сэра Джорджа:

— К черту чадру. Я хочу заполучить тебя в свой гарем, Пегги. Завтра я попрошу осчастливить меня. Что ты мне на это ответишь, а?

Послышалась легкая возня, Пегги прошептала сдавленным голосом:

— Не́ надо, Джордж.

Пуаро удивленно вскинул брови и скользнул в боковую аллею, затем поспешно направился в обратную сторону, прикинув, в каком именно месте ему следует выйти на главную аллею.

Маневр удался и позволил ему, правда немного задохнувшись, повстречаться с миссис Фоллиат; он любезно предложил поднести ее садовую корзину:

— Разрешите, мадам?

— О, благодарю вас, мистер Пуаро, вы очень добры. Но корзина не тяжелая.

— Разрешите мне все же донести ее до вашего дома. Вы живете неподалеку?

— В привратницкой возле главного входа. Сэр Джордж любезно сдает ее мне.

Привратницкая у ворот *ее бывшего дома...* Интересно, какие чувства должна была испытывать миссис Фоллиат по этому поводу. Но ее доброжелательное спокойствие не позволило Пуаро затронуть эту тему. Он заговорил о другом:

— А ведь леди Стабз намного моложе своего мужа?

— На двадцать три года.

— Она очень мила.

— Хэтти — милое дитя, — добродушно сказала миссис Фоллиат.

Не такого ответа ожидал Пуаро. Но миссис Фоллиат продолжала:

— Я очень хорошо знаю ее. Некоторое время она находилась под моим попечительством.

— Я этого не знал.

— Откуда же вам знать? Это печальная история. Семья Хэтти владела плантациями, сахарными плантациями, в Вест-Индии. Во время землетрясения их дом сгорел дотла, родители, братья, сестры — все погибли. Сама Хэтти училась в это время в монастыре в Париже и внезапно осталась совсем одна. Судебный исполнитель довольно разумно решил, что Хэтти потребуется попечительница, которая помогла бы ей освоиться в обществе после того, как она некоторое время пробудет за границей. Я согласилась выступить в этой роли, — добавила миссис Фоллиат, усмехнувшись. — Я была достаточно образованна и, естественно, имела солидные связи... К тому же последний губернатор был нашим хорошим приятелем.

— Естественно, мадам, я прекрасно вас понимаю.

— Меня это очень устраивало... я переживала трудные времена. Перед самой войной умер мой муж. Старший сын служил во флоте и погиб на затонувшем корабле; младший сын, живший в Кении, вернулся оттуда, стал десантником и погиб в Италии. Три смерти совсем подкосили меня, дом предстояло продать. Сама я была в очень неважном состоянии, и тут, как нельзя кстати, появилась эта молодая девушка, которую мне предстояло опекать и путешествовать с ней. Я очень привязалась к Хэтти еще и потому, что сразу же почувствовала ее полнейшую беззащитность. Поймите, мистер Пуаро, Хэтти не слабоумная, но из таких, кого в народе называют «простушками». Она очень доверчива, безропотна, ее легко обмануть. Я благословляла судьбу за то, что у нее не было денег... Унаследуй она приличное состояние, хлопот бы тогда не обобраться. Она нравилась мужчинам, сама она девушка пылкая, легко поддается влиянию... тут требуется глаз да глаз. Когда родительское имение было разрушено и выяснилось, что плантация погибла, а долгов больше, чем сбережений, я могла лишь возблагодарить Всевышнего, что такой человек, как сэр Джордж Стабз, влюбился в нее и захотел на ней жениться.

— Наверное... да... это был лучший выход.

— Сэр Джордж, — продолжала миссис Фоллиат, — человек без роду, без племени и — будем откровенны — совершеннейший простолюдин, но он добр, по натуре порядочен и, не следует забывать, обладает огромным состоянием. От жены он отнюдь не требует душевной тонкости. Ему нужна именно такая, как Хэтти, которая демонстрировала бы наряды и украшения, была нежна с ним и желанна для него. С сэром Джорджем Хэтти счастлива. Признаюсь, я рада, что все так сложилось: я сознательно побуждала девушку принять его ухаживания. А если бы все обернулось иначе, — голос миссис Фоллиат чуть изменился, — я бы не простила себе, что заставила Хэтти выйти замуж за человека намного старше нее. Как я уже вам сказала, Хэтти очень покладистая. Каждый может ее уговорить.

— Мне кажется, — одобрительно сказал Пуаро, — вы поступили весьма благоразумно. Я не англичанин и потому не романтик. Надежное супружество на одних романтических мечтаниях не построишь. — И добавил: — А что касается здешнего поместья, оно великолепно. Я словно попал на другую планету.

— Коль суждено было продавать «Нэссе», — голос миссис Фоллиат немного задрожал, — я рада, что приобрел его сэр Джордж. Во время войны оно было реквизировано военными, а потом его могли купить и приспособить под дом отдыха или под школу, комнаты перепланировали бы, и первозданную красоту поминай как звали. Нашим соседям, Флетчерам из «Худауна», пришлось продать свой участок, и там теперь молодежный лагерь. Хорошо, конечно, что молодежь развлекается... к счастью, «Худаун» — поздняя викторианская постройка без больших архитектурных достоинств, так что все эти переделки большого вреда не принесли. Не нравится мне только, что молодежь без конца бродит по нашей территории. А сэр Джордж, так тот просто из себя выходит. Они продираются прямо по кустам и, случается, портят редкие экземпляры — так они сокращают себе путь до реки, к парому.

Незаметно миссис Фоллиат и Пуаро дошли до въезда в усадьбу. Маленький белый одноэтажный флигель, окруженный небольшим палисадником, стоял чуть поодаль от дороги.

Миссис Фоллиат со словами благодарности приняла у Пуаро корзинку.

— Я всегда очень любила этот флигелек, — сказала она, поглядывая на домик с нежностью. — Последние тридцать лет здесь проживал Мерделл, наш главный садовник. Мне тут уютнее, чем в большом доме, хотя там просторнее и сэр Джордж оборудовал его разными современными удобствами. Так и должно быть: наш теперешний главный садовник совсем желторотый, и жена у него тоже молоденькая — а молодежи требуются электрические утюги, кухонные приспособления, телевизоры и прочая техника. Надо идти в ногу со временем... —

Она вздохнула. — Из стариков почти никого в усадьбе не осталось — все новые лица.

— Я рад, мадам, — сказал Пуаро, — что вы по крайней мере нашли себе удобное пристанище.

— Да, это так. Помните у Спенсера? «После бушующих морей гавань, после трудов покой, а после жизни смерть...»

Миссис Фоллиат помолчала, потом сказала, ничуть не изменив интонации:

— Мир очень жесток, мистер Пуаро. И в нем живут очень жестокие люди. Да вы и без меня это хорошо знаете. Молодежи я об этом не говорю, зачем их разочаровывать, но ведь это так... Да, мир очень жесток.

На прощанье она поклонилась и, повернувшись, прошла в дом. Пуаро долго стоял, глядя на закрывшуюся за ней дверь.

Глава 5

Жажда деятельности не покинула Пуаро, извилистая, круто сбегающая вниз дорожка привела его к небольшому причалу. Он увидел массивный колокол с цепью и надписью над ним: «Для вызова парома». Множество лодок сгрудилось у причала. Сидевший на швартовочной тумбе старик со слезящимися глазами шаркающей походкой подошел к Пуаро:

— Желаете переправиться, сэр?

— Спасибо, нет. Просто захотелось немного прогуляться.

— Ах, так вы тут живете? Я еще с малолетства здесь работаю, и сын мой тоже, он был здесь главным садовником. Ну а я за лодками приглядываю. Старый сквайр Фоллиат по этой части большой был дока. Парусом правил, любая погода была ему нипочем. Майор, его сын, парусами не очень увлекался. Больше лошадей любил. Они его и сгубили. А еще бутылка — намучилась с ним его жена-то. Вы ее, верно, видели — живет теперь во флигеле.

— Да, я только сейчас с ней простился.

— Была она Фоллиату троюродной сестрой через Тайвертона, великого любителя садов, и она тоже всякие там

239

цветущие кусты разводила. Даже когда эта война приключилась и два молодых джентльмена из дому ушли, она попрежнему за кустами присматривала и охраняла, чтобы их не повредили.

— Трудно ей пришлось, оба сына погибли.

— Да, солоновато... то одно, то другое. С мужем беда, и с молодым джентльменом тоже беда. Не с мистером Генри. Тот был на редкость славным, вылитый дедушка, парус любил, ну и во флот, ясное дело, подался, а вот мистер Джеймс, тот доставлял матери кучу хлопот. Долги, женщины да и норов необузданный. Но тут война, прямо скажу, дала ему шанс. Хм! Бывает, что многие из тех, кто в мирной жизни ничем не отличаются, на войне умирают храбрецами.

— Значит, сейчас, — сказал Пуаро, — в поместье из Фоллиатов никого больше не осталось?

Старик внезапно утратил свою словоохотливость:

— Именно так, сэр.

Пуаро взглянул на него с интересом:

— Теперь у вас тут сэр Джордж Стабз. Что о нем говорят?

— Понятное дело, — с подчеркнутым уважением прошамкал старик, — богатый человек, каких мало.

— А его жена?

— Ах, она красивая собой леди из Лондона. Но к работе в саду не приспособленная, не ее это дело. Да и говорят, не в себе она. — Старик многозначительно покрутил пальцем у виска. — Злых-то языков хватает, — продолжал он. — Уже год, почитай, как они здесь. Купили эту усадьбу и все подновили. Хорошо помню, словно вчера они приехали. Под вечер прибыли, а перед тем буря была, каких и не припомнишь. Деревьев повсюду наломало — одно дорогу загородило, и нам пришлось его быстренько распилить, чтобы машина могла подъехать. А большой дуб, когда падал, поломал еще кучу других, настоящий завал получился.

— Это, верно, там, где теперь поставили «Глупость»?

Старик отвернулся и с отвращением сплюнул.

— «Глупость» она глупость и есть — чепуха теперешняя. При Фоллиатах никакой «Глупости» здесь не было. Это ее милости в голову стукнуло, чтобы «Глупость» появилась.

Трех недель не прошло, как леди приехала, — и на́ тебе, соорудили; понятно — это она уговорила сэра Джорджа. Поставили посреди леса, курам на смех. Уж дом бы простой сделали с крашеными стенами — и то лучше было бы.

— У этих лондонских дамочек, — чуть улыбнулся Пуаро, — свои причуды. Печально, что век Фоллиатов закончился.

— Не говорите так, сэр, — прошамкал старик. — Фоллиаты всегда здесь будут.

— Но ведь поместье принадлежит сэру Джорджу Стабзу.

— Верно, принадлежит — но Фоллиаты по-прежнему тут. Хм! Живучие они!

— Что вы хотите сказать?

Старик исподлобья взглянул на Пуаро.

— Миссис Фоллиат в привратницкой проживает, так? — спросил он.

— Да, — протянул Пуаро. — Миссис Фоллиат живет в привратницкой и считает, что мир жесток и люди в нем очень жестокие.

Старик смерил Пуаро пристальным взглядом.

— Хм! — сказал он. — Может, вы чего и разузнали.

С трудом волоча ноги, он поплелся восвояси.

— Что же такого я разузнал? — недоуменно спрашивал себя Пуаро, медленно поднимаясь по дороге, ведущей к дому.

Эркюль Пуаро любил прихорашиваться: он освежил ароматным кремом усы и лихо их подкрутил. Отойдя от зеркала и оглядев себя, он остался доволен.

Услышав разносящийся по дому звон гонга, Пуаро спустился по лестнице.

Дворецкий священнодействовал: перепробовав всю гамму звуков, он отложил жезл в сторону. Смуглое печальное лицо выражало полнейшее удовлетворение.

«Вымогательское письмо от экономки... а может, от дворецкого... — подумал про себя Пуаро. — Похоже, этот парень достойно исполнил бы роль вымогателя. Уж не в окружающей ли действительности находит миссис Оливер свои персонажи?»

В прихожей появилась мисс Бревис, облаченная в совсем неподходящее цветастое шифоновое платье. Пуаро подошел к ней и осведомился:

— У вас есть экономка?

— О нет, мистер Пуаро. В наши дни держать экономку слишком большая роскошь, они остались разве что в очень больших хозяйствах. Здесь я выполняю обязанности экономки... пожалуй, я не столько секретарь, сколько экономка. — Она невесело усмехнулась.

— Так, значит, вы экономка? — задумчиво повторил Пуаро.

Представить себе мисс Бревис в качестве шантажистки он не мог. Анонимное письмо — это другое дело. Ему уже попадались анонимные письма, состряпанные солидными, уважаемыми женщинами, заподозрить которых в этом было трудно.

— Как зовут вашего дворецкого? — спросил он.

— Гендон, — удивленно ответила мисс Бревис.

Пуаро запомнил это имя, поспешно объяснив:

— Мне показалось, что я уже где-то его видел, потому и спросил.

— Весьма возможно, — сказала мисс Бревис. — Из этих людей никто в одном доме больше нескольких месяцев не служит. Скоро им вообще некуда будет податься. Я уже вам сказала: в наше время содержать поваров и дворецких не многим по карману...

Они прошли в гостиную, где сэр Джордж, выглядевший в обеденной куртке несколько необычно, угощал всех шерри. Миссис Оливер в стального цвета атласном платье походила на неприступный военный корабль, леди Стабз склонила аккуратно причесанную головку над журналом мод.

За столом сидели также Алек и Пегги Легг и Джим Вобартон.

— Нас ожидает тяжелый вечер, — предупредил он всех. — Бридж отменяется. Будем работать из последних сил. Надо изготовить карточки и большую афишу для Предсказательницы. Как мы ее назовем? Мадам Зулейка? Эсмеральда? Или Романия Лей, Цыганская Королева?

— Хорошо бы использовать восточный колорит, — сказала Пегги. — Цыган в деревнях не любят. Зулейка — неплохо. У меня есть коробка с красками, наверное, Майкл мог бы украсить карточки орнаментом.

— А может, Клеопатра лучше, чем Зулейка?

— Обед подан, госпожа, — объявил появившийся в дверях Гендон.

Все прошли в столовую. На длинном столе горели свечи. Тени плясали по комнате.

Вобартон и Алек Легг разместились по обе стороны от хозяйки. Пуаро оказался между миссис Оливер и мисс Бревис. Последняя в мельчайших подробностях оживленно обсуждала приготовления к предстоящему празднеству.

Погруженная в размышления, миссис Оливер почти не разговаривала.

Когда же она наконец нарушила молчание, ее слова прозвучали на удивление невпопад.

— Не обращайте на меня внимания, — обратилась она к Пуаро. — Просто вспоминаю, не упустила ли я чего-нибудь.

Сэр Джордж раскатисто засмеялся.

— Соломинка, сломавшая спину верблюду, а? — прокричал он.

— Вот именно, — ответила миссис Оливер. — Всегда одно и то же. Зачастую понимаешь это, когда книга уже напечатана и уже ничего не исправишь. — Ее лицо выражало волнение. Она вздохнула. — Самое забавное, что большинство людей этого не замечает. Себе я говорю: «Разумеется, повару следует знать, что котлеты несъедобны. Но об этом никто не должен догадываться».

— Вы меня интригуете, — подался к ней через стол Майкл Вайман. — Таинственная вторая котлета. Только не объясняйте. Об этом я поразмышляю в ванне.

Миссис Оливер отрешенно улыбнулась ему и вновь погрузилась в размышления.

Леди Стабз тоже молчала, изредка позевывая. Вобартон, Алек Легг и мисс Бревис разговаривали между собой, не обращая на нее внимания.

После обеда леди Стабз задержалась у лестницы.

— Пойду спать, — объявила она. — Я очень устала.

— О, леди Стабз, — воскликнула мисс Бревис, — еще так много нужно сделать! Мы рассчитывали на вашу помощь.

— Да, знаю, — сказала леди Стабз. — Но все равно я пойду спать.

Она говорила тоном капризного ребенка.

Когда сэр Джордж вышел из столовой, она обернулась к нему:

— Я устала, Джордж. Пойду спать. Ты не против?

Он подошел к жене и ласково потрепал по плечу:

— Иди, моя радость. Чтобы завтра выглядеть прелестной и свежей.

Он чмокнул ее в щеку. Поднимаясь по лестнице, она помахала рукой и крикнула:

— Спокойной ночи всем.

Сэр Джордж улыбнулся ей. Мисс Бревис неодобрительно хмыкнула и демонстративно отвернулась.

— Идемте быстрей, — воскликнула она с деланным энтузиазмом. — Нам надо работать.

Каждый получил свое задание. И поскольку мисс Бревис не могла разорваться на части, очень скоро стали возникать неувязки. Майкл Вайман написал на плакате замысловатой вязью «Мадам Зулейка предскажет вашу судьбу» и тут же бесследно исчез. Бывший на побегушках Алек Легг тоже куда-то скрылся и больше не появлялся. Женщины, как всегда, трудились настойчиво и энергично. Пуаро же последовал примеру хозяйки и тоже отправился спать.

На следующее утро в девять тридцать Пуаро спустился позавтракать. Завтрак напоминал добрые довоенные времена: на электрических нагревателях шипели многочисленные кушанья. Сэр Джордж быстро умял все, что обычно подается к английскому завтраку, — яичницу и бекон с почками. Миссис Оливер и мисс Бревис съели то же самое, но в значительно меньших количествах. Майкл Вайман слопал целую тарелку холодной ветчины. И только леди Стабз не уделила еде должного внимания — она лишь надкусила крошечный тост и, не торопясь, выпила чашечку черного кофе. Надетая на ней колоссальных размеров бледно-розовая шляпа выглядела за столом не совсем уместно.

Только что прибыла почта. Перед мисс Бревис громоздилась солидная куча писем, которые она проворно сортировала. Письма с пометкой лично для сэра Джорджа она передала ему. Другие вскрыла, разложив в строгом порядке.

Леди Стабз получила три письма. В двух из них она обнаружила несколько счетов, небрежно отбросив их в сторону. Потом вскрыла третье письмо и пронзительно вскрикнула:

— О!

Восклицание было столь неожиданным, что все разом повернули к ней головы.

— Это от Этьена, — сказала она. — От моего кузена Этьена. Он прибывает сюда на яхте.

— Покажи, Хэтти. — Сэр Джордж протянул руку. Она подала ему письмо. Разгладив листок, он прочел его.

— Кто такой этот Этьен де Соуза? Твой кузен, ты говоришь?

— Кажется. По-моему, он мне троюродный брат. Я не очень хорошо его помню... Так, смутно. Он был...

— Да, дорогая?

Она пожала плечами:

— Это не имеет значения. Прошло уже много лет. Я была тогда совсем девочкой.

— Словом, ты его не помнишь. Но мы, разумеется, должны его достойно принять, — с чувством произнес сэр Джордж. — Досадно, что празднество состоится сегодня, но мы попросим его отобедать с нами. Возможно, нам удастся задержать его на денек-другой — тогда мы показали бы ему кое-какие достопримечательности.

Сэр Джордж был радушным сельским сквайром.

Леди Стабз промолчала, уткнувшись в чашку с кофе.

Разговор о предстоящем празднестве захватил всех. Лишь Пуаро оставался безучастным, внимательно наблюдая за склонившимся над столом худеньким экзотическим существом. Интересно, что было у нее на уме. В это мгновение Хэтти неожиданно подняла голову и посмотрела в его сторону. Затаившаяся в ее взгляде злобная осмысленность испугала Пуаро. Глаза их встретились, злобное выражение тут же исчезло, сменившись напускным безразличием. Он не думал, что взгляд леди Стабз может быть таким — холодным, расчетливым, внимательным.

Или это ему только показалось? Во всяком случае, известно, что психически неполноценные люди нередко проявляют удивительную для окружающих сообразительность и хитрость.

Пуаро вновь подумал, что леди Стабз — личность определенно загадочная. Разные люди давали ей самые противоположные оценки. Мисс Бревис была убеждена, что леди Стабз совсем не глупа, что она себе на уме. Миссис Оливер считала ее придурковатой, а миссис Фоллиат, близко знавшая Хэтти в течение долгих лет, называла ее не совсем нормальной и полагала, что она нуждается в заботе и попечении.

Возможно, мисс Бревис была к Хэтти несправедлива. Она не любила леди Стабз за лень и апатичность. Интересно, была ли мисс Бревис секретаршей у сэра Джорджа до его супружества? Если да, то новые порядки легко могли вызвать ее негодование.

Сам Пуаро — до сегодняшнего утра — был полностью на стороне миссис Оливер и миссис Фоллиат. Сейчас он подумал иное. Но можно ли доверять мимолетному впечатлению?

Леди Стабз неожиданно поднялась из-за стола.

— Голова болит, — объяснила она. — Пойду к себе в комнату полежу.

Сэр Джордж сразу же всполошился:

— Бедная девочка. Тебе нехорошо, да?

— Да нет. Просто голова заболела.

— Но к празднику ты поправишься, не так ли?

— Да... надеюсь.

— Примите аспирин, леди Стабз, — поспешила вмешаться мисс Бревис. — У вас есть или мне вам принести?

— Есть.

Хэтти направилась к двери. По дороге она обронила платок, который сжимала в руке. Пуаро словно невзначай поднялся и незаметно подобрал его.

Сэр Джордж направился было вслед за женой, но его задержала мисс Бревис:

— Насчет стоянки машин, сэр Джордж. Я собираюсь проинструктировать Митчела. Каков самый лучший план, вы полагаете?..

Пуаро вышел из комнаты, не дослушав разговор до конца.

На лестнице он догнал хозяйку дома:

— Мадам, вы обронили вот это. — Он с поклоном протянул ей платок.

— Да? Спасибо, — небрежно бросила леди Стабз.

— Ваши переживания огорчают меня, мадам. Вас, видимо, особенно взволновал приезд вашего кузена.

— Не хочу видеть Этьена, — торопливо и со злобой ответила она. — Не люблю его. Он нехороший. Он всегда был нехорошим. Я боюсь его. Он плохо себя ведет.

Дверь из столовой открылась, и в коридор с удрученным и обеспокоенным видом вышел сэр Джордж.

— Хэтти, родная, разреши мне проводить тебя, — проговорил он, нагнав жену, и нежно обнял ее за плечи.

Пуаро посмотрел им вслед, затем повернулся и столкнулся с мисс Бревис, куда-то спешившей с ворохом бумаг.

— У леди Стабз заболела голова... — начал он.

— У нее так же заболела голова, как у меня пятка, — сердито возразила мисс Бревис и исчезла в своем кабинете, плотно прикрыв за собой дверь.

Пуаро вздохнул и через парадную дверь вышел на террасу. Миссис Мастертон, только что подрулившая на своей малолитражке, руководила установкой чайного павильона, раздавая приказания зычным голосом.

Увидев Пуаро, она поздоровалась с ним, не переставая говорить:

— Столько мороки с этими праздниками... И все всегда делается не по-людски. Нет, Роджерс! Еще левее... левее, а не правее! Что вы думаете о погоде, мистер Пуаро? Мне она не внушает оптимизма. Дождь, конечно, может все испортить. Но в этом году на редкость хорошее лето. Где сэр Джордж? Надо бы потолковать с ним насчет стоянки для машин.

— У его жены заболела голова, и он пошел с ней в спальню.

— Но с утра Хэтти чувствовала себя прекрасно, — доверительно сообщила миссис Мастертон. — Любит притворяться. Сделала себе какое-то чудовищное платье и радовалась, словно дитя. Мистер Пуаро, не поднесете ли мне вон туда связку этих колышков? Надо разметить площадку для гольфа.

Миссис Мастертон помыкала Пуаро, словно мальчиком на побегушках. И между дел снисходила до продолжения разговора с ним.

— Думаю, лучше все сделать самим. Это единственная возможность... Кстати, насколько мне известно, вы дружите с Эллиотами.

За время своего пребывания в Англии Пуаро усвоил, что подобная манера общения свидетельствует о признании его социального статуса. Миссис Мастертон подтвердила это, заявив:

— Хотя вы и иностранец, но мне симпатичны. — И продолжила столь же доверительным образом: — Хорошо снова оказаться в «Нэссе». Мы все опасались, как бы этот дом не превратили в гостиницу. Теперь ведь так принято, объездите хоть всю страну, везде пестрят надписи: «Дом для приезжих», «Частный отель» или «Гостиница высшего разряда». И повсюду бесконечные танцульки. Очень печально. Я рада за «Нэссе» и, разумеется, за бедную Эми Фоллиат. У нее была такая тяжелая жизнь... Но заметьте, она никогда не жалуется. А сэр Джордж сотворил чудо — он не испортил здешний ландшафт. Право, не знаю, то ли Эми Фоллиат на него повлияла, то ли врожденный вкус не позволил ему этого сделать. Знаете, у него очень хороший вкус. Удивительный для такого простого человека вкус.

— Кажется, он из мелкопоместного дворянства? — поинтересовался Пуаро.

— На самом деле он даже не сэр Джордж — просто его так окрестили. Подозреваю, что позаимствовали это имя из «Цирка» у лорда Джорджа Сангера. Довольно странная идея. Разумеется, мы все делаем вид, что этого не знаем. Богатым людям позволительно иметь маленькие причуды, согласны? Забавно, что, несмотря на свое происхождение, Джордж Стабз пользуется всеобщим уважением. Типичный сельский сквайр из восемнадцатого столетия. Впрочем, наверняка в его жилах течет отменная кровь. Полагаю, это плод любви мелкого помещика и простой буфетчицы. — Миссис Мастертон прервала свои излияния и крикнула садовнику: — Не трогайте рододендроны... Кегельбан надо разбить справа. Справа... а не слева! Господи, не знают, где лево, где право! — И продолжала: — А эта Бревис — деловая женщина. Не то что бедняжка Хэтти. Похоже, минутами она готова убить леди Стабз. Но ведь это в порядке вещей: все секретарши влюбляются в своих боссов. Вы не знаете, куда подевался Джим Вобартон? — круто переменила она тему. — Не глупо ли величать себя капитаном? На действительной не был да и Германии в глаза не видел. Разумеется, теперь всякое случается... но он и впрямь трудяга... правда, я чую, тут что-то не чисто. А! Вот и Пегги.

Пегги Легг, облаченная в брюки и желтый пуловер, весело вскричала:

— Мы пришли вам помочь!

— Прекрасно. Дел невпроворот, — пророкотала миссис Мастертон. — Дайте сообразить...

Улучив момент, Пуаро скрылся. Обогнув угол дома и оказавшись на парадной террасе, он сделался свидетелем еще одной сцены.

Из леса вышли две молодые женщины в шортах и ярких рубашках, они остановились, удивленно разглядывая усадьбу. В одной из них он признал ту самую итальянку, которую они вчера подбросили на машине. Из окна спальни леди Стабз высунулся сэр Джордж и яростно закричал:

— Сюда нельзя!

— Что? — переспросила девушка с зеленой косынкой на голове.

— Сюда нельзя. Частное владение.

Другая девушка с роскошным голубым шарфом, тщательно выговаривая слова, спросила:

— Что? К причалу... Дойдем? Пожалуйста.

— Сюда нельзя, — повторил сэр Джордж.

— Что?

— Нельзя! Нет дороги. Поворачивайте обратно. Обратно! Откуда пришли.

Девушки с любопытством следили за его жестикуляцией, стараясь понять поток чуждых им слов. Наконец та, с голубым шарфом, неуверенно спросила:

— Обратно? В гостиницу?

— Именно. И по той дороге... по той... вон там вокруг.

Девушки неохотно удалились. Сэр Джордж обтер вспотевшее лицо и посмотрел на стоящего внизу Пуаро.

— Вот так·весь день с ними и препираешься, — сказал он. — Раньше эти туристы проходили через верхние ворота. Я их запер. Так теперь они лесом приноровились, через забор. Думают, так лучше пройти к берегу и к пристани. Понятно, так гораздо быстрее. Но прав-то у них на это нет... и никогда не было. А они все иностранцы... не понимают, что ты им говоришь, и лопочут черт знает что по-немецки или еще по какому-то.

— Мне кажется, что одна из этих двоих француженка, а другая итальянка... — предположил Пуаро. — Я с ней встретился вчера по дороге со станции.

— Возможно... Да, Хэтти? Что ты сказала? Сейчас иду. — Сэр Джордж скрылся в глубине комнаты.

Пуаро обернулся и увидел миссис Оливер с какой-то крепко сбитой девицей лет четырнадцати, одетой в форму экскурсовода.

— Это Марлен, — сказала миссис Оливер.

Марлен громко засопела. Пуаро вежливо поклонился.

— Она — Жертва, — заявила миссис Оливер.

Марлен захихикала.

— Я жуткий Труп, — пояснила она и разочарованно добавила: — Правда, не запятнанный кровью.

— Не запятнанный кровью?

— Нет. Меня просто задушат веревкой, вот и все. А я бы хотела, чтоб меня зарезали... и на теле были бы кровавые пятна.

— Капитан Вобартон считает, что это выглядело бы чересчур натуралистично, — заявила миссис Оливер.

— Убийство требует крови, — убежденно проговорила Марлен. Она прямо-таки пожирала Пуаро глазами. —

Вы ведь видели столько убийств, правда? Так говорит миссис Оливер.

— Всего одно или два, — скромно признался Пуаро, обеспокоенно глядя вслед удаляющейся миссис Оливер.

— А сексуальных маньяков вы не встречали? — сладострастно осведомилась Марлен.

— Разумеется, нет.

— Мне так нравятся сексуальные маньяки, — с чувством произнесла Марлен. — То есть нравится про них читать.

— Но, вероятно, вам не захотелось бы встретиться с кем-то из них.

— О, разумеется. Но знаете, кажется, у нас в округе завелся один сексуальный маньяк. Мой дед как-то увидел в лесу труп. Он перепугался и убежал, а когда вернулся, трупа уже и след простыл. То было тело женщины. Он чудной, мой дедушка, ну, никто ему и не поверил.

Пуаро наконец удалось избавиться от любительницы маньяков и, пробравшись в дом по кружному маршруту, найти прибежище у себя в спальне. Ему очень хотелось отдохнуть.

Глава 6

Поданные к раннему ленчу холодные закуски быстро исчезли. Грозившая дождем погода начала улучшаться. Около трех часов некоей заурядной кинозвезде предстояло открыть празднество. К этому времени желающих повеселиться за полкроны набралось уже изрядное количество, автомобили вытянулись длинной цепочкой. Студенты из молодежного лагеря громко разговаривали на разных языках. Прогноз миссис Мастертон подтвердился: примерно в половине третьего появилась из своей спальни леди Стабз в платье цвета цикламен и в огромной китайской шляпе из черной соломки. На ней сверкало несметное количество бриллиантов.

Мисс Бревис иронически пробормотала:

— Наверное, думает, что находится на королевском приеме в Аскоте.

— Леди Стабз — украшение нашего праздника, мадам, — возразил Пуаро.

— А разве я плохо выгляжу? — радовалась Хэтти. — В таком наряде и в Аскоте показаться не стыдно.

Наконец прибыла третьеразрядная кинозвезда, Хэтти направилась к ней с приветствием.

Пуаро отошел в сторону. Он озабоченно озирался по сторонам — все, казалось, шло обычным порядком. Сэр Джордж великодушно согласился возглавить соревнования по сбиванию кокосовых орехов, гостей манили к себе кегельбан и различные лотереи. На бесчисленных прилавках теснились местные плоды и изделия — фрукты, овощи, варенье, пирожки и множество другой великолепной всячины. Разыгрывались пирожки, корзины с фруктами, кажется, даже живой поросенок и двухпенсовые «лакомки» для детворы.

В одном месте образовалось довольно внушительное скопление народа: юные танцоры начали демонстрировать свое умение. Миссис Оливер куда-то исчезла, а фигурка леди Стабз в лиловом платье то и дело мелькала между собравшимися. Однако в центре внимания неожиданно оказалась миссис Фоллиат. Платье из голубого фуляра и причудливая серая шляпа преобразили ее, она руководила всем происходящим, приветствовала прибывающих, помогала им ориентироваться во множестве разнообразных увеселений.

Пуаро неторопливо приблизился к ней, прислушиваясь к обрывкам разговоров.

— Эми, дорогая, как ты?

— О, Памела, чудесно, что ты прихватила с собой Эдуарда. Так долго добираться из Тивертона.

— Погода как по заказу. Помните, в предвоенном году? К четырем часам разразилась буря. Весь праздник испортила.

— Нынешнее лето удивительное. Дороти! Сто лет тебя не видела.

— Понимаешь, появилось неудержимое желание приехать и узреть процветание «Нэссе». Вижу, ты привела в порядок кусты барбариса вдоль берега.

— Да, и гидрогении стали лучше выглядеть, не находишь?

— Они бесподобны. Какая голубизна! Дорогая, ты сотворила чудо. «Нэссе» приобретает прежнюю прелесть.

Раздался зычный глас супруга Дороти:

— Во время войны я приезжал сюда к коменданту. Так просто сердце кровью обливалось.

Миссис Фоллиат обернулась к стоявшей поодаль скромно одетой женщине:

— Рада видеть вас, миссис Кнаппер. Это Люси? Как она выросла!

— В следующем году школу заканчивает. Тоже рада видеть вас в добром здравии, мэм.

— Спасибо, чувствую себя отлично. Люси, ты должна попытать свое счастье в лотерее. Увидимся в чайном павильоне, миссис Кнаппер. Я буду заваривать чай.

Пожилой джентльмен, по всей видимости мистер Кнаппер, скромно заметил:

— Приятно возвратиться в «Нэссе», мэм. Словно в старые добрые времена.

Миссис Фоллиат не успела ответить — к ней подскочили две женщины и невероятных размеров толстяк.

— Эми, дорогая, сколько лет. Успех поразительный! Скажи, что ты там сотворила в своем розарии. Мюриель сказала, что сделала новые прививки.

— Где Мэрилин Гейл? — вмешался в разговор толстяк. — Реджи просто умирает по ней. Он видел ее последнюю картину. Это она в большой шляпе? Боже, как вырядилась!

— Не глупи, дорогой. Это Хэтти Стабз. Слоняется повсюду как неприкаянная.

— Эми? — Еще один новый приятель посягнул на внимание миссис Фоллиат. — Это Роджер, сын Эдуарда. Дорогая, как приятно снова возвратиться в «Нэссе».

Пуаро медленно побрел прочь, потратив шиллинг на лотерейный билет, по которому можно было бы выиграть поросенка.

За его спиной беспрерывно звучало: «Как мило, что вы приехали». Интересно, сознательно ли вошла миссис Фоллиат в роль радушной хозяйки поместья или это произошло случайно. Но в этот день она была на редкость не похожей на себя.

Пуаро остановился возле павильончика с надписью: «Мадам Зулейка предскажет вашу судьбу». Уже начали накрывать чайные столы, и очереди у предсказательницы не было. Наклонив голову, Пуаро вошел в низкий павильон и охотно уплатил полкроны, что дало ему право погрузиться в кресло и дать отдых натруженным ногам.

Мадам Зулейка была облачена в просторное черное платье, вокруг головы она обмотала шарф с золотистыми нитями, нижнюю половину лица прикрыла вуалью. Ее золотые браслеты очаровательно позвякивали, когда она взяла руку Пуаро и скороговоркой посулила ему кучу денег, благосклонность великолепной смуглянки и чудесное избавление от подстерегающей его опасности.

— Вы такого мне наобещали, мадам Легг. Хорошо бы все это сбылось.

— О! — воскликнула Пегги. — Так вы меня знаете, а?

— Запасся необходимыми сведениями... миссис Оливер рассказала мне, что вам надлежало быть Жертвой, но вы предпочли роль Прорицательницы.

— Хотелось бы мне превратиться в Труп, — заявила Пегги. — Намного спокойнее. Но это все Джим Вобартон. Есть уже четыре часа? Тогда мне пора пить чай. Я свободна с четырех до половины пятого.

— Осталось еще десять минут, — сказал Пуаро, посмотрев на свои огромные старомодные часы. — Хотите, я принесу вам чай сюда?

— Нет, нет. Мне надо проветриться. Здесь душно. Ко мне большая очередь?

— Нет... вероятно, все отправились пить чай...

— Хорошо.

Пуаро выбрался из павильончика и тут же подвергся настойчивым домогательствам какой-то женщины, заставившей его раскошелиться на шесть пенсов.

Толстая старуха, стоявшая возле игрального колеса, с материнской заботой принудила его испытать судьбу, и — надо же случиться подобной чертовщине — он тут же выиграл куклу невероятных размеров. Не зная, что делать с этим тяжеловесным подарком фортуны, Пуаро устало побрел куда глаза глядят и наткнулся на Майкла Ваймана, который угрюмо стоял у опушки леса на тропе, круто спадающей к пристани.

— Вы, кажется, времени даром не теряете, мистер Пуаро, — усмехнулся тот.

— Повезло, не так ли? — печально ответил Пуаро, сердито глянув на свой выигрыш.

Рядом вдруг заплакал какой-то ребенок. Пуаро проворно подбежал и сунул куклу в руки девочки:

— О-ля-ля, это тебе.

Слез как не бывало.

— Смотри, Виолетта, какой добрый дядя! Скажи ему...

— Выставка детских костюмов, — прокричал в мегафон капитан Вобартон. — Первый класс... от трех до пяти. Стройтесь, пожалуйста.

Пуаро направился к дому, и тут его толкнул какой-то парень, отступивший на несколько шагов назад, чтобы удобнее было прицелиться по кокосовому ореху. Парень смерил его недобрым взглядом, Пуаро рассеянно извинился, его воображение поразил замысловатый рисунок на рубахе парня. Припомнился сэр Джордж со своим красочным описанием этой рубашки. По всей ткани ползали черепахи, извивались какие-то неведомые морские чудовища.

Пуаро недоуменно заморгал, и тут его сердечно приветствовала юная голландка, которую он накануне подвез на машине.

— Так вы тоже пришли на праздник, — сказал он. — А ваша подруга?

— О да, она тоже приходит здесь сегодня. Я ее пока не видела, но мы вместе уезжаем на автобусе, который отходит отсюда от главного входа в пять пятнадцать. Мы ехать до Торки, и там я пересаживаюсь на автобус до Плимут. Это удобно.

Такое объяснение рассеяло недоумение Пуаро, порожденное рюкзаком колоссальных размеров, под тяжестью которого сгибалась юная голландка.

— Сегодня утром я видел вашу подругу, — сказал он.

— О да, это Эльза, одна немецкая девушка была с ней, она мне сказала, они хотели пройти лесом до пристани. А этот джентльмен, хозяин этого дома, очень рассердился и заставил их повернуть.

255

Она посмотрела в сторону сэра Джорджа, который в эту минуту подбадривал соревнующихся в сбивании кокосовых орехов, и добавила:

— Но сейчас... сегодня он очень вежлив.

Пуаро обдумывал, как бы получше объяснить голландке, что существует разница между молодыми женщинами, незаконно проникшими на территорию поместья, и теми же женщинами, уплатившими два шиллинга за вход и получившими законное право насладиться очарованием «Нэссе». Но капитан Вобартон со своим мегафоном прервал его размышления. Капитан выглядел вспотевшим и взволнованным.

— Вы не видели леди Стабз, Пуаро? Никто не видел леди Стабз? Она должна присуждать призы за самый оригинальный наряд, а я нигде не могу ее отыскать.

— Я видел ее, дай Бог памяти... примерно с полчаса назад. А потом заинтересовался своим будущим.

— Проклятье, — выругался Вобартон. — Куда она запропастилась? Дети томятся, программа срывается. Мисс Бревис тоже нигде не видно. Дело дрянь. Когда устраивается праздник, все должны помогать друг другу. Где Хэтти? Возможно, она ушла в дом.

И Вобартон поспешно удалился.

Пуаро направился к отгороженной веревками площадке, где под просторным навесом подавали чай, но томящаяся там длинная очередь отпугнула его.

Он осмотрел прилавок с сувенирами, где настойчивая старуха опять чуть было не всучила ему коробку с пластмассовыми воротничками, и наконец, обогнув опушку леса, отыскал укромное местечко, откуда без помех мог созерцать праздничную суету.

Интересно, куда исчезла миссис Оливер.

Раздавшиеся сзади шаги заставили его обернуться. По тропке от пристани поднимался молодой смуглый человек в костюме яхтсмена. Он остановился, пораженный открывшимся перед ним зрелищем. Затем нерешительно обратился к Пуаро:

— Простите, пожалуйста. Это дом сэра Джорджа Стабза?

— Именно так. А вы, видимо, кузен леди Стабз, — осмелился Пуаро высказать свою догадку.

— Я Этьен де Соуза...

— А я Эркюль Пуаро.

Они вежливо поклонились друг другу. Пуаро рассказал ему о происходящем в поместье гулянье. Когда он закончил свои объяснения, оба увидели самого сэра Джорджа, направлявшегося к ним прямиком по газону.

— Мистер де Соуза? Рад вас видеть. Сегодня утром Хэтти получила ваше письмо. Где ваша яхта?

— Пришвартовалась в Хельмуте. Я добрался сюда на моторке.

— Мы должны разыскать Хэтти. Она где-то здесь... Надеюсь, вы отобедаете с нами сегодня вечером?

— Вы сама доброта.

— Устроитесь у нас?

— Это тоже очень любезно, но я предпочитаю спать на яхте. Так проще и привычнее.

— Вы надолго?

— Наверное, на пару-тройку дней. Там посмотрим. — Де Соуза пожал сильными, красиво очерченными плечами.

— Уверен, Хэтти будет в восторге, — вежливо произнес сэр Джордж. — Где же она? Я совсем недавно ее видел. Она должна была председательствовать на конкурсе оригинального детского костюма. — Сэр Джордж растерянно огляделся по сторонам. — Не понимаю. Подождите-ка минуточку. Спрошу мисс Бревис.

Он торопливо удалился. Де Соуза посмотрел ему вслед. Пуаро глянул на де Соузу.

— Вы давно виделись с вашей кузиной? — спросил он.

— Последний раз я видел ее, когда ей было пятнадцать лет от роду, — пожал плечами тот. — Вскоре ее послали за границу — в школу при французском монастыре. Еще ребенком она обещала стать красавицей.

— Да, она очень красивая женщина, — подтвердил Пуаро.

— А это ее муж? Он, кажется, хороший парень, но, на мой взгляд, не очень-то цивилизован. Впрочем, подыскать для Хэтти подходящего супруга дело не легкое.

Пуаро изобразил на лице вежливое недоумение. Де Соуза рассмеялся:

— О, тут нет никакой тайны. В пятнадцать лет Хэтти была несколько отсталой в умственном отношении. Недоразвитой, так сказать. Она и сейчас такая же?

— Как вам ответить... отчасти да, — осторожно заметил Пуаро.

Де Соуза пожал плечами:

— Хм, ну что ж! А кто сказал, что женщины должны быть умными! Это совсем не обязательно.

Появился взволнованный сэр Джордж в сопровождении мисс Бревис, задыхавшейся от быстрой ходьбы.

— Понятия не имею, где она, сэр Джордж. Последний раз я видела ее возле палатки гадалки. Но это было по крайней мере минут двадцать или даже полчаса назад. В доме ее нет.

— Может быть, — предположил Пуаро, — она пошла посмотреть, как идут дела у миссис Оливер?

Сэр Джордж, казалось, немного пришел в себя:

— Возможно. Видите ли, я не могу оставить аттракционы. Я за них отвечаю. И у Аманды дел по горло. Не посмотрите ли вы, Пуаро? Вы знаете дорогу?

Пуаро не знал. Однако мисс Бревис дала ему исчерпывающие объяснения и тут же окружила живейшим вниманием де Соузы. Пуаро удалился, бормоча про себя, как заклинание: «Теннисный корт, сад с камелиями, «Глупость», питомник, причал...»

Минуя площадку, где сбивали орехи, он немало подивился, заметив, как сэр Джордж с обворожительной улыбкой подавал деревянные шары той самой молодой итальянке, которую нынешним утром бесцеремонно пугнул со своего участка; девушку, по-видимому, тоже удивляла столь разительная перемена.

Пуаро продолжил свой путь к теннисному корту. Но там не было никого, кроме одного почтенного джентльмена с внешностью бывшего военного, который дремал на садовой скамейке, нахлобучив на глаза шляпу. Пуаро повернул к дому, а оттуда к саду с камелиями.

В саду он обнаружил миссис Оливер в нарядном фиолетовом платье; погруженная в раздумье, она сидела на скамеечке и предложила Пуаро присесть рядом с собой.

— Здесь лишь вторая улика, — прошептала она. — Ну и задала я им головоломку. Никто еще ничего не отыскал.

При этих словах в сад ворвался какой-то парень в шортах, с выпиравшим на шее кадыком. С возгласом победителя он поспешил к росшему в дальнем углу дереву и, издав еще один вопль, оповестил собравшихся о своем открытии. Его распирало желание поделиться достигнутыми успехами.

— Большинство людей не подозревают о существовании пробковых деревьев, — сообщил он доверительно. — Замысловатая фотография — первая улика, но я сообразил, что это такое: часть теннисной сетки. Там была также бутылочка из-под яда, пустая, и пробка. Почти все придали этой бутылочке слишком важное значение... а я догадался, что она лишь для отвода глаз. Очень ловко задумано — пробковые деревья, вряд ли они у нас произрастают. Но я увлекаюсь редкими растениями. Интересно, куда теперь надо идти? — Он склонился над схемой в своей записной книжке. — Я тут отметил следующую улику, но, пожалуй, это не имеет смысла. — Парень подозрительно посмотрел на сидящую парочку: — Вы тоже играете?

— О нет, — ответила миссис Оливер. — Просто... наблюдаем.

— А... «Посоветуйся с женщиной, чтобы не совершить глупость». Где-то я такое слышал.

— Это общеизвестное изречение, — сказал Пуаро.

— Глупость может оказаться зданием, — подсказала миссис Оливер. — Белым... с колоннами, — добавила она.

— Это мысль! Тысячу благодарностей! Говорят, здесь находится сама Ариадна Оливер. Хотелось бы получить у нее автограф. Вы, случаем, ее не встречали?

— Нет, — твердо ответила миссис Оливер.

— Хотелось бы ее увидеть. Хорошие сказочки она выдумывает. — Парень вдруг перешел на шепот: — Но, говорят, зашибает по-черному.

Он убежал, а миссис Оливер возмущенно заметила:

— Вот видите! Сколько на свете несправедливости, ведь сижу только на лимонаде.

— А сами вы не совершили величайшую несправедливость, подсказав этому парню, где надо искать следующую улику?

— Я решила его поощрить, ведь он один из всех догадался, в чем дело.

— И все-таки не дали свой автограф.

— Это совсем другое дело. Ш-ш! Сюда кто-то идет.

Но это были не участники игры, а просто две женщины, полагавшие, что за свои деньги они получили право осмотреть все поместье.

Выглядели они уставшими и обманутыми в своих ожиданиях.

— Ты говорила, что здесь великолепные клумбы, — обратилась одна к другой. — А я ничего, кроме деревьев, не вижу. Садом это никак не назовешь.

Миссис Оливер подтолкнула Пуаро локтем, и они бесшумно удалились.

— А что, если, — пригорюнилась миссис Оливер, — никому не удастся отыскать мой Труп?

— Спокойствие и уверенность, мадам, — подбодрил ее Пуаро. — Время еще есть.

— Верно, — облегченно вздохнула миссис Оливер. — А с половины пятого плата за вход уменьшилась вдвое, так что, возможно, народу еще прибавится. Пойдем взглянем, что поделывает проказница Марлен. Я что-то не очень доверяю этой девочке. Ей не хватает чувства ответственности. Не удивлюсь, если ей надоест быть Трупом и она улизнет чаевничать. Что-то сейчас люди очень пристрастились к чаю.

Мирно беседуя, они направились вдоль заросшей лесом тропы, и Пуаро посетовал по поводу запутанного местного ландшафта:

— Голова кругом идет. Столько тропинок, никак в них не разберешься. И повсюду одни деревья.

— Вы рассуждаете как эти разочарованные женщины, которых мы только что встретили.

Они миновали «Глупость», петляющая тропинка вывела их к реке. Внизу показались очертания сарая для лодок.

Пуаро заметил, что было бы очень досадно, если бы преследователи Убийцы ненароком наткнулись на этот сарай и обнаружили Труп благодаря чистой случайности.

— Своего рода везение? Я предусмотрела и это. Не случайно последняя улика является ключом, без которого вы не отопрете дверь. Замок американский. Его можно открыть только изнутри.

Небольшой крутой спуск привел их к двери построенного над рекой сарая, к нему примыкала маленькая гавань, внизу располагался отсек для хранения лодок. Из кармана, затерявшегося посреди многочисленных складок ее платья, миссис Оливер вытащила ключ и отомкнула замок.

— Мы пришли скрасить твое одиночество, Марлен! — беззаботно воскликнула она, входя в помещение.

И тут же устыдилась своих необоснованных подозрений насчет добросовестности Марлен, с честью исполнявшей порученную ей роль; подобно настоящему трупу, она распростерлась на полу возле окна.

Марлен не откликнулась. Она лежала не двигаясь. Ветер из отворенного окна шелестел разбросанными по столу журналами.

— Прекрасно! — с чувством воскликнула миссис Оливер. — Это я, Марлен, с мистером Пуаро. Никто еще не разобрался в предложенных им уликах.

Пуаро нахмурился. Вежливо отстранив миссис Оливер, он прошел в сарай и склонился над лежавшей на полу девушкой. С его губ сорвалось что-то вроде проклятия.

— Итак... — сказал он, глянув на миссис Оливер, — случилось то, чего вы опасались.

— Нет... — Глаза миссис Оливер наполнились ужасом. Она схватилась за спинку плетеного стула и медленно опустилась на него. — Вы думаете... Она убита?

— Да. Убита, — кивнул Пуаро. — Хотя и не очень давно.

— Но как?..

Пуаро приподнял уголок накрученного на голове у девушки цветистого шарфа, и миссис Оливер увидела концы обмотанной вокруг ее шеи веревки.

— Совсем как было мною задумано, — безвольно пробормотала миссис Оливер. — Но кто? И зачем?

— В этом-то и вопрос, — ответил Пуаро.

Он удержался от неуместного замечания: уж не были ли задуманы ею и ответы на эти вопросы.

Ответов она, понятно, не знала, ведь жертвой стала не приехавшая из Югославии первая жена молодого ученого-атомщика, а Марлен Такер, четырнадцатилетняя деревенская девочка, у которой, это подтвердил бы всякий, в целом мире не было ни единого недруга.

Глава 7

Инспектор Бленд уселся за стол, стоявший посреди кабинета. Сэр Джордж встретил его сразу же по прибытии, проводил до лодочного хранилища и теперь возвратился с ним в дом. Внизу, в хранилище, занимались своим делом фотографы, специалисты по отпечаткам пальцев и только что приехавший врач.

— Вам здесь будет удобно, господа? — спросил сэр Джордж.

— Превосходно, благодарю вас, сэр.

— Как же быть с нашим праздником? Прекратить его или?..

Инспектор Бленд подумал минуту-другую.

— Сэр Джордж, в какой мере собравшийся у вас народ информирован о случившемся? — спросил он.

— Ничего никому не сообщалось. Но ощущение, что произошло несчастье, уже витает в воздухе. Вот и все. Не думаю, что кто-то заподозрил, что это... хм... ну... убийство.

— Тогда пусть все идет своим чередом, — решил Бленд. — Но боюсь, шила в мешке не утаишь, — добавил он с присущей ему прямотой. Подумав еще минуту-другую, он спросил: — Сколько народу здесь присутствует?

— Пара сотен, думаю, наберется, — ответил сэр Джордж, — и народ все прибывает. Кажется, здесь собралась вся округа. Праздник проходит шумно и весело. Нам чертовски не повезло.

Инспектор Бленд справедливо заметил, что речь идет об убийстве, а не об успехе гулянья.

— Пара сотен, — пробормотал он, вздохнув, — и любой из них, думаю, мог это сделать.

— Именно, — подхватил сэр Джордж. — Но дело выглядит совершенно нелепым. Не понимаю, какая кому была нужда убивать девочку.

— Что вы можете о ней рассказать? Кажется, она местная?

— Да. Ее семья живет в коттедже неподалеку от пристани. Отец работает на одной из местных ферм — у Патерсона как будто. Мать сегодня была на празднике. Пожалуй, мисс Бревис — это моя секретарша — расскажет вам обо всем гораздо лучше меня; правда, сейчас мисс Бревис очень занята — в данный момент она угощает гостей чаем.

— Хорошо, подождем, — спокойно проговорил инспектор. — Но мне не совсем ясно, сэр Джордж, при каких обстоятельствах все это случилось. Что эта девушка делала там, в хранилище для лодок? Кажется, у вас была задумана какая-то игра, связанная с поисками убийцы.

Сэр Джордж кивнул:

— Да. Мы все считали, что это увлекательное и совершенно безобидное занятие. Сейчас оно нам таким, понятно, не кажется. Повторяю, мисс Бревис объяснит вам все это лучше меня. Послать ее к вам? Если, конечно, у вас нет ко мне других вопросов.

— Позднее, сэр Джордж. Возможно, в дальнейшем мне еще придется спросить вас кое о чем. А сейчас мне надо повидать леди Стабз и людей, обнаруживших труп. Одна из них, насколько мне известно, писательница, придумавшая эту, как вы изволили выразиться, увлекательную игру.

— Правильно, миссис Оливер, миссис Ариадна Оливер.

Брови у инспектора удивленно поднялись.

— Да? — сказал он. — Это знаменитость. Я прочел почти все ее книги.

— Она очень удручена случившимся, — заметил сэр Джордж, — впрочем, это вполне естественно. Сказать ей, что вы хотите ее видеть? А где находится сейчас моя жена, я и сам не знаю. Она куда-то пропала. Ума не приложу, где она может быть; к тому же, думаю, ей нечего будет вам рассказывать. Разумеется, по поводу убитой девушки. Итак, кого бы вы хотели допросить в первую очередь?

— Давайте начнем с вашей секретарши, мисс Бревис, а потом пригласим мать девушки.

Сэр Джордж согласно кивнул и вышел из комнаты.

Роберт Хоскинс, констебль из местной полиции, отворил ему дверь и закрыл ее, когда тот удалился. Затем, повинуясь непреодолимому желанию, решился прокомментировать некоторые высказывания сэра Джорджа:

— У леди Стабз, сэр, не все в порядке вот здесь. — Хоскинс постучал себя по лбу. — Поэтому муж и сказал, что помощи от нее ждать нечего. Придурковатая она.

— Сэр Джордж взял себе в жены девушку из местных?

— Нет. Иностранку какую-то. Говорят, цветную, но врут, пожалуй.

Бленд покачал головой. Он помолчал, постучав карандашом по листку лежащей перед ним бумаги, и задал вопрос, явно не собираясь вносить его в протокол:

— Кто, по-вашему, это сделал, Хоскинс?

Если уж кто-то имел представление о происходящих в округе событиях, справедливо подумал Бленд, то в первую очередь это был именно констебль Хоскинс. Необыкновенное любопытство заставляло его всюду совать свой нос. Да и жена у него была сплетница, выгодное для местного констебля приобретение: она в изобилии снабжала его сведениями крайне пикантного свойства.

— Какой-нибудь иностранец, с вашего позволения. У нас такие не водятся. Все Такеры молодцы. Семья что надо. Девять из десятерых так о них скажут. Двое старших дочерей замужем, сын во флоте, другой в армии служит, еще одна дочь поехала учиться на парикмахера в Торки. Трое младших с родителями, два парня и девка. — Он задумался. — Никого из них не назовешь пустоголовым, миссис Такер блюдет дом в чистоте и порядке... самой младшей одиннадцать. С ними еще старик отец проживает.

Бленд молча выслушал эту информацию. Надо отдать должное Хоскинсу, он достаточно четко обрисовал социальное положение этой семьи.

— Поэтому я и думаю, что это был иностранец, — продолжал Хоскинс. — Из тех, что останавливаются в общежитии в Худауне, похоже на то. Мало ли среди них чудаков, и каждый чего-то воображает. Вот бы вы подивились, доведись вам, как мне, понаблюдать, что они там в кустах вытворяют! А что в машинах, стоящих на обочине шоссе, происходит, я уж и не говорю.

С давних пор констебль Хоскинс стал считаться непререкаемым авторитетом по части сексуальных происшествий. Им он посвящал добрую часть своих разглагольствований, когда в свободное от дежурств время посасывал пивко в таверне «Бык и пиво».

— Не думаю, чтобы здесь произошло... хм... нечто подобное, — сказал Бленд. — Разумеется, врач немедленно сообщит нам результаты освидетельствования.

— Верно, сэр, он-то не ошибется, нет. Но вот я вам что скажу, не знаете вы этих иностранцев. Такое сотворить могут, это им раз плюнуть.

Инспектор Бленд вздохнул при мысли, что все это не так просто, как может показаться с первого взгляда. Констеблю Хоскинсу легко все валить на «иностранцев».

Отворилась дверь, вошел врач.

— Все сделано, — заявил он. — Можно ее увозить? Инструментарий уже уложен.

— Этим займется сержант Котрелл, — распорядился Бленд. — Итак, док, что вы обнаружили?

— Все на удивление просто, — ответил доктор. — Никаких сложностей. Задушена бельевой веревкой, проще не придумаешь. Следы борьбы отсутствуют. Можно предположить, что она и не подозревала о грозящей ей опасности.

— И никаких признаков насилия?

— Абсолютно. Ни признаков борьбы, ни признаков насилия.

— Выходит, это не сексуальное преступление?

— Выходит, нет. — Подумав, доктор сказал: — Я бы не назвал девушку особенно привлекательной.

— А мальчики за ней не увивались?

Этот вопрос был адресован констеблю Хоскинсу.

— Не скажу, чтобы они за ней бегали, — ответил констебль, — хотя, верно, она была не против.

— Вероятно, — согласился Бленд. Он вспомнил о найденном в сарае ворохе комиксов с незатейливыми каракулями на полях: «Джонни гуляет с Кейт», «Джорджи Поржи целуется в лесу с туристками». Надписи дышали нарождающимся желанием. Впрочем, не похоже, чтобы секс был причиной этого убийства. Хотя кто знает... Разве мало подонков, услаждающих свою похоть убийствами молоденьких девушек и без насилия. Такой мерзавец мог облюбовать это уединенное местечко просто себе на потеху. Возможно, именно так можно объяснить это бессмысленное преступление. «Хотя, — подумал Бленд, — мы лишь приступаем к делу. Выслушаем сперва всех очевидцев».

— Время убийства? — спросил он.

Доктор взглянул на часы на стене, сверился со своими карманными.

— Сейчас чуть более половины шестого, — сказал он. — Труп я осмотрел примерно в двадцать минут шестого... С момента смерти прошло около часа. Грубо ориентировочно. Будем считать, от четырех часов до без двадцати пять. Более точно можно будет сказать после вскрытия. Отчет с необходимыми пояснениями будет вам передан. А теперь мне необходимо идти. Меня ждут больные.

Доктор покинул комнату, инспектор Бленд велел Хоскинсу пригласить мисс Бревис. При виде ее Бленд несколько оживился, поняв, что будет иметь дело с и впрямь серьезной женщиной. Такая будет отвечать ясно, точно, не путаясь и не отвлекаясь на мелочи.

— Миссис Такер находится у меня в комнате, — сказала мисс Бревис, присаживаясь. — Я сообщила ей тяжкую весть, напоила чаем. Понятно, она в отчаянии. Хотела увидеть труп, я отговорила ее. Мистер Такер в шесть часов заканчивает работу и придет сюда. Я распорядилась, чтобы его встретили и позаботились о нем. Дети пока что на празднике, за ними присматривают.

— Превосходно, — одобрил инспектор. — Хотелось бы до встречи с миссис Такер выслушать вас и леди Стабз.

— Не знаю, где находится леди Стабз, — сказала мисс Бревис, в голосе ее прозвучала неприязнь. — Наверное, ей все эти увеселения наскучили и она где-то спряталась, но не думаю, что она расскажет вам больше моего. Итак, что именно вы хотите узнать?

— Прежде всего — все подробности этой игры, связанной с поисками убийцы, а также каким образом Марлен Такер стала ее участницей.

Коротко и ясно мисс Бревис объяснила, что Поискам Убийцы надлежало стать главным украшением праздника, сценарий которого разработала известная писательница миссис Оливер; в общих чертах мисс Бревис охарактеризовала содержание игры.

— По первоначальному замыслу, — пояснила мисс Бревис, — роль Жертвы должна была исполнить миссис Пегги Легг, жена мистера Алека Легга.

— Миссис Пегги Легг? — переспросил инспектор.

В разговор вступил констебль Хоскинс:

— Она и мистер Легг занимают здесь коттедж — тот, розовый, возле Мельничного затона. Приехали сюда месяц назад. Собираются прожить здесь два или три месяца.

— Понятно. Так вы говорите, сначала роль жертвы предназначалась миссис Легг? Почему передумали?

— Видите ли, однажды вечером миссис Легг предсказала всем нам нашу судьбу, и так это всем понравилось, что мы тут же решили поручить ей на празднике роль гадалки, кто-то предложил нарядить ее в восточный костюм и назвать мадам Зулейкой; она должна была предсказывать судьбу всем желающим, беря с них плату в полкроны. Разве это незаконно, инспектор? Обычное дело для праздника.

Едва заметная усмешка тронула губы Бленда.

— Гадания и розыгрыши имеют иногда серьезные последствия, — сказал он. — Вот вам пример.

— Не совсем подходящий. Вот как это все произошло. Миссис Легг приняла наше предложение, значит, следовало подыскать на роль Трупа кого-то другого. Местные гиды тоже участвовали в празднике, и кто-то предложил выбрать подходящую кандидатуру среди них.

— Кто именно это предложил, мисс Бревис?

— Не скажу определенно... Как будто миссис Мастертон, жена члена парламента. А может, капитан Вобартон... Не поручусь. Во всяком случае, такое предложение последовало.

— По какой причине выбор пал именно на эту девушку?

— Н-не знаю. Ее родители — арендаторы у сэра Стабза; мать, миссис Такер, зачастую помогает на кухне. Не знаю, почему выбрали Марлен. Может, ее имя вспомнили первым. Спросили у нее согласия, она не возражала.

— Она в самом деле этого хотела?

— О да. По-моему, была даже польщена. Марлен явно недоразвита в умственном отношении. В детских спектаклях и утренниках участия обычно не принимает. А тут она увидела, что ее предпочитают другим, и была этим довольна.

— Что именно ей следовало делать?

— Просто сидеть в сарае, где хранятся лодки. Услышав, что кто-то подходит к дверям, она должна была лечь на пол, обмотать веревку вокруг шеи и притвориться мертвой, — с деловитым спокойствием объяснила мисс Бревис. То обстоятельство, что девочка, которой надлежало разыгрывать убитую, оказалась и в самом деле мертва, не вызывало у нее, по-видимому, особых волнений.

— Довольно скучное занятие для подростка провести целый день взаперти и не повеселиться на празднике, — заметил инспектор.

— Вероятно, — согласилась мисс Бревис, — но можно ли приобрести все сразу? Предложение разыграть роль убитой пришлось Марлен по душе. Она почувствовала свою значимость. А кипа газет и журналов с занимательным чтением позволяла ей хорошо скоротать время.

— И у нее было съестное? — спросил инспектор. — Я обратил внимание: в сарае валялся поднос со стаканом и тарелкой.

— Конечно, у нее была большая тарелка с пирожными и малиновый морс. Я сама принесла ей угощение. Бленд пристально посмотрел на мисс Бревис:

— Вы принесли сами? Когда?

— Когда праздник был уже в полном разгаре.

— Можете назвать точное время? Не помните?
Мисс Бревис немного призадумалась.

— Дайте сообразить. Как раз начинался конкурс детских костюмов, но случилась маленькая заминка — куда-то пропала леди Стабз, однако ее заменила миссис Фоллиат, так что все обошлось... Да, было... несомненно... примерно начало пятого, я приготовила пирожные и морс.

— И сами отнесли их в сарай. В какое время вы там были?

— О, дойти до сарая можно за пять минут... думаю, было около четверти пятого.

— И в это время Марлен Такер была жива и невредима?

— Да, разумеется, — сказала мисс Бревис, — и ей не терпелось узнать, как продвигаются поиски Убийцы. К сожалению, я не смогла ей этого рассказать. Дел было по горло, но я знала, что в игре участвует довольно много народу. Двадцать или тридцать человек, если не больше, по моим сведениям.

— Что делала Марлен, когда вы ее посетили? Лежала ли она на полу, изображая убитую?

— О нет, — ответила мисс Бревис, — прежде чем войти, я окликнула ее. Она сама отворила дверь, я внесла поднос, поставила его на стол.

— В четверть пятого, — повторил Бленд, записывая, — Марлен Такер была жива и здорова. Надеюсь, вы понимаете, мисс Бревис, всю важность ваших слов. Вы уверены, что не ошиблись?

— Повторяю, я не посмотрела на часы, когда вошла, но незадолго до того я взглянула на них, так что большой ошибки быть не может. — Внезапная догадка осенила ее. — Вы хотите сказать, что вскоре после этого...

— Очень вскоре, мисс Бревис.

— Боже, — прошептала она. Ужас и растерянность отразились на ее лице.

— А по дороге к сараю или когда возвращались обратно, вы, мисс Бревис, никого не встретили вблизи сарая, никого там не приметили?

Мисс Бревис задумалась.

— Нет, — сказала она. — Никого не встретила. А впрочем, конечно, и могла бы, поскольку вход сюда сегодня открыт для всех. Но весь народ оставался на лужайке, там были разбиты разные аттракционы. Многих тянуло посмотреть теплицу или потолкаться вокруг киосков, по лесу никто не слонялся. В таких случаях людям присущ стадный инстинкт, вы согласны, инспектор?

Бленд кивнул.

— Хотя, кажется, — вдруг вспомнила мисс Бревис, — кто-то находился в «Глупости».

— В «Глупости»?

— Да. Это нечто вроде небольшого белого храма. Построен год или два назад. Справа на тропе, если спускаться к сараю с лодками. Кто-то там был. Наверное, влюбленная парочка. Я слышала смех и слово «Тише».

— Вы не знаете, что это была за парочка?

— Понятия не имею. С тропы «Глупость» не разглядишь.

Минуты две инспектор предавался размышлениям; по всей вероятности, затаившиеся в «Глупости» любовники — кем бы они ни были — большого интереса не представляли. Неплохо бы, конечно, разузнать, кто они такие, не исключено, они могли бы заметить, кто спускался к сараю или возвращался оттуда.

— И больше никого по дороге вы не встретили? Совсем никого? — настойчиво продолжал расспрашивать инспектор.

— Вижу, куда вы клоните, — сказала мисс Бревис. — Но уверяю вас, я никого не видела. Да и не могла я никого увидеть. Если бы на тропе находился человек, пожелавший остаться неизвестным, ему ни малейшего труда не составило бы спрятаться за кустами рододендрона. Дорожка с обеих сторон обсажена этими кустами. Укрыться там можно в любую минуту.

Инспектор решил подойти к делу с другой стороны.

— Что вам известно о погибшей девушке? — спросил он.

— Совершенно ничего, — ответила мисс Бревис. — Не помню, разговаривала ли я с ней вообще когда-нибудь до сегодняшнего дня. Перед глазами постоянно мелькает много таких девушек.

— И вы совсем ничего о ней не знаете... что как-нибудь может пролить свет на эту историю?

— Понятия не имею, кому понадобилось ее убивать, — сказала мисс Бревис. — Невозможно объяснить. Разве что какой-то психопат пожелал увидеть не нарочитую, а реальную жертву. Но это чересчур рискованное допущение.

— Ну что ж, — вздохнул Бленд, — думаю, есть смысл поговорить с ее матерью.

Миссис Такер оказалась тощей остроносой женщиной с неряшливо причесанными светлыми волосами. Ее глаза покраснели от слез, но она взяла себя в руки и была готова отвечать на вопросы инспектора.

— Как только могло случиться такое, — молвила она. — Не раз читала об этом в газетах, но чтобы это произошло с нашей Марлен...

— Я вам от души сочувствую, — сказал инспектор. — Вспомните, кто-нибудь угрожал вашей девочке?

— Я уже думала об этом, — всхлипнув, проговорила миссис Такер. — Думала, но ничего не придумала. Говорила с ее школьной учительницей, та припомнила, что Марлен нередко ссорилась с ребятами, но это все пустяки, обычные проделки. Кто только мог накликать на нее беду?

— А про своих школьных недругов она вам ничего не рассказывала?

— Говорила всякие глупости, это бывало, но всерьез — ни о чем. Больше все про помаду и прически да как получше нарумяниться. Вы ведь знаете, какие теперь девчонки. Молода еще, чтобы губы красить и всякой дрянью мазаться, отец ей так говорил, да и я тоже. И все же, как деньжонки у нее заведутся, накупит себе духов, помады и все это припрячет.

Бленд сочувственно кивнул. Ничего полезного для себя он не услышал. Заурядная взрослеющая девушка, голова у нее забита кинозвездами и шикарной жизнью — их в наше время сотни, подобных девчонок.

— Не знаю даже, как сказать о несчастье отцу, — пробормотала миссис Такер. — Он в любую минуту может явиться, думал поразвлечься. Лучше него никто не сшибает кокосы. — Обхватив голову руками, она зарыдала. — Вот я вам что скажу, — вдруг заявила миссис Такер, — это все развратные иностранцы из отеля. Никогда не знаешь, чего от них ждать. Бормочут что-то непонятное, а какие рубашки носят, не поверите! С намалеванными на них полуголыми девицами в этих самых бикини, как там они называются... И загорают повсюду совсем голышом — до добра это не доведет. Это я прямо скажу!

Констебль Хоскинс вывел плачущую миссис Такер из комнаты. А Бленд подумал, что местные обитатели во всем, что бы здесь ни происходило, склонны винить не похожих на себя иностранцев.

Глава 8

— Ну и язычок у нее, — сказал, возвратившись, Хоскинс. — Мужа и своего престарелого родителя совсем замучила. Скажу по правде, и к девчонке она придиралась, а вот теперь переживает из-за этого. Правда, девчонки теперь на матерей мало внимания обращают. С них все как с гуся вода.

Инспектор Бленд решительно пресек эти глубокомысленные размышления и велел Хоскинсу привести миссис Оливер.

Ее появление слегка озадачило инспектора. Обилие фиолетовой ткани ослепило его, безысходная печаль вызвала сочувствие.

— Я себя отвратительно чувствую, — заявила миссис Оливер; погружаясь в кресло, она колыхалась, словно фиолетовое бламанже. — *Отвратительно,* — повторила она, для пущей важности подчеркивая каждый звук.

Инспектор издал какой-то невнятный звук, который миссис Оливер пропустила мимо ушей.

— Поскольку, понимаете, это *мое* убийство. Я сотворила его, — пояснила она.

Услышав это, инспектор Бленд с удивлением подумал, что миссис Оливер чистосердечно признается в совершенном преступлении.

— Не понимаю, с чего это я вздумала сделать жертвой югославку, жену ученого-атомщика, — сказала миссис Оливер, лохматя свою замысловатую прическу с таким бурным неистовством, что невольно закрадывалась мысль, не пьяна ли она. — Идиотизм какой-то. Точно так же можно было бы поступить со вторым садовником: он оказался не тем, за кого его принимали, — и это было бы гораздо разумнее, ведь многие люди сами могут за себя постоять, по крайней мере должны стараться это делать, в таком случае мне не о чем было бы тревожиться. Людям нередко приходится убивать себе подобных, и никого это не волнует, кроме их жен, друзей, детей и прочих родственников.

Инспектор понял, насколько вздорными были его подозрения насчет миссис Оливер, эта мысль его позабавила. К тому же до него донесся едва уловимый аромат коньяка.

При расставании Пуаро настоятельно рекомендовал ей этот божественный напиток для поднятия душевного тонуса.

— Я не пьяная и не психопатка, — сказала миссис Оливер, интуитивно улавливая мысли инспектора, — впрочем, некий субъект полагает, будто я не просыхаю, и рассказывает об этом первому встречному. Вы, возможно, считаете так же?

— Какой еще субъект? — спросил Бленд, с трудом улавливая связь между неожиданным толкованием роли второго садовника в разыгравшейся трагедии и таинственным распространителем домыслов.

— Такой конопатый с йоркширским акцентом, — ответила миссис Оливер, — но, повторяю, я не пьяная и не психопатка. Я просто убита горем. Совершенно убита. — Она снова отчеканила каждый звук.

— Представляю, мадам, ваше состояние, — сказал инспектор.

— Ужас в том, — заявила миссис Оливер, — что девушка мечтала стать жертвой сексуального маньяка и вот стала... ведь так?

— О насильнике пока речь не идет, — возразил инспектор.

— Да? Ну что ж, тогда поблагодарим Господа. Значит, я ошибаюсь. Марлен много об этом говорила. Но если это не сексуальный маньяк, то кто же убил ее, инспектор?

— Надеюсь, вы поможете мне это выяснить.

— Я не в состоянии вам помочь, — вздохнула миссис Оливер. — Даже не представляю, кто бы мог это сделать и ради чего. Разумеется, я могла бы вообразить — могла бы что-нибудь нафантазировать! Я могу все это вообразить сейчас — сию минуту. Могу даже оживить случившееся, но вымысел и правда не одно и то же. Мне пред-

ставляется некий насильник, со сладострастным упоени-
ем убивающий юных девиц, но такое допущение чересчур прямолинейно... да нуждается в объяснении и то,
как садист оказался у нас на празднике. И откуда он узнал про Марлен, сидящую в сарае для лодок? Или ей
случайно стали ведомы чьи-то тайные любовные проделки? Или она подглядела, как кто-то посреди ночи зака-
пывал труп? Или она узнала кого-то, желавшего остаться
неизвестным... Или она обнаружила тайник с награблен-
ными во время войны сокровищами... Или какой-то человек сбросил другого с катера в реку, а она это увидела
из окна своего сарая... Или в ее руках могло оказаться
чрезвычайно важное шифрованное донесение, смысл
которого был ей неясен...

— Боже! — Инспектор всплеснул руками. От всех этих
версий у него голова пошла кругом.

Миссис Оливер покорно замолчала. Очевидно, она
еще долго могла бы тараторить, хотя, как показалось
инспектору, она уже и так перебрала все возможные варианты. Из множества представленных ему на рассмот-
рение его заинтересовал лишь один.

— Что вы имели в виду, миссис Оливер, когда упо-
мянули о «каком-то человеке на катере»? Это тоже плод
вашего воображения?

— Нет. Кто-то сказал мне, что он приехал на катере, —
пояснила миссис Оливер. — Не помню кто. Тот, о ком мы
говорили за завтраком, — добавила она.

— Пожалуйста, — взмолился инспектор. До этого
ему не приходилось встречаться с сочинителями детективных романов. Он знал, что миссис Оливер написала
сорок с чем-то книжек. Удивительно, как ей не удалось
придумать сто сорок. — Так кем же оказался этот человек, прибывший на катере к завтраку? — воскликнул
Бленд.

— Он не прибыл на катере к завтраку, — ответила
миссис Оливер, — прибыла яхта. Во всяком случае, я не
совсем поняла. Прибыло письмо.

— Кто же все-таки прибыл? — строго спросил Бленд. —
Яхта или письмо?

— Письмо, — сказала миссис Оливер, — письмо для
леди Стабз. От ее кузена на яхте. И она испугалась.

— Испугалась? Чего?

— Кузена, я полагаю. Всякий бы это заметил. Она ужасно испугалась и не захотела с ним видеться, поэтому, думаю, где-то спряталась.

— Спряталась?

— Ее нигде нет. Ищут давно и не могут найти. Скорее всего она затаилась, потому что боится кузена и не желает с ним встречаться.

— Кто такой этот человек? — поинтересовался инспектор.

— Вы лучше спросите мистера Пуаро. Он с ним разговаривал, а я нет. Знаю, что его зовут Эстебан... нет, не так, это у меня в сценарии. Де Соуза, вот его имя, Этьен де Соуза.

Но не это имя привлекло внимание инспектора.

— Как вы сказали? — спросил он. — Мистер Пуаро?

— Да. Эркюль Пуаро. Мы с ним вместе обнаружили труп.

— Эркюль Пуаро... Любопытно. Неужели тот самый? Бельгиец, коротышка с огромными усами?

— С великолепными усами, — подтвердила миссис Оливер. — Да. Вы его знаете?

— Много воды утекло с тех пор, как мы познакомились. В то время я был молоденьким сержантом.

— Вы тогда расследовали дело об убийстве?

— Да, расследовал. Что Пуаро здесь делает?

— Ему предстояло вручать призы, — сказала миссис Оливер.

Прежде чем ответить, она подумала, стоит ли об этом говорить, но инспектор пропустил ее слова мимо ушей.

— И Пуаро был с вами, когда вы нашли труп, — промолвил Бленд. — Хм, хотелось бы с ним потолковать.

— Привести его сюда? — с готовностью спросила миссис Оливер, ее фиолетовые покровы заколыхались.

— Вам нечего больше добавить? Такого, что помогло бы нам?

— Думаю, нет. Я ничего не знаю. Но могла бы вообразить...

Инспектор решительно ее остановил. У него не было желания выслушивать новые фантазии миссис Оливер. Уж слишком они были необузданными.

275

— Благодарю вас, мадам, — проговорил он поспешно. — Вы очень обяжете меня, если попросите прийти ко мне мистера Пуаро.

Миссис Оливер покинула комнату. Констебль Хоскинс с интересом спросил:

— Кто такой этот мистер Пуаро, сэр?

— Ты, возможно, посчитал бы его чудаком, — ответил инспектор Бленд. — Похож на комика из французского мюзик-холла, но на самом деле он бельгиец. Несмотря на его чудачества, ума ему не занимать. Сейчас он, верно, в самом расцвете.

— А этот де Соуза? — спросил констебль. — Подозреваете его, сэр?

Инспектор не расслышал вопроса. Его поразило одно обстоятельство, о котором упоминалось уже несколько раз, но он лишь сейчас обратил на него внимание.

Сперва об этом сказал сэр Джордж, раздраженно и встревоженно: «Моя жена куда-то пропала. Ума не приложу, где она может быть». Потом мисс Бревис, презрительно: «Леди Стабз нигде не могут найти. Наверное, ей все эти увеселения наскучили». И вот миссис Оливер с ее предположением, что леди Стабз куда-то спряталась.

— А? Что? — спросил он рассеянно.

Констебль Хоскинс откашлялся:

— Я спросил вас, сэр, не думаете ли вы, что в это дело замешан де Соуза... или как его там.

Констеблю Хоскинсу доставило исключительную радость то обстоятельство, что не какие-то иностранцы вообще, а реальный, конкретный иностранец оказался втянутым в эту историю. Но мысли инспектора Бленда двигались в ином направлении.

— Мне нужна леди Стабз, — сказал он отрывисто. — Разыщи ее мне. Без нее не возвращайся.

Хоскинс был этим немало раздосадован, но послушно отправился выполнять приказание. В дверях он остановился и отошел назад, пропуская в комнату Эркюля Пуаро. Прежде чем закрыть дверь, он искоса с любопытством его оглядел.

— Не уверен, — сказал Бленд, поднимаясь и протягивая руку, — что вы помните меня, мистер Пуаро.

— Вне всякого сомнения! — воскликнул Пуаро. — Вы... позвольте, одну минуточку. Вы тот юный сержант... да, сержант Бленд, с которым я познакомился четырнадцать... нет, пятнадцать лет тому назад.

— Совершенно верно. Какая память!

— Самая обыкновенная. Если вы помните меня, почему бы мне не запомнить вас.

Бленд подумал, что забыть Эркюля Пуаро почти невозможно, и, следовательно, поводов для комплиментов инспектору тут не было.

— Так вы тоже здесь, мистер Пуаро, — воскликнул он. — И снова помогаете расследовать убийство!

— Вы правы, — сказал Пуаро. — Меня вызвали сюда для оказания помощи.

— Для оказания помощи? — удивился Бленд.

Пуаро поспешно объяснил:

— Я должен был вручать призы отличившимся в поисках Убийцы.

— Миссис Оливер рассказывала мне об этом.

— А больше она ничего не рассказывала? — как можно беззаботнее спросил Пуаро. Его беспокоило, уж не намекнула ли инспектору миссис Оливер о тех истинных причинах, которые заставили ее пригласить Пуаро в Девон.

— Ничего больше? Она болтала не останавливаясь. Перебрала все возможные и невозможные мотивы убийства. У меня голова от нее пошла кругом. Ф-фу! Вот это фантазия!

— Фантазия кормит ее, мой друг, — сухо заметил Пуаро.

— Она упомянула о каком-то человеке по имени де Соуза... или это тоже плод ее воображения?

— Нет, это истинный факт.

— Еще она рассказала про письмо, которое принесли во время завтрака, про яхту, про катер, поднявшийся вверх по реке. Не знаю, насколько все это соответствует действительности.

Пуаро дал необходимые разъяснения. Он рассказал о происшедшей во время завтрака сцене, о письме и о головной боли леди Стабз.

— Миссис Оливер сказала, что леди Стабз чего-то испугалась. Вы тоже так считаете?

— Да, у меня сложилось подобное впечатление.

— Она испугалась собственного кузена? Почему?

Пуаро пожал плечами:

— Не знаю. Она только сказала, что он скверный... скверный человек. Видите ли, леди Стабз немного не в себе. С некоторыми завихрениями.

— Да, кажется, об этом здесь все говорят. Она не объяснила, почему боится этого самого де Соузы?

— Нет.

— Но вы считаете ее страх подлинным?

— В противном случае леди Стабз можно было бы назвать великолепной актрисой, — ответил Пуаро.

— В связи с этим появляется довольно странное предположение, — сказал Бленд. Он поднялся и, разминая ноги, заходил по комнате. — Я считаю, эта женщина допустила несомненный просчет.

— Миссис Оливер?

— Да. Она снабдила меня множеством самых невероятных допущений.

— И вы считаете, что они не заслуживают внимания?

— Не все... естественно... но одно-два могут, несмотря на всю их фантастичность, оказаться вполне вероятными. Все зависит...

Отворилась дверь, и появившийся констебль Хоскинс прервал Бленда на полуслове.

— Эту леди невозможно отыскать, сэр, — сказал он. — Нигде ее нет.

— Мне это уже известно, — раздраженно возразил Бленд. — И все же я велел тебе ее отыскать.

— Сержант Фаррелл и констебль Лоример продолжают поиски, сэр. В доме ее нет.

— Спроси человека, торгующего у ворот входными билетами, не покидала ли она усадьбу. Пешком или на машине.

— Хорошо, сэр.

Хоскинс направился к выходу.

— И разузнай, когда и где ее последний раз видели! — крикнул ему вдогонку Бленд.

— Итак, ваша мысль уже заработала, — сказал Пуаро.

— Пока еще нет, — ответил Бленд, — но отсутствие хозяйки дома на празднике в некоторой мере тревожит! И я хочу выяснить причину! Расскажите-ка все, что вам известно про так называемого де Соузу.

Пуаро описал встречу с молодым человеком, поднимавшимся по тропинке от причала.

— Возможно, он еще здесь, — предположил он. — Сказать сэру Джорджу, что вы хотите с ним встретиться?

— Подождите, — ответил Бленд. — Сперва хотелось бы еще кое-что выяснить. Вы сами когда в последний раз видели леди Стабз?

Пуаро задумался. Он представил высокую стройную фигуру в платье цвета цикламен и черной, скрывающей лицо шляпе, снующую в толпе собравшихся на лужайке людей; временами слышался ее странный пронзительный среди невнятной разноголосицы хохот.

— Кажется, — неуверенно произнес он, — это было около четырех часов.

— Где и с кем она тогда находилась?

— Возле дома, среди большой группы людей.

— Она была там, когда приехал де Соуза?

— Не помню. По-моему, нет; во всяком случае, я ее не видел. Сэр Джордж сказал де Соузе, что не знает, куда подевалась его жена. Помню, он удивился, что она не участвует, как это предполагалось, в конкурсе на самый оригинальный детский костюм.

— В какое время приехал де Соуза?

— Кажется, в половине пятого, на часы я не смотрел и точно сказать не могу.

— А леди Стабз пропала до его приезда?

— Вероятно, да.

— Скорее всего она убежала, чтобы с ним не встречаться, — предположил инспектор.

— Возможно, — согласился Пуаро.

— Ну что ж, далеко уйти она не могла, — проговорил Бленд. — Найти ее не составит труда, и когда мы это сделаем... — Он не договорил.

— А если нет? — полюбопытствовал Пуаро.

— Ерунда, — воскликнул инспектор. — Как это нет? Думаете, с ней что-то стряслось?

Пуаро пожал плечами:

— Вот именно! Никто ничего не знает. Известно одно: она исчезла!

— Мистер Пуаро, вы говорите страшные вещи.

— Возможно.

— Речь идет об убийстве Марлен Такер, — мрачно напомнил инспектор.

— Очевидно. Так... отчего вас заинтересовал де Соуза? Полагаете, он убил Марлен?

— Да, эта женщина! — невпопад ответил инспектор. Пуаро улыбнулся:

— Миссис Оливер?

— Да. Поймите, мистер Пуаро, убивать Марлен не было никому никакого резона. Ни малейшего. И вот этого несчастного недоразвитого ребенка находят задушенным по неизвестной причине.

— Но миссис Оливер снабдила вас достаточным количеством предположений?

— Дюжиной по меньшей мере. Как-то: Марлен узнала о чьих-то тайных любовных проделках, или стала свидетельницей какого-то убийства, или узнала, где спрятано похищенное сокровище, или подглядела из окна своего сарая, как де Соуза совершил у себя на катере нечто неприглядное, пока тот поднимался вверх по реке.

— Хм. И какая же из этих версий вам более по душе, мой друг?

— Сам не знаю. Они все не выходят у меня из головы. Послушайте, Пуаро. Постарайтесь-ка припомнить. Какое у вас сложилось впечатление после разговора с леди Стабз сегодняшним утром, почему она опасается приезда своего кузена: боится, чтобы он, предположим, не наболтал ее мужу чего-то лишнего, или у нее есть более веские основания страшиться этого человека?

Пуаро ответил не задумываясь:

— Думаю, что у нее есть более веские основания бояться этого человека.

— Хм, — промычал инспектор Бленд. — Ну что ж, в таком случае было бы недурно потолковать с этим молодым человеком, если он еще не уехал.

Глава 9

Хотя инспектор Бленд, в отличие от констебля Хоскинса, не имел никаких предубеждений по отношению к чужестранцам, тем не менее Этьен де Соуза не понравился ему с первого же взгляда. Изысканные манеры юноши, прекрасно сшитый костюм, приторный запах его густо напомаженных волос — все это действовало инспектору на нервы.

Де Соуза держался уверенно и непринужденно. Был в меру ироничен.

— Надо признать, — заявил он, — жизнь щедра на сюрпризы. Я приехал сюда отдохнуть, полюбоваться природой, провести денек со своей крошкой кузиной, так как не видел ее уже несколько лет, — и что же происходит? Сперва я попадаю на некое жалкое подобие карнавала, над моей головой свистят кокосовые орехи, и тут же незамедлительно комедия превращается в трагедию — меня пытаются впутать в какое-то убийство.

Он закурил, глубоко затянулся и продолжал:

— К этому убийству я никоим образом не причастен. Возможно, вы скажете мне, зачем вы меня вызвали?

— Вы здесь посторонний человек, мистер де Соуза... — начал инспектор.

— А все посторонние вызывают подозрение, не так ли? — перебил его де Соуза.

— Нет, разумеется, нет, сэр. Не воспринимайте мое приглашение чересчур серьезно. Как мне известно, ваша яхта пришвартовалась в Хельмуте?

— Да, верно.

— И сегодня вы на катере поднялись вверх по течению?

— Да... Это так.

— Когда вы поднимались по реке, не заметили ли справа от вас на мысу маленькое хранилище для лодок с соломенной крышей и небольшим причалом внизу?

Де Соуза откинул назад красивую голову и задумался, припоминая.

— Дайте вспомнить. Там была гавань и маленький серый дом с черепицей.

— Нет, дальше, вверх по реке, мистер де Соуза. Посреди деревьев.

— Ах да, вспомнил. На редкость живописное местечко. Не знал, что это хранилище принадлежит сэру Джорджу. Не то бы пришвартовался там и высадился на берег. Я, правда, спросил у кого-то, и мне посоветовали подняться до самого парома и там у причала пришвартоваться.

— Вы так и сделали?

— Именно так.

— Вы не высаживались возле хранилища для лодок?

Де Соуза покачал головой.

— И никого там не заметили, когда проплывали мимо?

— Нет. Кого я там должен был заметить?

— Это всего лишь предположение. Понимаете, мистер де Соуза, в хранилище для лодок находилась убитая сегодня девушка. Там ее, наверное, и убили, приблизительно в то время, когда вы проходили мимо на катере.

Де Соуза удивленно вскинул брови:

— Вы считаете, что я мог быть свидетелем этого убийства?

— Убийство произошло в лодочном хранилище, но, может быть, вам случилось увидеть эту девушку... Скажем, она могла выглянуть в окошко или выйти на крыльцо. Это позволило бы нам хотя бы примерно установить время ее смерти. Если в тот момент, когда вы миновали хранилище, она была еще жива...

— Хм, понятно. Яснее ясного. Но почему вы спрашиваете именно меня? Река была забита судами. Прогулочными пароходами. Они без конца курсировали вверх и вниз. Почему бы не поинтересоваться там?

— Поинтересуемся, — сказал инспектор. — Не сомневайтесь, поинтересуемся. Значит, так, вы ничего необычного, проплывая мимо сарая, не заметили?

— Вообще ничего. Мне и в голову не пришло, что там кто-то прячется. Разумеется, я особенно и не вглядывался, я проходил на катере не очень близко. Может, кто-то выглядывал из окна, как вы предполагаете, но я не заметил. — И вежливо добавил: — Простите, что ничем не могу вам помочь.

— Ну что ж, — добродушно отозвался инспектор Бленд, — мы на многое и не рассчитывали. Но мне хотелось бы спросить вас еще кое о чем, мистер де Соуза.

— Да?

— Вы путешествуете с друзьями или в одиночку?

— До недавнего времени был с друзьями, но вот уже три дня, как я один... с экипажем, разумеется.

— А как называется ваша яхта, мистер де Соуза?

— «Надежда».

— Леди Стабз, как я понимаю, ваша кузина?

Де Соуза пожал плечами:

— Очень возможно. Знаете ли, у нас на островах распространены браки между родственниками. Поэтому мы все находимся в каком-то родстве между собой. Хэтти мне четвероюродная или даже шестиюродная сестра. Последний раз я ее видел, когда она была еще подростком, лет четырнадцати—пятнадцати.

— И вы надеялись удивить ее вашим сегодняшним визитом?

— Отнюдь, инспектор. Я заблаговременно написал ей об этом.

— Да, она получила от вас письмо сегодняшним утром, но была поражена, когда узнала, что вы находитесь в Англии.

— Ошибаетесь, инспектор. Я написал кузине... дайте вспомнить, еще три недели назад. Из Франции, перед моим отплытием сюда.

— Вы написали из Франции, что предполагаете ее навестить? — удивился инспектор.

— Да. Сообщил о своем путешествии на яхте и о предполагаемой дате прибытия в Торки или Хельмут, написал также, что когда прибуду туда, то сообщу ей об этом.

Инспектор Бленд с удивлением посмотрел на него. Заявление де Соузы решительно противоречило всем рассказам о письме, полученном леди Стабз сегодня утром за завтраком, о той тревоге, смущении и очевидном страхе, которые охватили женщину при чтении письма. Де Соуза спокойно выдержал взгляд инспектора. Приветливо улыбнувшись, он смахнул севшую ему на колено пылинку.

— Леди Стабз ответила на ваше первое письмо? — спросил инспектор.

— Не припомню... — задумался де Соуза. — Нет, кажется, не ответила. Но этого и не требовалось. Я путешествовал и не имел точного адреса. К тому же, кажется, моя кузина Хэтти не имеет привычки отвечать на письма. Знаете, она не очень одарена природой, — добавил он. — Впрочем, полагаю, что, повзрослев, Хэтти несколько изменилась, превратившись к тому же в красивую женщину.

— Вы еще не видели ее?

На этот вопрос де Соуза ответил ослепительной улыбкой.

— Кажется, она куда-то бесследно исчезла, — сказал он. — Несомненно, праздник ее утомил.

Тщательно подбирая слова, инспектор Бленд спросил:

— Мистер де Соуза, как вы полагаете, были ли у вашей кузины основания избегать встречи с вами?

— Хэтти не желала меня увидеть? С чего бы это? Какая могла быть у нее для этого причина?

— Об этом-то я вас и спрашиваю, мистер де Соуза.

— Разве что Хэтти настолько утомилась от праздника, что и я сделался ей не мил? Но ведь это чушь какая-то!

— А вы не считаете, что леди Стабз имела основания... как бы это лучше выразиться... почему-либо опасаться вас?

— Опасаться... меня? — В голосе де Соузы сомнение сменилось удивлением. — Но, с вашего позволения, инспектор, это же совершенная нелепость!

— У вас всегда были с ней дружеские отношения?

— Я уже говорил вам, что никаких отношений у меня с ней не было. Последний раз я видел ее четырнадцатилетней девочкой.

— Значит, вы ее еще не видели, когда прибыли в Англию?

— Вот именно, я случайно натолкнулся на заметку в одной из ваших газет. В ней упоминалась девичья фамилия Хэтти и сообщалось, что она вышла замуж за какого-то богатого англичанина, владельца поместья. Имя англичанина называлось. Я и подумал: «Значит, крошка Хэтти сильно переменилась. Или мозги у нее заработали лучше обычного». — Де Соуза пожал плечами. — Я решил, что мой родственный долг — повидаться с ней. Чистое любопытство — не более.

И снова инспектор смерил де Соузу испытующим взглядом, раздумывая, что скрывается за этой лощеной, тщательно ухоженной внешностью.

— Я рассчитывал услышать от вас немного больше о вашей кузине. О ее характере, привычках.

Де Соуза изобразил на лице вежливое изумление:

— В самом деле... и это имеет какое-то отношение к убийству девушки в сарае, где хранятся старые лодки? Ведь, насколько я понимаю, вас прежде всего интересует этот предмет?

— Все в этом мире тесно связано, — промолвил инспектор Бленд.

Минуту-другую де Соуза молча его разглядывал. Потом, пожав плечами, сказал:

— Я ведь уже сказал, что мало общался со своей кузиной. Она воспитывалась в большой семье и особенно меня не интересовала. Однако, понимая смысл ваших вопросов, скажу, что, хоть Хэтти и была малость придурковата, но, насколько я могу об этом судить, склонностью к убийствам не отличалась.

— Успокойтесь, мистер де Соуза, я этого и не предполагал!

— Нет? Интересно. Тогда к чему же эти вопросы? Хотя Хэтти, видно, сильно переменилась, убийцей, надеюсь, она все-таки не стала. — Он поднялся. — Думаю, я удовлетворил ваше любопытство, инспектор. Могу лишь пожелать вам успеха в расследовании этого убийства.

— Надеюсь, вы задержитесь в Хельмуте на пару деньков, мистер де Соуза?

— Вы очень вежливо выражаетесь, инспектор. Это приказ?

— Просто просьба, сэр.

— Благодарю вас. Я предполагаю пробыть в Хельмуте два дня. Сэр Джордж любезно предложил мне остановиться у него в доме, но я предпочитаю жить на своей яхте. Если у вас возникнут еще какие-то вопросы ко мне, вы сможете найти меня там.

Он церемонно поклонился.

Констебль Хоскинс растворил перед ним дверь, и де Соуза удалился.

— Смышленый парень, — пробормотал себе под нос инспектор.

— А-а-а, — стоном выразил свое согласие Хоскинс.

— Допустим, что леди Стабз убийца, — продолжал рассуждать сам с собой инспектор, — но зачем ей убивать какую-то никому не нужную девчонку? Совершенная бессмыслица.

— Просто вы не имели дела с ненормальными, — возразил Хоскинс.

— В том-то и вопрос, ненормальная ли она?

Хоскинс глубокомысленно покачал головой.

— Видимо, у нее низкий коэффициент умственного развития, — сказал он.

Инспектор посмотрел на него с раздражением:

— Что ты, как попугай, повторяешь то, в чем сам ничего не смыслишь. Какое мне дело до коэффициента умственного развития леди Стабз. Меня интересует, могла ли эта женщина ради своей безумной прихоти, или неистового желания, или по какой-то иной причине обмотать шею девушки веревкой и придушить ее? И куда только черт унес эту бабу? Пойди и посмотри, чем занимается Фрэнк.

Хоскинс послушно удалился и вскоре вернулся с сержантом Котреллом, самодовольным весельчаком, всегда раздражавшим своего начальника. Простоватая рассудительность Хоскинса была более приятна инспектору Бленду, чем легкомыслие всезнайки Фрэнка Котрелла.

— Мы все еще обыскиваем усадьбу, сэр, — сказал Котрелл. — Наружу через ворота леди не проходила, это несомненно. Второй садовник продает там билеты и берет плату за вход. Он божится, что она не выходила.

— Полагаю, можно уйти не только через главные ворота?

— О да, сэр. Есть еще тропинка до переправы, но там один старикашка... лодочник... Мерделл его величают... Так он тоже совершенно уверен, что леди там не проходила. Ему уже под сто, но он, по-моему, еще все хорошо соображает. Вполне толково рассказал про иностранца, который прибыл на катере и спросил дорогу до усадьбы. Старик сказал ему, что надо подняться по дороге до ворот и заплатить за вход. Но, как ему показалось, этот джентльмен и слыхом не слыхивал о празднике и назвался родственником хозяйки. Поэтому старик показал ему, как пройти по тропе через лес до усадьбы. Кажется, Мерделл весь день никуда не уходил с переправы, вот он и уверен, что наверняка заметил бы, если бы леди там появлялась. Правда, имеется еще верхняя калитка, откуда есть проход через поля до Худаун-парка, но она затянута колючей проволокой, чтобы посторонние не проникали сюда, так что леди там тоже не пробралась бы. Похоже, она должна быть все еще где-то здесь, так ведь?

— Скорее всего, — согласился инспектор, — но могла отыскаться и другая возможность; скажем, она могла перебраться через забор и убежать перелесками. Вот сэр Джордж жалуется, что люди из гостиницы, насколько я понимаю, постоянно забредают на его территорию. Но если можно зайти сюда, значит, точно так же можно и выйти отсюда.

— Несомненно, сэр. Но я только что беседовал с горничной леди Стабз, сэр. Она надела... — Котрелл сверился с бумажкой, зажатой у него в руке, — лиловое платье из креп-жоржета — Бог знает, что это такое, большую черную шляпу, черные туфли с четырехдюймовыми французскими каблуками. В такой одежде по перелескам не попрыгаешь.

— И она не переодевалась?

— Нет. Я выяснил это тоже у горничной. Ничего из одежды не исчезло — совсем ничего. Чемодан леди не открывала. Даже туфель не сменила. У горничной каждая пара на учете.

Инспектор нахмурился. Ему рисовались самые печальные перспективы. Он отрывисто приказал:

— Еще раз приведите ко мне эту секретаршу... Брюс... так ее, кажется, величают.

В комнате появилась запыхавшаяся и необычно взволнованная мисс Бревис.

— Да, инспектор? — сказала она. — Вы меня спрашивали? Если это не срочно, сэр Джордж в ужасном состоянии и...

— Что с ним?

— До него только сейчас дошло, что леди Стабз... гм... действительно пропала. Я предположила, что, возможно, она пошла в лес или куда-нибудь еще, но он вбил себе в голову, что с ней что-то случилось! Совершенно дикая мысль.

— Может быть, не такая уж и дикая, мисс Бревис. Ведь одно убийство здесь уже сегодня произошло.

— Не думаете ли вы, что леди Стабз?.. Но это же смешно! Леди Стабз сумеет за себя постоять.

— Сумеет?

— Разумеется! Она довольно крепкая женщина, разве нет?

— Но, что ни говорите, и довольно беспомощная.

— Глупости, — возразила мисс Бревис. — Просто привыкла разыгрывать из себя беспомощную дурочку, чтобы ничего не делать. С мужем у нее это проходит, а со мной нет.

— Вы ее недолюбливаете, мисс Бревис, не так ли? — оживился Бленд.

Мисс Бревис плотно поджала губы.

— Я здесь не для того, чтобы ее любить или не любить, — сказала она.

Дверь распахнулась, и в комнату ворвался сэр Джордж.

— Говорите же, — заорал он, — вы что-нибудь сделали? Где Хэтти? Вы обязаны разыскать Хэтти. Не знаю, какого черта вы здесь сидите! Этот дурацкий праздник... какой-то кровожадный маньяк, заплатив свои полкроны, пробрался сюда, смешался с толпой и ради забавы убивает людей. А вам и дела нет.

— Мне думается, вы несколько преувеличиваете, сэр Джордж.

— Вам хорошо сидеть здесь за столом и заниматься писаниной. Я хочу знать, где моя жена.

— Мы только что обыскали всю усадьбу, сэр Джордж.

— Почему никто мне не скажет, куда она подевалась? Вот уже два часа, как ее нет. Все это довольно странно: она не участвовала в конкурсе детских костюмов, и никто не сказал мне, что она пропала.

— Никто об этом не знал, — возразил инспектор.

— Но кто-то должен был знать! Кто-то должен был заметить! — Он повернулся к мисс Бревис: — Вы должны были знать, Аманда, вы должны тут за всем следить.

— Не могу же я разорваться на части, — ответила мисс Бревис, чуть не плача. — За всем не уследишь. Если леди Стабз захотелось убежать...

— Убежать? С чего бы ей убегать? Может, она просто не захотела встречаться с этим проклятым испанцем.

288

Бленд тут же воспользовался предоставившейся ему возможностью.

— Вот о чем мне вас хочется спросить, сэр Джордж, — сказал он. — Примерно недели три назад ваша жена не получала письма от мистера де Соузы, где он извещал ее о своем приезде?

Вопрос привел сэра Джорджа в явное замешательство.

— Нет, определенно нет.

— Вы в этом уверены?

— Совершенно уверен. Хэтти бы мне рассказала. К тому же сегодняшнее утреннее письмо ее очень расстроило и испугало. Она была обескуражена. И все утро пролежала с головной болью.

— Что она говорила вам про визит своего кузена? Почему она была так сильно напугана?

Сэр Джордж в смущении потупил глаза.

— Если бы я только знал, — сказал он. — Она без конца твердила о его порочных наклонностях.

— Порочных? Каких именно?

— Она не вдавалась в подробности. Просто, словно ребенок, повторяла, что он скверный человек, очень плохой человек и ей не хотелось бы, чтобы он сюда приезжал. Сказала, что он совершил много недостойных поступков.

— Недостойных поступков? Когда и где?

— Давно. У меня сложилось впечатление, что этот самый Этьен де Соуза был в их семье выродком и Хэтти в детстве много наслышалась о его проделках, но не понимала их сути. В результате она начала страшиться его. Вероятно, это всего лишь отголосок ее детских впечатлений. Моя жена — натура довольно инфантильная. Кто-то ей нравится, кто-то нет, а почему — она объяснить не может.

— Сэр Джордж, вы уверены, что за ее неприязнью к кузену ничего особенного не кроется?

— Не хотелось бы, чтобы вы... хм... придавали словам Хэтти какое-то значение.

— Выходит, она все же что-то сказала?

— Хорошо. Я доверюсь вам. Она сказала... и повторила это несколько раз: «Он убивает людей».

Глава 10

— «Он убивает людей», — повторил инспектор Бленд.

— Не принимайте это за чистую монету, — сказал сэр Джордж. — Она твердила: «Он убивает людей», но не могла мне объяснить, кого, когда и почему он убил. Повторяю, мне кажется, что это просто нагромождение детских воспоминаний... о каких-то семейных треволнениях... только так.

— Вы говорите, она не сказала вам ничего определенного... но что вы имеете в виду, сэр Джордж: не могла или не хотела сказать?

— Не думаю... — Он запнулся. — Не знаю. Вы совсем запутали меня. Я уже сказал, сам я не отношусь к этому серьезно. Может быть, кузен лишь поддразнивал ее, когда она была ребенком... что-нибудь вроде этого. Мне трудно вам это объяснить, потому что вы не знаете моей жены. Я к ней очень привязан, но не слушаю и не принимаю во внимание и половины того, о чем она говорит, поскольку это совершеннейшая бессмыслица. Во всяком случае, де Соуза никакого отношения к этой истории с убийством в сарае не имеет... Не говорите только, будто он прибыл сюда на яхте затем, чтобы отправиться в лес и прикончить незнакомую ему несчастную девушку. С какой стати?

— Ничего подобного я и не предполагаю, — сказал инспектор Бленд, — но поймите, сэр Джордж, круг людей, среди которых следует искать убийцу Марлен Такер, значительно у́же, чем это может показаться с первого взгляда.

— У́же! — изумился сэр Джордж. — Он охватывает всех присутствующих на этом злосчастном празднике, не так ли? Двести... триста... человек? Любой из них мог это сделать.

— Да, и я так же сначала думал, но, поразмыслив, пришел к иному мнению. Дверь сарая была заперта на английский замок. Без ключа ее не откроешь.

— Прекрасно, у нас было три ключа.

— Именно. Один спрятан у куста гортензии, растущей в саду на пригорке, его должны были отыскать участники игры. Второй был у миссис Оливер, организатора поисков Убийцы. Где же третий ключ, сэр Джордж?

— Должен лежать в ящике стола, за которым вы сидите. Нет, с правой стороны, среди других ключей.

Он подошел и порылся в ящике.

— Да, вот он.

— Итак, — сказал инспектор Бленд, — что это значит? В сарай могли войти: во-первых, человек, выполнивший все условия игры и отыскавший ключ, чего, как мы знаем, не произошло; во-вторых, миссис Оливер или кто-нибудь из домашних, кому она могла одолжить свой ключ; и, в-третьих, неизвестный, которому отворила дверь сама Марлен.

— Вот именно. И этим последним мог оказаться любой человек, не так ли?

— Совершенно не так, — сказал инспектор Бленд. — Если я правильно понял условия игры, девушка, услышав, что кто-то подошел к двери, должна была лечь на пол, изобразить собой Жертву и ждать, пока ее не обнаружит человек, нашедший ключ. Таким образом, как вы понимаете, отозваться на стук и открыть дверь она могла лишь непосредственным организаторам Поисков Убийцы. То есть тем людям, которые в этом доме проживают, — это вы, леди Стабз, мисс Бревис, миссис Оливер... возможно, мистер Пуаро, которого она видела сегодня утром. Кто еще, сэр Джордж?

Сэр Джордж ненадолго задумался.

— Безусловно, супруги Легг, — сказал он. — Алек и Пегги Легг. Они с самого начала участвовали в организации игры. Также Майкл Вайман, проживающий у нас архитектор, — он проектирует теннисный павильон. Вобартон, супруги Мастертон... О, и миссис Фоллиат, разумеется.

— Все... Кто еще?

— И этого достаточно.

— Как видите, сэр Джордж, предполагаемых убийц не так уж много.

Лицо Джорджа побагровело.

— Я думаю, вы говорите чепуху... Совершенную чепуху! Вы утверждаете... Что вы утверждаете?

— Лишь то, — ответил инспектор Бленд, — что многое в этой печальной истории нам пока еще неизвестно. Например, Марлен по какой-то причине могла выйти из своего укрытия. Ее могли задушить где угодно, потом притащить труп в сарай и бросить его на пол. Но и в этом случае наш неизвестный должен был детально знать все условия игры. От этого никуда не уйдешь. — Бленд продолжал уже иным тоном: — Уверяю вас, сэр Джордж, мы сделаем все возможное, чтобы разыскать леди Стабз. А пока мне хотелось бы поговорить с супругами Легг и мистером Майклом Вайманом.

— Аманда! — крикнул сэр Джордж.

— Вот какое дело, инспектор, — сказала мисс Бревис. — Полагаю, миссис Легг все еще предсказывает судьбу у себя в палатке. Народу набралось видимо-невидимо, и все аттракционы работают с полной нагрузкой. Могу позвать мистера Легга или мистера Ваймана — кого вы желали бы видеть первым?

— Не имеет значения, — ответил инспектор.

Мисс Бревис поклонилась и вышла из комнаты. За ней последовал сэр Джордж, беспомощно бормоча:

— Послушайте, Аманда, вы должны пойти...

Очевидно, подумал Бленд, в сложившейся ситуации сэр Джордж всецело полагается на своего энергичного секретаря. И в самом деле, хозяин дома напоминал сейчас маленького беспомощного мальчика.

Чтобы не терять времени даром, инспектор Бленд поднял телефонную трубку, вызвал полицейское управление в Хельмуте и сделал некоторые распоряжения в отношении яхты «Надежда».

— Полагаю, ты понял, — обратился он к явно ничего не понимавшему Хоскинсу, — что единственное место, где может скрываться эта чертова баба... так это на борту яхты де Соузы?

— Почему вы так решили, сэр?

— Хм, никто не видел, как эта женщина выходила через ворота; в ее щегольском наряде через поля и леса не проберешься, но вполне возможно, что она договорилась с де Соузой о свидании возле сарая для лодок, он на катере доставил ее к себе на яхту, а уж потом снова вернулся сюда.

— Но для чего, сэр? — удивился Хоскинс.

— Понятия не имею, — сказал инспектор, — и маловероятно, что он это сделал. Но такая возможность не исключена. И если леди Стабз находится на яхте, то она и не покинет «Надежду», пока ее там не обнаружат.

— Но ведь она терпеть не может этого де Соузу... — попробовал возразить Хоскинс.

— Мало ли что_ она говорила! Женщины, — нравоучительно произнес инспектор, — часто говорят неправду. Запомни это, Хоскинс.

— А-а-а, — протянул в знак согласия констебль.

Дальнейшее празднословие прервал появившийся в дверях высокий с рассеянным взглядом субъект. Он был одет в аккуратный костюм из серой фланели, но воротник его рубашки смялся, галстук съехал на сторону, а волосы на затылке стояли дыбом.

— Мистер Алек Легг? — спросил, взглянув на него, инспектор.

— Нет, — ответил юноша, — я Майкл Вайман. Вы хотели меня видеть?

— Именно, сэр. Не присядете ли? — Инспектор указал на стул, стоявший по другую сторону стола.

— Я не люблю сидеть, — сказал Вайман. — Предпочитаю ходить. Чем занимается здесь полиция? Что-то произошло?

Инспектор Бленд изумленно на него посмотрел.

— Разве сэр Джордж не оповестил вас о случившемся, сэр? — спросил он.

— Никто ни о чем меня, как вы выразились, не оповещал. Я ведь не сижу все время в кармане у сэра Джорджа. Что произошло?

— Вы здесь живете, как я понимаю?

— Конечно живу. Ну и что?

— Мне казалось, что все проживающие в этом доме люди к этому времени уже должны были быть извещены о сегодняшней трагедии.

— Трагедии? Какой трагедии?

— Девушка, которой поручили играть роль Жертвы, оказалась ¹ в самом деле убитой.

— Нет! — Удивление Майкла Ваймана, казалось, не знало предела. — Что значит убитой? Что за штучки-дрючки?

— Не знаю, что вы называете штучками-дрючками. Девушка мертва.

— Как ее убили?

— Задушили обрывком веревки.

Майкл Вайман присвистнул:

— Точно по сценарию? Ну и ну! — Размашистым шагом он подошел к окну, быстро обернулся и сказал:

— Значит, мы все на подозрении, ведь так? Или это сделал кто-то из местных мальчишек?

— Не знаю, мог ли это сделать кто-то из местных мальчишек, как вы предположили, — сказал инспектор.

— В такой же мере, как и я! — вскричал Майкл Вайман. — Знаете, инспектор, мои друзья частенько называют меня сумасшедшим, но я не извращенец. Я не шляюсь по округе и не душу недоразвитых маленьких замухрышек.

— Как мне известно, вы, мистер Вайман, проектируете здесь теннисный павильон для сэра Джорджа?

— Да. Идиотское занятие, — сказал Майкл. — Более того, преступное. В архитектурном смысле. Убийство хорошего вкуса. Но вам это не интересно, инспектор. Что вы хотите от меня узнать?

— Ну что ж, мистер Вайман, мне хотелось бы совершенно точно знать, где вы находились сегодня от четверти пятого и, скажем, до пяти часов.

— Это время установлено медицинским заключением?

— Не совсем, сэр. Одна свидетельница видела девушку живой в четверть пятого.

— Какая свидетельница... или мне не полагается спрашивать?

— Мисс Бревис. Леди Стабз попросила ее отнести девушке пирожные с какой-то фруктовой начинкой.

— Наша Хэтти попросила ее? Никогда в это не поверю.

— Почему, мистер Вайман?

— Это на нее не похоже. Станет она о других беспокоиться! Дражайшая леди Стабз занята лишь своей собственной персоной.

— Мистер Вайман, я ожидаю ответа на свой вопрос.

— Итак, где я был с четырех пятнадцати и до пяти? Хм, сразу и не ответишь, инспектор. Да почти... если для вас это имеет значение...

— Почти — где?

— Везде. Я потолкался на лужайке, поглядел, как развлекаются местные жители, перекинулся парой слов с чем-то озабоченной артисткой; потом, когда мне все это надоело, направился к теннисному корту и поразмышлял о проекте павильона. Подумал, когда же кто-нибудь из играющих отыщет первую улику, спрятанную в теннисной сетке.

— Кому-нибудь это удалось?

— Да, кажется, кто-то подходил туда, но я особенно не присматривался. Меня осенила новая идея насчет павильона — захотелось каким-то образом соединить вместе оба проекта. Мой и сэра Джорджа.

— А потом?

— Потом? Гм, я еще немного побродил и возвратился к дому. Спустился к реке, увидел здесь старого Мерделла и повернул назад. Точно не скажу, когда это было. Я уже объяснил: приблизительно в это время я находился на корте. Вот, кажется, и все.

— Ну что ж, мистер Вайман, — оживился инспектор. — Из этого можно что-то извлечь.

— Мерделл подтвердит вам, что я разговаривал с ним на берегу. Разумеется, это было значительно позже того времени, которое вас интересует. Когда я спустился к реке, было уже больше пяти. Не много пользы в моих показаниях, да, инспектор?

— Надеюсь, мы сможем все это уточнить, мистер Вайман.

Инспектор говорил очень доброжелательно, но в его голосе слышались угрожающие нотки, не ускользнувшие от внимания Ваймана. Он присел на подлокотник кресла.

— Нет, серьезно, — спросил он, — кому надо было убивать эту девушку?

— У вас нет никаких соображений по этому поводу, мистер Вайман?

— Знаете ли, первое, что приходит в голову, так это наша плодовитая писательница с ее кровавыми кошмарами. Вы видели ее фиолетовое одеяние с багряно-красными отсветами? Думаю, она немножечко переборщила и решила для пущей убедительности подбросить нам самый настоящий труп. Как по-вашему?

— Но общее мнение не таково.

— По какой-то причине, мне кажется, ей по вкусу разыгрывать дурочку. Не знаю зачем. Но, как я уже сказал, на мой взгляд, она совсем не глупа.

Инспектор пристально на него посмотрел.

— Вы в самом деле не можете дать более определенную информацию об упомянутом мною времени? — спросил инспектор.

— Простите, — поспешно проговорил Вайман. — Боюсь, не могу. Проклятая память, никогда не запоминаю время. — И добавил: — Со мной все?

И так как инспектор кивнул, быстро вышел из комнаты.

— Хотелось бы мне знать, — проговорил инспектор, обращаясь то ли к самому себе, то ли к Хоскинсу, — что же произошло между ним и ее величеством. Или она отвергла его ухаживания, или между ними произошла какая-то перепалка. — Помолчав, он продолжал: — Что у вас в округе говорят про сэра Джорджа и его супругу?

— Она дура, — ответил констебль.

— Это ты так считаешь, Хоскинс. А что говорят люди?

— То же самое.

— А сэр Джордж... его любят?

— Очень любят. Он хороший спортсмен и понимает толк в хозяйстве. Одна старая леди очень ему помогает.

— Какая старая леди?

— Миссис Фоллиат, которая проживает здесь во флигеле.

— А, разумеется. Ведь это поместье когда-то принадлежало Фоллиатам?

— Да, и благодаря усердию этой старой леди сэр Джордж и леди Стабз чувствуют себя здесь превосходно. Она здесь всему голова.

— Ей платят за это, как ты думаешь?

— О нет, миссис Фоллиат ничего не получает. — Хоскинс выразительным жестом подчеркнул сказанное. — Как я понимаю, она знала леди Стабз еще до замужества и сама настояла, чтобы сэр Джордж приобрел это поместье.

— Необходимо потолковать с миссис Фоллиат, — сказал инспектор.

— Гм, она башковитая старуха, да. Если что-то случается, сразу же об этом пронюхает.

— Я должен с ней поговорить, — повторил инспектор. — Интересно, где она сейчас?

Глава 11

В это время миссис Фоллиат беседовала в большой гостиной с Эркюлем Пуаро. Он застал ее дремавшей в стоявшем в углу кресле. При его появлении она вздрогнула и, снова погрузившись в уютную теплоту, пробормотала:

— О, это вы, мистер Пуаро.

— Извините, мадам. Я вас потревожил.

— Нет, нет... ничуть. Я просто решила немного отдышаться, вот и все. Я уже не так молода. А тут это потрясение... оно оказалось для меня чересчур серьезным.

— Понимаю, — сказал Пуаро. — Прекрасно вас понимаю.

Миссис Фоллиат сжала высохшей рукой платок и уставилась в потолок. Дрожавшим от переполнявшего ее волнения голосом она сказала:

— Не могу спокойно об этом подумать. Бедная девочка. Бедная, бедная...

— Да, — согласился Пуаро.

— Такая юная, — сказала миссис Фоллиат, — только начинала жить. — И еще раз повторила: — Не могу спокойно об этом подумать.

Пуаро с любопытством взглянул на нее. Ничего похожего не осталось от радушной хозяйки, встречавшей сегодняшним утром своих гостей; казалось, миссис Фоллиат сразу постарела лет на десять. Ее лицо осунулось, на нем залегли глубокие морщины.

— Только вчера, мадам, вы сказали мне, что этот мир очень жесток.

— Разве я это сказала? — удивилась миссис Фоллиат. — Да, правда... Лишь сейчас начинаешь осознавать, как это правильно. — И тихо добавила: — Никогда не думала, что нечто подобное здесь может произойти.

Пуаро снова с интересом посмотрел на нее:

— Значит, вы чего-то ожидали? Чего?

— Нет, нет. Я не это имела в виду.

— Но вы чего-то опасались... чего-то неожиданного, — настаивал Пуаро.

— Вы не поняли меня, мистер Пуаро. Я лишь хотела сказать, что меньше всего ожидала, что такое случится в разгар праздника.

— Утром леди Стабз тоже рассуждала относительно жестокости.

— Хэтти? О, не говорите мне про нее... не говорите. Я не хочу о ней вспоминать.

Помолчав минуту-другую, миссис Фоллиат спросила:

— Так что же она сказала... насчет жестокости?

— Леди Стабз говорила о своем кузене. Этьене де Соузе. Она назвала его жестоким, скверным человеком. Сказала, что боится его.

Он внимательно наблюдал за миссис Фоллиат, но та лишь недоуменно покачала головой:

— Этьен де Соуза... кто это такой?

— О да, вас же не было за завтраком, я забыл, миссис Фоллиат. Леди Стабз получила письмо от своего кузена, с которым последний раз встречалась еще пятнадцатилетней девочкой. Он уведомлял, что предполагает сегодня днем к ней заехать.

— И он приехал?

— Да. В половине четвертого.

— Ах да... вы, вероятно, говорите о довольно красивом смуглом молодом человеке, он поднимался по дорожке от парома? Я еще тогда подумала, кто это такой.

— Да, мадам, то был именно мистер де Соуза.

— На вашем месте я бы не обращала внимания на болтовню Хэтти, — решительно произнесла миссис Фоллиат и смутилась под удивленным взглядом Пуаро. — Она же совсем еще дитя... хочу сказать, рассуждает, будто ребенок... плохой, хороший. Никаких оттенков. Я бы не относилась серьезно к ее словам о де Соузе.

И опять Пуаро удивился и тихо сказал:

— Вы хорошо знаете леди Стабз, не так ли, миссис Фоллиат?

— Наверное, лучше других. Во всяком случае, лучше ее мужа. Что вы хотите еще спросить?

— Что ей нравится, мадам?

— Очень странный вопрос, мистер Пуаро.

— Но ведь вам известно, мадам, что леди Стабз нигде не могут найти?

И снова ее ответ поразил его. Миссис Фоллиат не выразила ни озабоченности, ни изумления. Просто сказала:

— Значит, она куда-то сбежала. Не более того.

— И это вам кажется естественным?

— Естественным? Не знаю. Поступки Хэтти во многом непредсказуемы.

— Не кажется ли вам, что она сбежала потому, что почувствовала угрызения совести?

— Что вы имеете в виду, мистер Пуаро?

— Сегодня днем я разговаривал о ней с ее кузеном. Он заметил, что Хэтти всегда была не совсем нормальной. А как вам, мадам, вероятно, известно, ненормальные люди не всегда отвечают за свои поступки.

— Куда вы клоните, мистер Пуаро?

— Такие люди, как вы сказали, очень просты... словно дети. В порыве необузданной ярости они способны даже убить.

Миссис Фоллиат с неожиданным гневом обрушилась на Пуаро:

— Я не позволю вам говорить о Хэтти подобные вещи. Она не такая! У нее славное доброе сердечко, если даже она... немного ненормальная. Хэтти не способна никого убить.

Миссис Фоллиат смотрела на Пуаро с возмущением, она задыхалась.

Пуаро удивился. Очень удивился.

Появление Хоскинса прервало эту тяжелую сцену.

— Меня послали поискать вас, мэм, — сказал он с предельной учтивостью.

— Добрый вечер, Хоскинс. — Миссис Фоллиат снова обрела обычную уверенность, почувствовала себя хозяйкой имения. — Да, в чем дело?

— Инспектор Бленд выражает вам свое почтение, он был бы рад переброситься с вами парой словечек... если вы не против, — поспешно проговорил Хоскинс; от его глаз не укрылось удивленное выражение на лице Пуаро.

— Разумеется, не против. — Миссис Фоллиат с трудом выкарабкалась из кресла и, сопровождаемая Хоскинсом, покинула комнату.

Пуаро, отдавая дань вежливости, тоже при этом поднявшийся, снова сел и в мрачной задумчивости уставился в потолок.

При появлении миссис Фоллиат инспектор встал, а констебль Хоскинс помог ей сесть.

— Извините, что побеспокоил вас, миссис Фоллиат, — произнес Бленд. — Но мне думается, вы хорошо знаете всех людей по соседству и могли бы нам помочь.

Миссис Фоллиат чуть улыбнулась.

— Надеюсь, — сказала она, — что знаю местных обитателей лучше всякого другого. Что вас именно интересует, инспектор?

— Вы знаете Такеров? Всю семью и погибшую девушку?

— О да, разумеется, это наши постоянные арендаторы. Миссис Такер была младшим ребенком в многодетной семье. Ее старший брат служил у нас главным садовником. Она вышла замуж за Альфреда Такера, рабочего с фермы... он, как говорится, без царя в голове, но человек неплохой. Миссис Такер была чуточку с хитрецой. Но хорошая, знаете ли, хозяйка, в доме всегда порядок, дальше кухни в грязных ботинках не пускали. Детей не баловали. Почти все они уже поженились и теперь работают. С родителями остались только вот этот несчастный подросток, Марлен, и еще трое детей поменьше. Два мальчика и девочка — школьница.

— Итак, хорошо зная эту семью, миссис Фоллиат, не могли бы вы предположить, по какой причине была убита сегодня Марлен?

— Нет, положительно не могу. Это совершенно непостижимо, инспектор, вы понимаете, о чем я говорю. С мальчиками она не якшалась, во всяком случае, я об этом не знала. Ни о чем подобном не слышала.

— Ну а что за люди участвовали в организации этой игры с поисками Убийцы? Можете вы мне о них что-то рассказать?

— Хм, с миссис Оливер я прежде не встречалась. Ей не совсем по вкусу пришлись мои представления о романистке, описывающей преступления. Бедняжка очень расстроена случившимся... это естественно.

— А что скажете о других помощниках... капитане Вобартоне, например?

— Не вижу для него причины убивать Марлен Такер, если вы это имеете в виду, — с достоинством ответила миссис Фоллиат. — Хотя лично мне он не нравится. Хитрый парень, но полагаю, коль скоро ты занимаешься политикой, то должен обладать необходимыми для этого качествами. Он, безусловно, деловит и много потрудился для организации этого праздника. Не думаю, что он мог убить девочку, еще и потому, что весь день находился на лужайке.

Инспектор кивнул:

— А супруги Легг? Что вам известно о них?

— Очень милая молодая чета. Он — человек настроения. О нем я знаю не много. А Пегги до замужества работала, я знакома с ее родственнйками. Молодые на два месяца сняли коттедж у мельницы и, надеюсь, смогут здесь хорошо отдохнуть. Мы очень дружны.

— Жена довольно привлекательна?

— О да, очень.

— А вы не заметили, сэр Джордж никогда не уделял ей особого внимания?

Миссис Фоллиат изумилась:

— О нет, уверяю вас, ничего подобного не было. Сэр Джордж всецело занят делами и обожает свою жену. Он абсолютно не бабник.

— А между леди Стабз и мистером Леггом тоже ничего не было?

Миссис Фоллиат еще раз покачала головой:

— О нет, определенно не было.

Инспектор не отступал:

— Вы не знаете, у сэра Джорджа с его собственной женой не случалось никаких столкновений?

— Уверена, что нет, — убежденно воскликнула миссис Фоллиат. — Будь это так, уж я бы знала.

— Значит, исчезновение леди Стабз нельзя объяснить разногласиями между мужем и женой?

— О нет! — воскликнула миссис Фоллиат и простодушно добавила: — Полагаю, глупая девчонка просто не захотела увидеться со своим кузеном. Детская дурость. Ведет себя как дитя неразумное.

— Это ваше убеждение? Думаете, здесь ничего больше не кроется?

— Разумеется; надеюсь, Хэтти скоро отыщется, ей станет стыдно. — И, как бы между прочим, добавила: — Кстати, что стало с этим кузеном? Он все еще у нас в доме?

— Скорее всего, вернулся к себе на яхту.

— В Хельмут, да?

— Именно.

— Понятно, — протянула миссис Фоллиат. — Ну что ж, это довольно прискорбно... Эти детские шалости Хэтти. Однако, если ее кузен тут еще задержится, мы заставим ее вести себя более достойно.

Про себя инспектор подумал, как ей удастся этого достичь, но ответа так и не нашел.

— Вы, возможно, считаете, — сказал он, — что в поведении Хэтти вся загвоздка. Но вы же понимаете, не так ли, миссис Фоллиат, что нас интересует довольно широкий круг лиц. Мисс Бревис, например. Что вы о ней скажете?

— Скажу, что она превосходная секретарша. Более того, она практически и экономка. Даже не знаю, как бы мы без нее обходились.

— Она была секретаршей у сэра Джорджа еще до его женитьбы?

— Наверное. Точно не знаю. Я познакомилась с ней здесь, когда она приехала вместе с ним.

— Она очень не любит леди Стабз, не так ли?

— Да, — сказала миссис Фоллиат. — Боюсь, что не любит. Думаю, что все эти секретарши не питают нежных чувств к женам своих боссов. По-видимому, это в порядке вещей.

— Кто попросил мисс Бревис отнести пирожные и морс в сарай — вы или леди Стабз?

Миссис Фоллиат немного опешила:

— Припоминаю, мисс Бревис взяла несколько пирожных и сказала, что отнесет их Марлен. Не знаю, просил ли ее об этом кто-нибудь или она сама так решила. Я, во всяком случае, не просила.

— Понятно. Вы сказали, что после четырех часов находились в чайном павильоне. По-моему, миссис Легг тоже была там в это время.

— Миссис Легг? Нет, не уверена. По крайней мере, не помню, видела ли я ее там. Нет, определенно ее там не было. В это время прибыло много народу с автобусом из Торки, я огляделась и подумала, что здесь одни туристы — ни одного знакомого лица. Наверное, миссис Легг пришла к чаю попозже.

— Ну что ж, — сказал инспектор, — дело не в этом. — И добавил извиняющимся тоном: — Кажется, все. Благодарю вас, миссис Фоллиат, вы были очень любезны. Будем надеяться, что леди Стабз вскоре объявится.

— Я тоже так думаю, — подхватила миссис Фоллиат. — Детское безрассудство заставлять всех нас так нервничать. — Непринужденность в ее голосе казалась несколько деланной. — Не сомневаюсь, с ней ничего не случилось. Совершенно ничего не случилось.

В эту минуту отворилась дверь, в комнату вошла молодая красивая женщина с рыжими волосами и веснушчатым лицом, осведомившись:

— Вы меня спрашивали?

— Это миссис Легг, инспектор, — сказала миссис Фоллиат. — Пегги, дорогая, не знаю, слышала ли ты о том кошмаре, который сегодня произошел?

— О да! Это ужасно! — ответила миссис Легг. Она тяжело вздохнула и погрузилась в кресло, а миссис Фоллиат тем временем покинула комнату.

— Я ужасно обеспокоена, — сказала она. — В это невозможно поверить. Боюсь, вряд ли сумею вам чем-нибудь помочь. Я весь день занималась гаданием и была совсем не в курсе происходящего.

— Мне это известно, миссис Легг. Но тем не менее мы обязаны задать всем одни и те же формальные вопросы. Например, где вы находились от четырех пятнадцати и до пяти часов?

— Хм, в четыре часа я пошла выпить чаю.

— В чайный павильон?

— Да.

— Кажется, там было очень много народу?

— О да, чрезвычайно много.

— Никого из знакомых вы там не встретили?

— Несколько знакомых лиц промелькнуло. Но я ни с кем не разговаривала. Мне так хотелось пить! Было четыре часа, как я сказала. В половине пятого я вернулась к себе в палатку и продолжала трудиться. Бог знает, чего я только не наобещала своим клиентам, особенно женщинам. Мужей-миллионеров, выгодные контракты в Голливуде... черт знает что! Заморские путешествия и таинственные мулатки выглядели на этом фоне жалкой повседневностью.

— Что произошло за те полчаса, пока вы отсутствовали... я хочу спросить, не было ли желающих узнать свою судьбу?

— О, я повесила записку: «Вернусь в четыре тридцать».

Инспектор сделал пометку у себя в блокноте.

— Когда вы последний раз видели леди Стабз?

— Хэтти? Даже не знаю. Она была где-то неподалеку, когда я пошла пить чай, но я с ней не разговаривала. Не помню, видела ли я ее позднее. Потом мне сказали, будто она пропала. Это правда?

— Да.

— О Боже, — оживилась Пегги, — знаете, она немного с придурью. Наверное, ее напугал убийца и она убежала.

— Ну что ж, благодарю вас, миссис Легг.

Возможность уйти обрадовала Пегги. Выходя, она столкнулась в дверях с Эркюлем Пуаро.

Уставившись в потолок, инспектор сказал:

— Миссис Легг утверждает, будто она находилась в чайном павильоне между четырьмя часами и половиной пятого. Миссис Фоллиат говорит, что она после четырех часов тоже пила чай, но миссис Легг среди присутствующих не заметила. — Помолчав, он продолжал: — Мисс Бревис утверждает, что отнести поднос с пирожными и фруктовым соком для Марлен Такер велела ей леди Стабз. Майкл Вайман говорит, что подобное трудно себе представить, что это совсем не похоже на леди Стабз.

— Хм, — проговорил Пуаро, — утверждения взаимоисключающие. Да, так бывает нередко.

— Попробуйте тут разобраться! — вскричал инспектор. — Иногда эти утверждения имеют какое-то значение, но в девяти случаях из десяти — никакого. Ну что ж, придется перелопатить еще кучу фактов.

— И что же вы все-таки думаете, мой друг? Какие у вас имеются соображения?

— Думаю, — угрюмо процедил инспектор, — Марлен Такер увидела нечто такое, что видеть ей не полагалось. По этой причине ее и убили.

— Не смею вам возражать, — сказал Пуаро. — Вопрос лишь в том, что же именно она увидела?

— Она могла увидеть убийство, — предположил инспектор. — Или она могла увидеть человека, который совершил убийство.

— Убийство? Какое убийство?

— Как вы считаете, Пуаро, леди Стабз жива или нет?

Несколько мгновений Пуаро размышлял, потом сказал:

— Думаю, мой друг, что леди Стабз убита. И я вам скажу, почему я так думаю. Потому, что миссис Фоллиат думает так же. Да, что бы она ни говорила, как бы она ни притворялась, миссис Фоллиат уверена, что Хэтти Стабз убита. Миссис Фоллиат, — добавил он, — знает многое из того, что нам неизвестно.

Глава 12

Когда на следующее утро Эркюль Пуаро спустился к завтраку, за столом почти никого не было. Не оправившаяся от потрясений вчерашнего дня миссис Оливер завтракала в постели. Майкл Вайман выпил спозаранку чашечку кофе и куда-то исчез. За столом сидели только сэр Джордж и преданная ему мисс Бревис.

Несомненно, сэр Джордж находился в очень тяжелом душевном состоянии и не мог есть. К своему завтраку он почти не притронулся. Отодвинув в сторону маленькую стопку писем, которые распечатала и положила перед ним мисс Бревис, он словно в забытьи потягивал кофе. При виде Пуаро буркнул:

— Приветствую вас, мистер Пуаро, — и снова погрузился в задумчивость. Время от времени он вскрикивал и бормотал:

— Ужасно, черт побери! Где же она?

— Заседание суда состоится в четверг, — доложила мисс Бревис. — Так сообщили по телефону.

Сэр Джордж посмотрел на нее отсутствующим взглядом.

— Заседание? — переспросил он и добавил тусклым, безразличным голосом: — Ах да, знаю. — Отхлебнув немного кофе, сказал: — Женщины непредсказуемы. Что она думает делать?

Мисс Бревис плотно поджала губы. Опытным глазом Пуаро подметил, что нервы у нее натянуты до предела.

— Сегодня утром приходили от Ходгсона, — заметила она, — насчет электрификации молочной фермы. В двенадцать часов там...

Сэр Джордж перебил ее:

— Не могу сейчас никого видеть. Отложим! Какого черта, вы думаете, будто человек может заниматься делами, когда он чуть не рехнулся из-за своей пропавшей жены?

— Пусть так, сэр Джордж, — проговорила мисс Бревис с угодливостью стряпчего, отвечающего на любые требования своего клиента стандартной фразой: «Как пожелает ваша светлость», хотя была явно разгневана.

— Никогда не знаешь, — промолвил сэр Джордж, — что взбредет женщине в голову, какую глупость она может выкинуть! Согласны, хм? — Вопрос был адресован Пуаро.

— Женщины? Они непостижимы. — Брови и руки Пуаро взметнулись вверх с неподражаемым галльским темпераментом.

— Все, казалось, было в порядке, — продолжал сэр Джордж. — Хэтти дьявольски обрадовалась новому кольцу, оделась к празднику. Все как обычно. Хотя бы одно обидное слово было сказано или ссора какая произошла. Просто ушла, никому ничего не сказав.

— Вот письма, сэр Джордж, — проговорила мисс Бревис.

— К черту письма, — вскричал тот, рывком отодвинув в сторону чашку с кофе.

Он схватил лежащие на подносе письма и бросил их мисс Бревис.

— Ответьте сами, как пожелаете! Мне не до того. — Он сердито пробурчал, обращаясь главным образом к самому себе: — Ничего не могу поделать... Даже не знаю, чего добилась полиция. Утешать они могут, и только.

— Насколько мне известно, полиция действует очень энергично, — сказала мисс Бревис. — У них много возможностей отыскать пропавших людей.

— Проходит иногда несколько дней, — возразил сэр Джордж, — пока они отыщут какого-то несчастного мальчишку, убежавшего из дома и спрятавшегося в стоге сена.

— Не думаю, чтобы леди Стабз спряталась в стоге сена, сэр Джордж.

— Если бы я мог что-нибудь сделать, — повторял несчастный супруг. — А что, если дать объявление в газетах? Займитесь этим, Аманда, а? — Он на минуту задумался. — Что-нибудь вроде: *«Хэтти. Пожалуйста, вернись домой. Я в отчаянии. Джордж»*. Во все газеты, Аманда.

— Леди Стабз не часто читает газеты, сэр Джордж, — съязвила мисс Бревис. — Она не интересуется ни текущими событиями, ни тем, что совершается в мире. — И добавила с еще большим ехидством: — Разумеется, можно поместить объявление в «Моде». Может быть, там оно скорее попадется ей на глаза.

К счастью, настроение сэра Джорджа не позволило ему воздать должное ее насмешкам.

— Поместите, где считаете нужным, лишь бы польза была, — коротко бросил он.

Сэр Джордж встал и направился к двери. Дойдя до нее, остановился и, обернувшись, обратился к Пуаро.

— Послушайте, Пуаро, а не думаете ли вы, что ее уже нет в живых, а? — спросил он.

Пуаро уставился в чашку с кофе:

— Я полагаю, еще слишком рано делать подобные предположения, сэр Джордж. Нет достаточных оснований.

— Значит, вы так считаете, — подавленно произнес сэр Джордж. — Ну что ж, — добавил он вызывающе, — я тоже так не думаю! Она жива и здорова.

Он несколько раз упрямо качнул головой и, хлопнув дверью, вышел из комнаты.

Пуаро, задумавшись, намазал маслом кусочек поджаренного хлеба. Обычно во всех случаях, когда шла речь об убийстве жены, он всегда в первую очередь подозревал мужа. (Равным образом, когда погибал муж, он подозревал жену.) Но в данном случае у него не появлялось ни малейших подозрений в отношении сэра Джорджа. Непродолжительное наблюдение за жизнью этой семьи полностью убедило его в искренней и глубокой привязанности сэра Джорджа к своей супруге. Более того, поскольку память ни разу не изменяла и отлично служила ему, он помнил, что сэр Джордж весь вчерашний день находился на лужайке, пока он сам вместе с миссис Оливер не ушел оттуда и не обнаружил труп. Там же, на лужайке, находился сэр Джордж и когда они возвратились с печальными новостями. Нет, кто угодно, но только не он повинен в смерти Хэтти. Конечно, если речь идет об убийстве. Как бы то ни было, Пуаро убеждал себя, что пока еще нет оснований считать свершившимся фактом свои смутные предчувствия. В этом смысле он не обманывал сэра Джорджа. Но сам в глубине души не допускал иного исхода. Все свидетельствовало о том, что произошло убийство... двойное убийство.

Его размышления нарушила мисс Бревис; она заговорила, чуть не плача от досады.

— Мужчины такие глупцы, — сказала она, — такие абсолютные дуралеи! Мы, женщины, всегда перехитрим вашего брата.

Пуаро обычно давал людям возможность выговориться всласть. Чем больше они говорили и чем больше рассказывали, тем было лучше для него. Среди плевел почти всегда отыщутся зерна пшеницы.

— Вы находите этот брак неудачным? — спросил он.

— Ужасным... поистине ужасным.

— Значит... супруги не были счастливы друг с другом?

— Она вила из него веревки.

— Интересно. Каким же образом она это делала?

— Он был у нее мальчиком на побегушках, она тянула из него огромные средства... драгоценностей у нее было значительно больше, чем нужно даже очень богатой женщине. А меха... Две норковые шубы и русские соболя. Скажите, для чего нужны женщине две норковые шубы?

— Не знаю, — честно сознался Пуаро.

— Лгунья, — продолжала мисс Бревис. — Притворщица! Привыкла разыгрывать невинную девочку... особенно при людях. Может, думала, что ему это нравится!

— И ему это нравилось?

— О мужчины! — проговорила мисс Бревис дрожащим голосом, она была уже чуть ли не в истерике. — Им не дано оценить деловитость, бескорыстие, верность и другие прекрасные качества! С умной доброй женой сэр Джордж многого мог бы добиться.

— Например? — спросил Пуаро.

— Ну, он мог бы сыграть заметную роль в решении местных проблем. Или стать членом парламента. Он намного способнее этого бедняги мистера Мастертона. Не знаю, приходилось ли вам слышать выступления мистера Мастертона... он очень посредственный оратор, на каждом шагу спотыкается. К тому же его позиция всегда зависит от настроения жены. Он всего лишь сидящая на троне марионетка, послушно выполняющая распоряжения миссис Мастертон. Она напориста, инициативна, с хорошим политическим чутьем.

Пуаро мысленно поежился, представив себя в должности мужа миссис Мастертон; с мнением мисс Бревис, по-видимому, нельзя было не согласиться.

— Да, — сказал Пуаро, — миссис Мастертон такова. Чудовищная женщина, — пробормотал он себе под нос.

— Сэр Джордж вовсе не честолюбив, — продолжала мисс Бревис. — Жизнь сельского сквайра его всецело устраивает, ему нравится жить здесь, хозяйничать и изредка наезжать в Лондон, где он навещает свои городские конторы, а с его способностями он мог бы достигнуть значительно большего. Он и в самом деле незаурядный человек, мистер Пуаро. Эта женщина никогда его не поймет. Для жены он — машина, откуда вылетают меховые шубы, дорогие украшения и платья. Имей он жену, способную по достоинству оценить его качества... — Мисс Бревис осеклась, голос ее снова предательски задрожал.

Пуаро невольно стало жаль мисс Бревис. Она была явно по уши влюблена в своего патрона. Она отдала ему всю свою женскую верность, преданность и страстную привязанность, которую он, очевидно, не замечал и в которой ничуть не нуждался. Для сэра Джорджа Аманда Бревис была всего лишь исправно действующим механизмом, снимавшим с его плеч тяготы повседневных забот, машиной, отвечавшей на телефонные звонки, писавшей письма, нанимавшей прислугу, распоряжавшейся насчет еды, решавшей массу других проблем и обеспечивавшей ему спокойную и беззаботную жизнь. Вряд ли, подумалось Пуаро, он хоть раз увидел в ней женщину. А это связано с большими опасностями. Женщинам не дано смириться с подобным к себе отношением; в таких случаях душой их нередко овладевает дьявол.

— Лгунья, примитивная хитрая кошечка — вот кто она такая, — с сердцем добавила мисс Бревис.

— Я вижу, вы говорите о ней в настоящем, а не в прошедшем времени, — заметил Пуаро.

— Разумеется, она жива, — скорбно произнесла мисс Бревис. — Улизнула с каким-нибудь любовником, вот и все! Чего от нее еще ждать?!

— Возможно, возможно, — сказал Пуаро. Он взял еще один кусочек поджаренного хлеба, подозрительно осмотрел вазочку с мармеладом и оглядел стол в поисках джема. Такового не было, и ему пришлось довольствоваться маслом.

— Это единственное объяснение, — сказала мисс Бревис. — Разумеется, сэр Джордж об этом не может и помыслить.

— А не случалось ли с ней... каких-нибудь... происшествий, связанных с мужчинами? — деликатно полюбопытствовал Пуаро.

— О, она очень изворотлива, — ответила мисс Бревис.

— Вы хотите сказать, что не замечали ничего подобного?

— Я бы не посчитала ее чересчур осторожной.

— Думаете, имели место... назовем их так... некие тайные встречи?

— Она из кожи вон лезла, чтобы одурачить Майкла Ваймана, — сказала мисс Бревис. — Водила его полюбоваться садом с камелиями, в это-то время года! Делала вид, что очень интересуется теннисным павильоном.

— Как бы то ни было, он затем сюда и приехал, и, насколько я понимаю, сэр Джордж строит павильон, главным образом чтобы угодить своей супруге.

— Она совсем не интересуется теннисом, — сказала мисс Бревис, — впрочем, как и другими играми. Просто хочет покрасоваться, глядя, как другие люди бегают и потеют. Да, она из кожи вон лезла, чтобы одурачить Майкла Ваймана. И возможно, преуспела бы, не будь у него другой рыбешки.

— Хм, — сказал Пуаро, намазывая на хлеб немного мармеладу и задумчиво отправляя его в рот. — Так, значит, у него была рыбешка?

— Миссис Легг, которая и рекомендовала его сэру Джорджу. Она познакомилась с ним еще до замужества. В Челси, как я понимаю. Знаете, она там занималась живописью.

— Похоже, она очень милая и умная молодая женщина, — подкинул ей тему для рассуждений Пуаро.

— О да, очень умная, — откликнулась мисс Бревис. — У нее университетское образование, и, смею заметить, она бы смогла сделать карьеру, если бы не вышла замуж.

— Она давно замужем?

— Кажется, около трех лет. Не думаю, что этот брак принес ей много радости.

— Что... психологическая несовместимость?

— Он странный парень, очень неуравновешенный. С большими заскоками и, слышала, иногда довольно круто с ней обходится.

— Что же, — сказал Пуаро, — ссоры и примирения — непременная сторона семейных отношений. Без них жизнь была бы однообразной.

— Пегги неплохо провела время с Майклом Вайманом, когда тот сюда пожаловал. Думаю, он и прежде был влюблен в нее, пока она не вышла замуж за Алека Легга. А с ее стороны это был всего лишь флирт.

— Вероятно, мистера Легга это не очень бы обрадовало?

— Кто знает, его не поймешь. По-моему, в последнее время он стал еще более странным.

— Возможно, был без ума от леди Стабз?

— Это она так считала. Думала, поманит пальчиком любого мужчину, и он тут же к ней помчится!

— Во всяком случае, если леди Стабз и сбежала с каким-то мужчиной, как вы предполагаете, то не с мистером Вайманом. Он все еще тут.

— Не сомневаюсь, Пегги с кем-то втихомолку встречалась, — сказала мисс Бревис. — Она часто потихоньку ускользала из дому и бродила по лесу. В последнее время уходила вечерами. Разэевается и говорит, что идет спать. Но я как-то проследила за ней: и получаса не прошло, как шаль на голову накинула и юркнула в боковую дверь.

Пуаро задумчиво оглядел сидевшую против него женщину. Интересно, много ли правды было в ее рассказах или они являлись всего лишь игрой ее измученного воображения. Миссис Фоллиат, Пуаро в этом не сомневался, не разделила бы ее мнения, а она значительно лучше, нежели мисс Бревис, знала Хэтти. Если леди Стабз действительно убежала с любовником, то это вполне отвечало планам мисс Бревис. Она могла бы утешить убивающегося супруга и, не откладывая дела в долгий ящик, подготовить развод. Но такое предположение вряд ли соответствовало истине и вообще было маловероятно. Если Хэтти убежала с любовником, то она выбрала для этого самое неподходящее время, подумал Пуаро. Со своей стороны, он не верил ни единому слову мисс Бревис.

Та пошмыгала носом и собрала разбросанную корреспонденцию.

— На месте сэра Джорджа я бы лучше подумала, стоит ли помещать в газетах такого рода объявления, — сказала она. — Полнейшая ерунда и трата времени. О, доброе утро, миссис Мастертон.

Через медленно раскрывшуюся дверь в комнату прошествовала миссис Мастертон.

— Слышала, судебное заседание назначено на четверг, — прогромыхала она. — Доброе утро, мистер Пуаро.

Мисс Бревис промолчала, руки ее судорожно сжимали пачку писем.

— Могу ли я что-нибудь сделать для вас, миссис Мастертон? — спросила она.

— Нет, благодарю вас, мисс Бревис. У вас и без того сегодня много хлопот, хочу поблагодарить вас за превосходную работу, которую вы проделали вчера. Вы хороший организатор и прекрасный работник. Мы все вам очень признательны.

— Спасибо, миссис Мастертон.

— Не смею вас задерживать. А я пока посижу и переброшусь парой словечек с мистером Пуаро.

— Очаровательно, мадам, — сказал Пуаро. Он встал и учтиво ей поклонился.

Миссис Мастертон пододвинула к себе стул и уселась. Восстановившая свое обычное деловое состояние мисс Бревис покинула комнату.

— Очаровательная женщина, — сказала миссис Мастертон. — Не представляю, как обходились бы без нее Стабзы. Такая суета была эти дни в доме. Бедная Хэтти не могла этого вынести. Ну и дела, мистер Пуаро. Пришла вас спросить, что вы обо всем этом думаете.

— А что вы сами думаете, мадам?

— Хм, неприятное происшествие, но должна заметить, совершить такое способен лишь явно патологический субъект. Не местный, надеюсь. Возможно, выпустили на волю какого-то психопата... Теперь часто выпускают, как следует не вылечив. Что я хочу сказать: никому не было нужды душить эту девушку, действовал тип явно ненормальный. А если это ненормальный, то, задушив Марлен, он точно так же мог задушить и Хэтти. Она, горемычная, не очень-то разбирается в людях. Встретила обычного на первый взгляд человека, он, допустим, попросил ее пойти с ним посмотреть что-то в лесу, она и пошла, доверчивая и послушная, как ягненок.

— Думаете, ее труп находится на территории поместья?

— Да, мистер Пуаро, думаю. Но чтобы его найти, следует потрудиться. Представляете, приблизительно шестьдесят пять акров леса надо обшарить, а если ее затащили в кусты или сбросили с кручи в заросли? Тут нужны собаки-ищейки, — сказала миссис Мастертон, сама чем-то напоминавшая ищейку. — Ищейки! Я обязательно позвоню главному констеблю и скажу ему об этом.

— Очень возможно, что вы правы, мадам, — согласился с ней Пуаро. Что еще он мог ответить миссис Мастертон?

— Разумеется, права, но признаюсь, мне не по себе при мысли, что этот молодец где-то скрывается. Когда я узнала о преступлении, то известила всех матерей в округе, попросила внимательно приглядывать за дочерьми и не отпускать их далеко одних. Не очень приятно сознавать, мистер Пуаро, что среди нас находится убийца.

— Маленькая деталь, мадам. Каким образом незнакомец проник в сарай для лодок? Для этого нужен был ключ.

— Ах вот что, — сказала миссис Мастертон, — ну, тут все довольно просто. Марлен, разумеется, вышла наружу.

— Вышла из сарая?

— Да. Думаю, ей надоело сидеть взаперти, она же молоденькая девушка. Захотелось пройтись, размяться. Весьма вероятно, она увидела, как убивают Хэтти. Услышала шум борьбы, вышла посмотреть, и человек, расправившийся с леди Стабз, понятно, должен был убить и ее. Затащить ее обратно в сарай, бросить там и уйти труда не представляло, достаточно было затворить за собой дверь. Это же английский замок. Хлопнул дверью, он и защелкнулся.

Пуаро вежливо кивнул. В его задачу не входило оспаривать доводы миссис Мастертон или указывать ей на такую любопытную подробность, безусловно ею неучтенную, что, если Марлен Такер была убита снаружи сарая, неизвестный убийца должен был хорошо знать условия игры, коль скоро он положил ее на то же самое место и в точно таком же положении, в каком надлежало находиться жертве. Он только деликатно сказал:

— Сэр Джордж уверен, что его жена все еще жива.

— Он говорит так, потому что хочет в это верить. Знаете, он очень любил свою жену. — И совершенно неожиданно миссис Мастертон добавила: — Мне нравится Джордж; несмотря на его происхождение и имеющиеся у него в городе связи, он здесь у нас пришелся ко двору. Самое худшее, что можно о нем сказать, так это то, что он хочет казаться немножечко снобом. Но

что ни говорите, социальный снобизм вполне без-
вреден.

— В наши дни, мадам, — саркастически заметил Пуаро, — деньги нередко заменяют благородное происхождение.

— Дорогой мой, не могу с вами согласиться: ему незачем притворяться снобом... достаточно того, что он
купил это место, заплатив немалые деньги. Мы все пришли и воздали ему должное! Он поистине хороший человек. И не только потому, что богат. Разумеется, Эми
Фоллиат имела к этому приобретению какое-то отношение. Она покровительствовала ему, а она, представь-
те, имеет здесь, в округе, очень большое влияние.
И неудивительно: Фоллиаты живут тут со времен Тю-
доров.

— Верно, Фоллиаты всегда здесь будут жить, — пробормотал Пуаро.

— Да, — вздохнула миссис Мастертон, не обратив
внимания на реплику Пуаро. — Печально, но это дань,
уплачиваемая войне. Молодежь погибла в сражениях...
Суровая необходимость: содержать поместье стало не по
карману, пришлось его продать...

— Но миссис Фоллиат, хотя и потеряла свой дом, по-
прежнему живет в поместье.

— Да. У нее очаровательный флигель. Вы были внутри?

— Нет... Мы распрощались у двери.

— Туда так просто на чашечку чаю не зайдешь, — сказала миссис Мастертон. — Жить во флигеле своего старого дома и видеть, как посторонние люди хозяйничают в
твоих владениях... Но, к чести Эми Фоллиат, не думаю,
чтобы она принимала это близко к сердцу. В общем, она
все устроила, как хотела. Без сомнения, она подала Хэтти
мысль поселиться здесь и склонила к этому Джорджа. Думаю, Эми было бы тяжко видеть, если бы ее дом превратили в гостиницу или какое-нибудь учреждение. —
Миссис Мастертон поднялась. — Ну что ж, надо двигаться. Я деловая женщина.

— Разумеется. Вы должны поговорить с главным констеблем насчет ищеек.

Раздался точно вой разгневанной ослицы — это миссис Мастертон едва не задохнулась от смеха.

315

— Говорят, я сама смахиваю на ищейку.

Пуаро немного отступил и быстро взглянул на нее.

— Бьюсь об заклад, что и вы подумали так же, мистер Пуаро, — сказала миссис Мастертон.

Глава 13

После ухода миссис Мастертон Пуаро вышел из комнаты и зашагал в лес. Нервы у него пошаливали. Он ощущал непреодолимое желание обшарить каждый куст и убедиться, не спрятано ли там тело. Наконец он приблизился к «Глупости», вошел внутрь и присел на каменную скамью: требовалось дать отдых натруженным ногам, которые он, по своему обыкновению, заточил в тесные туфли из лакированной кожи.

Сквозь просветы в деревьях блистала река, противоположный берег порос лесом. Пожалуй, молодой архитектор прав: место для такого сооружения выбрано неудачно. Конечно, можно было бы вырубить деревья, чтобы они не закрывали храм, но даже это не помогло бы. А на открытом берегу возле дома, как и говорил Майкл Вайман, устремленный в вышину храм прекрасно смотрелся бы с реки со стороны Хельмута. Мысль Пуаро вдруг сделала крутой поворот. Хельмут, яхта «Надежда», Этьен де Соуза. Все это вместе приобретало некоторые очертания, правда пока еще не ясные. Хотелось увязать все воедино, но, как это сделать, он еще не знал.

Внезапно его взгляд упал на что-то блестящее, он наклонился и подобрал какой-то предмет, завалившийся в едва заметную трещину в полу храма. Пуаро положил его на ладонь и начал разглядывать с немым изумлением. Это был маленький изящный золотой аэроплан. Напрягая память, он с предельной отчетливостью припомнил браслет. Золотой браслет, украшенный изящными подвесками. Он снова увидел себя в палатке, услышал вкрадчивый голос мадам Зулейки, она же Пегги Легг, сулящей ему обворожительных мулаток, заморские путешествия и письма с приятными известиями. Да, именно у нее был браслет, на котором висело множество крошечных золотых предметов. Современная безделушка, воспроизводящая украшения времен его юности. Возможно, именно поэтому она и произвела на Пуаро такое впечатление. Очевидно, как-то миссис Легг сидела на этой скамье, и одна из подвесок незамеченной упала на пол. Это могло случиться несколько дней назад... может быть, даже недель. А... могло произойти и вчера...

Он задумался над этим предположением. И тут снаружи послышались шаги. Пуаро резко вскинул голову. Из-за угла вынырнула какая-то фигура и, увидев его, остановилась как вкопанная. Пуаро внимательно оглядел худого белобрысого парня в рубахе, разрисованной черепахами и прочими чудищами. Ошибиться было невозможно. Хозяина этой рубахи он заприметил вчера во время соревнований по сбиванию кокосовых орехов.

От Пуаро не скрылось странное, почти неестественное смущение юноши. С иностранным акцентом он поспешно сказал:

— Я прошу прощения... Я не знал...

Пуаро вежливо улыбнулся и назидательно произнес:

— Боюсь, вы попали в чужое владение.

— Да, простите.

— Вы из общежития?

— Да. Да. Я надеялся этим путем через лес дойти до реки.

— Боюсь, — вежливо сказал Пуаро, — вам придется вернуться обратно. Здесь вы не пройдете.

Юноша показал белоснежные зубы, пытаясь изобразить улыбку раскаяния, и повторил:

— Простите. Простите.

Он поклонился и направился в обратную сторону.

Пуаро вышел из храма и посмотрел ему вслед. Дойдя до конца тропинки, парень украдкой оглянулся через плечо. Увидев, что Пуаро следит за ним, ускорил шаги и скрылся за поворотом.

«Хм, — подумал Пуаро, — уж не убийцу ли я встретил?»

Вне всякого сомнения, этот парень вчера присутствовал на празднике и очень смутился, когда повстречался с Пуаро; к тому же он, очевидно, знал, что эта тропа через лес не выведет его к парому. Если ему и в самом деле нужно было туда пройти, то следовало выбрать не эту тропинку возле храма, а ту, что шла пониже, вдоль реки. Более того, вид у юноши был такой, будто он пришел на свидание и очень удивился, встретив в назначенном месте не того, кого ожидал.

— Похоже на то, — размышлял Пуаро. — Ему надо было явно с кем-то встретиться. Но с кем? И для чего?

Он добрался до того места, где тропа делала поворот и, извиваясь, пропадала в лесу. Парня в рубахе с черепахами уже и след простыл. Очевидно, он посчитал разумным поскорее отсюда убраться. Пуаро, покачивая головой, повернул обратно.

Погруженный в размышления, он незаметно вновь добрел до храма и застыл на пороге: настала очередь удивиться ему. Перед ним на коленях с низко опущенной головой стояла Пегги Легг и внимательно разглядывала трещины в каменных плитах. При его появлении она испуганно вскочила:

— О, мистер Пуаро, вы так меня напугали. Я не слышала, как вы подошли.

— Вы что-то разыскивали, мадам?

— Я... нет, не совсем.

— Возможно, вы что-то потеряли? Что-нибудь обронили? Или, может, — произнес он с галантной шутливостью, — у вас тут было назначено свидание, мадам? А я, к великому сожалению, оказался не тем человеком, с которым вам хотелось бы встретиться.

Оправившись от замешательства, Пегги обрела свойственную ей самоуверенность.

— Разве по утрам назначают свидания? — спросила она.

— Случается, — ответил Пуаро, — в любое время можно сбегать на рандеву. Ведь мужья, — добавил он нравоучительно, — иногда очень ревнивы.

— Но только не мой, — сказала Пегги. — Он все время занят собственными делами.

Эти слова она произнесла весело и беззаботно, но Пуаро ощутил скрытую в них горечь.

— Все женщины обычно жалуются на своих мужей, — сказал Пуаро, добавив: — Особенно англичанки.

— Иностранцы более галантны.

— Знаете, — заметил Пуаро, — каждой женщине нужно по крайней мере раз в неделю, а еще лучше три или четыре раза говорить, что вы ее любите, следует приносить ей цветы, делать комплименты, повторять, как идут ей новое платье или шляпка.

— Вы это делаете?

— У меня нет жены, — сказал Пуаро. — Увы!

— При чем здесь «увы»? Уверена, беззаботная жизнь холостяка вас вполне устраивает.

— Нет, нет, мадам, тягостно сознавать, что в жизни у тебя что-то потеряно.

— Думаю, женятся одни дураки, — заявила Пегги.

— Сожалеете о тех днях, когда вы занимались живописью у себя в студии, в Челси?

— Кажется, вы все обо мне знаете, мистер Пуаро.

— Я по натуре сплетник. Люблю послушать, что говорят про людей. Так вы в самом деле сожалеете, мадам?

— Не знаю. — Несколько взволнованная, она опустилась на скамью. Пуаро присел с ней рядом.

Он еще раз убедился, какое удивительное воздействие способен оказывать на людей. Эта красивая, с рыжими кудрями женщина была готова поведать ему такие секреты, которые рассказала бы не каждому своему близкому знакомому.

— Я надеялась, когда мы приедем сюда отдыхать, все переменится... Но этого не произошло.

— Нет?

— Нет. Алек все такой же неуравновешенный и... как бы сказать... ушедший в себя. Не знаю, что с ним происходит. Он очень нервный, находится почти на пределе. Ему звонят какие-то люди, просят передать черт знает что, а он мне совершенно ничего не рассказывает. Я чувствую, что скоро рехнусь. Сначала я думала, что у него есть другая женщина, но, наверное, это не так. Впрочем, не знаю...

— Вы вчера днем с удовольствием выпили чаю, мадам? — спросил Пуаро.

— Чаю? — Она удивленно на него посмотрела, ее мысли, по-видимому, витали где-то далеко. Потом, спохватившись, торопливо произнесла: — О да. Вы и не представляете, как утомительно было сидеть в душной палатке в этих восточных облачениях.

— В чайном павильоне тоже, вероятно, было душно?

— О да. Но чай хорошо освежает, так ведь?

— Вы сейчас что-то искали, мадам? — переменил тему Пуаро. — Случайно, не это? — Он протянул Пегги маленькое золотое украшение.

— Я... о да... Благодарю вас, мистер Пуаро. Где вы нашли его?

— Здесь, на полу, вот в этой трещине.

— Я, видимо, его обронила здесь.

— Вчера?

— О нет, не вчера. Значительно раньше.

— Но я очень хорошо помню, мадам, что видел эту подвеску на вашем запястье, когда вы предсказывали мне судьбу.

Никто не мог с такой уверенностью солгать, как это удавалось Эркюлю Пуаро. Он говорил с полнейшей убежденностью, и перед этой убежденностью Пегги не устояла.

— Я не совсем хорошо помню, — сказала она. — Я только сегодня утром заметила пропажу.

— В таком случае я счастлив возвратить ее вам, — галантно произнес Пуаро.

Пальцы у Пегги дрожали, когда она брала в руки изящную безделушку. Она поднялась.

— Ну что ж, благодарю вас, мистер Пуаро, от души благодарю, — сказала она. Ее дыхание стало прерывистым, а в глазах затаилось беспокойство.

Пегги торопливо покинула храм. Пуаро откинулся на спинку скамьи и, задумавшись, опустил голову.

— Нет, — размышлял он, — нет, вы не ходили вчера днем пить чай. И не потому, что вам не хотелось этого, а потому, что позарез нужно было уйти в четыре часа. И вчера днем вы были здесь. Здесь, в храме. На полпути от лодочного хранилища. Вы пришли сюда, чтобы с кем-то встретиться.

Снова послышались приближающиеся шаги. Быстрые, нетерпеливые шаги. «А вот, вероятно, пожаловал незнакомец, которого так и не дождалась миссис Легг», — улыбнулся в предвкушении предстоящей встречи Пуаро.

Но когда в дверном проеме появился Алек Легг, Пуаро не смог скрыть своего разочарования:

— Снова ошибся.

— Хм? Что? — удивился Алек Легг.

— Я говорю, — пояснил Пуаро, — что снова ошибся. Со мной такое не часто случается, и меня это, знаете ли, раздражает. Не ожидал с вами здесь встретиться.

— А кого вы ожидали? — спросил Алек Легг.

Пуаро ответил не задумываясь:

— Одного парня... совсем мальчишку... из тех, что щеголяют в таких цветастых рубахах с черепахами.

Эти слова произвели совершенно неожиданный эффект. Алек Легг неуверенно шагнул вперед. И невпопад спросил:

— Откуда вы знаете? Откуда... Что вы хотите сказать?

— Да ничего особенного, — ответил Пуаро, прижмурив глаза.

Алек Легг сделал еще пару шагов внутрь храма. Пуаро понимал, что перед ним стоит очень взволнованный и разгневанный человек.

— Что вы хотите сказать, черт побери? — повторил Алек.

— По-моему, ваш приятель, — ответил Пуаро, — ушел обратно в молодежное общежитие. Если хотите его найти, ступайте туда.

— Вот оно что, — пробормотал Алек. И рухнул на другой конец каменной скамьи. — Так вот зачем вы сюда пожаловали! А вовсе не для «раздачи призов». Мне следовало об этом догадаться раньше. — Алек повернулся к Пуаро. Лицо его осунулось и потускнело. — Догадываюсь, о чем вы подумали. О чем же еще можно было подумать! Но это совсем не так. Меня опутали. Если вы попадетесь в лапы к этим людям, тогда поймете, как трудно из них вырваться. Я пытался. Отчаянно пытался. Тут нужны были страшные усилия. Чувствуешь себя попавшей в ловушку крысой и ничего не можешь поделать. О Боже, да что толку говорить! Думаю, я знаю, что вам требуется. Доказательства.

Он встал, заковылял, спотыкаясь, словно не различая пути, и вдруг опрометью, не оглядываясь, бросился вон из беседки.

Пуаро остался сидеть с широко открытыми глазами и изогнутыми от удивления бровями.

— Забавно, — пробормотал он. — Забавно и интересно. Значит, мне нужны доказательства? Какие доказательства? Доказательства убийства?

Глава 14

Инспектор Бленд сидел в полицейском управлении Хельмута. По другую сторону стола находился начальник управления Болдуин, грузный человек с доброжелательным лицом. Между ними на столе лежала какая-то черная раскисшая масса. Инспектор Бленд осторожно ткнул в нее указательным пальцем.

— Вот ее шляпа, — сказал он. — Не сомневаюсь, хотя и не смог бы в этом поклясться. Кажется, она предпочитала такие фасоны. Мне говорила ее горничная. У нее было несколько таких вот шляп. К примеру, бледно-розовая и красновато-коричневая, но вчера она надела черную. Да, это та самая шляпа. И вы вытащили ее из реки? Похоже, все произошло так, как мы и предполагали.

— Не совсем, — возразил Болдуин. — Ведь шляпу могли просто выбросить в реку.

— Да, — согласился Бленд, — могли выбросить возле сарая или сбросить с яхты.

— Яхту следует тщательно обыскать, — сказал Болдуин. — Если леди Стабз там оказалась, живая или мертвая, то там она и находится.

— Де Соуза еще не был сегодня на берегу?

— Был, но бродил неподалеку. Сейчас он на яхте. Сидит в кресле на палубе и курит сигару.

Инспектор взглянул на часы.

— Время отправляться на яхту, — сказал он.

— Думаете все же что-нибудь отыскать? — спросил Болдуин.

— Я не уверен, — ответил Бленд. — Знаете, у меня такое ощущение, что де Соуза чертовски умен. — Нить его рассуждений на мгновение прервалась, он снова ткнул пальцем в шляпу. Потом добавил: — А что насчет трупа, скажите... его ведь не обнаружили? Какие тут имеются соображения?

— Да, — сказал Болдуин, — сегодня утром я потолковал с Оттервейтом. Из охраны побережья. Я всегда с ним советуюсь, когда дело касается приливов и течений. Примерно в то время, когда эту леди бросили в Хельм, если ее и впрямь бросили в Хельм, отлив только начинался. Сейчас полнолуние, течение быстрое. Оттервейт считает, что ее могло вынести в море, течение отнесло бы ее в сторону Корнуолла. Трудно сказать, где будет выброшен труп и будет ли выброшен вообще. Парочку утопленников мы здесь подобрали, но трупы не опознаешь. Их разбило о скалы. Неподалеку отсюда, у Старт-Пойнта. В то же время тело может в любой день прибить к берегу.

— Если этого не произойдет, дело значительно усложнится, — сказал Бленд.

— А вы уверены, что ее сбросили в реку?

— Не понимаю, что еще могло случиться, — угрюмо проговорил инспектор. — Мы проверили все автобусы и поезда. В этом месте конечная остановка. Леди Стабз была в приметной одежде, одна. Как я уже сказал, она не выходила за пределы поместья. Или ее труп уже в море, или его припрятали где-то на территории поместья. Для меня важно, — продолжал он задумчиво, — установить причину преступления. И разумеется, отыскать труп, — добавил он, чуточку поразмыслив. — Пока не найду труп, ничего не смогу сделать.

— Ну а про девушку, про Марлен, что скажете?

— Она увидела... в общем, что-то увидела. В конце концов мы добудем нужные факты, но это будет непросто.

Болдуин посмотрел на часы.

— Время идти, — сказал он.

На борту своей яхты де Соуза принял двух полицейских с изысканной учтивостью. Он предложил им напитки, от которых они отказались, и с живейшим интересом осведомился о достигнутых результатах.

— Как идет расследование убийства?

— Движется потихоньку, — сказал инспектор Бленд.

Начальник полиции решил перехватить инициативу и как можно деликатнее объяснил причину их визита.

— Вы желаете осмотреть «Надежду»? — Де Соуза не выразил ни малейшей озабоченности. Напротив, это предложение, казалось, его развеселило. — Чего ради? Думаете, у меня здесь скрывается убийца или вы меня самого принимаете за убийцу?

— Это необходимо, мистер де Соуза, уверен, вы нас поймете. Вот предписание...

Де Соуза всплеснул руками:

— Мне не терпится оказать вам посильную помощь... Я просто сгораю от нетерпения! Как водится между друзьями. Моя яхта к вашим услугам. Хм, вы, верно, предполагаете, что я спрятал здесь свою кузину, леди Стабз? Считаете, что она убежала от мужа и нашла здесь убежище? Ищите, джентльмены, трудитесь как можно усерднее.

Обыск не занял много времени. Яхта была быстро осмотрена. В конце концов, тщетно пытаясь скрыть свое разочарование, полицейские попрощались с мистером де Соузой.

— Вы так ничего и не отыскали? Какая жалость. Но я ведь предупреждал вас. Может, желаете освежиться, выпить чего-нибудь? Нет?

Хозяин проводил полицейских до трапа, где был пришвартован их катер.

— Ну а со мной что, — спросил де Соуза, — я волен отчаливать? Понимаете, мне все уже здесь осточертело. Погода хорошая. Хотелось бы направиться к Плимуту.

— Будьте добры, сэр, задержитесь здесь до суда... до завтра... вдруг судья захочет вас о чем-то спросить.

— Что ж, пожалуйста. Готов помочь вам. Ну а потом?

— Потом, сэр, — сказал начальник полиции, лицо его при этом посуровело, — вы, конечно, можете направляться куда пожелаете.

Последнее, что они увидели, когда катер отваливал от яхты, было улыбающееся им сверху лицо мистера де Соузы.

Судебное заседание оказалось на редкость неинтересным. Медицинское заключение и акт опознания трупа — вот и все, что вызвало интерес немногочисленных любопытных. Необходимость дополнительного расследования была очевидна. Вся процедура имела чисто формальное значение.

События, последовавшие за этим заседанием, были уже не столь формальными и скучными. Инспектор Бленд днем совершил поездку на небезызвестном прогулочном пароходе «Девон Белл». Покинув приблизительно в три часа Бриксвелл, пароход обогнул мыс, проследовал вдоль побережья, вошел в устье Хельма и поднялся вверх по реке. Помимо инспектора Бленда на пароходе находилось более двухсот пассажиров. Он сидел с правого борта и внимательно разглядывал лесистые берега. Пароход обогнул излучину реки и миновал одинокий, крытый серой черепицей дом, находившийся на территории Худаун-парка. Инспектор Бленд искоса глянул на часы. Было точно четверть пятого. Сейчас они находились возле пресловутого лодочного сарая. Он приютился в отдалении между деревьями, к нему примыкал маленький балкон, а внизу располагалась гавань. Трудно было сказать, находится ли сейчас кто-нибудь внутри помещения. Согласно распоряжению начальства, там сейчас дежурил констебль Хоскинс.

Неподалеку от ведущих к сараю ступенек виднелась утлая лодчонка. В ней сидели парень и девушка в купальных костюмах. Они резвились, словно разгулявшиеся жеребята. Девушка испуганно вскрикнула, парень, веселясь, пытался через борт лодки окунуть ее в воду. В этот самый момент раздался усиленный мегафоном голос.

— Леди и джентльмены, — прорычал мегафон, — сейчас мы приближаемся к известной деревушке Гитхэм, где пробудем сорок пять минут и где вы сможете полакомиться крабами, омарами, а также знаменитой девонширской сметаной. Справа от вас усадьба «Нэссе». Сам дом вы увидите через две или три минуты; он хорошо просматривается между деревьями. Первоначально усадьбой владел сэр Джерваз Фоллиат, современник сэра Фрэнсиса Дрейка, участник его морских экспедиций в Новый Свет; сейчас усадьба принадлежит сэру Джорджу Стабзу. Слева от вас знаменитая Приморская скала. Леди и джентльмены, согласно преданию, мужья во время отлива приводили сюда сварливых жен и оставляли их тут, пока вода не поднимется им по шею.

Пассажиры «Девон Белл» с нескрываемым интересом разглядывали Приморскую скалу. Послышались плоские шутки, истерический визг, бессмысленная болтовня.

За это время находившийся в лодке гуляка, понатужившись, сбросил свою спутницу в реку. Наклонившись над бортом, он держал ее в воде, хохоча и приговаривая:

— Нет, я не вытащу тебя, раз ты не выполнила своего обещания.

Никто, однако, за исключением инспектора Бленда, не заметил этого. Люди вслушивались в громоподобные мегафонные раскаты, любовались видневшимся за деревьями домом, с нескрываемым любопытством разглядывали Приморскую скалу.

Гуляка отпустил девушку, она погрузилась в воду и спустя несколько мгновений появилась по другую сторону лодки. Подплыла к ней, забралась внутрь, с удивительной сноровкой подтянувшись на руках. Служащая в полиции Алиса Джонс была тренированной пловчихой.

Инспектор Бленд сошел на берег в Гитхэме вместе с двумя сотнями других пассажиров, съел салат из омаров, заправленный девонширской сметаной, с ячменными лепешками. Подумал: «Итак, дело сделано, и никто ничего не заметил».

Пока инспектор Бленд проводил свои эксперименты на Хельме, Эркюль Пуаро экспериментировал в палатке, разбитой на лужайке в «Нэссе». Это была та самая палатка, где мадам Зулейка вчера предсказывала судьбу. Когда убирались все навесы и прилавки, Пуаро попросил оставить эту палатку неразобранной.

Он вошел туда, сдвинул полы палатки, подошел к задней стенке. Быстро развязав скреплявшие створки палатки шнуры, он скользнул наружу, снова завязал шнуры и погрузился в заросли рододендронов, раскинувшиеся тут же, за палаткой. Пробравшись между кустами, он быстро добрался до небольшой деревянной хижины. Она походила на маленькую дачу, дверь была плотно закрыта, но не заперта. Пуаро отворил дверь и прошел внутрь.

В хижине стоял полумрак, — обступившие ее многовековые заросли рододендронов почти не пропускали свет. На полу валялись коробка с шарами для крокета и несколько старых проржавевших обручей. С ними соседствовала пара поломанных хоккейных клюшек, по стенам шныряла несметная армия пауков и сороконожек, на пыльном полу был начертан какой-то кособокий круг. Некоторое время Пуаро рассматривал его. Он опустился на колени, достал из кармана маленькую рулетку и тщательно измерил его, удовлетворенно кивнув.

Пуаро бесшумно вышел наружу, затворив за собой дверь, и начал продираться сквозь кусты рододендронов вверх по пологому склону. Его путь лежал к вершине холма, вскоре он оказался на тропе, которая вела к «Глупости», а потом спускалась вниз к лодочному сараю.

На этот раз он не зашел в храм, а сразу направился по дороге, которая, круто изгибаясь, вывела его к хранилищу. У него был ключ, он открыл дверь и вошел внутрь.

Труп и поднос с посудой убрали, в остальном здесь ничто не изменилось с тех пор, когда он впервые вошел в это помещение. Полиция все описала и сфотографировала. Пуаро подошел к столу, где по-прежнему лежала стопка комиксов, и полистал их. У него появились те же соображения, что и у инспектора Бленда, когда тот разбирал предсмертные каракули Марлен: «Джеки Блейк гуляет с Сюзанной Браун», «Питер щекочет в кино девочек», «Джорджи Порги целуется в лесу с туристками», «Бидди Фокс любит мальчиков», «Альберт гуляет с Дорин».

Эти замечания выражали детскую непосредственность и явную зависть. Он вспомнил некрасивое веснушчатое лицо Марлен. Наверное, мальчики не пытались украдкой ее ущипнуть или поцеловать, и у нее, вследствие неудовлетворенности, появилось сладострастное желание шпионить и подглядывать за своими сверстниками. Появилась привычка наблюдать за людьми, совать нос в чужие дела и в результате становиться обладательницей чужих секретов. Секреты эти не имели большого значения — обычные житейские мелочи, но не попалось ли случайно ей на глаза нечто более важное, смысла чего она, верно, и сама не осознавала?

Это были весьма неубедительные предположения, и Пуаро с сомнением покачал головой. Он вновь аккуратно сложил на столе стопку комиксов — стремление к порядку было у него непреодолимым. Пока он занимался этим, у него неожиданно появилось ощущение, будто здесь что-то исчезло, чего-то не хватало... Но чего же?.. Он покачал головой, и навязчивая мысль постепенно оставила Пуаро.

Неторопливо, удрученный и недовольный собой, он покинул сарай. Ведь он, Эркюль Пуаро, был вызван в поместье, чтобы предотвратить убийство... но ему это не удалось. Убийство произошло. И даже сейчас он не мог объяснить, как все это на самом деле случилось. Сознавать такое было тяжело и унизительно. Завтра нужно возвращаться в Лондон, и возвращаться ни с чем. Самолюбие Пуаро было оскорблено... Даже великолепные усы поникли.

Глава 15

Две недели спустя инспектор Бленд имел продолжительную и малопродуктивную беседу с главным констеблем графства.

Могучие кустистые брови майора Меррэла придавали ему сходство с рассерженным терьером. Но тем не менее он пользовался любовью своих подчиненных, уважавших его опытность и справедливость суждений.

— Так, так, так, — проговорил майор Меррэл. — Что же мы имеем? Решительно ничего. Теперь этот парень, де Соуза. К убитой девушке он, вероятно, никакого отношения не имеет. Если труп леди Стабз обнаружится, дело будет выглядеть совершенно иначе. — Брови майора нахмурились, он сердито поглядел на Бленда. — Думаете, труп там, а?

— А что вы думаете, сэр?

— О, я с вами солидарен. Иначе мы бы ее уже обнаружили. Ловко эта мадам все придумала. Никаких следов не видать. Денег у нее не было. Мы это установили. Деньги находились у сэра Джорджа. Он жене делал щедрые подарки, но у нее самой не было ни гроша. И любовника, понятно, тоже не было. Никаких слухов и сплетен на этот счет... и это, заметьте, в нашей сельской местности. — Меррэл посмотрел на потолок, потом на пол. — Реальность такова: нам ничего не известно. Мы думаем, де Соуза по каким-то непонятным, ему одному известным причинам расправился со своей кузиной. Вероятнее всего, он уговорил ее встретиться с ним возле лодочного хранилища, увез на катере и столкнул в реку. Вы проверили такую возможность?

— Боже мой, на реке или на взморье летом можно утопить целый пароход с людьми. Никто этого и не заметит. Все заняты своими делами, толкаются, орут, визжат — словом, развлекаются. Но вот в чем дело: де Соуза не знал, что в сарае спрятана девушка, которой смертельно наскучило безделье и которая поэтому, десять против одного, выглянула в окно.

— Хоскинс выглядывал из окна и наблюдал за вашей инсценировкой, вы его не увидели?

— Нет, сэр. Обнаружить себя можно лишь показавшись на балконе, иначе не узнаешь, есть ли внутри сарая кто-нибудь.

— Возможно, девушка выходила на балкон. Де Соуза догадался, что она его заметила, поэтому сошел на берег, завел с ней разговор, попросил отворить дверь, осведомился, что она здесь делает. Марлен, гордясь своим участием в игре, все ему рассказала, он, как бы в шутку, набросил ей на шею шнурок... и у-ух... — Майор Меррэл сделал рукой красноречивый жест. — О'кей, Бленд, о'кей. Допустим, все произошло именно так. Но это лишь догадки. Доказательств у нас нет. Трупа мы не нашли, и попробуй задержи де Соузу... легче разворошить осиное гнездо. Пусть уезжает.

— Он собирается уехать, сэр?

— Думает еще неделю провалиться здесь, у себя на яхте. Пока не уберется на свой остров.

— У нас мало времени, — мрачно проговорил Бленд.

— Полагаю, есть и другие варианты.

— Да, сэр, имеется несколько вариантов. Я все-таки думаю, что леди Стабз, должно быть, убил кто-то из участников игры. Два человека полностью вне подозрений. Сэр Джордж Стабз и капитан Вобартон. Они руководили развлечениями на лужайке и весь день были заняты. За них может поручиться множество людей. Так же, как и за миссис Мастертон, ее репутация вне подозрений.

— Вне подозрений, — повторил майор Меррэл. — Она мне постоянно звонит и требует овчарок. Подобная женщина, — произнес он глубокомысленно, — в принципе необходимая участница любой детективной истории. Но черт побери, я знаю Конни Мастертон всю свою жизнь. И не могу представить ее в роли убийцы молоденьких девушек или похитительницы таинственных экзотических красавиц. Хорошо, кто там еще?

— Миссис Оливер, — сказал Бленд. — Она придумала эту игру. Натура эксцентрическая, и добрую половину дня она где-то пропадала. Потом, мистер Алек Легг.

— Парень из Розового коттеджа, хм?

— Да. Довольно рано покинул гулянье, и больше его не видели. Объясняет, будто ему все надоело и он отправился к себе в коттедж. В то же время Мерделл... старикашка, который на причале присматривает за лодками, говорит, что Алек Легг проходил мимо него по направлению к коттеджу около пяти часов. Не раньше. Значит, у него в запасе остается около часа. Легг, конечно, отрицает это, утверждает, что Мерделл ошибся и неправильно назвал время их встречи. Как бы то ни было, старику уже девяносто два года.

— Не очень-то убедительно, — заявил Меррэл. — А мотивы преступления позволяют привлечь Легга?

— Он и леди Стабз могли себе кое-что позволить, — задумчиво сказал Бленд, — допустим, она грозила рассказать его жене, и он мог с ней разделаться, а девчонка все это увидела...

— И Легг где-то укрыл труп леди Стабз?

— Да. Но клянусь Богом, не знаю, как и где он это сделал. Мои люди обыскали все шестьдесят пять акров, никаких следов преступления не обнаружено, а я уверяю вас, мы ни одного кустика не пропустили! Могу еще предположить, что труп Леггу посчастливилось припрятать, а ее шляпу он забросил в реку для отвода глаз. Марлен Такер его увидела, и он убрал ненужного свидетеля. Этот вариант повторяется. — Помолчав, Бленд добавил: — И конечно, еще остается миссис Легг...

— А с ней что?

— В чайном павильоне с четырех до половины пятого ее не было, хотя она и утверждает обратное, — задумчиво проговорил инспектор. — Я это сразу же заметил, как только побеседовал с ней и миссис Фоллиат. Факты подтверждают заявление миссис Фоллиат. А эти полчаса приобретают существенное значение. — Он опять помолчал. — Затем, есть еще один архитектор, молодой Майкл Вайман. Привлечь его к этому делу затруднино, но не удивлюсь, если он окажется убийцей... это наглый и нервный субъект. Убьет любого и глазом не моргнет.

— Вы чертовски самоуверенны, Бленд, — сказал майор Меррэл. — Как он объясняет свое времяпрепровождение?

— Очень неопределенно, сэр. Весьма неопределенно.

— Значит, это настоящий архитектор, — убежденно изрек майор, который недавно построил себе дом на побережье. — Они все такие чудаковатые, что диву даешься, как вообще они существуют на земле.

— Никто не знает, где и когда он был, никто его не видел. Но есть доказательства, что леди Стабз питала к нему симпатию.

— Уж не считаете ли вы, что убийства совершаются только из-за любовных побуждений?

— Я лишь сообщаю вам то, что мне удалось выяснить, сэр, — с достоинством парировал инспектор. — Затем, есть еще мисс Бревис... — Он замолчал. Последовала продолжительная пауза.

— Это секретарша сэра Джорджа, да?

— Да, сэр. На редкость деловая женщина.

Майор Меррэл внимательно посмотрел на своего подчиненного.

— А ее вы ни в чем не подозреваете? — спросил он.

— Да, сэр, подозреваю. Понимаете, она откровенно призналась, что заходила в сарай приблизительно в то время, когда было совершено убийство.

— Но разве она созналась бы в этом, будь она виновна?

— Возможно, — неуверенно проговорил инспектор, — для нее это было единственным спасением. Судите сами, она берет поднос с пирожными и фруктовым напитком и объявляет, что отнесет все это Марлен... ну что ж, значит, ее пребывание в сарае установлено. Она идет туда, возвращается и говорит, что с девочкой все в порядке. Мы принимаем ее слова за истину. Но если вы помните, сэр, или посмотрите в медицинское заключение, доктор Кук определяет, что смерть произошла между четырьмя часами и пятнадцатью минутами пятого. А мисс Бревис утверждает, что в четверть пятого Марлен была жива; и еще одна несообразность имеется в ее показании. Она мне сказала, будто не кто иной, как леди Стабз, велела ей отнести Марлен пирожные и фруктовый напиток. Но другие свидетели определенно заявляют, что леди Стабз не могла дать подобного распоряжения. И знаете, я с ними согласен. Не в ее характере подобная предупредительность. Эта красавица ничего, кроме себя и своей внешности, не замечала. Она совсем не занималась хозяйством, ее интересовала лишь собственная персона. Думать о ком-то другом леди Стабз была просто не способна.

— Знаете, Бленд, — сказал Меррэл, — здесь что-то кроется. Но если так, какие у мисс Бревис мотивы?

— Никаких причин убивать девочку у нее не было, — заявил Бленд, — но, несомненно, желания разделаться с леди Стабз ей было не занимать. По мнению Пуаро, с которым я на эту тему беседовал, она была по уши влюблена в своего хозяина. Предположим, она подстерегла в лесу леди Стабз, убила ее, а Марлен Такер, которой наскучило сидеть взаперти, вышла из своего сарая и это увидела. В таком случае мисс Бревис пришлось убить и ее. Что было потом? Она затащила тело девочки в сарай, вернулась в дом, взяла поднос и снова отправилась в хранилище для лодок. Таким образом она получила возможность объяснить причину своего отсутствия и всучила нам показание, которому мы безоговорочно поверили: заявила, что якобы в четверть пятого Марлен Такер была жива и здорова.

— Ну что ж, — вздохнул майор Меррэл, — это весьма правдоподобно, Бленд. Весьма. А как вы думаете, что она в таком случае сделала с трупом леди Стабз?

— Спрятала в лесу, зарыла или сбросила в реку.

— Сделать последнее было довольно затруднительно, не так ли?

— Все зависит от того, где произошло убийство, — сказал инспектор. — Мисс Бревис здоровая женщина. Если это случилось неподалеку от сарая, она вполне могла дотащить труп леди Стабз до берега и сбросить в бухту.

— На виду катающейся на пароходе публики?

— Подобный вариант мы уже проверили. Рискованно, но возможно. Но я думаю, более вероятно, тело она где-нибудь спрятала, а в реку швырнула только шляпу.

Она знает здесь все окрестности, видимо, ей известен какой-то тайник, где можно было припрятать тело. А в реку она его сбросила позже. Кто знает? Разумеется, если она это действительно сделала, — добавил инспектор после некоторого раздумья. — Но если серьезно, сэр, я считаю, что де Соуза...

Майор Меррэл сделал у себя в блокноте какие-то пометки.

— Итак, выводы такие, — заявил он, оторвав взгляд от стола. — На примете у нас пять или шесть человек, которые могли убить Марлен Такер. На одних подозрение падает в большей мере, на других в меньшей, вот и все. В общем, мы знаем, почему ее убили. Потому что она увидела что-то ей не положенное. Но пока мы точно не выясним, что же именно она увидела, — мы не узнаем, кто ее убил.

— Именно так, не простая задачка, сэр.

— Да, не простая. Но мы ее решим... рано или поздно.

— А тем временем этот прощелыга де Соуза покинет Англию... посмеиваясь в рукав... убил двоих и как ни в чем не бывало улизнул.

— Вы в этом совершенно уверены, а? Я не говорю, что вы ошибаетесь. Но все-таки... — Главный констебль, пожав плечами, сказал: — Во всяком случае, предпочитаю иметь дело с ним, чем с каким-нибудь психопатом. Я вот о чем беспокоюсь: как бы на нас не свалилось еще третье убийство.

— Говорят, Бог троицу любит, — мрачно пошутил инспектор.

Он повторил эту мысль следующим утром, когда услышал, что старый Мерделл, возвращаясь домой после посещения своего любимого кабачка по другую сторону реки в Гитхэме и, видимо, основательно перегрузившись, свалился из лодки в реку. Лодку отнесло течением в сторону, а труп старика обнаружили к вечеру.

Дознание не заняло много времени. Ночь была облачной и темной, старый Мерделл хватанул три пинты пива, да и, в любом случае, стукнуло ему девяносто два года.

Вердикт был однозначен: смерть от несчастного случая.

Глава 16

Эркюль Пуаро сидел в квадратном кресле перед квадратным камином в квадратной комнате своей лондонской квартиры. Перед ним стояла коробка с множеством предметов, которые были не квадратными, а имели самую причудливую форму. Каждый из них в отдельности, казалось, был ни на что не пригоден. Ссыпанные в кучу, они выглядели хаотическим набором бесформенных обрезков. В действительности это было не совсем так.

Каждый из маленьких предметов имел свое назначение, и его следовало поместить в определенное место в определенной последовательности. Собранные таким образом, предметы не только приобретали смысл, но образовывали живописную картину. Другими словами, Эркюль Пуаро решал мозаичную головоломку.

Он критически оглядел сделанное им, в картине образовался просвет, напоминавший по форме неправильный прямоугольник. Занятие успокаивало Пуаро и доставляло ему удовольствие. Хаос превращался в некое стройное целое. В этой игре Пуаро находил определенное сходство со своей профессией. И в ней также сталкиваешься с множеством непонятных и с виду бессмысленных фактов, не имеющих между собой никакой связи, но, поставленные в определенной последовательности, эти факты начинают дополнять друг друга и создают единое целое. Цепкие пальцы Пуаро ухватили темно-серый обломок и поместили его в небесную голубизну. Теперь он превратился в часть аэроплана.

— Да, — пробормотал Пуаро, — вот так бы давно. Казалось бы, никчемушный кусочек, положенный в нужное место, обретает определенное значение, и, когда все кусочки оказываются на предназначенных им местах — прекрасно! — картина приобретает завершенность! Все — как теперь принято выражаться — становится на свои места...

Уверенными движениями он поместил в нужное место маленький кусочек минарета, вставил еще куда-то другую деталь, похожую на обрывок брезента, а на деле оказавшуюся кошачьим задом, добавил недостающий кусочек заката, изменивший однообразное освещение пейзажа с оранжевого на розовое.

«Главное — вовремя подыскать нужную деталь, и все становится удивительно простым, — подумал Пуаро. — Но кто знает, где ее следует искать?» Он раздраженно вздохнул. Отрешенным взглядом оглядел мозаичную картину, потом кресло, стоявшее по другую сторону камина. Не прошло и получаса с тех пор, как инспектор Бленд, сидя в нем, пил чай с булочками (тоже квадратными) и тоскливо разглагольствовал. Он приехал в Лондон по делам службы и, управившись с ними, решил заскочить к Пуаро. Как он объяснил, его интересовало, не появились ли у Пуаро какие-нибудь новые соображения. Потом он рассказал о собственных предположениях. Каждый пункт он разжевывал до мельчайших подробностей, Пуаро это нравилось. Инспектор Бленд, подумал он, сделал точный и объективный обзор запутанного дела.

Уже месяц, почти пять недель истекли с момента происшедших событий. Пять недель бесплодных поисков и топтания на месте. Тело леди Стабз не было обнаружено. Но никаких доказательств, что она жива, тоже не появилось. Подобное предположение казалось инспектору Бленду невероятным. Пуаро был с ним совершенно согласен.

— Разумеется, — сказал Бленд, — труп мог быть и не унесен в море. Может, он вовсе и не в воде. Возможно, он еще обнаружится, хотя вряд ли его можно будет тогда опознать.

— Имеется и третий вариант, — подсказал Пуаро.

Бленд кивнул.

— Да, — сказал он, — я подумал об этом. Все время размышляю по этому поводу. Вы полагаете, что тело спрятано там... в поместье... в каком-нибудь укромном местечке, куда никто не догадается заглянуть. Знаете, это возможно. Вполне возможно. Дом старый, земли много, там есть такие закоулки, что и представить трудно.

Он помолчал, задумался и добавил:

— Недавно я там был. Так вот, во время войны было построено бомбоубежище. Не ахти какое сооружение, в саду, неподалеку от дома. От бомбоубежища был сделан проход к дому, в подвал. Война закончилась, убежище обвалилось и превратилось в груду слежавшихся развалин. Когда сейчас гуляешь по саду, и в голову не придет, что здесь когда-то было убежище, а под ним находилось еще одно помещение. Кажется, что там всегда была свалка. И все это время в дальнем конце подвала помещался старинный ларь с вином, и туда тоже ведет коридор. Вот что я разузнал. Тайник с замаскированным ходом, о котором постороннему человеку знать не полагается. Не дух же святой его посещает?

— Наверное, не дух... но, может, его сделали Бог весть когда.

— Вот что говорит мистер Вайман... он говорит, что дом был построен примерно в 1790 году. В то время духи в укромных местах не прятались. Позднее какие-то переделки где-то были сделаны... но о них могут знать только члены семьи. Что вы об этом думаете, мистер Пуаро?

— Да, это возможно, — сказал Пуаро, — ваша мысль заслуживает внимания. О каких-то тайниках и перестройках, полагаю, мог знать лишь тот, кто в этом доме постоянно проживает, будь то слуга или кто-то из членов семьи.

— Да. И разумеется, тогда де Соуза оказывается вне подозрений, — с грустью согласился инспектор: с этой мыслью ему очень не хотелось примириться. — Менее вероятно, чтобы в эту тайну был посвящен человек, временно останавливавшийся в доме. Супруги Легг, например.

— Скорее всего, человек, который наверняка знает обо всем этом и который, спроси вы его, мог бы вам все рассказать, — это миссис Фоллиат.

Пуаро тоже пришло в голову, что миссис Фоллиат знала все, что можно было знать о поместье. Миссис Фоллиат знала бесчисленное количество подробностей... Миссис Фоллиат наверняка знала о смерти Хэтти Стабз. И еще до того, как были убиты Марлен и Хэтти, миссис Фоллиат говорила о беспредельной жестокости этого мира и людей, в нем обитающих. Миссис Фоллиат, с грустью подумал Пуаро, это ключ к тайнам случившейся прискорбной истории. Но этот ключ не просто вставить в замок.

— С этой леди я несколько раз беседовал, — сообщил инспектор. — Милая, обходительная, рассудительная, она, казалось, была очень удручена тем, что не могла рассказать нам ничего толкового.

«Не могла или не хотела?» — подумал Пуаро. Возможно, Бленд подумал то же самое.

— Такую женщину, — сказал он, — ни к чему насильно не принудишь. Ее не запугаешь, не убедишь и не обведешь вокруг пальца. «Именно так, — подумал про себя Пуаро, — миссис Фоллиат не запугаешь, не убедишь, не обманешь».

Инспектор допил чай, вздохнул и распрощался, Пуаро раздраженно отодвинул мозаику. Он не мог подавить растущего раздражения. Раздражения и досады. Миссис Оливер пригласила его, Эркюля Пуаро, в надежде, что он способен разгадать роковую загадку. Она ощущала предстоящую угрозу, и она не ошиблась. Она была уверена, что Пуаро сможет ее предотвратить... а он не только не предотвратил угрозу... но не смог и найти убийцу. Он брел, спотыкаясь, в тумане, изредка озаряемом яркими всполохами света. И всякий раз с надеждой бросался на свет этих завораживающих сияний. И всякий раз надежды его не оправдывались. Свет исчезал, едва успев появиться.

Пуаро поднялся, подошел к креслу по другую сторону камина и опустился в него. Его мысли перенеслись от игры-головоломки к головоломке уголовного преступления. Он вынул из кармана записную книжку и написал мелкими аккуратными буквами: *«Этьен де Соуза, Аманда Бревис, Алек Легг, Пегги Легг, Майкл Вайман»*.

Сэр Джордж и Джим Вобартон практически не могли убить Марлен Такер. Поскольку миссис Оливер практически имела такую возможность, Пуаро дополнил составленный список ее фамилией. Еще он включил в него миссис Мастертон, так как не помнил точно, была ли она на лужайке от четырех часов до четверти пятого. Добавил он в список и Гендона, дворецкого, — не потому, что подозревал темноволосого представительного мужчину с внешностью художника, в обязанности которого входило в определенное время ударять жезлом по гонгу, а главным образом потому, что в сценарии миссис Оливер фигурировал дворецкий с порочными наклонностями. Затем он вписал *«парень в черепаховой рубахе»* и поставил после этой записи вопросительный знак. Улыбнулся, покачал головой, вытащил из-за обшлага халата булавку, закрыл глаза и проколол ею листок бумаги, подумав, что этот способ ничем не хуже другого.

Булавка проткнула последнюю строчку, что вызвало понятное неудовольствие Пуаро.

— Я идиот! — воскликнул Эркюль. — Какое отношение парень в черепаховой рубахе имеет ко всей этой истории?

Но какая-то непонятная причина, и он это осознавал, заставила его занести эту загадочную личность в свой список. Припомнился день, когда он, сидя в храме, неожиданно увидел удивленное лицо этого парня, оторопевшего при встрече с незнакомым человеком. Не очень симпатичное, даром что молодое, лицо. Скорее наглое, безжалостное лицо. Он пришел на свидание с кем-то и не думал застать там постороннего, с которым у него не было ни нужды, ни желания встречаться. Видно, это было тайное свидание. Возможно, имеющее какое-то отношение к убийству?

При этом воспоминании Пуаро недовольно поморщился. Парень из молодежного общежития... да, тот самый, что находился неподалеку по крайней мере в течение двух суток. Случайно ли он приехал сюда? Один из множества студентов, посещающих Британию? Студент, прибывший с теми двумя девушками, которых Пуаро подбросил на машине в тот первый памятный день? Или он приехал сюда со специальной целью с кем-то повстречаться? Выходит, неожиданная встреча с ним во время праздника была отнюдь не случайной... возможно ли такое совпадение?

— Вот еще одно соображение, — пробормотал Пуаро. — Сколько же у меня таких разрозненных кусочков... но как собрать из них цельную картину преступления, я не имею понятия.

Он перевернул страницу записной книжки и пометил: «Просила ли леди Стабз мисс Бревис отнести чай Марлен? Если нет, почему мисс Бревис утверждает подобное?»

Пуаро еще раз обдумал возможные варианты. Мысль отнести девочке пирожные и морс могла прийти в голову мисс Бревис и без посторонней подсказки. Но в таком случае почему в этом не признаться? Зачем лгать, будто бы сделать это попросила ее леди Стабз? Возможно, потому, что мисс Бревис, придя в сарай, увидела там мертвую Марлен? Но она совсем не нервная и не впечатлительная женщина. Доведись ей увидеть мертвую девочку, она тут же подняла бы переполох.

Некоторое время Пуаро сосредоточенно разглядывал написанные его рукой два коварных вопроса. Его не покидало ощущение, что за ними кроется разгадка ускользающей от него истины. После нескольких минут размышления он сделал следующую приписку: *«Этьен де Соуза заявляет, что написал кузине за три недели до своего появления в «Нэссе». В какой мере правдиво или ложно данное утверждение?»*

Пуаро почти не сомневался в его недостоверности. Он живо представил себе разыгравшуюся во время завтрака сцену. Казалось, не существовало никаких весомых причин, заставивших леди Стабз изображать удивление, более того, страх, которых она не испытывала. Цель данного притворства была ему не ясна. Допустим в таком случае, что Этьен де Соуза солгал, но какие у него были на то соображения? Создать впечатление, что его визит, о котором он заранее оповестил, был желанным и приятным для хозяев? Может быть, оно и так, но и подобное объяснение выглядело довольно неубедительно. Достоверные подтверждения, что это письмо было когда-то написано или получено, отсутствовали. Может быть, все-таки де Соуза пытался удостоверить свою благовоспитанность, желая изобразить неожиданное вторжение естественным и долгожданным событием? Безусловно, сэр Джордж принял его весьма радушно, хотя и не был с ним прежде знаком.

Пуаро сделал небольшую передышку, слегка притормозив поток нахлынувших на него размышлений. Сэр Джордж никогда не был знаком с де Соузой. Его жена была с ним знакома, но не пожелала встретиться. Может быть, здесь что-то кроется? Возможно, Этьен де Соуза, приехавший в день праздника, на самом деле не был настоящим Этьеном де Соузой? В голове Пуаро мелькнуло некое соображение, но уже в который раз он ощутил его бесплодность. Какие выгоды приобретал мнимый де Соуза, выдавая себя за подлинного де Соузу? В любом случае смерть Хэтти ему ничего не давала. У Хэтти, как установила полиция, не было собственных денег, кроме тех, что выделял ей супруг.

Пуаро силился точно припомнить, что сказала ему леди Стабз в то утро. «Он плохой человек. Он совершает отвратительные поступки». И, по утверждению Бленда, она еще сказала мужу: «Он убивает людей».

Подобное заявление не следует оставлять без внимания, надобно сопоставить все факты. «Он убивает людей».

В день приезда Этьена де Соузы происходит одно, а возможно, и два убийства. Миссис Фоллиат советует оставить без внимания мелодраматические замечания Хэтти. Она определенно на этом настаивает. Миссис Фоллиат...

Эркюль Пуаро нахмурился и решительно хлопнул рукой по подлокотнику кресла.

— Снова и снова... я возвращаюсь к миссис Фоллиат. Она ключ ко всей этой истории. Если бы я знал, что знает она. Нельзя дольше сидеть в кресле и предаваться бесплодным размышлениям. Нет, нужно вновь садиться в поезд, ехать в Девон и навестить миссис Фоллиат.

Эркюль Пуаро остановился возле массивных, украшенных металлическими завитками ворот Нэссекомба. Оглядел уходящую в глубь поместья покатыми изгибами дорогу. Лето прошло. Багряные листья с тихим шорохом облетали с деревьев. Крохотные розовато-лиловые цикламены расцвечивали травянистые склоны. Пуаро вздохнул. Красота этого места с непреодолимой силой влекла его. Он не был страстным почитателем дикой природы; буйные заросли не вызывали у него восхищения, ему нравились опрятность и порядок.

Слева от него стоял знакомый маленький с белым портиком флигель. День был чудесным. Наверное, миссис Фоллиат куда-нибудь ушла. Она часто бродила по округе со своей садовой корзинкой или навещала живущих неподалеку знакомых. У нее было много друзей. Ведь в этом доме она прожила столько долгих лет. Как это сказал старик на причале? «Фоллиаты всегда будут здесь».

Пуаро осторожно постучал в дверь флигеля. Вскоре в доме послышались шаги. Они были медленные и нерешительные. Дверь отворилась, и перед ним на пороге предстала миссис Фоллиат. Ее старость и дряхлость поразили его. Какое-то мгновение она неприязненно разглядывала пришельца, потом сказала:

— Мистер Пуаро? Вы!

Ему почудилось, будто в глазах у нее промелькнул страх, но, может, то была лишь игра воображения. Он вежливо сказал:

— Разрешите войти, мадам?

— Разумеется.

Она пришла в себя после минутного замешательства, жестом пригласила Пуаро войти и провела в свою маленькую гостиную. Камин украшало несколько фигурок из тонкого фарфора, два кресла покрывали чехлы из дорогой тяжелой ткани, на маленьком столике виднелся изящный чайный прибор.

— Я принесу еще одну чашку, — сказала миссис Фоллиат.

Пуаро протестующе взмахнул руками, на что она не обратила никакого внимания.

— Разумеется, вам необходимо выпить чаю.

Она вышла из комнаты. Пуаро огляделся вокруг. На столе лежало неоконченное мелкого рисунка вязанье с воткнутой в него спицей. Напротив стоял шкаф с книгами. На стене висело несколько миниатюр и выцветшая в серебряной рамке фотография военного с лихо закрученными усами и безвольным подбородком.

Миссис Фоллиат возвратилась в гостиную с чашкой и блюдцем в руке.

— Это ваш муж, мадам? — спросил Пуаро, указывая на фотографию.

— Да.

Заметив, что глаза Пуаро обшаривают книжный шкаф, вероятно в поиске других фотографий, миссис Фоллиат сказала без обиняков:

— Не люблю фотографий. Они заставляют тебя жить прошлым. А его следует забывать. Мертвое дерево должно быть спилено.

Пуаро припомнилась его первая встреча с миссис Фоллиат, когда она подрезала секатором растущие на склоне кусты. И тогда она в разговоре тоже обронила что-то про мертвое дерево. Пуаро задумчиво посмотрел на миссис Фоллиат, силясь проникнуть в тайны ее существа. Загадочная женщина, которая, несмотря на ее утонченность и кажущуюся слабость, сумеет в случае необходимости быть безжалостной. Женщина, которая не только в саду, но и в собственной жизни срежет мертвое дерево...

Она присела к столу и налила чашечку чаю, спросив:

— Молоко? Сахар?

— Три кусочка, если вы будете настолько добры, мадам.

— Я удивилась, — начала она, протянув ему чашку, — когда увидела вас. Не думала, что вы снова появитесь в наших краях.

— Меня занесло сюда не случайно, — сказал Пуаро.

— Нет? — Брови ее вопросительно изогнулись.

— Я намеренно приехал сюда.

Миссис Фоллиат не отводила от него удивленного взгляда.

— Я приехал главным образом для того, чтобы встретиться с вами, мадам.

— В самом деле?

— Прежде всего... скажите, ничего нового не узнали про юную леди Стабз?

Миссис Фоллиат покачала головой.

— Как-то прибило к берегу труп в Корнуолле, — сказала она. — Джордж поехал его опознать. Но это была не она. — Женщина помолчала. — Очень жаль Джорджа. Потрясение для него было чересчур велико.

— Он все еще верит, что его жена может отыскаться?

— Думаю, — сказала миссис Фоллиат, — он распрощался с этой надеждой. Будь Хэтти живой, вряд ли бы она могла так долго скрываться, ведь газеты и полиция разыскивают ее. Даже если бы с ее памятью что-то случилось, разве полиция бы ее не отыскала?

— Видимо, вы правы, — сказал Пуаро. — Полиция продолжает розыск?

— Наверное. Не знаю.

— Но сэр Джордж, вы говорите, распрощался со своей надеждой?

— Он этого не утверждает, — ответила миссис Фоллиат. — Я давно уже не видела его. Большую часть времени он находится в Лондоне.

— А убитая девочка? Что-нибудь выяснили?

— Ничего об этом не знаю. — И добавила: — Совершенно бессмысленное преступление... абсолютно бесцельное. Несчастный ребенок...

— Вас все еще удручает эта мысль, мадам?

Минуту-другую миссис Фоллиат не отвечала. Потом сказала:

— Если ты стар, смерть молодого человека всегда покажется тебе противоестественной. Мы, старики, живем в ожидании смерти, а у этого ребенка впереди была целая жизнь.

— Наверное, не очень интересная жизнь.

— С нашей точки зрения, возможно, что так, но ей она была интересна.

— Хотя, как вы сказали, старики живут в ожидании смерти, — заметил Пуаро, — умирать никто не торопится. По крайней мере, я все еще нахожу свою жизнь интересной.

— А я вот нет. — Миссис Фоллиат обращалась не столько к нему, сколько к самой себе, плечи ее еще более поникли. — Я очень устала, мистер Пуаро. И не только жду приближения своего часа, но и с благодарностью встречу его.

Он с интересом на нее посмотрел. И уже в который раз задал себе вопрос, в самом ли деле была столь слаба беседующая с ним женщина, истово верующая в близость своей собственной смерти. Но как иначе можно было объяснить ту неимоверную усталость и дряхлость, которые проявлялись во всем ее облике? Но чувствовалось, что на самом деле эта женщина не знает усталости. Эми Фоллиат была человеком сильного характера, человеком энергичным и целеустремленным. Жизнь послала ей много лишений, она потеряла дом, благосостояние, пережила смерть сыновей. И все превозмогла. И, как она сама выражалась, могла спилить «мертвое дерево». Но было в ее жизни что-то такое, чего не только ей, но и никому другому отпилить было не под силу. И если то было не физическое недомогание, то Пуаро не мог себе представить, что бы это могло быть. Миссис Фоллиат неожиданно улыбнулась, словно прочла его мысль.

— В самом деле, мне незачем жить, мистер Пуаро, — сказала она. — У меня много друзей, но нет близких родственников, нет семьи.

— У вас есть дом, — вырвалось у Пуаро.

— Вы имеете в виду «Нэссе»? Да...

— Это ведь ваш дом, не так ли, хотя юридически он принадлежит сэру Джорджу Стабзу? Но сейчас сэр Джордж находится в Лондоне, и вы тут всем управляете.

И снова страх на мгновение затуманил ее взор. Она заговорила, пытаясь отгородиться от Пуаро стеной ледяной отчужденности:

— Мне непонятна ваша мысль, мистер Пуаро. Я благодарна сэру Джорджу за то, что он предоставил мне этот флигель, но я арендую его. И ежегодно плачу ему за это, равно как и за право прогуливаться по территории поместья.

Пуаро развел руками:

— Извините, мадам. Я не собирался обидеть вас.

— Не сомневаюсь в этом, видимо, я просто не так поняла, — холодно ответила миссис Фоллиат.

— Это красивое место, — заметил Пуаро. — Красивый дом, красивые лужайки. Здесь такой покой, такая умиротворенность.

— Да. — Лицо миссис Фоллиат прояснилось. — Мы это всегда ощущали. Еще ребенком я почувствовала это, когда впервые оказалась здесь.

— Но разве сейчас здесь сохранились та же умиротворенность и тот же покой, мадам?

— А почему бы и нет?

— Убийцу не постигло возмездие, — сказал Пуаро. — Пролита невинная кровь. Пока трагическая тень окутывает поместье, здесь не будет покоя и умиротворенности. — И добавил: — Думаю, вы это понимаете так же хорошо, как и я.

Миссис Фоллиат не ответила. Ни словом, ни жестом не выдала она своего отношения к услышанному. Она сидела не двигаясь, и Пуаро не имел ни малейшего представления, о чем она в данную минуту размышляет. Он немного подался вперед и сказал:

— Мадам, вам, бесспорно, кое-что известно... может быть, достаточно много... я имею в виду убийство. Вы знаете, кто убил эту девочку, знаете почему. Вы знаете также, кто убил Хэтти Стабз, и, наверное, знаете, где покоится ее прах.

Миссис Фоллиат ответила не сразу. Голос ее прозвучал громко, почти грубо.

— Я ничего не знаю! — выкрикнула она. — Ничего.

— Вероятно, я употребил неточное выражение. Вы не знаете... но, думаю, догадываетесь, мадам. Не сомневаюсь, что догадываетесь.

— Вы говорите... простите меня... чепуху!

— Это не чепуха... Это нечто совсем другое... Это опасность.

— Опасность? Для кого?

— Для вас, мадам. Сведения, которые вы так долго утаиваете, довольно опасны. Я знаю убийц лучше, чем вы, мадам.

— Я вам уже сказала, я ничего не знаю.

— Значит, подозреваете...

— И не подозреваю.

— Простите меня, это неправда, мадам.

— Высказывать необоснованные подозрения было бы неправильно... более того, преступно.

Пуаро подался вперед:

— Не менее преступно, чем то, что произошло здесь более месяца назад.

Она съежилась в кресле, сделалась совсем маленькой. Прошептала:

— Не надо об этом. — И, вздрогнув, добавила: — Как бы то ни было, все кончено. Сделано... и конец всему.

— Как вы можете так говорить, мадам? Я поделюсь с вами своим опытом: убийца никогда не останавливается на достигнутом.

Миссис Фоллиат покачала головой:

— Нет-нет, это конец. Во всяком случае, я ничего не могу сделать. Ничего.

Пуаро поднялся, оглядел сидящую перед ним старушку. Она сказала, едва сдерживая раздражение:

— Но даже полиция бросила свое расследование.

Пуаро покачал головой:

— О нет, мадам, вы ошибаетесь. Полиция это дело не бросила. И я, — добавил он, — тоже его не бросил. Запомните это, мадам. Я, Эркюль Пуаро, не бросил этого дела.

На этом их разговор закончился.

Глава 17

Оставив миссис Фоллиат, Пуаро направился в деревню, где, расспросив встречных жителей, вскоре отыскал занимаемый Такерами коттедж. Его стук в дверь остался без ответа, но из дома доносился пронзительный голос миссис Такер:

— Не много ли ты себе позволяешь, Джим, топчешься в своих сапожищах по только что вымытому линолеуму? Я уже говорила тебе, тысячу раз говорила. Все утро надраивала, а теперь вот полюбуйтесь.

Послышалось нечленораздельное бормотание: по-видимому, мистер Такер откликнулся на сделанное ему замечание. После чего супруга несколько размякла:

— И не забывай больше скидывать обувь. Не терпится поскорее услышать, кто у кого выиграл. Времени-то на то, чтобы скинуть свои чоботы, и пары минут не потребуется. А ты, Гарри, соображаешь, что натворил со своими тянучками. Заляпал липкими лапами серебряный чайник. Мэрилин, кто-то дубасит по двери. Пойди посмотри, кого это принесло.

Дверь медленно отворилась, и девочка лет одиннадцати—двенадцати подозрительно, исподлобья поглядела на Пуаро. Одна щека у нее вздулась, туда, видно, была засунута конфета. Полный голубоглазый ребенок походил на откормленного поросеночка.

— Тут какой-то дяденька, мам! — крикнула девочка.

В дверях показалась взлохмаченная вспотевшая миссис Такер.

— В чем дело? — недружелюбно спросила она. — Нам не требуется... — Неожиданно в ее взгляде промелькнуло какое-то воспоминание. — Позвольте, позвольте, мистер, не вас ли я видела тогда с полицейским?

346

— Увы, мадам, мое появление неминуемо воскреша-
ет печальное прошлое, — сказал Пуаро и решительно
прошел в дом.

Миссис Такер метнула быстрый недружелюбный взгляд
на его ноги, но в остроконечных, из великолепной кожи
туфлях Пуаро впору было ходить по паркету. Ни малейшего пятнышка не осталось на сверкающем свежей полиров-
кой линолеуме миссис Такер.

— Проходите, коль так, сэр. — Она посторонилась и
отворила находившуюся справа от нее дверь.

Пуаро оказался в опрятной, до блеска начищенной
маленькой гостиной. Пахло отполированной мебелью, в
комнате стоял гарнитур в стиле короля Иакова, круглый
стол, два горшка с геранями, стены украшало множество китайских орнаментов, сверкала медная решетка
камина.

— Присаживайтесь, сэр. Не припомню вашего имени. Да, кажется, я его никогда и не слышала.

— Меня зовут Эркюль Пуаро, — поспешно проговo-
рил Пуаро. — Я снова оказался в ваших краях, решил
еще раз выразить вам свое соболезнование и узнать о
результатах расследования. Полагаю, убийца вашей дочери уже найден?

— О нем нет ни слуху ни духу, — угрюмо произнесла
миссис Такер. — И это форменное безобразие, если мне
позволено так выразиться. Полиция не очень-то себя ут-
руждает, когда дело касается таких, как мы. Чем, собственно, полиция занимается? Если там все работники
вроде нашего Боба Хоскинса, то удивительно, что страна до сих пор не находится во власти преступников. Боб
Хоскинс шляется себе целые дни по площади и загля-
дывает в стоящие там машины, вот и все его дела.

При этом замечании в дверях появился мистер Такер,
сапоги свои он предусмотрительно снял и теперь щего-
лял в носках. Это был крупный, краснолицый, на вид
спокойный и рассудительный человек.

— Полиция тут ни при чем, — сказал он хриплым
голосом. — Дел у них хоть отбавляй. Этих маньяков
найти не так-то легко. Выглядят они, с вашего позволения, как мы с вами, — сказал он, обращаясь непо-
средственно к Пуаро.

За отцом появилась девчушка, отворявшая дверь, у нее из-за плеча высовывалась голова мальчика лет восьми. Они с интересом уставились на Пуаро.

— Это ваша младшая? — спросил Пуаро.

— Это Мэрилин, да, — подтвердила миссис Такер. — А это Гарри. Подойди, Гарри, поздоровайся, ты же воспитанный мальчик.

Гарри попятился назад.

— Застенчивый уж больно, — сказала мать.

— Очень благородно с вашей стороны, сэр, — вступил в разговор мистер Такер, — что вы пришли справиться насчет Марлен. Так все это ужасно.

— Я только что разговаривал с миссис Фоллиат, — сказал Пуаро. — Она, по-моему, тоже очень переживает.

— Она очень была расстроена, — подтвердила миссис Такер. — Ведь старая женщина, а напасть-то какая, все произошло у нее в поместье.

Пуаро еще раз мысленно отметил: люди, казалось бы против своей воли, считают, что поместье по-прежнему принадлежит миссис Фоллиат.

— Хотя дело это ее лично и не касается, — заметил мистер Такер, — но она чувствует свою ответственность за то, что там совершается.

— Кто предложил Марлен исполнить роль Жертвы? — спросил Пуаро.

— Леди из Лондона, которая книжки придумывает, — не задумываясь, ответила миссис Такер.

— Но она здесь человек посторонний. Она раньше даже не знала Марлен, — спокойно сказал Пуаро.

— А еще была миссис Мастертон, она всех девчонок собрала, — сказала миссис Такер, — да, кажется, миссис Мастертон ее и выбрала. И Марлен, надо сказать, очень это предложение понравилось.

И снова Пуаро почувствовал, что наткнулся на непреодолимую стену. По крайней мере, теперь ему стали понятны переживания миссис Оливер, решившей пригласить его сюда. Тут действовала какая-то невидимая рука, и действовала так, что подозрение падало на других людей, а таинственный незнакомец оставался в тени. Миссис Оливер, миссис Мастертон. Это всего лишь подставные фигуры. Он сказал:

— Меня интересует, миссис Такер, была ли Марлен знакома с этим... хм... преступным маньяком.

— Никогда она с такими людьми не зналась, — тоном обиженной добродетели проговорила миссис Такер.

— Хм, — возразил Пуаро, — но, как только что справедливо заметил ваш супруг, этих маньяков очень трудно отличить от обычного человека. Они выглядят совершенно так же, как... хм... вы или я. Возможно, кто-то разговаривал с Марлен во время праздника или даже еще до праздника. Подружился с ней самым неназойливым образом. Может, что-нибудь ей подарил.

— О нет, сэр, о таком и речи быть не могло. Марлен ни за что бы не взяла подарка у незнакомого человека. Уж так я ее воспитала.

— Но в этом же нет ничего дурного, — настаивал Пуаро. — Скажем, какая-нибудь милая леди предложила ей безделушку.

— Вы имеете в виду кого-нибудь вроде молодой миссис Легг, что живет в коттедже возле запруды?

— Да, — сказал Пуаро. — Вроде нее.

— Дала она как-то Марлен губную помаду, было дело, — сообщила миссис Такер. — Уж и взбесилась я тогда. Не позволю тебе, Марлен, мазать рожу этой гадостью, это я ей говорю. Подумай, что скажет отец. Ну а она так дерзко отвечает: это, мол, леди, что в коттедже у запруды проживает, мне дала. Сказала, дескать, мне подойдет. Ну а я говорю, не слушай ты этих лондонских вертихвосток. Это их занятие свои рожи разрисовывать, ресницы чернить и прочие глупости выделывать. Ты же порядочная девушка, говорю, пойди сотри эту дрянь с губ. У тебя на них молоко еще не обсохло.

— Полагаю, дочь с вами не согласилась, — улыбнулся Пуаро.

— Уж коль я сказала, так оно и будет, — ответила миссис Такер.

Толстенькая Мэрилин неожиданно залилась звонким хохотом. Пуаро внимательно на нее посмотрел.

— Миссис Легг еще что-нибудь дарила Марлен? — спросил он.

— Признаюсь, она дала ей шарф или платок... сама она его больше не носила. Яркая вещь, но не качественная. Когда я увидела, сразу это поняла, — сказала, кивая, миссис Такер. — Я еще девчонкой работала в «Нэссе». Хорошие вещи тогда дамы носили. Не пеструю безвкусицу или всякие там нейлоны и силоны, а настоящий доброкачественный шелк. А тафтовые платья чего стоили!

— Девчонки любят наряжаться, — снисходительно сказал мистер Такер. — Я сам против этих ярких нарядов ничего не имею, но не переношу эту поганую помаду.

— Немного круто я с ней обошлась, — сказала миссис Такер, и глаза ее затуманились. — Потом зареклась, буду, думаю, с ней поласковее, но видите, как все получилось: несчастье это и похороны. Беда никогда не приходит одна, так говорят, и это справедливо.

— У вас еще кто-то умер? — вежливо спросил Пуаро.

— Тесть, — сказал мистер Такер. — Переправлялся в своей лодке из «Трех собак» поздно ночью, оступился, должно быть, на причале и упал в реку. Сидеть бы ему дома в его-то годы. Но старик никого не слушался. Всю жизнь на причале проработал.

— Отец всегда был до лодок большой охотник, — подтвердила миссис Такер. — Приглядывал за ними еще в старину при мистере Фоллиате, много лет назад это было. Конечно, — добавила она простодушно, — отец не такая уж большая утрата, как дочка. Ему было за девяносто, он свое пожил. Вечно бормотал какую-то чепуху. Время его подошло. Разумеется, мы его похоронили как положено... а двое похорон вскочили нам в хорошую копеечку.

Эти экономические размышления пробудили у Пуаро смутные, зашевелившиеся в глубине души воспоминания.

— Старик... на причале? Помню, я с ним разговаривал. Его звали...

— Мерделл, сэр. Это моя девичья фамилия.

— Ваш отец, если не ошибаюсь, был главным садовником в поместье?

— Нет... то был мой старший брат. Я самая младшая в семье... одиннадцать душ, так-то вот. — И добавила с гордостью: — Много лет Мерделлы здесь послужили, теперь уже никого не осталось. Последним отец был.

Пуаро тихонько проговорил:

— Но Фоллиаты всегда здесь будут.

— Простите, сэр?

— Я повторил слова вашего покойного отца, он сказал это, когда я с ним беседовал на причале.

— Хм, всегда болтал какую-то чушь, тут он был мастер. Не раз ему за это от меня доставалось.

— Значит, Марлен была внучкой Мерделла, — произнес Пуаро. — Да... я начинаю понимать... — Он замолчал, с трудом подавив охватившее его волнение. — Говорите, ваш отец утонул в реке?

— Да, сэр. Набрался сверх меры, вот так. И где деньги достал, не знаю. Конечно, он у себя на пристани набирал чаевые: кому с лодкой услужит, кому за машиной приглядит. Уж больно хитро умел он утаивать от меня свои деньги. Да боюсь, перебрал он сверх меры. И оступился, наверное, когда вылезал на причал из лодки. Упал в воду и утонул. Тело его на следующий день отыскалось у Хельмауфа. Странно, с вашего позволения, что это раньше не случилось, — девяносто два ему и слепой наполовину.

— Но факт остается фактом, раньше этого не произошло...

— Ох, Боже мой, раньше или позже несчастья случаются...

— Несчастья, — промычал Пуаро. — Интересно. — Он поднялся, пробормотав: — Следовало бы мне об этом догадаться. Давно догадаться. По сути дела, ребенок рассказал мне...

— Простите, сэр?

— Ничего, — сказал Пуаро. — Еще раз выражаю вам свое соболезнование по поводу смерти дочери и вашего отца.

Он распрощался с супругами и покинул коттедж.

«Я свалял дурака... большого дурака, — мысленно произнес Пуаро. — Исходил из ложного предположения».

— Эй... мистер.

Кто-то шепотом окликнул его, Пуаро обернулся. В тени возле стены пряталась толстенькая Мэрилин. Она знаком поманила его к себе и зашептала:

— Мама ничего не знает. Это не тетенька из коттеджа дала Марлен косынку.

— Где же тогда она взяла ее?

— Купила в Торки. Еще она купила губной помады и духов... «Парижская ящерица»... чудное название. И баночку крема, о котором прочитала в рекламе. — Мэрилин захихикала. — Мама не знает. Марлен-то спрятала все у себя в ящике, под зимними фуфайками. Выйдет к автобусной остановке и там потихоньку намажется перед тем, как в кино идти. Мама об этом ничего не знала.

— Когда твоя сестра умерла, мама эти вещи не отыскала?

Мэрилин покачала белокурой, с пушистыми волосами головкой.

— Нет, — сказала она, — я забрала их... теперь они у меня в ящике.

Пуаро задумчиво посмотрел на нее.

— Ты, наверное, очень смышленая девочка, Мэрилин, — произнес он.

Мэрилин смущенно ухмыльнулась:

— Мисс Берд в школе не очень-то хвалит меня.

— Школа — это не самое важное. Скажи мне, Мэрилин, где Марлен брала деньги, чтобы все это покупать?

— Не знаю, — пробормотала девочка, глядя на погасшую трубку Пуаро.

— А мне кажется, знаешь, — сказал Пуаро.

Не долго думая он вытащил из кармана полкроны и присоединил к ним еще полкроны.

— Наверное, — сказал он, — этого хватит на новую губную помаду с очень красивым оттенком под названием «Розовый поцелуй».

— Спасибо, — сказала Мэрилин и протянула руку за пятью шиллингами. Потом торопливо зашептала: — Она всегда совала нос в чужие дела, Марлен-то, любила за другими подглядывать... да еще как! Потом пообещает ничего не рассказывать, ей и сделают подарок, ясно?

Пуаро опустил девочке в руку еще пять шиллингов.

— Ясно, — сказал он, простился с Мэрилин и зашагал прочь. И снова пробормотал себе под нос, на сей раз придавая этому слову особое значение: — Ясно.

Столько событий произошло здесь за последнее время. Великое множество! Правда, не совсем ясен пока их смысл... но теперь он выбрал верное направление. Чуточку сообразительности, и все выстроится в необходимой последовательности. Самый первый разговор с миссис Оливер, некоторые осторожные замечания Майкла Ваймана, имеющая особый смысл беседа на причале со стариком Мерделлом, прозрачные намеки мисс Бревис... приезд Этьена де Соузы. К деревенской почте прислонилась телефонная будка. Пуаро вошел туда и набрал номер. Вскоре он услышал голос инспектора Бленда:

— Ну и ну, мистер Пуаро, где вы?

— В Нэссекомбе.

— Но вчера днем вы были в Лондоне.

— На хорошем поезде сюда можно добраться за каких-то три с половиной часа, — заметил Пуаро. — У меня к вам вопрос.

— Да?

— Что за яхта была у Этьена де Соузы?

— Кажется, я понял смысл вашего вопроса, мистер Пуаро, но, уверяю вас, это не то, о чем вы думаете. Она совсем не приспособлена для контрабанды. На ней нет ни тайников, ни хитро замаскированных отсеков. Иначе бы мы их обнаружили. Труп там не спрячешь.

— Ошибаетесь, мой друг, я не это имел в виду. Я лишь спрашивал, какого она была размера, большая или маленькая, как выглядела?

— А... очень красивая... стоит, наверное, кучу денег. Все продумано до мелочей, заново покрашена, роскошно оснащена.

— Именно так, — сказал Пуаро. Его радостное возбуждение повергло инспектора Бленда в немалое изумление.

— Куда вы клоните, мистер Пуаро? — спросил он.

— Этьен де Соуза, — ответил Пуаро, — богатый человек. Это, мой друг, имеет особое значение.

— Почему?

— Потому что полностью соответствует моему последнему предположению.

— Значит, у вас есть какое-то предположение?

— Да. Наконец-то вопрос прояснился. До сих пор я был на удивление бездарен.

— Хотите сказать, мы все были бездарны?

— Нет, я говорю о себе. Мне представлялась прекрасная возможность разгадать загадку, и я ею не воспользовался.

— А сейчас вы что-то нащупали?

— Думаю, да.

— Послушайте, мистер Пуаро...

Но тот уже положил трубку. Порывшись в карманах и разыскав там достаточно мелочи, он попытался соединиться с квартирой миссис Оливер в Лондоне.

— Не надо, — торопливо сказал он, делая заказ, — беспокоить леди, если она работает.

Ему припомнились горькие упреки миссис Оливер, когда он как-то прервал полет ее творческой мысли, в результате чего миру не была поведана таинственная история об исчезновении старомодной шерстяной робы с длинными рукавами. Телефонистке, однако, не было никакого дела до одолевавших его душу сомнений.

— Хорошо, — сказала она, — вызвать ее лично или это вам все равно?

— Лично. — Пуаро принес в жертву терзавшему его нетерпению творческий гений писательницы. Услышав голос миссис Оливер, он вздохнул с облегчением. Она перебила его извинения:

— Чудесно, что вы позвонили. Я собиралась идти на беседу «Как я пишу мои книги». Теперь попрошу моего секретаря позвонить и сказать, что меня задержали неотложные дела.

— Но, мадам, может быть, я вам помешал...

— Совсем нет, — радостно объявила миссис Оливер. — Согласившись на беседу, я сваляла ужасную глупость. Что можно сказать о том, как вы пишете книги? Сначала что-нибудь придет в голову, а после этого надо заставить себя сесть и написать. Вот и все. Объяснить можно за три минуты, но, когда эта беседа закончится, все порядком устанут. Мне непонятно назойливое желание обывателей лезть в душу писателя. Дело писателя писать, а не разглагольствовать.

— И все-таки мне хотелось поговорить с вами именно о секретах вашего творчества.

— Спрашивайте, но не знаю, смогу ли я вам ответить. Я уже сказала: нужно просто сесть и писать. Одну минуточку, я надела эту идиотскую шляпу, когда собиралась на беседу... Надо ее снять. Она уже натерла мне лоб. — Последовало непродолжительное молчание, после чего голос миссис Оливер зазвучал с большей непринужденностью. — В наше время шляпы сделались каким-то нелепым символом, не так ли? Я хочу сказать, никто больше их не надевает по необходимости — чтобы согреть голову, или защитить ее от солнца, или спрятать лицо от знакомых, с которыми не хочешь раскланиваться. Простите, мистер Пуаро, вы что-то сказали?

— Я лишь выразил свое восхищение, — почтительно произнес Пуаро. — Вы всегда подсказываете мне нужные идеи. Как и мой друг Гастингс, с которым я уже много лет не встречался. Вы заставили меня по-иному оценить данную проблему. Не более и не менее. Разрешите мне задать вам вопрос. Вы знаете какого-нибудь ученого-атомщика, мадам?

— Знаю ли я ученого-атомщика? — удивилась миссис Оливер. — Не могу точно сказать. Возможно. Я знакома с несколькими профессорами. Правда, не имею никакого представления, чем они занимаются.

— В ваших Поисках Убийцы некий ученый-атомщик фигурирует в роли одного из подозреваемых.

— Ах вот что! Это всего лишь дань моде. Дело в том, что, когда я покупала племянникам подарки на прошлое Рождество, все игрушки имели, так сказать, научную направленность — стратосфера и сверхзвуковые самолеты, вот я и подумала, разрабатывая сценарий игры: «Сделаю-ка я ученого-атомщика главным подозреваемым и прослыву современной». А если понадобится минимум технических терминов, их всегда можно будет позаимствовать у Алека Легга.

— У Алека Легга... мужа Пегги? Он что, ученый-атомщик?

— Да. Но не из Харуэлла. Откуда-то из Уэльса. Из Кардиффа... или Бристоля, а? На время отпуска они с женой сняли коттедж на Хельме. Как видите, я таки знаю одного ученого-атомщика!

— И вероятно, поэтому мысль об ученом-атомщике пришла вам в голову, когда вы встретились с ним в «Нэссе»? Но его жена не из Югославии?

— О нет. Пегги — стопроцентная англичанка. Вы что, сомневаетесь?

— Тогда откуда взялась мысль о жене из Югославии?

— Не знаю... Может, причиной тому беженцы? Студенты? Все эти иностранные девчонки из общежития, шляющиеся, где им вздумается, в лесу и болтающие на ломаном английском.

— Понятно... Да, теперь мне многое понятно.

— Наконец-то! — воскликнула миссис Оливер.

— Простите?

— Я сказала: наконец-то. Разобрались. Ведь до сегодняшнего дня вы практически ничего не сделали, — не смогла удержаться от замечания миссис Оливер.

— Сразу во всем не разберешься, — попробовал защититься Пуаро. И добавил: — Полиция вообще была сбита с толку.

— Ох уж мне эта полиция, — сказала миссис Оливер. — Вот если бы Скотленд-Ярд возглавляла женщина...

Услышав хорошо знакомую ему фразу, Пуаро не замедлил возразить:

— Дело очень сложное. Чрезвычайно сложное. Но теперь... говорю вам это конфиденциально... все разъяснилось!

На миссис Оливер это сообщение не произвело никакого впечатления.

— Надеюсь, — сказала она, — а тем временем случилось второе убийство.

— Третье, — поправил ее Пуаро.

— Три убийства? Кто же третий?

— Старик по имени Мерделл, — ответил Эркюль Пуаро.

— Я этого не слышала. Об этом сообщали в газетах?

— Нет, все считают, что произошел заурядный несчастный случай.

— А это было не так?

— Нет, безусловно, нет.

— Скажите мне, кто совершил... эти убийства... или это не для телефона?

— Да, по телефону о таких вещах не говорят.

— В таком случае я вешаю трубку, — заявила миссис Оливер.

— Минуточку. Я хотел вас о чем-то спросить. Так о чем же?

— Возрастные явления. Со мной это тоже случается. Все забываю...

— Надо выяснить некий пустячок... меня это тревожит. Я был в сарае, где произошло убийство.

Нахлынули воспоминания. Куча журналов. Каракули Марлен на полях. «Альберт ходит с Дорин». Появилось ощущение, будто там чего-то недостает... захотелось спросить миссис Оливер...

В эту самую минуту телефонистка потребовала доплату.

Вручив ей деньги, Пуаро продолжил прерванный разговор:

— Вы меня слышите, мадам?

— Слышу, — откликнулась миссис Оливер. — Не транжирьте попусту деньги, спрашивайте быстренько. Так что там у вас?

— Нечто важное. Вы помните ваши Поиски Убийцы?

— Разумеется, помню. Разве не об этом мы с вами разговариваем?

— Я допустил грубейшую ошибку, — сказал Пуаро. — Я не прочитал ваших наставлений соревнующимся. Подумал, это не имеет существенного значения. И ошибся. Имеет. Вы крайне восприимчивая женщина, мадам. Вы исключительно тонко почувствовали обстановку дома, куда вас занесло судьбой, отношения между окружающими вас людьми. И все эти ощущения воплотились в вашей работе. Они оплодотворили ваш мозг, создавший столь яркие образы.

— Какая пышная речь! — воскликнула миссис Оливер. — Так о чем же конкретно вы хотите сказать?

— О том, что вы постигли суть этого преступления значительно глубже, чем вы сами себе представляете. А теперь вопрос, который я хотел вам задать... вернее, два вопроса, но первый исключительно важен. Когда вы составляли план вашей игры, вы с самого начала намеревались поместить Труп в лодочный сарай?

— Нет.

— Где же он должен был находиться?

— В крохотном летнем домике, прячущемся в кустах рододендронов неподалеку от дома. Я считала, что это самое подходящее место. Но потом кто-то, не помню, кто именно, начал настаивать, чтобы Труп обнаружили в храме. Ну, разумеется, это ни в какие ворота не лезло! Дело в том, что без дополнительных указаний вряд ли кто догадался бы туда заглянуть! Люди на редкость несообразительны. Конечно, с этим я не могла согласиться.

— И взамен согласились на сарай?

— Да, именно так получилось. Против сарая я ничего не имела, хотя продолжала считать, что домик был бы более подходящим местом.

— Да, с вашими соображениями вы ознакомили меня в самый первый день моего пребывания. И еще одно. Помните, вы рассказывали мне, что последняя улика записана на одном из журналов, которыми вы снабдили Марлен?

— Да, разумеется.

— Скажите мне, это было что-то вроде того... — Он напряг память, силясь припомнить ту минуту, когда разбирал неряшливые каракули. — «Альберт ходит с Дорин, Джорджи Поржи целуется в лесу с туристками, Питер щекочет в кино девочек»?

— Боже праведный, нет, — в изумлении проговорила миссис Оливер. — Кому взбрела в голову эта несусветная чушь! Нет, я составила совершенно четкое указание. — И негромким таинственным голосом она проговорила: — «Взгляните в туристский рюкзак».

— Именно! — воскликнул Пуаро. — Именно! Конечно, журнал с этими словами исчез. Кому-то они показались подозрительными.

— Рюкзак, конечно, стоял на полу около Трупа и...

— Хм, но это не тот рюкзак, о котором я думаю.

— Вы совсем заморочили мне голову с вашими рюкзаками, — пожаловалась миссис Оливер. — У меня предполагался только один рюкзак. Не желаете ли узнать, что в нем находилось?

— Нет, — сказал Пуаро. — По правде говоря, — добавил он учтиво, — я, разумеется, был бы счастлив услышать, но...

Миссис Оливер решительно отмахнулась от этого «но».

— По-моему, неплохо задумано. — В ее голосе зазвучало авторское тщеславие. — В сумке Марлен, то есть в сумке женщины из Югославии, вы, конечно, понимаете, о чем я говорю...

— Да, да, — пробормотал Пуаро, чувствуя, как густой туман снова обволакивает его мысли.

— Так вот, в ней находилась бутылка ядовитого снадобья, которым сельский сквайр отравил собственную жену. Понимаете, юная югославка практиковала там в качестве сиделки, она была в доме в тот момент, когда полковник Блант ради денег отравил свою первую жену. И она, эта сиделка, подобрала бутылочку, унесла ее, а потом вернулась и начала шантажировать незадачливого супруга. Ему ничего не оставалось делать, как с ней расправиться! Вписывается это в ваши соображения, мистер Пуаро?

— Ничуть, — торопливо проговорил Пуаро. — Но тем не менее я вас поздравляю, мадам. Вы так лихо закрутили интригу, что ни у кого не было ни малейшей возможности получить приз.

— Ошибаетесь, — возразила миссис Оливер. — Довольно поздно, часов в семь, упорство одной настойчивой старушки было вознаграждено. Она отыскала все улики и, торжествуя, явилась в лодочный сарай; разумеется, там ее встретили полицейские. Вот тогда-то она и узнала про убийство, наверное, она была последним человеком, который об этом услышал! Во всяком случае, приз она получила. — И миссис Оливер добавила не без гордости: — А этот ужасный веснушчатый парень, который сказал, что я в стельку пьяна, так и заблудился в саду с гортензиями.

— Как-нибудь, мадам, — предложил Пуаро, — вы расскажете мне эту историю.

— Непременно, — пообещала миссис Оливер. — Я думаю включить ее в книгу. Было бы обидно не использовать такой материал.

Здесь уместно заметить, что три года спустя Эркюль Пуаро прочитал новый роман Ариадны Оливер «Женщина в лесу», сюжет и действующие лица которого показались ему удивительно знакомыми.

Глава 18

Солнце уже опускалось, когда Пуаро подошел к стоящему у ручья Мельничному, или, как иначе его называли, Розовому, коттеджу. Он постучал в дверь, которая распахнулась столь стремительно, что ему пришлось невольно попятиться. В дверях появился разгневанный парень и некоторое время пристально разглядывал его, очевидно не узнавая. Потом он отрывисто захохотал.

— Хэлло, — сказал он. — Это вы, сыщик. Входите, мистер Пуаро. Я как раз упаковываюсь.

Пуаро принял приглашение и шагнул в помещение. Оно было просто и довольно скудно обставлено. Пожитки Алека Легга были разбросаны по всей комнате. Всюду громоздились книги, бумаги, одежда, на полу, раскрыв свое нутро, стоял чемодан.

— Полный разрыв, — сказал Алек. — Пегги уже уехала. Надеюсь, вам это известно.

— Нет, я не знал.

— Значит, и в ваших знаниях случаются пробелы, — снова захохотал Алек. — Да, семейная жизнь ей надоела. Связалась с этим придурковатым архитектором.

— Прискорбно услышать такое! — посетовал Пуаро.

— Вам-то что за печаль!

— Прискорбно, — Пуаро сдвинул в сторону две книги и рубаху и присел на краешек дивана, — потому что вряд ли жена будет с ним так же счастлива, как с вами.

— Последние полгода наша жизнь не была особенно счастливой.

— Полгода — это еще не вся жизнь. Это всего лишь короткий отрезок на долгом и счастливом супружеском пути.

— Вам не кажется, что вы похожи на проповедника?

— Возможно. С вашего позволения, мистер Легг, если ваша жена и была несчастлива, то в этом скорее больше вашей вины, нежели ее.

— И Пегги так говорила. Я во всем виноват.

— Не во всем, но в чем-то.

— Да, я виноват. Мне следовало утопиться в этой вонючей речке, и все было бы в порядке.

— Вынужден заметить, — сказал Пуаро задумчиво, — вы так переживаете, будто перевернулся мир.

— С миром ничего не произошло, — с явным сожалением произнес Алек Легг, — а я, кажется, свалял дурака.

— Да, — подхватил Пуаро, — и должен сказать, что это не столько ваша вина, сколько беда.

Алек тупо уставился на него.

— Кто подрядил вас шпионить за мной? — спросил он. — Пегги?

— Почему вы так думаете?

— А как же... ни о каких социальных потрясениях не сообщалось. Вот и пришлось заключить, что вы таскаетесь за мной по частному поручению.

— Ошибаетесь, — ответил Пуаро. — Я за вами вовсе не шпионил. Когда я приехал сюда, я даже и не подозревал о вашем существовании.

— Откуда же тогда вы узнали о моей беде, о том, что я свалял дурака, и обо всем остальном?

— Просто наблюдал за вами и размышлял, — сказал Пуаро. — Хотите, я сейчас сделаю небольшое предположение, а вы скажете, прав я или нет?

— Можете предполагать все, что угодно. Но не думайте, что я буду играть с вами в эту игру.

— Полагаю, — проговорил Пуаро, — что вы несколько лет тому назад проявляли интерес и симпатию к определенной политической партии. Как многие другие молодые ученые. В вашей работе подобные симпатии и связи кажутся весьма подозрительными. Не думаю, чтобы вы были серьезно скомпрометированы, но, уверен, на вас оказывалось давление, вас тянули в эту партию, а вам этого не хотелось. Вы попытались отступить, тогда вам начали угрожать. Заставили встретиться с неким проходимцем. Сомневаюсь, узнаю ли я когда-нибудь его подлинную фамилию. Для меня он останется парнем в рубахе с черепахами.

Алек Легг дико захохотал:

— Вы шутите! Никогда еще я так не смеялся.

Эркюль Пуаро невозмутимо продолжал:

— Вы были настолько обеспокоены судьбами мира и вашими личными неурядицами, что, извините меня, никакая женщина не обрела бы подле вас ни счастья, ни радости. Вы не доверяли собственной жене. И совершенно напрасно, потому что Пегги — женщина верная и, если бы вы поделились с ней вашими переживаниями, она бы всей душой вас поддержала. А так она стала сравнивать вас со своим бывшим приятелем Майклом Вайманом, и сравнение оказалось не в вашу пользу. — Пуаро встал. — Хотелось бы посоветовать вам, мистер Легг, как можно скорее уложить чемодан, отправиться к вашей жене в Лондон, попросить у нее прощения и рассказать о всех своих злоключениях.

— Оставьте при себе свои советы! — взорвался Алек Легг. — И какого черта вы суетесь не в свои дела?

— Да просто так, — ответил Эркюль Пуаро, направляясь к двери. — Но, как всегда, я прав.

Последовало молчание. Затем Алек Легг вновь разразился неистовым громоподобным хохотом.

— Знаете, — закричал он, — а может, и вправду последовать вашему совету? Развод — дьявольски дорогое удовольствие. Да к тому же чего стоит мужчина, если он не в состоянии подчинить себе женщину? Немедленно отправляюсь к ней в Челси, и не дай Бог найти мне там Майкла — придушу как собаку его же собственным галстуком! Вот уж порезвлюсь. Да, мысль отменная! — И его лицо неожиданно осветилось доброй, хорошей улыбкой. — Простите мне мой дурацкий характер, — сказал он, — тысячу благодарностей.

Он хлопнул Пуаро по плечу с такой силой, что тот зашатался, но все же не упал.

Враждебность мистера Легга не причиняла таких болезненных ощущений, как его доброта.

«А теперь, — подумал Пуаро, покидая коттедж и чувствуя, как его ноги подгибаются от усталости, — куда мне направиться дальше?» И он с тоской посмотрел на потемневшее небо.

Глава 19

Главный констебль и инспектор Бленд с любопытством оглядели представшего перед ними Пуаро. Настроение констебля было далеко не из лучших. Лишь спокойная настойчивость Бленда заставила его отказаться от обеда, на который он был сегодняшним вечером приглашен.

— Знаю, Бленд, знаю, — пробурчал он. — Возможно, этот бельгийский недомерок когда-то и творил чудеса... но теперь он уже не тот. Сколько ему лет?

Бленд не ответил на вопрос, он и сам этого не знал. Пуаро не любил говорить о своем возрасте.

— Вот ведь дело какое, сэр, он туда еще раз съездил... на место происшествия. А мы ни на шаг не продвинулись. Куда ни сунешься, кругом непробиваемая стена, все на месте топчешься.

Главный констебль громко высморкался, как бы обретая таким образом душевный покой.

— Знаю. Знаю. Поневоле согласишься с миссис Мастертон, что это дело рук взбесившегося маньяка. Я бы даже использовал ищеек, если бы знал, где и как их использовать.

— У воды ищейками не воспринимаются запахи.

— Да. Ваши соображения, Бленд, мне известны. И я даже готов с ними согласиться. Но мотива-то нет. Ни на йоту нет мотива.

— Мотив, верно, уплыл на заморские острова.

— Намекаете, что Хэтти Стабз узнала про де Соузу нечто для него невыгодное и он перепугался? Такое предположение правдоподобно, если учесть ее умственные способности. Бесспорно, она была чересчур проста. Могла любому проболтаться. Это вы имели в виду?

— Примерно.

— В таком случае ему пришлось затратить немало времени, чтобы пересечь океан и выполнить задуманное.

— Видите ли, сэр, возможно, он о ее местопребывании ничего определенного и не знал. По его словам, прочел о ней в каком-то светском журнале, где промелькнула отрывочная информация о «Нэссе» и его очаровательной хозяйке. Вполне вероятно, что до того он не представлял ни где леди Стабз находится, ни кто ее муж.

— И как только узнал, помчался на яхте, чтобы ее убить? За уши притянуто, Бленд, за уши.

— Но такое возможно, сэр.

— И что же такого особенного могла эта женщина знать?

— Вспомните, она сказала о де Соузе своему мужу: «Он убивает людей».

— И она этого не забыла? Хотя в то время ей было всего лишь пятнадцать лет? И разумно ли доверять ее утверждениям? Наверное, он рассмеялся бы, услышав подобное.

— Мы не знаем фактов, — упорствовал Бленд. — А уж вам ли, сэр, не знать, какие сюрпризы могут порой быть обнаружены.

— Хм. Мы навели справки о де Соузе... осторожненько... по нашим обычным каналам... и ничего особенного не получили.

— А может, сэр, этот смешной бельгийский сыщик на что-то наткнулся? Он тогда находился в усадьбе... Это существенно. Леди Стабз с ним беседовала. Из отдельных отрывочных фраз, если их хорошенько обдумать, можно сделать не лишенный смысла вывод. К тому же он только сегодня звонил из Нэссекомба.

— И спросил, что за яхта была у де Соузы?

— Да, когда он позвонил первый раз. А во второй раз попросил о встрече с вами.

— Ну что ж, — посмотрел на часы Главный констебль. — Если он через пять минут не явится...

И в эту самую минуту перед ним предстал Эркюль Пуаро.

От его холеной внешности не осталось и следа. Усы свисали, пропитавшись влажным девонским воздухом, туфли из дорогой кожи покрывал тяжелый слой глины, волосы были взъерошены, сам он весь вымок.

— Боже, неужели это вы, мистер Пуаро! — Главный констебль пожал ему руку. — Мы с нетерпением ожидаем вашего сообщения.

Эти слова прозвучали немного насмешливо, но, хотя Эркюль Пуаро и выглядел до предела измотанным, энергия его не иссякла.

— Не представляю, — сказал он, — как я раньше не смог этого сообразить!

Главный констебль воспринял его слова без особого энтузиазма.

— Вы хотите сказать, что теперь вы докопались до истины?

— Да... остались еще некоторые детали... но общие контуры ясны.

— Нам нужны не контуры, — сухо сказал главный констебль. — Нам нужны доказательства. Располагаете вы ими, мистер Пуаро?

— Могу вам сообщить, где найти эти доказательства.

В разговор вступил инспектор Бленд:

— То есть?

— Этьен де Соуза, полагаю, уже покинул нашу страну? — повернувшись к нему, спросил Пуаро.

— Две недели назад, — уныло проговорил Бленд. — Теперь до него не дотянешься.

— А он мог бы кое-что подтвердить.

— Подтвердить? Не лучше ли было вручить ему ордер на арест?

— Дело не в ордере. Если бы мы предъявили ему факты...

— Какие факты, мистер Пуаро? — раздраженно спросил главный констебль. — О каких фактах вы все время твердите?

— О том, например, факте, что Этьен де Соуза пожаловал сюда на сверкающей роскошью яхте, а значит, был богатым и независимым человеком; о том факте, что старик Мерделл доводился дедушкой Марлен Такер, о чем я узнал только сегодня; о том факте, что леди Стабз обожала носить широкополые шляпы; о том факте, что миссис Оливер с ее необузданной фантазией оказалась весьма проницательным психологом, о чем она даже и сама не подозревала; о том факте, что в ящике письменного стола у Марлен Такер была спрятана губная помада и флакончики с духами; о том факте, что мисс Бревис утверждает, будто не кто иной, как леди Стабз, попросила ее отнести завтрак Марлен Такер.

— Боже! — изумился главный констебль. — Вы называете это фактами? Но вы не открыли нам ничего нового!

— Вам требуются доказательства... бесспорные доказательства... такие, как... труп леди Стабз?

На этот раз Бленд изумился до крайности:

— Вы обнаружили труп леди Стабз?

— Нет, не скажу, что обнаружил... но знаю, где он спрятан. Я покажу вам это место, и когда вы его найдете, тогда... тогда вы получите доказательства... все необходимые доказательства! Только один человек мог его туда спрятать.

— Кто же он?

Эркюль Пуаро улыбнулся довольной улыбкой кота, подкрадывающегося к сметане.

— Как обычно и бывает в таких случаях, — спокойно произнес он, — им оказался супруг. Сэр Джордж Стабз убил собственную жену.

— Но этого не может быть, мистер Пуаро. Не спорьте, этого не может быть.

— Увы, — сказал Пуаро, — еще как может! Послушайте, что я расскажу вам.

Глава 20

Эркюль Пуаро остановился возле массивных, с литыми украшениями, железных ворот. Оглядел уходящую в глубь поместья дорогу. Последние багряные листья неслышно облетали с деревьев. Цикламены завяли.

Пуаро вздохнул. Повернул в сторону и осторожно постучал в дверь маленького с белыми колоннами флигеля.

Прошло несколько минут, в доме послышались знакомые медленные нерешительные шаги. Дверь открыла миссис Фоллиат. На этот раз ее старость и немощность не удивили Пуаро.

— Мистер Пуаро? Опять вы? — удивилась она.

— Разрешите войти?

— Разумеется.

Пуаро проследовал за хозяйкой в дом.

Она предложила ему чай, от которого он отказался. Затем спросила негромко:

— Зачем пожаловали, мистер Пуаро?

— Думаю, вы догадываетесь, мадам.

Она ответила уклончиво:

— Я очень устала.

— Знаю. Три смерти — это не шутка: Хэтти Стабз, Марлен Такер, старик Мерделл.

Миссис Фоллиат резко возразила:

— Мерделл? То был несчастный случай. Он свалился с причала. Ведь он был стар, слеп, да и выпил изрядно.

— То не был несчастный случай. Мерделлу было известно многое.

— Что ему было известно?

— Он знал лицо, походку, голос... вот так. Я разговаривал с ним в первый же день, как приехал сюда. Он мне все рассказал про семью Фоллиат... про вашего свекра, про вашего мужа и про ваших сыновей, погибших на войне. Только... ведь не оба они погибли, не так ли? Ваш сын Генри и впрямь потонул на корабле, второй же ваш сын, Джеймс, не был убит. Он дезертировал. Про него сообщили: «Исчез, возможно, убит», и вы потом говорили всем, что его убили. Люди вам верили. Какое им, собственно, было дело до этого?

Помолчав, Пуаро продолжал:

— Не считайте, мадам, что вы мне несимпатичны. Я знаю, у вас была трудная жизнь. Насчет младшего сына вы не заблуждались, но это был ваш сын, и вы любили его. Вы сделали все, что смогли, чтобы он начал новую жизнь. Подыскали для него молодую девушку, немного не в себе, но очень богатую. Да, да, она была очень богата. Всем вы говорили, будто ее родители разорились, что она бедна и вы посоветовали ей выйти замуж за богатого старика. Почему вам все верили? Опять-таки это никого не касалось. Ее родители и ближайшие родственники погибли. Парижские юристы действовали по инструкциям юристов из Сан-Мигеля. После замужества она распоряжалась своим состоянием. Но, как вы мне сами рассказывали, она была доверчива, влюбчива, покорна. Все, что ее супруг просил подписать, она без возражений подписывала. Бумаги много раз исправлялись и переделывались; в конце концов желанный финансовый результат был достигнут. Сэр Джордж Стабз, такое новое имя присвоил себе ваш сын, сделался богатым человеком, а его жена стала нищенкой. Величать себя «сэром» — незаконно, но чего не сделаешь ради денег. Титул порождает доверие... предполагается, что если он не унаследован от рождения, значит, свидетельствует о высоком положении и богатстве. И вот богатый сэр Джордж Стабз, постаревший, отпустивший себе бороду, покупает «Нэссе» и поселяется в доме, где когда-то играл еще мальчиком. После войны там не осталось никого, кто мог бы узнать его. Но старый Мерделл остался. Он хранил глубоко в душе известную лишь ему тайну; недаром он хитровато сообщил мне, что в «Нэссе» всегда будут Фоллиаты; придуманный им каламбур был удачен.

Вроде бы все устроилось благополучно, или, по крайней мере, вы так считали. Нисколько не сомневаюсь, вы полагали, что этим все и закончится. Ваш сын разбогател, вернул дом своих предков, и, хотя жена у него была не совсем нормальна, но красива, добра, вы надеялись, что он не станет ее обижать и будет любить.

Миссис Фоллиат тихо сказала:

— Именно так я и думала... Я заботилась о Хэтти, опекала ее. Даже не представляла...

— Вы не представляли... ваш сын тщательно скрывал от вас, что, когда он женился на Хэтти, у него уже была другая жена. Да... мы отыскали соответствующие записи, знали, что они должны существовать. Ваш сын женился на некоей девушке в Триесте, она имела связи с преступным миром, где скрывался ваш сын, когда дезертировал из армии. Она не возражала на время с ним расстаться, зная, что он ее не бросит. Ради денег согласилась на его брак с Хэтти, но он и сам знал, как ему дальше следует поступить.

— Нет, нет, я этому не верю! Не могу поверить... Это все она... эта подлая тварь.

Пуаро невозмутимо продолжал:

— Он задумал убийство. У Хэтти не было родственников, друзей она почти не имела. Сразу же после их возвращения в Англию он привез ее сюда. В тот первый вечер слуги ее почти не видели, а женщина, с которой они на следующее утро повстречались, была уже не Хэтти, а его итальянская жена, загримированная под Хэтти и копирующая ее поведение. И опять все могло бы на этом закончиться. Фальшивая Хэтти жила бы тут вместо подлинной Хэтти, а неожиданное улучшение ее психического состояния могли бы объяснить «новыми методами лечения», под которыми неизвестно что подразумевается.

Правда, секретарша мисс Бревис заподозрила нечто неладное.

И тут случилось непредвиденное. Кузен Хэтти сообщает, что отправляется путешествовать на яхте и собирается посетить Англию; хотя он много лет с Хэтти не встречался, вряд ли бы его можно было так легко провести.

— Странно, — прервал Пуаро свое повествование, — я неоднократно задумывался над тем, что де Соуза мог бы быть совсем не де Соузой, но ни разу мне не пришла в голову мысль, что истина, так сказать, находится с противоположной стороны — что Хэтти не является настоящей Хэтти.

Он продолжал:

— В сложившейся ситуации можно было действовать по-разному. Леди Стабз могла бы избежать встречи с кузеном, сказавшись больной, но, задержись де Соуза в Англии надолго, встреча с ним стала бы неизбежной. И тут возникло новое осложнение. Страдающий старческой болтливостью Мерделл любил потолковать со своей внучкой. Она была едва ли не единственным человеком, готовым выслушивать его разглагольствования, но и она многое из сказанного пропускала мимо ушей, считая деда «чокнутым». Тем не менее некоторые его истории об увиденном «в лесу трупе женщины» и про «сэра Джорджа Стабза, который на деле есть мистер Джеймс» произвели на нее такое впечатление, что Марлен решилась осторожненько намекнуть об этом самому сэру Джорджу. Поступив так, она, разумеется, подписала себе смертный приговор. Сэр Джордж и его жена не могли допустить подобных слухов. Видимо, Стабз дал Марлен немного денег и велел помалкивать, а сам тем временем задумал недоброе.

Супруги продумали все до тонкостей. Дата приезда де Соузы в Хельмут была им уже известна. Она совпала с днем, на который назначили празднество. План разработали таким образом, чтобы убийство Марлен и «исчезновение» леди Стабз бросили подозрение на де Соузу. Вот поэтому его и очернили именем «страшного человека» и обвинением: «Он убивает людей». Леди Стабз должна была исчезнуть навечно; может быть, судьба и предоставила бы сэру Джорджу на опознание труп какой-нибудь женщины, уступив свое место новому персонажу. Вероятнее всего, «Хэтти» появилась бы в своем естественном итальянском обличье. И потребовалось бы ей для подобной смены ролей всего-то не более суток. Сэр Джордж помог бы ей это осуществить. В тот день, когда я приехал сюда, «леди Стабз» предпочла до самого чая не выходить из своей комнаты. За исключением сэра Джорджа, с ней никто не встречался. На самом же деле она незаметно сбежала, автобусом или поездом добралась до Эксетера и уже оттуда вернулась обратно вместе с другой студенткой: в это время года таких путешественников здесь пруд пруди, ей она рассказала про своего друга, объевшегося недоброкачественной телятиной и пирогом с ветчиной. Она прибывает в гостиницу, заказывает себе каморку и отправляется «побродить». К этому времени леди Стабз появляется в гостиной. После обеда леди Стабз отправляется спать... но мисс Бревис удается подглядеть, как вскоре после этого она потихонечку уходит из дома. Ночь она проводит в гостинице, спозаранку покидает ее и завтракает в «Нэссе» уже в качестве леди Стабз. Утро она проводит у себя в комнате с «головной болью», и на этот раз появляется на сцене в облике «вторгшейся в поместье студентки», которую сэр Джордж прогоняет, он кричит ей из окна спальни своей жены и делает вид, что переговаривается с Хэтти, которая якобы находится в комнате. Поменять костюмы было нетрудно — шорты и майка надевались под модные платья, излюбленные наряды леди Стабз. Густой белый грим и широкополая шляпа скрывали ее лицо; яркий крестьянский шарф, загоревшая кожа, бронзово-рыжие кудряшки — и перед вами итальянская девушка. Никому и в голову не пришло, что эти две женщины на самом деле одно и то же лицо.

И вот приближается финал разыгрываемой трагедии. Около четырех часов леди Стабз просит мисс Бревис отнести завтрак Марлен. Сделала она это потому, что опасалась, как бы мисс Бревис сама до этого не додумалась и не появилась бы в сарае в самый неподходящий момент, — такой оборот дела имел бы для нее роковые последствия. Возможно, ее терзало сладострастное желание увидеть мисс Бревис на месте преступления примерно в то время, когда оно было совершено. Затем, воспользовавшись моментом, она пробирается в палатку гадалки, где никого не было, оттуда — в спрятавшийся в кустарнике летний домик, — здесь находился рюкзак с одеждой. Она проходит лесом, просит Марлен впустить ее и душит ничего не подозревавшую девочку. Широкополую шляпу забрасывает в реку, принимает обличье туристки, гримируется, лиловое креп-жоржетовое платье и туфли на высоких каблуках складывает в рюкзак — и уже под видом итальянской студентки из молодежного общежития вместе со своей подругой из Голландии появляется на лужайке, где происходит гулянье; потом, как и было задумано, они уезжают на местном автобусе. Где теперь эта женщина, я не знаю. Подозреваю, что в Сохо, где преступная шайка ее соотечественников подготовила для нее нужные документы. Во всяком случае, полиция разыскивает не юную итальянку, она разыскивает простодушную, ненормальную, экзотическую Хэтти Стабз.

А несчастная Хэтти Стабз погибла, но вы и сами, мадам, это знаете. Вы сообщили мне об этом, когда я беседовал с вами в гостиной во время праздника. Смерть Марлен поразила вас — вы и понятия не имели о том, что здесь затевается; вы мне прозрачно намекнули, впрочем, тогда я не понял, что, когда вы говорите «Хэтти», вы имеете в виду двух совершенно разных людей — одна женщина, которую вы не любите, которой желаете смерти и, как вы сказали, «ни одному слову которой нельзя верить», и другая девушка, о которой вы говорили в прошедшем времени и которую защищали с трогательной привязанностью. Думаю, мадам, вы очень любили бедную Хэтти Стабз...

Наступило продолжительное молчание.

Миссис Фоллиат неподвижно сидела в кресле. Наконец она поднялась и заговорила с ледяной отчужденностью:

— Вся ваша история — это чистая фантазия, мистер Пуаро. Мне думается, вы сумасшедший... Мало ли что взбредет вам в голову, у вас нет никаких доказательств!

Пуаро подошел к одному из окон и растворил его.

— Прислушайтесь, мадам. Слышите?

— У меня неважно со слухом... Что я должна услышать?

— Удары кирки... Это взламывают бетонное основание «Глупости»... Прекрасное место для того, чтобы спрятать труп... деревья уже выкорчеваны, земля раскопана. Еще немного времени, будет взломан бетон, под которым лежит труп и над которым возвышается «Глупость»... — Пуаро спокойно добавил: — Глупость сэра Джорджа... Глупость хозяина усадьбы.

Протяжный тяжкий стон сорвался с губ миссис Фоллиат.

— Такое красивое место, — сказал Пуаро. — И такая дьявольская злоба... Владельца этого места...

— Да, — прохрипела миссис Фоллиат. — Вы правы... Еще ребенком он пугал меня... Жестокий... без сострадания... И без совести... Но это был мой сын, я любила его... Когда Хэтти погибла, мне следовало все рассказать... но это же мой сын... могла ли я выдать его? И вот из-за моего молчания погибает Марлен, этот глупый несчастный ребенок... А потом добрый старый Мерделл... Когда же настанет конец?

— Дорога, по которой шагает убийца, бесконечна, — сказал Пуаро.

Миссис Фоллиат склонила голову и стояла так несколько минут, закрыв руками лицо.

Затем миссис Фоллиат, дочь смелых и благородных родителей, выпрямилась во весь рост. Она посмотрела глаза в глаза Пуаро и сказала глухим отрешенным голосом:

— Благодарю вас, мистер Пуаро, что вы пришли и все это мне рассказали. А теперь вы оставите меня. Некоторые поступки следует совершать без свидетелей...

Часы

Роман

The Clocks

Пролог

Девятое сентября ничем не отличалось от других дней. Никто из участников событий не мог впоследствии заявить о предчувствии несчастья. (Исключение составляла миссис Пэкер, проживающая на Уилбрэхем-Крезент, 47 и специализирующаяся на предчувствиях, которая потом описывала в мельчайших подробностях одолевавшие ее дурные предзнаменования. Но миссис Пэкер из дома 47 находилась так далеко от дома 19 и имела настолько отдаленное отношение к случившемуся там, что едва ли нуждалась в каких-либо предчувствиях по этому поводу.)

В секретарском и машинописном бюро «Кэвендиш», возглавляемом мисс К. Мартиндейл, девятое сентября началось как обычный, уныло текущий день. Звонил телефон, стучали машинки, количество работы было не бо́льшим и не меньшим, чем всегда. Ни одно из дел не представляло особого интереса. Короче говоря, до четырнадцати тридцати пяти девятое сентября протекало точно так же, как прочие дни.

В два тридцать пять раздался звонок телефона, соединявшего кабинет мисс Мартиндейл с наружным офисом. На звонок ответила Эдна Брент, как обычно, говоря слегка в нос и передвигая языком ириску вдоль челюсти:

— Да, мисс Мартиндейл?

— Слушайте, Эдна, я ведь вам говорила, что так нельзя разговаривать по телефону. Задерживайте дыхание и четко произносите слова.

— Простите, мисс Мартиндейл.

— Вот теперь лучше. Когда стараетесь, вы можете говорить как надо. Пошлите ко мне Шейлу Уэбб.

— Она еще не вернулась с ленча, мисс Мартиндейл.

— Вот как? — Мисс Мартиндейл бросила взгляд на стоящие на столе часы. — Два тридцать шесть. Опаздывает на шесть минут! В последнее время Шейла Уэбб стала небрежной. Пришлите ее ко мне, как только она вернется.

— Хорошо, мисс Мартиндейл.

Передвинув ириску в середину языка и с удовольствием ее посасывая, Эдна возобновила перепечатку «Обнаженной любви» Арманда Левина. Описанные во всех подробностях эротические сцены оставляли ее равнодушной, как и прочих читателей мистера Левина, несмотря на все его старания. Творчество этого автора являло собой наглядный пример того, что ничего не может быть скучнее унылой порнографии. Невзирая на броские обложки и интригующие названия, его книги продавались с каждым годом все хуже, а последний счет из машинописного бюро посылали ему уже три раза.

Дверь открылась, и вошла слегка запыхавшаяся Шейла Уэбб.

— Рыжая Кошка спрашивала тебя, — сообщила Эдна. Шейла скорчила гримасу:

— Мне, как всегда, везет. Как раз в тот день, когда я опоздала!

Она пригладила волосы, взяла блокнот и карандаш и постучала в дверь начальницы.

Мисс Мартиндейл оторвала взгляд от стола. Это была женщина лет сорока с лишним, от которой буквально веяло деловитостью. Прическа «помпадур» из рыжеватых волос и имя Кэтрин способствовали награждению ее прозвищем Рыжая Кошка.

— Вы поздновато вернулись, мисс Уэбб.

— Простите, мисс Мартиндейл. Мой автобус попал в ужасную пробку.

— В это время автобусы всегда попадают в пробку. Вам следует это учитывать. — Она взглянула на запись в своем блокноте. — Звонила мисс Пебмарш. Ей нужна стенографистка в три часа. Она просила прислать именно вас. Вы уже работали у нее?

— Не припоминаю, мисс Мартиндейл. Во всяком случае, не в последнее время.

— Ее адрес — Уилбрэхем-Крезент, 19. — Мисс Мартиндейл вопросительно посмотрела на собеседницу, но Шейла Уэбб покачала головой:

— Не помню, чтобы я ходила туда.

Мисс Мартиндейл снова взглянула на часы:

— В три часа. Вы легко сможете успеть. У вас на сегодня есть другие вызовы? Ах да. — Она устремила взгляд на журнал вызовов, лежащий перед ней. — Профессор Перди в отеле «Кроншнеп». В пять часов. Вы должны вернуться до этого времени. Если нет, я могу послать Дженет.

Мисс Мартиндейл кивнула, давая понять, что разговор окончен, и Шейла вышла в соседнюю комнату.

— Что-нибудь интересное, Шейла? — спросила Эдна.

— То же, что всегда. Какая-то старушенция на Уилбрэхем-Крезент. А в пять профессор Перди — снова эти жуткие археологические названия. Как бы мне хотелось, чтобы хоть иногда происходило что-нибудь интересное и захватывающее!

Дверь кабинета мисс Мартиндейл открылась.

— Забыла вас предупредить, Шейла. Если мисс Пебмарш не окажется дома, входите — дверь не будет заперта. Из холла пройдите в комнату направо и ждите там. Можете запомнить или мне все записать?

— Могу, мисс Мартиндейл.

Начальница вернулась в кабинет.

Эдна Брент украдкой пошарила под стулом, вытащив модную туфлю и отвалившийся каблук-шпильку.

— Как же я доберусь домой? — простонала она.

— Не волнуйся — что-нибудь придумаем, — успокоила ее одна из девушек, на момент оторвавшись от работы.

Эдна вздохнула и вставила в машинку чистый лист. «Страсть стиснула его мертвой хваткой. Дрожащими пальцами он сорвал прозрачный шифон с ее груди и повалил ее на соду».

— Черт! — выругалась Эдна и, взяв ластик, стала исправлять в последнем слове «д» на «ф».

Уилбрэхем-Крезент была фантастическим созданием архитектора викторианской эпохи, возникшим в 1880 году. Она представляла собой полумесяц[1] из сдвоенных домов и садов, расположенных спиной друг к другу. Это создавало значительные трудности для незнакомых с местностью. Те, кто приходил на наружную сторону полумесяца, не мог обнаружить первых номеров, а попавших на внутреннюю сторону сбивало с толку отсутствие последних. Дома были аккуратными, красивыми и с изящными балконами. Все же модернизация коснулась и их. Кухни и ванные первыми испытывали на себе веяние времени.

В доме 19 не было ничего необычного — чистые, опрятные занавески и отполированная до блеска дверная ручка. С каждой стороны дорожки, ведущей к парадному входу, росли традиционные кусты роз.

Шейла Уэбб открыла калитку, подошла к двери и позвонила. Ответа не последовало, поэтому, подождав минуту-две, она решила действовать согласно полученным указаниям и повернула ручку. Дверь открылась, и девушка вошла внутрь. С правой стороны маленького холла дверь была приоткрыта. Шейла постучала, немного помедлила и вошла в уютную гостиную, с точки зрения современных вкусов чересчур обильно меблированную. Бросалось в глаза необычайное множество часов — высокие напольные часы, тикавшие в углу, часы из дрезденского фарфора на каминной полке, серебряные часы в форме кареты на письменном столе, маленькие, причудливые позолоченные часики на этажерке с безделушками у камина и, наконец, дорожные часы в полинявшем кожаном футляре с выцветшей позолоченной надписью «Розмари» в углу.

Шейла Уэбб с некоторым удивлением посмотрела на часы, стоящие на письменном столе. Они показывали чуть больше десяти минут пятого. Ее взгляд переместился на каминную полку. Часы на ней показывали то же самое время.

Услышав шум наверху, Шейла вздрогнула. В висящих на стене деревянных часах открылась маленькая дверца, оттуда выпрыгнула кукушка и произнесла громко и отчетливо: «Ку-ку, ку-ку, ку-ку!» Резкий звук казался по-

---

[1] К р е з е н т (crescent) — полумесяц *(англ.). (Здесь и далее примеч. перев.)*

378

чти угрожающим. Кукушка исчезла, и дверца захлопнулась за ней.

Улыбнувшись, Шейла обогнула угол дивана и застыла как вкопанная.

На полу лежал мужчина. Его невидящие глаза были полуоткрыты. На темном костюме расплылось влажное пятно. Почти машинально Шейла наклонилась и притронулась к его щеке, потом к руке — они были холодными как лед. Коснувшись темного пятна, девушка резко отдернула руку и в ужасе посмотрела на нее.

В этот момент Шейла услышала щелчок калитки снаружи. Повернувшись к окну, она увидела женскую фигуру, быстро шагающую по дорожке. Шейла судорожно глотнула — у нее пересохло в горле. Она стояла, будучи не в силах оторвать взгляд от пятна, и не могла ни шевельнуться, ни крикнуть.

Дверь открылась, и вошла высокая пожилая женщина с хозяйственной сумкой в руке. У нее были вьющиеся седые волосы, зачесанные со лба назад, и большие голубые глаза. Их невидящий взгляд был устремлен вверх.

Шейла наконец смогла выдавить из себя слабый квакающий звук. Красивые голубые глаза переместились на нее, и женщина резко осведомилась:

— Здесь есть кто-нибудь?

— Да... я... — Девушка умолкла, так как женщина внезапно двинулась по направлению к ней.

— Нет... Не надо!.. — закричала Шейла. — Вы наступите на него... А он мертв!

Глава 1

РАССКАЗЫВАЕТ КОЛИН ЛЭМ

1

Пользуясь полицейской терминологией, девятого сентября в четырнадцать пятьдесят девять я шел по Уилбрэхем-Крезент в западном направлении. Это было моим первым знакомством с Уилбрэхем-Крезент, и, говоря откровенно, место сбило меня с толку.

Упорство, с которым я следовал своей идее, усиливалось с каждым днем, в то время как шансы на то, что означенная идея себя оправдает, пропорционально уменьшались, но я ничего не мог поделать со своим характером.

Мне нужен был дом 61, но я никак не мог его найти. Добросовестно пройдя от первого до тридцать первого номера, я увидел, что Уилбрэхем-Крезент внезапно кончилась. Оживленная улица, носившая звучное название Олбени-роуд, преградила мне путь. Я повернул назад, но на северной стороне была только стена. За ней высились кварталы современных зданий, вход в которые, очевидно, находился на другой улице.

Я взглянул на номера домов, мимо которых проходил. 24, 23, 22, 21, дом с надписью «Дайана-Лодж» (по-видимому, номер 20), на крыше которого сидел и умывался рыжий кот, 19...

Внезапно дверь дома 19 открылась, и оттуда со скоростью падающей бомбы вылетела девушка. Сходство с бомбой усиливал пронзительный, абсолютно нечеловеческий визг, которым сопровождались ее действия. Выбежав за калитку, девушка налетела на меня с такой силой, что я чуть не упал на тротуар. Не ограничиваясь этим, она отчаянно вцепилась в меня.

— Успокойтесь, — сказал я, вновь обретая равновесие и слегка встряхнув девушку. — Сейчас же прекратите!

Девушка все еще цеплялась за меня, но перестала вопить. Теперь она всхлипывала, тяжело дыша.

Не могу сказать, что я с блеском реагировал на создавшуюся ситуацию. Я спросил, случилось ли что-нибудь, но, поняв, что мой вопрос неуместен, изменил его:

— Что случилось?

Девушка с шумом втянула в себя воздух.

— Там!.. — Она указала в сторону дома.

— Что?

— Там на полу человек... мертвый... Она чуть не наступила на него!

— Кто «она»? И почему?

— По-моему, потому, что она слепая. А на нем кровь. — Девушка посмотрела вниз и отпустила меня. — И на мне тоже!

— По-видимому, — согласился я, взглянув на испачканный кровью рукав моего пальто. — Так же, как и на мне. Лучше покажите место происшествия.

Девушка вздрогнула:

— Не могу! Я больше не пойду туда!

— Возможно, вы правы.

Я огляделся вокруг. Устроить удобно девушку, находящуюся в полуобморочном состоянии, здесь, очевидно, было негде. Я осторожно усадил ее на тротуар, прислонив спиной к железной ограде.

— Оставайтесь здесь, пока я не вернусь. Я не задержусь надолго. Все будет в порядке. Если почувствуете себя плохо, наклонитесь и опустите голову на колени.

— Я... Думаю, мне уже лучше.

Она была не слишком в этом уверена, но я не хотел продолжать дискуссию. Ободряюще похлопав девушку по плечу, я быстро зашагал по дорожке. Войдя в дом, я на момент задержался в прихожей, заглянул в дверь налево и, обнаружив там пустую столовую, пересек холл и вошел в гостиную напротив столовой.

Первое, что я увидел, была пожилая женщина с седыми волосами, сидящая в кресле. Когда я вошел, она резко повернула голову и спросила:

— Кто это?

Я сразу понял, что женщина слепая. Ее взгляд, устремленный на меня, сфокусировался на точке за моим левым ухом.

Я сразу же перешел к делу:

— Молодая женщина выбежала на улицу и заявила, что здесь лежит мертвец.

Я отлично понимал абсурдность моих слов. Казалось невозможным, чтобы мёртвец находился в этой опрятной комнате, с женщиной, спокойно сидящей в кресле.

Но она сразу же ответила:

— За диваном.

Я двинулся в указанном направлении и увидел труп — раскинутые руки, остекленевшие глаза и лужа сгустившейся крови.

— Как это случилось? — резко осведомился я.

— Не знаю.

— Но... Да, разумеется. Кто он?

— Понятия не имею.

— Мы должны вызвать полицию. — Я быстро огляделся. — Где телефон?

— У меня нет телефона.

Женщина все больше интересовала меня.

— Вы живете здесь? Это ваш дом?

— Да.

— Можете рассказать мне, что произошло?

— Конечно. Я ходила за покупками.

Я заметил хозяйственную сумку на стуле около двери.

— А когда вернулась, сразу же поняла, что в комнате кто-то есть. Слепые всегда это чувствуют. Я спросила, кто здесь. Ответа не последовало — только звуки, похожие на тяжелое дыхание. Я пошла в направлении этих звуков, и тогда кто-то закричал, что здесь лежит мертвец и я могу наступить на него. Затем этот человек промчался мимо меня и с воплями выбежал из комнаты.

Я кивнул. Ее рассказ совпадал со словами девушки.

— И что же вы сделали?

— Осторожно пошла дальше, пока моя нога не наткнулась на препятствие.

— А потом?

— Я опустилась на колени и притронулась к чему-то. Это оказалось человеческой рукой. Она была холодной, и я не смогла нащупать пульс. Я встала, подошла сюда, села и стала ждать. Молодая женщина, кто бы она ни была, должна поднять тревогу. Я подумала, что мне лучше не выходить из дому.

Меня поражало спокойствие этой женщины. Она не визжала и не выбегала в панике на улицу, а только спокойно сидела и ждала. Конечно, ее поведение было благоразумным, но для этого требовались железные нервы.

— Кто вы такой? — спросила она.

— Меня зовут Колин Лэм. Я случайно проходил мимо.

— Где эта молодая женщина?

— Я усадил ее у калитки, так как у нее было шоковое состояние. Где здесь ближайший телефон?

— Телефон-автомат ярдах в пятидесяти, за углом.

— Да, я помню, как прошел мимо него. Пойду позвоню в полицию. А вы... — Я колебался, не зная, сказать ли мне: «А вы останетесь здесь?» или «А вы хорошо себя чувствуете?»

Женщина избавила меня от затруднений.

— Лучше приведите девушку в дом, — посоветовала она.

— Не знаю, согласится ли она, — с сомнением произнес я.

— Разумеется, не в эту комнату. Отведите ее в столовую, с другой стороны холла. Скажите ей, что я приготовлю чай.

Она встала и направилась ко мне.

— Но... как же вы сможете...

На ее лице мелькнула печальная усмешка.

— Молодой человек, я готовлю себе пищу с тех пор, как поселилась в этом доме четырнадцать лет назад. Быть слепой не обязательно означает быть беспомощной.

— Простите. Глупо с моей стороны. Могу ли я узнать ваше имя?

— Мисс Миллисент Пебмарш.

Я вышел и зашагал по дорожке. Увидев меня, девушка попыталась встать:

— Теперь я уже почти совсем пришла в себя.

— Вот и прекрасно! — весело отозвался я, помогая ей подняться.

— Там... действительно мертвец?

Я кивнул:

— Да. Я как раз собирался пойти к телефону-автомату и позвонить в полицию. На вашем месте я бы подождал в доме. — Я повысил голос, дабы пресечь протест. — Идите в столовую — за дверью налево. Мисс Пебмарш приготовит вам чашку чаю.

— Так это была мисс Пебмарш? И она слепая?

— Да. Конечно, для нее это тоже было потрясением, но она вела себя благоразумно. Пойдемте, я провожу вас. Чашка чаю укрепит ваши силы, пока вы будете дожидаться полиции.

Обняв девушку за плечи, я проводил ее в столовую, устроил поудобнее за столом и поспешил к телефону.

2

В трубке послышался бесстрастный голос:

— Полицейский участок Кроудина.

— Могу я поговорить с детективом-инспектором Хард-каслом?

— Не знаю, здесь ли он, — предусмотрительно отозвался голос. — А кто это говорит?

— Скажите ему, что его спрашивает Колин Лэм.

— Подождите, пожалуйста.

Я послушно стал ждать. Вскоре послышался голос Дика Хардкасла:

— Колин? Не ожидал тебя так рано. Где ты?

— В Кроудине. Точнее, на Уилбрэхем-Крезент. В доме 19 на полу лежит мертвец, — по-видимому, его закололи приблизительно полчаса назад.

— Кто его обнаружил? Ты?

— Нет, я оказался в роли случайного прохожего. Из дома, как пробка из бутылки, вылетела девушка и чуть не сбила меня с ног. Она сказала, что на полу лежит труп и слепая женщина едва не наступила на него.

— Ты меня не разыгрываешь? — В голосе Дика звучало подозрение.

— Согласен, это кажется фантастичным. Но факты именно таковы. Слепая женщина — мисс Миллисент Пебмарш, хозяйка дома.

— И она собиралась наступить на мертвеца?

— Не в том смысле, какой ты имеешь в виду. Просто, будучи слепой, она не могла увидеть труп.

— Хорошо, приведу в движение полицейский аппарат. Что ты сделал с девушкой?

— Мисс Пебмарш готовит ей чашку чаю.

Дик заметил, что это звучит весьма утешительно.

Глава 2

Дом 19 по Уилбрэхем-Крезент поступил под контроль закона. Здесь уже находились полицейский врач, фотограф и дактилоскопист, быстро и эффективно выполняющие свою работу.

Наконец прибыл детектив-инспектор Хардкасл — высокий мужчина с бесстрастным лицом и густыми бровями. Оглядевшись вокруг, он убедился, что его распоряжения выполняются должным образом. Бросив взгляд на труп, инспектор обменялся несколькими словами с врачом и затем направился в столовую, где пили чай трое — мисс Пебмарш, Колин Лэм и стройная девушка с вьющимися каштановыми волосами и большими испуганными глазами. «Довольно хорошенькая», — подумал Хардкасл.

— Детектив-инспектор Хардкасл, — представился он мисс Пебмарш.

Инспектор немного знал о хозяйке дома, хотя никогда не сталкивался с ней на своем профессиональном поприще. Но он навел о ней справки и выяснил, что она бывшая школьная учительница, преподававшая чтение и письмо по системе Брайля в институте Ааронберга для детей-калек. Казалось невероятным, что в ее чистеньком, аккуратном домике могло произойти убийство, но невероятное случается гораздо чаще, чем принято считать.

— Произошло ужасное событие, мисс Пебмарш, — сказал инспектор. — Боюсь, это явилось для вас большим потрясением. Но мне придется получить от всех вас ясные и точные показания относительно случившегося. Насколько я понял, мисс... — он быстро заглянул в записную книжку, которую протянул ему констебль, — Шейла Уэбб обнаружила труп. Если вы разрешите воспользоваться вашей кухней, мисс Пебмарш, мы с мисс Уэбб пройдем туда, так как сможем там спокойно побеседовать.

Хардкасл открыл дверь в кухню и пропустил вперед девушку. Молодой детектив в штатском уже обосновался там за маленьким столиком и что-то писал.

— Этот стул выглядит удобным, — заметил инспектор, придвигая девушке модернизированный вариант виндзорского стула[1].

Шейла Уэбб села, испуганно глядя на него. Хардкаслу очень хотелось сказать: «Я не съем вас, дорогая моя», но он сдержался и промолвил:

---

[1] В и н д з о р с к и й с т у л — деревянный стул с тонкой спинкой, изогнутыми ножками и. седловидным сиденьем.

— Не надо волноваться. Мы просто хотим восстановить правильную картину событий. Ваше имя Шейла Уэбб, а ваш адрес?

— Палмерстон-роуд, 14 — за газовым заводом.

— Понятно. Полагаю, вы работаете?

— Да, машинисткой-стенографисткой в секретарском бюро мисс Мартиндейл.

— Его полное название — секретарское и машинописное бюро «Кэвендиш», не так ли?

— Да.

— И давно вы работаете там?

— Около года. Точнее, десять месяцев.

— Ясно. Теперь расскажите мне все о вашем сегодняшнем визите на Уилбрэхем-Крезент, 19.

— Дело было так. — Теперь Шейла говорила более спокойно. — Эта мисс Пебмарш позвонила сегодня в бюро и попросила прислать к ней стенографистку к трем часам. Поэтому, когда я вернулась с ленча, мисс Мартиндейл послала меня сюда.

— У вас такой порядок? Я имею в виду, подошла ваша очередь, или как принято в вашем бюро?

— Нет, мисс Пебмарш вызвала именно меня.

— Вот как? — Брови Хардкасла взметнулись вверх. — Значит, вы работали у нее раньше?

— Я у нее никогда не работала, — быстро отозвалась Шейла.

— Вы в этом уверены?

— Да, конечно. Такую женщину нелегко забыть. Все это так странно...

— Весьма странно. Ладно, сейчас не будем вдаваться в это. Когда вы прибыли сюда?

— Должно быть, около трех, потому что часы с кукушкой... — Она внезапно умолкла. Ее глаза расширились. — Очень странно! Тогда я этого не заметила.

— Чего не заметили, мисс Уэбб?

— Ну... часы...

— Что вы имеете в виду?

— Часы с кукушкой пробили три, но все другие часы спешили примерно на час. Непонятно!

— В самом деле, — согласился инспектор. — А когда вы впервые заметили труп?

386

— Когда обошла диван. Он... там лежал. Это было ужасно!

— Безусловно. Скажите, вы узнали этого человека? Когда-нибудь видели его раньше?

— О нет!

— Вы вполне в этом уверены? Знаете, он мог выглядеть совсем не так, как при жизни. Подумайте хорошенько. Вы полностью убеждены, что никогда его не видели?

— Полностью.

— Хорошо. И что же вы сделали?

— Что сделала?

— Да.

— Ну... ничего. Я не могла...

— Понимаю. Вы совсем не притрагивались к нему?

— Нет, притрагивалась. Я хотела... ну, проверить... Но он был совсем холодный, а моя рука испачкалась в крови, такой густой и липкой... Это ужасно! — Она вздрогнула.

— Ну-ну, не надо, — ласково произнес Хардкасл. — Теперь все уже позади. Забудьте о крови. Продолжим. Что произошло дальше?

— Я не знаю. Ах да, она вернулась домой.

— Вы имеете в виду мисс Пебмарш?

— Да. Только тогда я не поняла, что это мисс Пебмарш. Она вошла с хозяйственной сумкой. — Шейла подчеркнула слова «хозяйственная сумка», словно нечто неуместное и несуразное.

— И что же вы сказали?

— Не думаю, чтобы я что-нибудь сказала. Я старалась, но не могла... Я чувствовала, что задыхаюсь от страха. — Она поднесла руку к горлу.

Инспектор кивнул.

— И тогда... тогда она спросила: «Кто здесь?» — и обошла вокруг дивана. Мне показалось, что она сейчас наступит на него, и я закричала... Я не могла остановиться и вылетела из комнаты...

— Как пробка из бутылки, — повторил инспектор описание Колина.

Шейла Уэбб жалобно посмотрела на него.

— Простите, — довольно неожиданно сказала она.

— Не за что. Вы очень хорошо изложили вашу историю. Больше вам незачем об этом думать. О, только одну минуту, почему вы вообще оказались в этой комнате?

— Почему?

— Да. Вы прибыли сюда, возможно, на несколько минут раньше и, очевидно, позвонили. Но если никто не отозвался, почему вы вошли?

— Ах вот оно что. Потому что она велела мне так сделать.

— Кто?

— Мисс Пебмарш.

— Но я думаю, что вы вовсе не говорили с ней.

— Так оно и есть. Мне сказала об этом мисс Мартиндейл. Я должна была войти и ждать в гостиной справа от холла.

— Да-а, — задумчиво протянул Хардкасл.

— Это... это все? — робко спросила Шейла Уэбб.

— Думаю, да. Я бы хотел, чтобы вы подождали здесь еще минут десять. Если что-нибудь выяснится, возможно, мне понадобится расспросить вас об этом. Скажите, у вас есть семья?

— Мои родители умерли. Я живу с тетей.

— Как ее фамилия?

— Миссис Лотон.

Инспектор встал и протянул руку.

— Большое спасибо, мисс Уэбб, — сказал он. — Постарайтесь хорошо отдохнуть и выспаться. После всего случившегося вы очень в этом нуждаетесь.

Девушка застенчиво улыбнулась и вышла в столовую.

— Проводи мисс Уэбб, Колин, — попросил инспектор. — Мисс Пебмарш, могу я пригласить вас сюда?

Хардкасл протянул руку, чтобы помочь мисс Пебмарш, но она уверенным шагом прошла мимо него, прикоснулась к стулу у стены, проверяя, на месте ли он, придвинула его ногой и села.

Хардкасл закрыл дверь. Прежде чем он успел заговорить, мисс Пебмарш резко осведомилась:

— Кто этот молодой человек?

— Его зовут Колин Лэм.

— Это он мне уже сообщил. Но кто он такой? Почему он пришел сюда?

Хардкасл посмотрел на нее с некоторым удивлением:

— Он случайно проходил мимо, когда мисс Уэбб выбежала из дома, крича, что произошло убийство. Войдя в дом и убедившись, что это действительно так, он позвонил нам, и мы попросили его подождать здесь.

— Но вы назвали его просто Колин.

— Вы очень наблюдательны, мисс Пебмарш. — «Наблюдательна» — не слишком удачный термин по отношению к слепой, но подобрать другой эпитет инспектор не успел. — Колин Лэм — мой друг, хотя мы давно не виделись. — Помолчав, Хардкасл добавил: — Он морской биолог.

— Понятно.

— Ну, мисс Пебмарш, я был бы рад, если бы вы сообщили мне что-нибудь об этом удивительном происшествии.

— Охотно. Но сообщать особенно нечего.

— Полагаю, вы проживаете здесь уже несколько лет?

— С пятидесятого года. Я по профессии учительница — вернее, была ею. Когда врачи сказали, что ничего не могут поделать с моим слабеющим зрением и что я скоро ослепну, я решила стать специалистом по системе Брайля и другим методам помощи слепым. Я работаю неподалеку — в институте Ааронберга для слепых и искалеченных детей.

— Благодарю вас. Перейдем к сегодняшним событиям. Вы ожидали гостя?

— Нет.

— Сейчас я прочитаю вам описание убитого, чтобы проверить, не напоминает ли он вам кого-нибудь. Рост — пять футов девять-десять дюймов, возраст — приблизительно шестьдесят лет, темные с проседью волосы, карие глаза, чисто выбрит, худое лицо, решительный подбородок. Довольно упитанный, но не толстый. Темно-серый костюм, холеные руки. Возможно, банковский клерк, адвокат или кто-нибудь в таком роде. Напоминает вам это описание кого-нибудь из знакомых?

Прежде чем ответить, Миллисент Пебмарш тщательно подумала.

— Как будто нет. Конечно, это только общее описание. Ему могут соответствовать многие. Возможно, я

389

видела или случайно встречала этого человека, но он, безусловно, не принадлежит к числу моих близких знакомых.

— В последнее время вы не получали писем от кого-нибудь, намеревавшегося посетить вас?

— Нет.

— Отлично. Скажите, вы звонили в секретарское бюро «Кэвендиш» с просьбой прислать вам стенографистку для услуг и...

— Простите, — прервала она, — но я не делала ничего подобного.

— Вы не звонили в бюро «Кэвендиш» и не просили... — Хардкасл изумленно уставился на нее.

— У меня в доме нет телефона.

— В конце улицы есть телефон-автомат, — заметил инспектор.

— Да, разумеется. Но я уверяю вас, инспектор Хардкасл, что не нуждалась в стенографистке и — повторяю — не звонила в это бюро ни с какими просьбами.

— И вы не просили прислать именно мисс Шейлу Уэбб?

— Я никогда раньше не слышала этого имени.

Хардкасл был сбит с толку.

— Вы оставили парадную дверь незапертой, — заметил он.

— Я часто делаю так в дневное время.

— Но любой мог войти в дом.

— Сегодня кто-то так и поступил, — сухо отозвалась женщина.

— Мисс Пебмарш, согласно показаниям врача, этот человек умер приблизительно между половиной второго и без четверти три. Где вы находились в это время?

Мисс Пебмарш задумалась.

— В половине второго я либо уже ушла, либо собиралась уйти из дому. Мне надо было купить кое-что.

— Можете точно описать ваш маршрут?

— Дайте вспомнить... Я зашла на почту на Олбени-роуд, отправила посылку и купила несколько марок, затем сделала хозяйственные покупки, приобрела «молнии» и булавки в магазине Филда и Рена, потом вернулась сюда.

Могу точно сказать, сколько тогда было времени. Мои часы с кукушкой прокуковали три раза, когда я подошла к калитке. Я слышу их с улицы.

— А ваши другие часы?

— Прошу прощения?

— Все ваши другие часы вроде бы спешат на час.

— Спешат? Вы имеете в виду высокие напольные часы в углу?

— Не только их — все остальные часы в гостиной также спешат.

— Не понимаю, о каких «остальных часах» вы говорите. В гостиной больше нет никаких часов.

Глава 3

Хардкасл подскочил на стуле:

— То есть как это, мисс Пебмарш? А великолепные часы из дрезденского фарфора на каминной полке? А маленькие позолоченные французские часики? А серебряные часы в форме кареты и часы с надписью «Розмари» в углу?

Теперь пришла очередь мисс Пебмарш удивляться:

— Или вы, или я сошли с ума, инспектор. Уверяю вас, у меня нет ни часов из дрезденского фарфора, ни часов... как вы сказали... с надписью «Розмари», ни французских позолоченных часов, ни... что там еще?

— Серебряные часы в форме кареты, — машинально подсказал инспектор.

— Таких у меня тоже нет. Если вы мне не верите, можете расспросить женщину, которая приходит сюда убирать. Ее зовут миссис Кертин.

Детектив-инспектор Хардкасл был окончательно сбит с толку. Быстрые ответы и уверенный тон мисс Пебмарш казались весьма убедительными. Обдумав ситуацию, он поднялся:

— Не могли бы вы, мисс Пебмарш, пройти со мной в гостиную?

— Конечно. Откровенно говоря, мне бы хотелось самой увидеть эти часы.

— Увидеть? — вырвалось у Хардкасла.

— Было бы правильнее сказать «обследовать», — пояснила мисс Пебмарш. — Но слепые часто пользуются общепринятыми оборотами речи, которые не всегда соответствуют их возможностям. Когда я сказала «увидеть», я имела в виду, что хотела бы обследовать эти часы при помощи пальцев рук.

Следуя за мисс Пебмарш, Хардкасл вышел из кухни, пересек маленький холл и вошел в гостиную. Находившийся там дактилоскопист при виде инспектора поднял голову.

— Я здесь уже заканчиваю, сэр, — сказал он. — Можете трогать все, что хотите.

Кивнув, Хардкасл поднял маленькие дорожные часы с надписью «Розмари» в углу и передал их мисс Пебмарш. Она тщательно их ощупала.

— Вроде это обычные часы в кожаном футляре. Но они не мои, инспектор Хардкасл, и я могу поклясться, что их не было в этой комнате, когда я уходила в полвторого.

— Благодарю вас.

Инспектор поставил часы на место и осторожно взял с каминной полки маленькие часы из дрезденского фарфора.

— Будьте с ними поаккуратнее, — предупредил он, вручая часы мисс Пебмарш. — Они хрупкие.

Миллисент Пебмарш ощупала и эти часы своими чувствительными пальцами, потом покачала головой:

— Должно быть, очаровательные часики, но, к сожалению, тоже не мои. Где, говорите, они стояли?

— На правой стороне каминной полки.

— Там должен стоять один из пары китайских подсвечников, — сказала мисс Пебмарш.

— Да, — подтвердил Хардкасл, — подсвечник здесь, но его передвинули ближе к краю.

— Вы сказали, что здесь есть и другие часы?

— Еще две штуки.

Хардкасл вернул на место фарфоровые часики и протянул мисс Пебмарш французские позолоченные часы. Она быстро обследовала их и отдала инспектору.

— Нет. Это тоже не мои.

Хардкасл показал ей и серебряные часы, которые женщина также не признала своими.

— Кроме этих, в гостиной есть только высокие напольные часы в углу у окна...

— Совершенно верно.

— ...и часы с кукушкой на стене около двери.

Хардкасл не слишком твердо знал, что ему говорить дальше. Он испытующе взглянул на стоящую перед ним женщину, как бы желая еще раз убедиться, что она не в состоянии ответить на его взгляд. Мисс Пебмарш слегка нахмурилась — она выглядела растерянной.

— Просто не могу понять, — резко сказала она.

Мисс Пебмарш протянула руку, уточняя свое местонахождение, и опустилась на стул. Хардкасл посмотрел на стоящего у двери дактилоскописта.

— Вы проверили эти часы? — спросил он.

— Я все проверил, сэр. На позолоченных часах нет отпечатков, но на такой поверхности их и не могло быть. То же самое с фарфоровыми. Но на кожаных и серебряных часах отпечатки также отсутствуют, а это не вполне естественно. Между прочим, ни одни из этих часов не были заведены, и все стояли, показывая одно и то же время — тринадцать минут пятого.

— А остальные предметы в гостиной?

— На них имеются три-четыре различных типа отпечатков — по-моему, все женские. Содержимое карманов убитого лежит на столе. — Он кивнул, указывая на маленькую кучку предметов.

Хардкасл наклонился и осмотрел их. Бумажник с семью фунтами и десятью шиллингами, немного мелочи, шелковый носовой платок без меток, коробочка с желудочными таблетками и визитная карточка. Инспектор прочитал текст:

М-р Р.Х. Карри
Столичная и провинциальная страховая компания
Лондон, Денверс-стрит, 7.

Хардкасл снова подошел к дивану, где сидела мисс Пебмарш:

— Вы ожидали визита из страховой компании?

— Разумеется, нет.

— Из Столичной и провинциальной страховой компании, — уточнил инспектор.

Мисс Пебмарш покачала головой:

— Никогда о ней не слышала.

— И вы не намеревались оформить в ближайшее время какую-нибудь страховку?

— Нет. Я застрахована от пожара и ограбления в страховой компании «Юпитер», которая имеет здесь филиал. Страховать жизнь я не сочла нужным, так как у меня нет ни семьи, ни близких родственников.

— Понятно. Скажите, вам что-нибудь говорит фамилия Карри — мистер Р.Х. Карри? — Хардкасл внимательно наблюдал за женщиной, но не заметил никакой реакции.

— Карри? — переспросила мисс Пебмарш и покачала головой. — Не слишком распространенная фамилия, верно? Нет, не думаю, чтобы я ее слышала. Это фамилия убитого?

— Вполне возможно, — ответил Хардкасл.

Немного поколебавшись, мисс Пебмарш неуверенно начала:

— Вы хотите, чтобы я... э-э... ощупала...

Инспектор быстро ее понял:

— Да, мисс Пебмарш, если вас это не очень затруднит. Я не особенно компетентен в таких вопросах, но, возможно, ваши пальцы дадут вам более правильное представление о внешности убитого, чем мое описание.

— Хорошо, — согласилась мисс Пебмарш. — Конечно, это малоприятная процедура, но, если вы думаете, что она в состоянии вам помочь, я охотно это сделаю.

— Благодарю вас. Если позволите вас проводить...

Взяв мисс Пебмарш под руку, инспектор обошел с ней вокруг дивана, помог ей опуститься на колени и мягко поднес ее руку к лицу мертвеца. Женщина держалась спокойно, не обнаруживая никаких эмоций. Ее пальцы скользнули по волосам, ушам, задержавшись на момент за левым ухом, ощупали линии носа, рта и подбородка. Затем она покачала головой и встала:

— Теперь я ясно представляю себе, как он выглядит, но абсолютно уверена, что не знала этого человека и никогда его не видела.

Дактилоскопист собрал свои инструменты и вышел, но тут же снова просунул голову в дверь.

— За ним приехали, — сообщил он, указывая на труп. — Его уже можно забирать?

— Да, — кивнул инспектор Хардкасл. — Вы пока присядьте, мисс Пебмарш.

Он усадил ее на стул в углу. В комнату вошли двое мужчин. Вынос тела покойного мистера Карри был произведен быстро и профессионально. Хардкасл проводил их до калитки, затем вернулся и сел рядом с хозяйкой дома.

— Это необычное дело, мисс Пебмарш, — сказал он. — Я бы хотел снова пробежаться с вами по основным пунктам и проверить, правильно ли я их понимаю. Поправьте меня, если я ошибусь. Вы не ожидали сегодня гостей, вы не делали никаких запросов насчет страховки, вы не получали никаких уведомлений о визите представителя страховой компании. Это верно?

— Абсолютно.

— Вы не нуждались в услугах машинистки-стенографистки, вы не звонили в бюро «Кэвендиш» и не просили прислать сюда одну из сотрудниц к трем часам.

— Снова все верно.

— Когда вы ушли из дому, примерно в час тридцать, в этой комнате находились только двое часов — часы с кукушкой и высокие напольные часы. Других здесь не было.

— Если быть до конца точной, то я не могу подтвердить под присягой это заявление, — осторожно отозвалась мисс Пебмарш. — Будучи слепой, я могла не обратить внимания на отсутствие или присутствие в комнате чего-либо необычного. Последнее время, когда я могу с уверенностью судить об обстановке гостиной, — это раннее утро, когда я вытирала здесь пыль. Тогда все было на своих местах. Я обычно сама убираю эту комнату, так как уборщицы часто небрежны с безделушками.

— Вы выходили из дому сегодня утром?

— Да. В десять я, как всегда, пошла в институт Ааронберга. Я работаю там до четверти первого. Вернулась я примерно без четверти час, приготовила на кухне яичницу-болтунью и чашку чаю и снова ушла, как уже говорила, в половине второго. Кстати, я поела в кухне и в гостиную не входила.

— Ясно, — кивнул Хардкасл. — Итак, вы утверждаете, что сегодня в десять утра здесь еще не было не принадлежащих вам часов и, следовательно, они появились позже.

— Относительно этого можете справиться у моей уборщицы, миссис Кертин. Она приходит сюда около десяти и уходит примерно в двенадцать. Ее адрес — Диппер-стрит, 17.

— Благодарю вас, мисс Пебмарш. Теперь я хотел бы, чтобы вы сообщили мне все предположения и подозрения, которые приходят вам в голову. Сегодня, в неизвестное время, сюда принесли четыре экземпляра не принадлежащих вам часов. Стрелки их были установлены на тринадцати минутах пятого. Это время говорит вам о чем-нибудь?

— Тринадцать минут пятого... — Мисс Пебмарш покачала головой. — Нет, ни о чем.

— Тогда перейдем к убитому. Кажется невероятным, что его впустила в дом и оставила здесь ваша уборщица, если только вы не предупредили ее, что ожидаете гостя, но об этом мы узнаем от нее. Предположим, этот человек пришел повидать вас по деловому или личному поводу. Между часом тридцатью и двумя сорока пятью его закололи. Возможно, он пришел навестить вас, но вы говорите, что ничего об этом не знаете. Может быть, он имел отношение к страхованию, но здесь вы снова не в силах нам помочь. Дверь была не заперта, поэтому он смог войти, устроиться в гостиной и поджидать здесь вас — но почему?

— С ума можно сойти! — раздраженно воскликнула мисс Пебмарш. — Значит, вы думаете, что этот... как его... Карри принес часы с собой?

— Но здесь нет никаких признаков тары, — заметил Хардкасл. — Едва ли он мог принести в карманах четыре экземпляра. Теперь, мисс Пебмарш, подумайте как следует. Вызывает ли у вас эта история какие-нибудь ассоциации или предположения, связанные, возможно, с часами или, скажем, со временем четыре тринадцать?

Женщина покачала головой:

— Я бы сказала, что это дело рук сумасшедшего или кого-то, пришедшего не по адресу. Но даже это не объясняет всего. Нет, инспектор, я не в силах вам помочь.

В комнату заглянул молодой констебль. Хардкасл вышел с ним в холл и оттуда к калитке, где поговорил с ожидающими там полицейскими.

— Можете отвезти молодую леди домой, — сказал он. — Ее адрес — Палмерстон-роуд, 14.

Вернувшись в дом, Хардкасл снова прошел в гостиную. Через открытую дверь в кухню он слышал, как мисс Пебмарш хлопочет у раковины. Инспектор задумчиво остановился в дверном проеме:

— Я хотел бы взять с собой эти часы, мисс Пебмарш. Оставлю вам квитанцию.

— Конечно берите, инспектор, — они ведь мне не принадлежат.

Хардкасл повернулся к Шейле Уэбб:

— Можете отправляться домой, мисс Уэбб. Вас отвезут в полицейской машине.

Шейла и Колин поднялись.

— Проводи ее до автомобиля, Колин, — попросил Хардкасл, садясь за стол и начиная выписывать квитанцию.

Колин и Шейла вышли из дома и зашагали по дорожке. Внезапно Шейла остановилась:

— Я забыла перчатки!

— Сейчас принесу.

— Нет, я помню, куда я их положила. И ведь они уже унесли *это*.

Она вернулась в дом и вскоре присоединилась к нему.

— Простите — я вела себя глупо.

— На вашем месте каждый вел бы себя так же, — успокоил ее Колин.

Хардкасл догнал их, когда Шейла садилась в машину. Когда автомобиль скрылся из виду, он повернулся к констеблю:

— Упакуйте как следует часы в гостиной — все, кроме высоких напольных и часов с кукушкой на стене.

Дав несколько дополнительных указаний, Хардкасл обернулся к другу:

— Мне нужно кое-куда съездить. Хочешь со мной?

— С удовольствием, — ответил Колин.

Глава 4

РАССКАЗЫВАЕТ КОЛИН ЛЭМ

— Куда мы поедем? — спросил я у Дика Хардкасла. Он ответил, одновременно обращаясь к шоферу:

— В секретарское и машинописное бюро «Кэвендиш». Это на Пэлис-стрит — вверх по Эспланаде и направо.

— Хорошо, сэр.

Автомобиль тронулся с места. На улице еще стояла небольшая толпа, жадно наблюдая за происходящим. Рыжий кот по-прежнему торчал на калитке «Дайаны-Лодж». Он уже не умывался, а сидел прямо, изредка помахивая хвостом и созерцая сверху толпу с тем полнейшим презрением к человечеству, которое присуще только кошкам и верблюдам.

— Сначала секретарское бюро, потом уборщица, — сказал Хардкасл, взглянув на часы. — Время идет — уже начало пятого. — Помолчав, он добавил: — Хорошенькая девушка, а?

— Весьма, — согласился я.

Хардкасл весело посмотрел на меня:

— Однако рассказала она довольно странную историю. Чем скорее мы ее проверим, тем лучше.

— Надеюсь, ты не думаешь, что она...

Он быстро прервал меня:

— Меня всегда интересуют люди, которые находят трупы.

— Но эта девушка почти обезумела от страха! Если бы ты слышал, как она визжала...

Хардкасл бросил на меня еще один лукавый взгляд и повторил, что Шейла Уэбб очень привлекательна.

— А чего ради ты сам околачивался на Уилбрэхем-Крезент, Колин? Восхищался изящной викторианской архитектурой? Или у тебя была какая-то цель?

— Да, была. Я искал дом 61 и никак не мог его найти. Возможно, он вообще не существует?

— Еще как существует. По-моему, здесь восемьдесят восемь номеров.

— Но послушай, Дик, когда я дошел до дома 28, Уилбрэхем-Крезент внезапно кончилась.

— Это всегда удивляет посторонних. Если бы ты свернул направо на Олбени-роуд, а потом еще раз направо, то очутился бы на другой половине Уилбрэхем-Крезент. Дело в том, что дома здесь построены спиной к спине, а садики примыкают к ним позади.

— Понятно, — сказал я, усвоив наконец эту своеобразную географию. — Как многие лондонские площадки и сады. Например, Онслоу-сквер или Кадоган. Идешь себе по одной стороне площади — и вдруг начинается парк. Даже таксистов это часто сбивает с толку. Как бы то ни было, дом 61 существует. Ты не знаешь, кто там живет?

— Дай подумать... Да, должно быть, архитектор Блэнд.

— О Боже! — вздохнул я. — Как скверно.

— Значит, тебе не нужен архитектор?

— Нет. Я даже не знал, что он там живет. А может, этот Блэнд недавно сюда приехал?

— По-моему, он тут родился. Блэнд, безусловно, местный житель и уже давно здесь работает.

— Какое разочарование!..

— Архитектор из него никудышный, — ободрил меня Хардкасл. — Он вечно пользуется негодными материалами. Его дома выглядят довольно прилично, пока в них не въезжают жильцы. Тогда все идет вкривь и вкось. Иногда у него бывают крупные неприятности, но этому мошеннику всегда удается выйти сухим из воды.

— Меня это ничуть не соблазняет, Дик. Человек, который мне нужен, — столп честности.

— Блэнд около года назад получил крупную сумму денег — вернее, его жена. Она канадка, приехала сюда во время войны и познакомилась с Блэндом. Ее семья была против их брака и порвала с ней. Но в прошлом году умер ее двоюродный дед, его единственный сын погиб в авиакатастрофе, остальных близких доконала война. В итоге миссис Блэнд осталась его единственной родственницей, и он завещал ей все деньги. Думаю, это спасло Блэнда от банкротства.

— Ты как будто все знаешь о мистере Блэнде.

— Видишь ли, налоговую инспекцию всегда интересует внезапно разбогатевший человек. Блэнда проверили, не накопил ли он денежки клиентов, но все оказалось в порядке.

— Меня, во всяком случае, не интересуют внезапно разбогатевшие, — сказал я. — Это не входит в сферу моей деятельности.

— Вот как? А раньше ты ведь как будто занимался чем-то в таком роде, не так ли?

Я кивнул.

— И что же? С этим покончено? Или еще нет?

— Это длинная история, — уклончиво ответил я. — Пообедаем вместе вечером, как собирались, или это дело заменит нам пищу?

— Не волнуйся, все в свое время. Самое главное — начать. Нам необходимо выяснить, кто такой мистер Карри. Если мы узнаем, кто он и чем занимается, то сможем придумать недурную идейку насчет того, кому понадобилось отправить его на тот свет. — Хардкасл посмотрел в окно. — Вот мы и приехали.

Секретарское и машинописное бюро «Кэвендиш» находилось на оживленной улице с величественным названием Пэлис-стрит[1]. Как и другие расположенные там учреждения, бюро помещалось в викторианском доме. На точно таком же доме справа красовалась вывеска: «Эдвин Глен. Фотограф-художник. Специалист по детским, свадебным фотографиям и т. д.». Доказательством служила витрина, полная фотоснимков детей всех возрастов — от новорожденных до шестилетних, приманка для любящих матерей. Представлены были и несколько пар молодоженов — робкие на вид парни и улыбающиеся девушки. С левой стороны находились старомодные лавчонки торговцев углем, а рядом, на месте снесённых старых домов, выросло великолепное здание с вывеской: «Кафе и ресторан «Ориент».

Мы с Хардкаслом поднялись на четыре ступеньки, прошли через открытую дверь и, подчиняясь надписи «Добро пожаловать» на двери справа, вошли в просторное помещение, где три молодые женщины усердно печатали на машинках. Две из них продолжали работать, не обращая внимания на посетителей. Третья, сидящая за столом с телефоном напротив двери, прекратила свое занятие и вопросительно посмотрела на нас. Мне пока-

---

[1] П э л и с-с т р и т (Palace Street) — Дворцовая улица *(англ.)*.

залось, что она сосет конфету. Придав ей удобное положение во рту, девушка осведомилась:

— Чем могу служить?

Судя по голосу, у нее были аденоиды.

— Нам нужна мисс Мартиндейл, — ответил Хардкасл.

— По-моему, она говорит по телефону... — В этот момент послышался щелчок, девушка подняла телефонную трубку, повернула переключатель и сообщила: — К вам два джентльмена, мисс Мартиндейл. — Обернувшись к нам, она спросила: — Могу я узнать ваши фамилии?

— Хардкасл, — представился Дик.

— Мистер Хардкасл, мисс Мартиндейл. — Девушка положила трубку и встала. — Сюда, пожалуйста. — Она подошла к двери с медной табличкой: «Мисс Мартиндейл», открыла ее, объявила: «Мистер Хардкасл» — и закрыла за нами дверь.

При виде нас мисс Мартиндейл поднялась из-за стола. Это была деловая на вид женщина лет пятидесяти с прической «помпадур» из рыжеватых волос и быстрыми глазами, которые она переводила с Дика на меня.

— Мистер Хардкасл?

Дик вытащил одну из служебных карточек и протянул ей. Я держался на заднем плане, сев на стул у двери.

Мисс Мартиндейл с выражением удивления и некоторого недовольства приподняла рыжеватые брови:

— Детектив-инспектор Хардкасл? Чем могу быть вам полезна?

— Я пришел получить кое-какие сведения, мисс Мартиндейл. Думаю, вы сумеете помочь мне.

По голосу Дика я понял, что он собирается идти окольным путем и добиться успеха благодаря своему обаянию. Но я сильно сомневался, что это подействует на мисс Мартиндейл. Таких женщин французы метко именуют femme formidable[1].

Я окинул взглядом комнату. На стене, над столом мисс Мартиндейл, висела целая коллекция фотографий с подписями. На одной из них я узнал миссис Ариадну Оливер, автора детективных романов, с которой я был немного знаком. На карточке виднелась надпись, сде-

---

[1] Внушительная особа (фр.).

ланная четким уверенным почерком: «Искренне ваша Ариадна Оливер». Надпись «Благодарный вам Гарри Грегсон» украшала фотографию автора триллеров, скончавшегося лет шестнадцать тому назад. Внизу фотоснимка Мириам Хогг, специализировавшейся на сентиментальных любовных историях, было написано: «Всегда ваша Мириам». Сексуальная литература была представлена фотографией лысеющего, робкого на вид мужчины, подписанной крошечными буквами: «С благодарностью. Арманд Левин». Большинство мужчин курили трубку и были облачены в твидовые костюмы, женщины выглядели преувеличенно серьезными и старательно кутались в меха.

Пока я осматривался, Хардкасл приступил к расспросам:

— Кажется, у вас работает девушка по имени Шейла Уэбб?

— Да. Но боюсь, ее сейчас нет. По крайней мере... — Нажав кнопку звонка, мисс Мартиндейл заговорила с девушкой в наружном офисе: — Эдна, Шейла Уэбб вернулась?

— Еще нет, мисс Мартиндейл.

Женщина положила трубку.

— Шейла ушла по вызову, — объяснила она. — Я подумала, что она уже могла вернуться. Возможно, Шейла пошла в отель «Кроншнеп» в конце Эспланады — у нее там вызов на пять часов.

— Понятно, — кивнул Хардкасл. — Можете ли вы рассказать мне что-нибудь о мисс Шейле Уэбб?

— Не слишком много, — ответила мисс Мартиндейл. — Она работает здесь... дайте вспомнить... по-моему, почти год. С работой справляется вполне удовлетворительно.

— А вы знаете, где она работала до того, как поступила к вам?

— Если необходимо, думаю, что могу узнать, инспектор Хардкасл. Насколько я помню, Шейла раньше работала в Лондоне, и ее прежние наниматели дали ей отличную рекомендацию. Кажется, она служила в какой-то деловой фирме, — возможно, в агентстве по продаже недвижимости, — хотя я в этом не уверена.

— Вы говорите, что она хорошо справляется с работой?

— Полностью отвечает всем требованиям, — ответила мисс Мартиндейл, не склонная расточать похвалы.

— Но не высший класс?

— Я бы так не сказала. Шейла довольно хорошо образована, работает достаточно быстро. Она внимательная и аккуратная машинистка.

— Вы знаете ее лично, не считая ваших служебных отношений?

— Нет. Кажется, она живет со своей тетей. — Мисс Мартиндейл внезапно забеспокоилась. — Могу я спросить, инспектор Хардкасл, почему вы задаете мне эти вопросы? Девушка попала в какую-то беду?

— Ну, не совсем так, мисс Мартиндейл. Вы знаете мисс Миллисент Пебмарш?

— Пебмарш... — повторила мисс Мартиндейл, наморщив рыжие брови. — Ну конечно! Ведь сегодня Шейла Уэбб ходила именно к мисс Пебмарш. Она должна была явиться к ней в три часа.

— Как был сделан вызов?

— По телефону. Мисс Пебмарш позвонила, сказала, что ей требуется машинистка-стенографистка, и просила прислать мисс Шейлу Уэбб.

— Именно Шейлу Уэбб?

— Да.

— В какое время происходил этот разговор?

Мисс Мартиндейл немного подумала.

— Звонили прямо ко мне. Значит, это было время ленча. По-моему, примерно без десяти два. Во всяком случае, до двух. Ах да, я же записала у себя в блокноте. Это было в час сорок девять.

— С вами говорила сама мисс Пебмарш?

Мисс Мартиндейл казалась слегка удивленной:

— Полагаю, что да.

— Но вы не узнали ее голос? Вы не были знакомы с ней лично?

— Нет, не была. Она представилась как мисс Миллисент Пебмарш, дала мне свой адрес на Уилбрэхем-Кризент и, как я уже говорила, попросила прислать к трем часам мисс Шейлу Уэбб, если та свободна.

Показания были ясными и четкими. Я подумал, что из мисс Мартиндейл вышел бы отличный свидетель.

— Может, вы будете любезны объяснить мне, что произошло? — с нетерпением спросила она.

— Понимаете, мисс Мартиндейл, мисс Пебмарш отрицает, что она вам звонила.

Мисс Мартиндейл удивленно посмотрела на него:

— В самом деле? Как странно!

— С одной стороны, вы говорите, что телефонный разговор имел место, но с другой — что не можете определить, звонила ли вам именно мисс Пебмарш.

— Конечно, утверждать это я не могу. Ведь я не знаю эту женщину. Но я не вижу причин для подобного обмана. Какая-нибудь нелепая мистификация?

— Нечто более серьезное, — ответил Хардкасл. — Объяснила ли мисс Пебмарш — или кто бы это ни был в действительности — причину, по которой она просила прислать именно Шейлу Уэбб?

Мисс Мартиндейл задумалась.

— По-моему, она сказала, что Шейла работала у нее и раньше.

— Так оно и было?

— Шейла заявила, что не помнит, чтобы когда-нибудь выполняла работу для мисс Пебмарш. Но это не обязательно так, инспектор. В конце концов, девушки настолько часто ходят к разным людям во все концы города, что было бы невероятным, если бы они помнили их спустя несколько месяцев. Шейла не так уж твердо на этом настаивала. Она просто не припоминала, чтобы когда-нибудь бывала там. Но право, инспектор, даже если это мистификация, я не могу понять, почему вы так ею интересуетесь.

— Я как раз к этому подхожу. Когда мисс Уэбб прибыла на Уилбрэхем-Крезент, 19, она вошла в гостиную, так как, по ее словам, получила соответствующие указания.

— Совершенно верно, — подтвердила мисс Мартиндейл. — Мисс Пебмарш сказала, что может не успеть вернуться домой к трем и чтобы Шейла вошла в дом и подождала ее там.

— Когда мисс Уэбб вошла в гостиную, — продолжал Хардкасл, — она обнаружила мертвеца, лежащего на полу.

Мисс Мартиндейл уставилась на него, утратив на момент дар речи:

— Вы сказали «мертвеца», инспектор?

— Убитого человека, — кивнул Хардкасл. — Точнее, заколотого.

— Боже мой! — воскликнула мисс Мартиндейл. .— Девушка, наверное, очень расстроилась.

Слово «расстроилась» наглядно характеризовало привычку мисс Мартиндейл к сдержанным высказываниям.

— Вам что-нибудь говорит фамилия Карри, мисс Мартиндейл? Мистер Р.Х. Карри?

— Вроде бы нет.

— Из Столичной и провинциальной страховой компании.

Мисс Мартиндейл снова покачала головой.

— Теперь вы понимаете, что я стою перед дилеммой, — сказал инспектор. — Вы говорите, что мисс Пебмарш звонила вам и просила прислать Шейлу Уэбб к трем часам. Мисс Пебмарш это отрицает. Шейла Уэбб пришла туда и нашла там труп. — Он выжидательно посмотрел на собеседницу.

Мисс Мартиндейл ответила ему беспомощным взглядом.

— Все это кажется абсолютно неправдоподобным, — неодобрительно промолвила она.

Дик Хардкасл вздохнул и поднялся.

— У вас здесь приятное помещение, — вежливо заметил он. — Вы уже давно тут работаете, не так ли?

— Пятнадцать лет. Дела идут отлично. Мы начали с малого, а теперь я наняла восемь девушек, и у всех есть постоянная работа.

— Вижу, ваша деятельность нередко связана с литературой. — Хардкасл посмотрел на фотографии на стенах.

— Да, вначале я специализировалась на писателях. Много лет я была секретарем у мистера Гарри Грегсона, знаменитого автора триллеров. Фактически я основала это бюро благодаря оставленному им наследству. Я знала многих писателей — друзей мистера Грегсона, они рекомендовали меня другим. Мое знакомство с писательскими требованиями оказалось очень полезным. Я часто помогаю авторам в поисках дат и цитат, в деталях полицейской и юридической процедуры, особенно когда речь идет об убийстве при помощи яда. К тому же нужно подбирать иностранные имена, адреса и названия ресторанов для тех, кто переносит действие своих романов за границу. Раньше публика не слишком заботилась об аккуратности и точности, но в наши дни читатели берут на себя труд писать авторам, указывая на их ошибки.

Мисс Мартиндейл умолкла, а Хардкасл любезно заметил:

— Уверен, что у вас есть все основания гордиться собой.

Мы двинулись к двери, которую я распахнул перед Хардкаслом.

В наружном офисе три девушки собирались уходить. На машинки уже надели крышки. Секретарша Эдна стояла с несчастным видом, держа в одной руке каблук-шпильку, а в другой — туфлю, от которой он отломался.

— Я только месяц их ношу, — причитала она. — А они очень дорогие. Во всем виновата проклятая решетка за углом у кондитерской — каблук угодил в нее и сломался. Идти дальше я не могла — пришлось мне снять обе туфли, купить булочки и возвращаться сюда. Не знаю, как я доберусь домой или даже до автобуса.

Заметив наше присутствие, Эдна поспешно спрятала туфли и бросила испуганный взгляд на мисс Мартиндейл, которую, безусловно, не приводили в восторг каблуки-шпильки. Сама она благоразумно носила кожаные туфли на низких каблуках.

— Благодарю вас, мисс Мартиндейл, — сказал Хардкасл. — Простите, что отнял у вас столько времени. Если вам что-нибудь придет в голову, то...

— Разумеется, — довольно бесцеремонно прервала его мисс Мартиндейл.

Когда мы сели в машину, я заметил:

— Итак, рассказ Шейлы Уэбб, несмотря на твои подозрения, выглядит правдивым.

— Пожалуй, — согласился Дик. — Ты выиграл.

Глава 5

— Мама! — окликнул Эрни Кертин, прекращая елозить по оконному стеклу маленькой металлической игрушкой. Этот процесс сопровождался гудением, которое должно было символизировать рев двигателей ракеты, бороздящей космос на пути к Венере.

Миссис Кертин, суровая на вид женщина, не обратила внимания на сына, так как была занята мытьем посуды.

— Мама, к нашему дому подъехала полицейская машина!

— Мне надоели твои выдумки, Эрни, — отозвалась миссис Кертин, со звоном опуская чашки и блюдца на сушилку для посуды. — У нас с тобой уже был разговор по этому поводу.

— Я не выдумываю, — с достоинством возразил Эрни. — Полицейская машина остановилась у нашего дома, и из нее вышли двое мужчин.

Миссис Кертин напустилась на своего отпрыска:

— Что ты теперь натворил? Ты нас просто позоришь!

— Но я ничего плохого не сделал, — оправдывался Эрни.

— Во всем виноваты Элф и его компания, — продолжала миссис Кертин. — Настоящие гангстеры! И я и отец говорили тебе, что неприлично водиться с хулиганами! Кончится тем, что ты попадешь под суд и тебя отправят в исправительный дом. Я этого не потерплю, слышишь?

— Они подходят к двери, — доложил Эрни.

Миссис Кертин отошла от раковины и присоединилась к сыну, стоящему у окна.

— Верно, — пробормотала она.

В этот момент раздался стук дверного молотка. Быстро вытерев руки, миссис Кертин вышла в коридор, приоткрыла дверь и с сомнением посмотрела на двух мужчин на крыльце.

— Миссис Кертин? — вежливо осведомился более высокий.

— Да, — ответила хозяйка.

— Могу я побеспокоить вас на несколько минут? Я детектив-инспектор Хардкасл.

Миссис Кертин неохотно распахнула дверь, приглашая инспектора войти. Маленькая аккуратная комната производила впечатление редко посещаемой гостями, что соответствовало действительности.

Эрни, движимый любопытством, выскочил из кухни в коридор и боком прислонился к двери.

— Ваш сын? — спросил Хардкасл.

— Да, — ответила миссис Кертин, добавив с воинственным видом: — Он хороший мальчик, что бы вы ни говорили!

— Я в этом уверен, — согласился инспектор.

Вызывающее выражение лица женщины несколько смягчилось.

— Я пришел задать вам несколько вопросов насчет дома 19 по Уилбрэхем-Крезент. Как я понял, вы там работаете?

— А я и не говорила, что нет, — отозвалась миссис Кертин, все еще не в силах избавиться от агрессивного тона.

— У мисс Миллисент Пебмарш?

— Да. Она очень славная леди.

— Слепая, — уточнил инспектор Хардкасл.

— Да, бедняжка слепая. Но по ней этого никогда не скажешь. Просто чудо, как она прикасается к чему-нибудь и сразу все находит. Она и улицу переходит сама — не кричит и не суетится, как некоторые.

— Вы работаете там по утрам?

— Да. Прихожу около половины десятого и ухожу, когда все сделаю, — обычно в двенадцать. — Внезапно миссис Кертин резко осведомилась: — Надеюсь, вы не хотите сказать, что там что-то украли?

— Совсем наоборот, — ответил инспектор, подумав о появлении четырех экземпляров часов.

Миссис Кертин непонимающе смотрела на него:

— Что же там произошло?

— В гостиной дома 19 по Уилбрэхем-Крезент сегодня обнаружен мертвец.

Женщина уставилась на инспектора. Эрни Кертин подпрыгнул в экстазе, открыл рот, чтобы издать восторженное восклицание, но, подумав, что неблагоразумно привлекать внимание к своему присутствию, снова его закрыл.

— Мертвец? — недоверчиво переспросила миссис Кертин и добавила с еще бо́льшим недоверием: — В гостиной?

— Да. Он был заколот.

— Вы хотите сказать, что это убийство?

— Вот именно.

— Кто же его убил? — спросила миссис Кертин.

— Боюсь, что пока еще нам это неизвестно, — ответил Хардкасл. — Мы думали, что вы, может быть, сумеете нам помочь.

— Я ничего об этом не знаю, — уверенно заявила миссис Кертин.

— Да, но нам необходимо кое-что выяснить. Например, сегодня утром какой-нибудь мужчина не входил в дом?

— По-моему, нет. А как выглядел убитый?

— Пожилой человек, около шестидесяти лет, в темном костюме. Возможно, он представился страховым агентом.

— Я бы его не впустила, — сказала миссис Кертин. — Ни страховых агентов, ни продавцов пылесосов или «Британской энциклопедии». Мисс Пебмарш эту публику не выносит, и я тоже.

— Согласно найденной у этого человека визитной карточке, его звали мистер Карри. Вы когда-нибудь слышали эту фамилию?

— Карри? — Женщина покачала головой. — Фамилия похожа на индийскую, — с подозрением заметила она.

— Нет-нет, он не был индийцем.

— А кто его нашел? Мисс Пебмарш?

— Нет, одна молодая леди — машинистка-стенографистка, которая пришла туда, так как ей по недоразумению передали вызов по этому адресу. Труп обнаружила она. Мисс Пебмарш вернулась почти тогда же.

— Ну и ну! — воскликнула миссис Кертин.

— Возможно, придется попросить вас, — продолжал инспектор Хардкасл, — взглянуть на этого человека и сообщить нам, видели ли вы его когда-нибудь на Уилбрэхем-Крезент или в доме 19. Теперь я хотел бы выяснить еще кое-какие подробности. Не могли бы вы припомнить, сколько штук часов находится в гостиной?

Миссис Кертин ответила не задумываясь:

— Высокие напольные часы в углу и часы на стене. Оттуда выскакивает птичка и говорит: «Ку-ку». Иногда даже подпрыгиваешь от неожиданности. — Она поспешно добавила: — Я никогда не прикасалась ни к тем, ни к другим часам. Мисс Пебмарш сама любит их заводить.

— С ними не случилось ничего дурного, — заверил ее инспектор. — Вы уверены, что сегодня утром в гостиной были только эти часы?

— Конечно. Откуда там взяться другим?

— Там не было, например, квадратных серебряных часов в форме кареты, маленьких позолоченных часиков на каминной полке, фарфоровых часов с цветами или часов в кожаном футляре с надписью «Розмари»?

— Нет, ничего такого там не было.

— А вы бы их заметили, если бы они там были?

— Конечно заметила бы.

— Каждые из этих часов показывали время примерно на час вперед по сравнению с часами с кукушкой и напольными часами.

— Должно быть, они иностранные, — предположила миссис Кертин. — Как-то я с моим стариком путешествовала на автобусе по Швейцарии и Италии, так там часы тоже показывали на час вперед. Во всем виноват этот Общий рынок. Ни я, ни мистер Кертин терпеть его не можем. Мне хватает Англии.

Инспектор Хардкасл уклонился от политической дискуссии:

— Можете сообщить мне точное время, когда вы покинули дом мисс Пебмарш?

— Ровно в четверть первого, — ответила миссис Кертин.

— И в это время мисс Пебмарш была дома?

— Нет, она еще не вернулась. Мисс Пебмарш обычно приходит между двенадцатью и половиной первого, но не всегда.

— А когда она ушла из дому?

— Еще до моего прихода — то есть до десяти.

— Благодарю вас, миссис Кертин.

— Странная история с этими часами, — заметила женщина. — Может, мисс Пебмарш купила их на распродаже. Судя по вашим словам, выглядят они довольно чудно́.

— А мисс Пебмарш часто посещает распродажи?

— Месяца четыре назад мисс Пебмарш купила на распродаже шерстяной ковер в очень хорошем состоянии. Она сказала мне, что он стоил дешево. Кроме того, мисс Пебмарш приобрела там несколько плюшевых занавесок. Конечно, их пришлось немного подрезать, но выглядели они как новые.

— Но мисс Пебмарш не покупала на распродажах всякие безделушки, картинки, фарфор и тому подобное?

Миссис Кертин покачала головой:

— Насколько я знаю, нет, хотя, конечно, на этих распродажах увлекаешься и хватаешь что попало, а когда вернешься домой, то думаешь: «Что я буду с этим делать?» Однажды я купила шесть банок джема. Если бы я сама его приготовила, это обошлось бы дешевле. А чашки и блюдца лучше покупать на рынке по средам. — Миссис Кертин уныло покачала головой.

Чувствуя, что больше из нее ничего не вытянешь, инспектор удалился. Эрни тотчас же внес свой вклад в обсуждавшуюся тему.

— Убийство! Вот здорово! — воскликнул он.

Освоение космоса полностью было вытеснено сегодняшним потрясающим событием.

— А мисс Пебмарш не могла сама его прикончить? — с энтузиазмом осведомился он.

— Не говори глупости, — ответила ему мать. Внезапная мысль мелькнула у нее в голове. — Интересно, должна ли я была ему рассказать...

— О чем рассказать, мама?

— Ладно, не важно, — махнула рукой миссис Кертин. — В конце концов, это не имеет никакого значения.

Глава 6

РАССКАЗЫВАЕТ КОЛИН ЛЭМ

Когда мы съели два недожаренных бифштекса и запили их пивом, Дик Хардкасл с наслаждением вздохнул и заявил, что чувствует себя куда лучше.

— К черту мертвых страховых агентов, таинственные часы и истеричных девушек! Давай поговорим о тебе,

Колин. Я думал, что ты покончил с делами в этой части света, и вдруг вижу тебя шатающимся по задворкам Кроудина. Уверяю тебя, что в Кроудине морскому биологу делать нечего.

— Не насмехайся над морской биологией, Дик. Это весьма полезная наука. Малейшее упоминание о ней так отпугивает собеседников, что они тут же прекращают говорить на эту тему и тебе не приходится давать дополнительных объяснений.

— И таким образом ты не боишься себя выдать?

— Ты забываешь, — холодно произнес я, — что я в самом деле морской биолог и получил ученую степень в Кембридже. Правда, не слишком высокую, но все-таки степень. Морская биология — очень интересная наука, и когда-нибудь я снова ею займусь.

— Ну, я-то знаю, чем ты занимаешься в действительности, — сказал Хардкасл. — И поздравляю тебя с успехом. Процесс Ларкина начнется через месяц, не так ли?

— Да.

— Удивительно, что он смог так долго сбывать товар. Ведь кто-то должен был его заподозрить.

— Это не так просто. Когда вбиваешь себе в голову, что твой знакомый — отличный парень, тебя нелегко будет переубедить.

— Наверное, он был очень умен, — заметил Дик.

Я покачал головой:

— Не думаю. По-моему, он только делал, что ему говорили. Ларкин имел доступ к очень важным документам. Он приносил их туда, где их фотографировали, а потом возвращал на место. Организовано это было недурно. Обычно Ларкин ходил на ленч каждый день в разные кафе. Мы предполагаем, что он вешал свое пальто рядом с точно таким же, — хотя владелец последнего не всегда оказывался тем, кто ему нужен. Потом оба пальто меняли местами, но человек, который это проделывал, никогда не говорил с Ларкином, а Ларкин никогда не говорил с ним. Нам бы хотелось побольше узнать о механике этого дела. Все было великолепно спланировано, с точным расчетом времени. Да, у кого-то неплохо работала голова.

— И поэтому ты все еще околачиваешься вокруг военно-морской базы в Портлбери?

— Да, кончики этой истории мы обнаружили и в Лондоне, и в Портлбери. Мы знаем, когда, где и как Ларкин получал свой гонорар. Но это не все. Где-то находится мозг всего предприятия, оставляющий следы, которые семь или восемь раз сбивали нас с толку.

— А чего ради Ларкин этим занимался? — с любопытством спросил Хардкасл. — Он что — политикан-идеалист? Пытался самоутвердиться? Или просто загребал деньги?

— Ларкин отнюдь не был идеалистом, — ответил я. — По-моему, он делал это исключительно ради денег.

— Так почему вы не поймали его гораздо раньше? Он ведь тратил деньги, а не копил их.

— Нет, он только и делал, что швырялся деньгами. Откровенно говоря, мы арестовали его немного скорее, чем рассчитывали.

Хардкасл понимающе кивнул:

— Ага! Разоблачив Ларкина, вы начали его использовать?

— Более или менее. До того как мы напали на след Ларкина, ему удалось передать немало важной информации, поэтому мы позволили ему продать еще кое-какие сведения, на вид также достаточно ценные. На нашей работе часто приходится прикидываться дураками.

— Не думаю, чтобы твоя работа мне понравилась, — задумчиво промолвил Хардкасл.

— Да, она не такая захватывающая, как иногда считают, — сказал я. — В действительности это довольно скучноватое занятие. К тому же, находясь на секретной службе, особенно остро ощущаешь, что в наши дни никаких секретов вообще не существует. Мы знаем их секреты, и они знают наши. Очень часто наши агенты оказываются одновременно их людьми и наоборот. От этого постоянного двухстороннего надувательства в конце концов можно сойти с ума! Иногда мне кажется, что все осведомлены о секретах противника, но договорились притворяться, будто ничего не знают.

— Да, я понимаю, что ты имеешь в виду, — кивнул Хардкасл и с любопытством посмотрел на меня. — Мне ясно, почему ты до сих пор шатаешься в Портлбери. Но ведь Кроудин в добрых десяти милях оттуда.

— В данный момент я занимаюсь полумесяцами, — ответил я.

— Полумесяцами? — удивился Хардкасл.

— Да. А иногда лунами — новыми, восходящими — и тому подобным. Я начал свои поиски в Портлбери. Там есть пивная «Серп луны». Я потратил на нее немало времени, так как название звучит великолепно. Затем в местечке, именуемом Симид, я обнаружил «Луну и звезды», «Восходящую луну» и «Крест и полумесяц». Это ни к чему не привело, и я забросил луны, перейдя к полумесяцам. Несколько улиц с таким названием имелись в Портлбери — Лэнсбери-Крезент, Олдридж-Крезент, Ливермид-Крезент, Виктория-Крезент.

Я бросил взгляд на ошеломленную физиономию Дика и расхохотался:

— Не делай недоуменного лица, Дик. Я добыл кое-что, с чего можно начать.

Вытащив бумажник, я достал оттуда листок и протянул ему. Это был бланк гостиничной писчей бумаги, на котором был нацарапан рисунок:

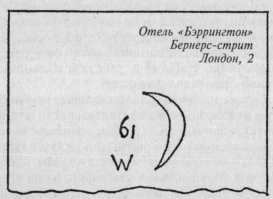

— Нашли в бумажнике у Хэнбери — отличного парня, солидно поработавшего по делу Ларкина. В Лондоне он попал под машину — номера никто не заметил. Видимо, Хэнбери набросал или скопировал этот рисунок, считая его важным. Быть может, ему в голову пришла какая-то идея или он видел или слышал что-то, связанное с полумесяцем, числом 61 и инициалом «W»? После смерти Хэнбери я взял на себя его работу. Я все еще не знаю, что именно ищу, но уверен: тут есть что искать. Непонятно, что означает 61 и «W». Я начал действовать за пределами Портлбери. Три недели упорного и неблагодарного труда. Кроудин входит в мой маршрут. Честно говоря, Дик, я не ждал многого от этого места. Здесь только один полумесяц — Уилбрэхем-Крезент. Подходит к букве «W», верно?[1] Я собирался пройтись по этой улице и заглянуть в дом 61, прежде чем получить от тебя информацию о его обитателях. Вот что я делал сегодня на Уилбрэхем-Крезент, хотя дом с таким номером так и не нашел.

— Как я тебе говорил, в доме 61 проживает местный архитектор.

— Да, но я ищу совсем не то. У него нет иностранной прислуги?

— Возможно, есть. В наши дни ее нанимают многие. Завтра я проверю, и, если у них иностранная служанка, мы ею займемся.

— Спасибо, Дик.

— Завтра я должен допросить обитателей двух домов, соседних с домом 19. Может быть, они видели, как кто-то туда входил. Думаю также проверить дома позади дома номер 19, чьи сады примыкают к нему. По-моему, дом 61 как раз находится за домом 19. Если хочешь, могу взять тебя с собой.

Я охотно принял предложение:

— Я буду твоим помощником, сержантом Лэмом, и возьму на себя стенографирование.

Мы условились, что я явлюсь в участок завтра в девять тридцать утра.

На следующее утро я прибыл точно в назначенное время и застал своего друга вне себя от ярости.

Когда Дик отпустил злополучного подчиненного, я деликатно осведомился, что произошло.

Несколько секунд Хардкасл, казалось, был не в силах произнести ни слова. Затем он выпалил:

— Эти чертовы часы!

---

[1] Wilbraham Crescent *(англ.)*.

— Снова часы? Что теперь с ними случилось?

— Одни часы исчезли.

— Исчезли? Какие именно?

— Часы в кожаном футляре с надписью «Розмари» в углу.

Я свистнул:

— Выглядит весьма странно. Как это произошло?

— Эти проклятые идиоты... Впрочем, я тоже принадлежу к их числу.

Дик всегда был честным парнем.

— Кто-то ведь должен за все отвечать. Вчера все часы благополучно стояли в гостиной. Я попросил мисс Пебмарш обследовать их и сообщить, если они покажутся ей знакомыми. Но она ничем не сумела помочь. Потом пришли забирать труп.

— Ну?

— Я вышел к калитке понаблюдать за процедурой, затем вернулся в дом, поговорил на кухне с мисс Пебмарш, предупредил, что мне придется забрать часы, и оставил ей квитанцию.

— Помню. Я слышал, как ты это говорил.

— Потом я предложил девушке отправить ее домой в одной из наших машин и попросил тебя проводить ее до автомобиля.

— Да?

— Я выдал мисс Пебмарш квитанцию, хотя она сказала, что в этом нет надобности, так как часы ей не принадлежат. Потом я присоединился к тебе. Перед уходом я приказал Эдуардсу тщательно упаковать часы, находящиеся в гостиной, кроме напольных и часов с кукушкой, и доставить сюда. И вот тут-то я допустил ошибку. Мне следовало сказать: «Всего четыре штуки». Эдуардс говорит, что сразу же выполнил приказ, но часов в гостиной было только трое, помимо двух штук, принадлежащих мисс Пебмарш.

— Прошло очень мало времени, — заметил я. — Следовательно...

— Это могла сделать старуха Пебмарш. Возможно, она схватила часы, когда я вышел из комнаты, и пошла с ними в кухню.

— Вполне вероятно. Но зачем?

— Ну, мы еще многого не знаем. А девушка могла это сделать?

— Вряд ли, — подумав, начал я, но внезапно умолк, вспомнив кое-что.

— Итак, это она, — промолвил Хардкасл. — Продолжай. Когда это произошло?

— Мы направлялись к полицейской машине, — неохотно ответил я. — Девушка забыла свои перчатки. Я предложил сходить за ними, но она сказала, что знает, где их оставила, и что теперь, когда труп унесли, не боится зайти в комнату. Но она отсутствовала только минуту.

— А когда девушка вернулась, на ней или у нее в руках были перчатки?

Я заколебался:

— Да... думаю, что были.

— Очевидно, нет, — усмехнулся Хардкасл. — Иначе ты не стал бы колебаться.

— Она могла спрятать их в сумочку.

— Беда в том, — тоном обвинения произнес Хардкасл, — что ты влюбился в нее.

Я начал энергично оправдываться:

— Не будь идиотом. Вчера я впервые ее увидел. И это вовсе не было таким уж романтическим знакомством.

— Я в этом не уверен, — возразил Дик. — Не каждый день тебе в объятия бросаются девушки, умоляя о помощи в добром старом викторианском стиле. При таких обстоятельствах мужчина начинает чувствовать себя доблестным рыцарем. Только тебе лучше об этом забыть, так как девушка имеет определенные шансы угодить на виселицу за убийство.

— По-твоему, эта худенькая девочка ударила человека ножом, проделав это так ловко, что никто из твоих сыщиков ее не заподозрил, а затем выбежала из дома и разыграла передо мной сцену истерии?

— На своем веку я повидал еще и не такое, — мрачно промолвил Хардкасл.

— Неужели ты не понимаешь, — возмущенно осведомился я, — что моя жизнь была полна встреч с красавицами шпионками всех национальностей и с такими фигурами, которые заставили бы любого американского частного детектива позабыть о бутылке виски в ящике для воротничков? Женские чары на меня не действуют.

— Каждого поджидает свое Ватерлоо, — философски заметил Хардкасл. — Все зависит от типа. А Шейла Уэбб как будто именно твой тип.

— Как бы то ни было, я не могу понять, почему ты так стараешься пришить ей это убийство.

— Я ничего ей не шью, — вздохнул Хардкасл. — Но надо же с чего-то начать. Труп был обнаружен в доме мисс Пебмарш, — следовательно, нужно обратить внимание на мисс Пебмарш. Тело найдено Шейлой Уэбб — вряд ли стоит напоминать тебе, как часто человек, который первым находит мертвеца, оказывается последним, кто видел его живым. Пока не выяснены новые факты, эти два приходится принимать за основу.

— Когда я вошел в комнату, было начало четвертого, и этот человек был мертв по крайней мере полчаса, а может, и больше. Что ты на это скажешь?

— Шейла Уэбб отлучалась с работы на ленч с часу тридцати до двух тридцати.

Я с раздражением посмотрел на него:

— Что ты узнал о Карри?

— Ничего, — с неожиданной горечью ответил Хардкасл.

— Что значит «ничего»?

— А то, что такой человек вообще не существует.

— Что тебе ответили в Столичной и провинциальной страховой компании?

— Ничего не ответили, потому что ее тоже не существует. Так же, как и дома 7 на Денверс-стрит, и вообще такой улицы.

— Интересно, — заметил я. — Ты имеешь в виду, что у него было несколько карточек с фальшивым именем, адресом и учреждением?

— По-видимому.

— А что, по-твоему, за этим кроется?

Хардкасл пожал плечами:

— Сейчас мы можем только догадываться. Возможно, убитый, пользуясь карточками, собирал страховые взносы. Или же это был способ заводить знакомства с людьми, чтобы потом выманивать у них деньги обманным путем. Он мог быть мошенником, вымогателем или частным детективом — мы этого не знаем.

— Но узнаете?

— Рано или поздно. Мы послали на проверку его отпечатки пальцев выяснить, не зарегистрированы ли они. Если да, то это уже шаг вперед. Если нет, то возникнут дополнительные трудности.

— Частный детектив, — задумчиво произнес я. — Надеюсь, он был именно им. Это открывает большие возможности.

— Пока что мы располагаем только возможностями.

— Когда дознание?

— Послезавтра. Это чистая формальность — оно наверняка будет отсрочено.

— А что сказано в медицинском заключении?

— Заколот острым орудием вроде кухонного ножа для овощей.

— Как будто это освобождает от подозрений мисс Пебмарш, — заметил я. — Вряд ли слепая женщина могла заколоть человека. Полагаю, она действительно слепая?

— Да, мы проверили. И все сведения, которые она сообщила о себе, вполне правдивы. Мисс Пебмарш преподавала математику в школе на севере Англии. Потеряв зрение лет шестнадцать назад, она занялась изучением системы Брайля и наконец стала работать в институте Ааронберга.

— А вдруг она не в норме психически?

— Помешалась на часах и страховых агентах?

— Звучит в самом деле фантастично, — был вынужден признать я. — Как в самых худших произведениях Ариадны Оливер или очередном шедевре Гарри Грегсона.

— Ну-ну, смейся! Ты ведь не несчастный детектив-инспектор и не должен отчитываться перед суперинтендантом и главным констеблем.

— Ладно, не злись. Может быть, мы узнаем что-нибудь полезное у соседей.

— Сомневаюсь, — мрачно отозвался Хардкасл. — Даже если двое мужчин в масках зарезали беднягу в саду, а потом внесли в дом, все равно никто не выглянул из окна и ничего не увидел. К сожалению, это не деревня. Уилбрэхем-Крезент — обычная городская улица. К часу дня приходящие уборщицы, которые могли бы что-нибудь заметить, возвращаются домой. Там нет даже женщин с колясками.

— А старых инвалидов, целыми днями торчащих у окна?

— Увы, их тоже нет.

— Что известно о домах 18 и 20?

— В доме 18 проживает мистер Уотерхаус, управляющий адвокатской фирмы Гейнсфорда и Суэттенхема, и его сестра, которая управляет им самим. О доме 20 я знаю только то, что женщина, живущая там, держит около двадцати кошек. Должен признаться, что кошек я не люблю.

Я заметил, что у полицейских нелегкая жизнь, и мы отправились в дорогу.

Глава 7

Мистер Уотерхаус переминался с ноги на ногу, стоя на пороге дома 18 по Уилбрэхем-Крезент и нервно оглядываясь на свою сестру.

— Ты уверена, что с тобой все будет в порядке? — спросил он.

Мисс Уотерхаус возмущенно фыркнула:

— Не знаю, о чем ты, Джеймс.

Мистер Уотерхаус изобразил на лице виноватое выражение. Ему приходилось делать это столь часто, что оно стало для него наиболее характерным.

— Ну, дорогая, я просто подумал, что, учитывая случившееся вчера в соседнем доме...

Мистер Уотерхаус собирался отправиться в адвокатскую контору, где он работал. Это был опрятный седой старичок со слегка сутулыми плечами и лицом сероватого, хотя и не болезненного оттенка.

Мисс Уотерхаус была высокой костлявой особой, никогда не болтавшей чепухи и не терпевшей этого качества в других.

— Разве из того, что вчера по соседству кого-то убили, непременно следует, что сегодня убьют меня?

— Это во многом зависит от того, Эдит, кто совершил убийство, — заметил мистер Уотерхаус.

— Значит, ты думаешь, что кто-то шатается по Уилбрэхем-Крезент и выбирает жертву в каждом доме? Право, Джеймс, это почти богохульство.

— Богохульство, Эдит? — удивленно переспросил ее брат. Подобный аспект его замечания никак не приходил ему в голову.

— Это напоминает Пасхального агнца[1], — объяснила мисс Уотерхаус, — о котором, да будет тебе известно, говорится в Священном Писании.

— По-моему, Эдит, это немного притянуто за уши, — усомнился мистер Уотерхаус.

— Ничего, пусть кто-нибудь только попробует меня убить, — воинственно произнесла его сестра.

Мистер Уотерхаус подумал, что такая возможность крайне маловероятна. Если бы он сам выбирал жертву, то не остановил бы выбор на своей сестре. Любой, сделавший такую попытку, был бы немедленно нокаутирован кочергой или скалкой и доставлен в полицию в бессознательном состоянии и истекающим кровью.

— Я только имел в виду, — промямлил он, усилив виноватое выражение, — что вокруг бродит много... э-э... сомнительных личностей.

— Мы ведь еще толком не знаем, что произошло, — сказала мисс Уотерхаус. — Вся улица полна слухов. Миссис Хед рассказывала сегодня кое-что интересное.

— Конечно, — рассеянно произнес мистер Уотерхаус. Он не имел ни малейшего желания выслушивать сплетни, распространяемые не в меру болтливой прислугой. Его сестра наслаждалась этими историями, хотя и не переставала разоблачать полеты фантазии миссис Хед.

— Говорят, — продолжала она, — что убитый был казначеем или попечителем института Ааронберга. Там обнаружились неполадки в бухгалтерских отчетах, и он пришел к мисс Пебмарш расспросить о них.

---

[1] В Библии (Исход, 12; 3) приводятся слова Бога Моисею и Аарону: «Скажите всему обществу израильтян: в десятый день каждого месяца пусть возьмут себе каждый одного агнца по семействам, по агнцу на семейство».

— А она его убила? — Мистер Уотерхаус даже развеселился. — Слепая женщина? Ну, знаешь...

— Она накинула проволоку ему на шею и задушила его, — объяснила ему сестра. — Понимаешь, он не был настороже, так как не опасался слепой. Не то чтобы я в это верила, — добавила она. — Не сомневаюсь, что мисс Пебмарш — прекрасный человек. Если я кое в чем не схожусь с ней, то не потому, что считаю ее преступницей. Просто ее взгляды кажутся мне слишком нетерпимыми и экстравагантными. В конце концов, кроме образования, существуют и другие вещи. Все эти новомодные школы построены почти целиком из стекла. Можно подумать, что они предназначены для выращивания огурцов или помидоров. Уверена, что в летнее время это не слишком полезно для детей. Миссис Хед говорила мне, что ее Сузан не нравится их новая классная комната, потому что из-за такого количества окон просто невозможно в них не смотреть.

— Боже! — воскликнул мистер Уотерхаус, в который раз глядя на часы. — Боюсь, что я опаздываю. До свидания, дорогая. Будь осторожна. Может быть, лучше закрыть дверь на цепочку?

Мисс Уотерхаус снова фыркнула. Заперев дверь за своим братом, она начала подниматься наверх, но внезапно остановилась с задумчивым видом, подошла к сумке с принадлежностями для гольфа, вытащила клюшку и поместила ее около двери в стратегической позиции.

«Так-то лучше, — с удовлетворением подумала мисс Уотерхаус. — Конечно, Джеймс болтал вздор, но все же лучше быть готовой ко всему. В наши дни сумасшедших выпускают из лечебниц и убеждают вести нормальный образ жизни, вместо того чтобы изолировать их от общества».

Подобный способ лечения в ее глазах был чреват множеством опасностей для ни в чем не повинных людей.

Мисс Уотерхаус сидела у себя в спальне, когда на лестнице послышались торопливые шаги миссис Хед. Служанка была маленькой, круглой и очень похожей на резиновый мячик. Происходящее доставляло ей искреннее наслаждение.

— Двое джентльменов хотят вас видеть, — с энтузиазмом доложила она. — Вообще-то это не совсем джентльмены — они из полиции. — Миссис Хед протянула визитную карточку.

— Детектив-инспектор Хардкасл, — прочитала мисс Уотерхаус. — Вы проводили их в гостиную?

— Нет. Я оставила их в столовой. Я уже убрала со стола после завтрака и решила, что столовая — вполне подходящее место. Ведь они всего лишь полицейские.

Мисс Уотерхаус не вполне разделяла ее взгляды, но сказала:

— Хорошо, я сейчас спущусь.

— Наверное, они хотят расспросить вас о мисс Пебмарш, — продолжала миссис Хед, — и узнать, не заметили ли вы чего-нибудь странного в ее поведении. Говорят, мании иногда приходят внезапно и вначале почти никак не проявляются. Но все же безумие обычно можно распознать либо по манере разговора, либо по глазам. Хотя такой способ не подходит к слепым. — Она печально покачала головой.

Мисс Уотерхаус спустилась по лестнице и вошла в столовую, скрывая обуревавшее ее любопытство под маской обычного воинственного настроения.

— Детектив-инспектор Хардкасл?

— Доброе утро, мисс Уотерхаус.

Хардкасл поднялся со стула. Вместе с ним был высокий темноволосый молодой человек, которого мисс Уотерхаус не удосужилась приветствовать. Она не обратила никакого внимания на слабое бормотание «сержанта Лэма».

— Надеюсь, я пришел не слишком рано, — сказал Хардкасл. — Думаю, вы догадываетесь о причине моего визита. Вы слышали, что произошло вчера в доме 19?

— Убийство в соседнем доме обычно не проходит незамеченным, — ответила мисс Уотерхаус. — Мне даже пришлось выставить за дверь двух репортеров, которые пришли спрашивать, не видела ли я чего-нибудь.

— Вы выставили их за дверь?

— Разумеется.

— И были совершенно правы, — одобрил Хардкасл. — Конечно, они пролезут куда угодно, но я не сомневаюсь, что вы способны с ними справиться.

Мисс Уотерхаус в ответ на комплимент позволила себе нечто вроде улыбки.

— Надеюсь, вы не будете возражать, если мы зададим вам такие же вопросы? — осведомился инспектор. — Если вы видели что-нибудь, представляющее для нас интерес, и сообщите нам об этом, мы будем вам очень признательны. Насколько я понял, в то время вы были дома?

— Я не знаю, когда произошло убийство, — сказала мисс Уотерхаус.

— Мы думаем, что между половиной второго и половиной третьего.

— Тогда я действительно была дома.

— А ваш брат?

— Он не приходит домой к ленчу. А кто именно был убит? В местных утренних газетах об этом не говорится.

— Мы сами еще не вполне осведомлены о личности жертвы, — ответил Хардкасл.

— Кто-то посторонний?

— Возможно.

— И вы думаете, что мисс Пебмарш была с ним незнакома?

— Мисс Пебмарш уверяет нас, что никого к себе не ожидала и что понятия не имеет, кем является убитый.

— Она не может быть в этом уверена, — промолвила мисс Уотерхаус. — Ведь она слепая.

— Мы сообщили ей подробнейшее описание.

— А какой он из себя?

Хардкасл вынул из конверта фотографию и протянул ей.

— Взгляните, — сказал он. — Может, вы его знаете? Мисс Уотерхаус посмотрела на снимок:

— Нет, я, безусловно, никогда его не видела. Выглядит он вполне респектабельно.

— В самом деле, — согласился инспектор. — Напоминает адвоката или бизнесмена.

— И на фотографии он не кажется мертвым. Как будто он заснул.

Хардкасл не стал объяснять, что из всех сделанных в полиции фотоснимков трупа был выбран именно этот, как наименее неприятный для зрителей.

— Смерть не всегда бывает мучительной, — отозвался он. — Не думаю, что этот человек хоть на момент осознал, что гибель близка.

— А что говорит об этом мисс Пебмарш? — осведомилась мисс Уотерхаус.

— Она в полном недоумении.

— Странно, — промолвила мисс Уотерхаус.

— Не могли бы вы как-нибудь помочь нам? Постарайтесь вспомнить вчерашние события. Может быть, вы смотрели в окно или находились в саду, скажем, между половиной первого и тремя?

Мисс Уотерхаус задумалась.

— Да, я была в саду... Дайте мне вспомнить... По-моему, это было незадолго до часу дня. Я вернулась в дом около без четверти час, помыла руки и села перекусить.

— Вы не видели мисс Пебмарш входящей в дом или выходящей оттуда?

— Как будто она входила в дом... Я слышала скрип калитки, кажется чуть позже половины первого.

— Вы не разговаривали с ней?

— О нет. Только скрип заставил меня подумать, что это она. Это обычное время ее возвращения. Как раз тогда мисс Пебмарш заканчивает свои уроки. Вы, возможно, знаете, что она преподает в институте для детей-калек.

— Согласно ее заявлению, мисс Пебмарш ушла из дому около половины второго. Вы это подтверждаете?

— Ну, я не могу назвать точное время, но я видела, как мисс Пебмарш прошла мимо нашей калитки.

— Прошу прощения, мисс Уотерхаус. Вы сказали, прошла мимо калитки?

— Да. Я была в гостиной, окна которой выходят на улицу, — в столовой, как видите, они выходят на задний двор. После ленча я отнесла кофе в гостиную и села там в кресле у окна. Я как раз читала «Таймс» и, когда переворачивала страницу, заметила мисс Пебмарш, проходящую мимо калитки. Разве в этом есть что-то необычное, инспектор?

— Разумеется, нет, — улыбнулся Хардкасл. — Только, насколько я понял, мисс Пебмарш собиралась сделать кое-какие покупки и зайти на почту, а я считал, что ближайший путь к магазинам и почте — по другой стороне полумесяца.

— Это смотря какой магазин вам нужен, — объяснила мисс Уотерхаус. — Конечно, до Олбени-роуд ближе добираться тем путем...

— Возможно, мисс Пебмарш всегда проходила мимо вашей калитки в это время?

— Откровенно говоря, я не знаю, в какое время и в каком направлении мисс Пебмарш обычно уходит из дому. Я вообще не занимаюсь слежкой за соседями, инспектор. Я занятая женщина, и мне вполне хватает собственных дел. Конечно, некоторые проводят время глядя в окно и наблюдая, кто проходит мимо и кто к кому пришел. Но это занятие для инвалидов или для тех, кому больше нечего делать, кроме как размышлять и сплетничать о соседских делах.

Судя по искреннему возмущению в голосе мисс Уотерхаус, инспектор понял, что она имеет в виду какую-то конкретную особу.

— Совершенно верно, — поспешно согласился он. — Возможно, мисс Пебмарш шла мимо вашей калитки к телефону, не так ли? Здесь поблизости есть телефон-автомат?

— Да, напротив дома 15.

— Теперь я должен задать вам очень важный вопрос, мисс Уотерхаус. Не видели ли вы прибытие этого человека — таинственного незнакомца, как, по-видимому, его окрестили утренние газеты?

Женщина покачала головой:

— Нет, я не видела ни его, ни других посетителей.

— А что вы сами делали между половиной второго и тремя?

— Примерно полчаса я провела решая кроссворд в «Таймс», потом пошла на кухню и вымыла посуду после ленча. Что же дальше?.. Ага, я написала пару писем, выписала несколько чеков для счетов, затем поднялась наверх и рассортировала вещи, которые собиралась сдать в чистку. По-моему, я была в спальне, когда в соседнем доме начался переполох. Я отчетливо услышала, как кто-то визжит, поэтому, естественно, подошла к окну. У калитки стояли молодой человек и девушка. Он как будто обнимал ее.

Сержант Лэм подскочил на стуле, но мисс Уотерхаус не смотрела на него и не имела представления, что это тот самый молодой человек, о ком шла речь.

— Я могла разглядеть только затылок молодого джентльмена. Он, казалось, спорил с девушкой. Наконец он усадил ее у калитки — выглядело это довольно странно — и направился в дом.

— А вы не видели, как мисс Пебмарш вернулась домой за несколько минут до того?

Мисс Уотерхаус покачала головой:

— Нет. По-моему, я не выглядывала из окна, пока не услышала крик. Как бы то ни было, я не обратила на это внимания. Девушки и молодые люди вообще ведут себя странно — визжат, тискают друг друга, хихикают и издают разные нелепые звуки, — так что меня это не удивило. Только когда приехали несколько машин с полисменами, я поняла, что произошло нечто из ряда вон выходящее.

— И что же вы сделали потом?

— Ну, разумеется, вышла из дома, постояла на крыльце и затем пошла на задний двор. Меня интересовало, что случилось, но оттуда ничего не было видно. Когда я вернулась, здесь уже собралась небольшая толпа. Кто-то объяснил мне, что в доме произошло убийство. Мне это показалось чрезвычайно странным, — закончила мисс Уотерхаус с видом величайшего неодобрения.

— Больше вы ничего не можете нам сообщить?

— Боюсь, что нет.

— В последнее время вы не получали писем с предложением застраховаться? Или, может быть, кто-нибудь приходил либо собирался прийти к вам насчет страховки?

— Нет, ничего такого не было. И я и Джеймс имеем полисы в Страховом обществе взаимопомощи. Конечно, все иногда получают письма с циркулярами или рекламными проспектами, но я не припомню, чтобы недавно их получала.

— И писем, подписанных фамилией Карри, вы тоже не получали?

— Карри? Конечно нет.

— Эта фамилия вообще ничего вам не говорит?

— Ничего. А почему она должна что-то мне говорить?

Хардкасл улыбнулся:

— Я и не думаю, что должна. Просто убитый так себя называл.

— Но это не была его настоящая фамилия?

— У нас есть некоторые причины так считать.

— Значит, он был мошенником? — допытывалась мисс Уотерхаус.

— Мы не можем это утверждать, пока не получим доказательств.

— Ну разумеется. Я знаю, что вы должны соблюдать осторожность, — промолвила женщина. — В отличие от наших соседей, которые болтают невесть что. Интересно, их никогда не привлекали за злословие?

— За клевету, — поправил сержант Лэм, заговорив в первый раз.

Мисс Уотерхаус с удивлением воззрилась на него, как будто не подозревала, что сержант является еще чем-то, кроме безмолвного придатка инспектора Хардкасла.

— Мне жаль, что я не в состоянии вам помочь, — сказала она.

— Мне тоже, — вздохнул Хардкасл. — Человек с вашим интеллектом, рассудительностью и способностью к наблюдениям был бы полезным свидетелем.

— Я бы хотела что-нибудь увидеть, — произнесла мисс Уотерхаус мечтательным, как у молодой девушки, тоном.

— А ваш брат, мистер Джеймс Уотерхаус?

— Джеймс никогда ничего не замечает, — с презрением ответила мисс Уотерхаус. — К тому же он был в конторе Гейнсфорда и Суэттенхема на Хай-стрит. Нет, Джеймс ничем не сумел бы вам помочь. Как я уже говорила, он не приходит к ленчу.

— А где он обычно закусывает?

— Съедает сандвич с кофе в «Трех перьях». Очень приличный ресторанчик — специально приспособлен для обслуживания занятых людей легкими закусками.

— Благодарю вас, мисс Уотерхаус. Ну, не станем больше вас задерживать.

Хардкасл поднялся и вышел в холл вместе с мисс Уотерхаус.

Колин Лэм поднял клюшку, стоявшую около двери.

— Отличная клюшка, — заметил он, взвесив ее в руке. — Вижу, мисс Уотерхаус, вы приготовились к любым случайностям.

Женщина смутилась.

— Право, не знаю, как эта клюшка сюда попала, — стала она оправдываться, забрав у Колина клюшку и вернув ее на прежнее место.

— Весьма разумная мера предосторожности, — одобрил Хардкасл.

Мисс Уотерхаус открыла дверь, и посетители удалились.

— Ну, — со вздохом промолвил Колин Лэм, — мы немногого добились, несмотря на то что ты все время к ней подлизывался. Это твой постоянный метод?

— С женщинами такого типа он дает недурные результаты. Самоуверенные люди всегда неравнодушны к лести.

— Она мурлыкала, как кошка, добравшаяся до блюдца со сливками, — усмехнулся Колин. — К сожалению, это не помогло нам выяснить ничего интересного.

— Разве? — возразил Хардкасл.

Колин бросил на него быстрый взгляд:

— Что ты имеешь в виду?

— Очень маленький и, возможно, незначительный момент. Мисс Пебмарш ходила на почту и в магазины, но вместо того, чтобы пойти направо, повернула налево. А телефонный разговор с бюро, по словам мисс Мартиндейл, состоялся примерно без десяти два.

Колин с любопытством посмотрел на инспектора:

— Ты все-таки считаешь, что туда звонила мисс Пебмарш, несмотря на все ее отрицания? Держалась она довольно уверенно.

— Да, — согласился Хардкасл. — Весьма уверенно. — В его голосе слышались странные нотки.

— Но если это сделала она, то зачем?

— В этом деле сплошное «зачем», — раздраженно отозвался Хардкасл. — Зачем весь этот вздор? Если звонила мисс Пебмарш, зачем она просила прислать именно эту девушку? Если звонил кто-то другой, зачем он хотел впутать в эту историю мисс Пебмарш? Мы по-прежнему ничего не знаем. Будь мисс Мартиндейл лично знакома с мисс Пебмарш, она могла бы сказать, был ли это ее голос или по крайней мере похожий на него. Да, в доме 18 мы немногого достигли. Посмотрим, не повезет ли нам больше в доме 20.

Глава 8

Дом 20 на Уилбрэхем-Крезент, помимо номера, имел название — «Дайана-Лодж». Ворота, снабженные изнутри проволочными заграждениями, служили надежным препятствием для непрошеных гостей. Меланхоличные неухоженные кусты лавра представляли собой очередной барьер для тех, кому удастся перелезть через калитку.

— Этот дом следовало бы назвать «Лавры», — заметил Колин Лэм. — Хотел бы я знать, почему он называется «Дайана-Лодж»?

Он огляделся вокруг. «Дайана-Лодж» отнюдь не блистал опрятностью. Повсюду рос неподстриженный кустарник; в воздухе резко пахло кошками. Сам дом был крайне ветхим; водосточные трубы явно нуждались в ремонте. Единственным знаком внимания жильцов к своему обиталищу служила свежевыкрашенная парадная дверь, чей ярко-голубой цвет делал особенно заметным запущенное состояние дома и сада. Электрический звонок заменяло некое подобие ручки, которую, по-видимому, следовало тянуть на себя. Инспектор так и сделал, после чего изнутри донесся слабый звон. Внезапно послышались какие-то странные звуки — не то разговор, не то монотонное пение.

— Что за черт... — начал Хардкасл.

Источник звуков приблизился к двери, и было можно различить слова:

— Сюда, миленькие мои! Сюда, мои хвостатенькие! Ша-Ша-Мими, Клеопатра!.. Ну вот, молодцы.

Послышалось хлопанье дверей, и наконец входная дверь открылась.

Перед ними стояла леди в бледно-зеленом, довольно потертом бархатном халате. Ее седеющие, льняного цвета волосы были тщательно уложены в прическу, очень модную лет тридцать назад. На шее красовалась горжетка из лисьего меха.

— Миссис Хемминг? — с сомнением осведомился инспектор Хардкасл.

— Да, я миссис Хемминг. Спокойно, солнышко мое!

То, что инспектор принял за горжетку, оказалось рыжим котом. Он был далеко не единственным. Еще три

430

кошки носились по холлу, причем две из них громко мяукали. Угомонившись, они заняли позицию вокруг хозяйской юбки. В тот же момент специфический кошачий аромат ударил в нос обоим посетителям.

— Я детектив-инспектор Хардкасл.

— Надеюсь, вы пришли по поводу этого ужасного человека из общества защиты животных, — сказала миссис Хемминг. — Позор! Я уже все выложила ему в письме. Утверждать, будто мои кошечки содержатся в условиях, препятствующих их здоровью и счастью! Какой стыд! Я живу для моих кисок, инспектор. Они моя единственная радость в этом мире. Я все для них делаю. Ой, Ша-Ша-Мими, не лезь туда, дорогая!

Ша-Ша-Мими, не обратив никакого внимания на предупреждение хозяйки, вскочила на стол и начала умываться, внимательно разглядывая незнакомцев.

— Сюда, пожалуйста, — пригласила миссис Хемминг. — О нет, не эту комнату! Я совсем забыла... — Она открыла дверь в комнату слева, где атмосфера была еще более пикантной. — Сюда, хорошие мои!

На всех столах и стульях валялись щетки и гребешки с кошачьей шерстью, а на грязных, полинявших подушках разлеглось не менее шести кошек.

— Я живу для моих дорогих, — снова констатировала миссис Хемминг. — Они понимают каждое мое слово.

Инспектор Хардкасл решительно шагнул вперед. К несчастью, у него была аллергия на кошек, которые, как обычно происходит в подобных случаях, тут же устремились к нему. Одна вскочила ему на колени, другая стала с нежностью тереться о его брюки. Но детектив-инспектор был мужественным человеком, поэтому он плотно сжал губы и решил терпеть до конца.

— Могу я задать вам несколько вопросов, миссис Хемминг, насчет...

— Сколько вам будет угодно, — прервала его женщина. — Мне нечего скрывать. Могу показать вам пищу, которую едят мои кисоньки, постель, где они спят, — пятеро в моей спальне, остальные семь здесь. Они питаются отборной рыбой, которую я сама готовлю.

— Мой визит не имеет отношения к кошкам, — повысил голос Хардкасл. — Я пришел поговорить с вами о таинственном происшествии в соседнем доме. Вы, конечно, слышали об этом.

— В соседнем доме? Вы имеете в виду собаку мистера Джошуа?

— Нет, — ответил Хардкасл. — Я имею в виду человека, которого вчера обнаружили убитым в доме 19.

— В самом деле? — не более чем с вежливым интересом переспросила миссис Хемминг, не сводя глаз со своих любимцев.

— Могу я узнать, были ли вы вчера дома, скажем, между половиной второго и половиной четвертого?

— О да, разумеется. Я обычно хожу за покупками очень рано и возвращаюсь домой, чтобы все приготовить к ленчу для моих кошечек. Потом я их причесываю и чищу им шерсть.

— И вы не заметили никакого переполоха в соседнем доме? Ни полицейских машин, ни кареты «Скорой помощи» — ничего?

— Боюсь, я не смотрела в окна. Я вышла на задний двор, потому что пропала моя дорогая Арабелла. Она еще совсем маленькая — залезла на дерево и не могла спуститься. Я пыталась соблазнить ее тарелкой с рыбой, но бедняжка боялась. Пришлось мне отказаться от попыток и вернуться в дом. Но хотите — верьте, хотите — нет, как только я подошла к двери, Арабелла спрыгнула с дерева и подбежала ко мне. — Она переводила взгляд с Хардкасла на Колина Лэма, словно испытывая силу их веры.

— Вообще-то я верю, — произнес Колин, будучи не в силах хранить молчание.

— Прошу прощения? — Миссис Хемминг слегка испуганно посмотрела на него.

— Я очень люблю кошек, — продолжал Колин, — и поэтому занимался изучением кошачьей натуры. Случай, рассказанный вами, служит наглядным примером кошачьих манер и правил поведения. Точно так же ваши кошки столпились возле моего друга, который, откровенно говоря, не питает к ним симпатии, а на меня не обращают никакого внимания, несмотря на все мои уговоры.

Если миссис Хемминг и пришло в голову, что монолог Колина едва ли подобает сержанту полиции, то это никак не отразилось на ее лице. Она только рассеянно пробормотала:

— Мои миленькие все понимают, верно?

Красивый серый персидский кот положил передние лапы на колени инспектора Хардкасла, уставясь на него в немом восхищении и молотя когтями по его брюкам с усердием хорошего тестомеса, словно инспектор был подушечкой для булавок. Потеряв терпение, Хардкасл вскочил на ноги.

— Простите, мадам, — сказал он, — могу я осмотреть ваш задний двор?

Колин усмехнулся про себя.

— Конечно! Осматривайте все, что вам нужно. — Миссис Хемминг тоже поднялась.

Рыжий кот все еще висел у нее на шее. С отсутствующим видом она заменила его серым персидским и вышла из комнаты. Хардкасл и Колин последовали за ней.

— С тобой мы уже встречались, — сказал Колин рыжему коту. — А ты — красавец, верно? — добавил он, обращаясь к еще одному серому персидскому коту, который сидел на столе под китайским фонариком, слегка помахивая хвостом. Колин почесал его за ухом, и кот снизошел до мурлыканья.

— Закройте, пожалуйста, за собой дверь, мистер... э-э... — крикнула из холла миссис Хемминг. — Сегодня сильный ветер, и я не хочу, чтобы кисоньки простудились. Кроме того, я боюсь, что они выбегут во двор, а там эти ужасные мальчишки...

Она прошла через холл и открыла боковую дверь.

— Какие ужасные мальчишки? — спросил Хардкасл.

— Два сына миссис Рэмзи. Они живут на южной стороне полумесяца, и наши палисадники в какой-то мере соприкасаются. Это форменные хулиганы! У них есть или была рогатка! Я настаивала на ее конфискации, но боюсь, что они ее спрятали и будут стрелять в моих кошечек из засады. А летом они кидаются в них яблоками.

— Безобразие, — поддакнул Колин.

Задний двор ничем не отличался от переднего. Здесь так же буйно росли трава и кустарник. По мнению Колина, они с Хардкаслом тут только даром теряли время.

Сквозь заросли лавров было невозможно разглядеть, что делается в саду мисс Пебмарш. Фактически, «Дайна-Лодж» был совершенно изолирован. Для его обитателей соседей не существовало.

— Вы сказали, в доме 19? — спросила миссис Хемминг, нерешительно остановившись посредине двора. — Но я думала, что там живет только слепая женщина.

— Убитый не проживал в этом доме, — объяснил инспектор.

— О, понимаю, — все еще неуверенно произнесла миссис Хемминг. — Он пришел туда, чтобы его убили. Как странно...

«Весьма точное описание», — подумал Колин.

Глава 9

Проехав до конца Уилбрэхем-Крезент, они свернули направо на Олбени-роуд и после еще одного поворота направо очутились на другой стороне полумесяца.

— Как видишь, это не так уж сложно, — сказал Хардкасл.

— Да, когда знаешь расположение улиц, — отозвался Колин.

— Дом 61 находится как раз позади дома миссис Хемминг, но сад углом соприкасается с садом дома 19. Это даст тебе возможность взглянуть на мистера Блэнда. Кстати, у него нет иностранной прислуги.

— Очень жаль — хорошая теория идет прахом.

Машина остановилась, и двое мужчин вышли.

— Ну и ну! — воскликнул Колин. — Вот это сад!

Это и в самом деле была совершенная модель пригородного сада в уменьшенном виде. Клумбы с геранью и лобелиями, свежие бегонии были окружены кустами, ловко подстриженными в форме лягушек, грибов, комичных гномов и эльфов.

— Уверен, что мистер Блэнд окажется приятным и достойным человеком, — со вздохом промолвил Колин. — Иначе он не смог бы все это придумать. — Когда Хардкасл позвонил в дверь, он добавил: — Думаешь, хозяин сейчас дома?

— Я говорил с ним по телефону, — объяснил Хард-касл, — и спросил, сможет ли он принять нас в это время.

Внезапно мимо них промчался маленький фургончик и свернул в гараж, находящийся за домом. Из фургончика вышел мистер Джозайя Блэнд, захлопнул дверцу и двинулся им навстречу. Это был человек среднего роста, с лысой головой и маленькими голубыми глазками. Держался он сердечно и приветливо.

— Инспектор Хардкасл? Прошу вас.

Блэнд проводил посетителей в гостиную, обстановка которой свидетельствовала о процветании хозяина дома. Бросались в глаза дорогие, причудливой формы лампы, письменный стол в стиле ампир, сверкающая позолотой каминная решетка, инкрустированная горка, жардиньерка, полная цветов, на окне; роскошно обитые, но вполне не современные по фасону кресла.

— Садитесь, — любезно предложил мистер Блэнд. — Курите? Или на службе не полагается?

— Нет, спасибо, — отказался Хардкасл.

— И пить, конечно, тоже не будете? — осведомился мистер Блэнд. — Ладно, как хотите. Чем обязан вашему визиту? Наверное, происшествию в доме 19? Углы наших садов соприкасаются, но дом виден от нас только из окон верхнего этажа. Дело вроде запутанное — по крайней мере, так пишут утренние газеты. Я очень обрадовался, узнав о вашем приходе. Ведь это возможность получить хоть какую-то настоящую информацию. Вы себе не представляете, какие здесь носятся слухи! Моя жена нервничает из-за того, что убийца бродит на свободе. Просто беда, что в наши дни этих психов отпускают из больниц домой под честное слово или как там еще. А потом они приканчивают кого-нибудь, и их снова приходится запирать. Если бы вы слышали сведения, которые нам поставляют уборщица и мальчишка, приносящий молоко и газеты, у вас бы голова кругом пошла. Одна говорит, что убитого задушили шнуром от картины, другой — что его зарезали. Кто-то еще сказал, будто ему проломили голову. В конце концов, действительно убили неизвестного мужчину, как сказано в газетах, а не эту старую деву?

Мистер Блэнд наконец умолк.

— Ну, он не совсем неизвестный, так как у него в кармане нашли карточку с адресом, — улыбаясь, возразил Хардкасл.

— Значит, газеты переврали, — сказал Блэнд. — Сами знаете, как люди сразу начинают выдумывать невесть что.

— Раз уж мы заговорили о жертве, — промолвил Хардкасл, — взгляните, пожалуйста, на это. — Он протянул ему фотографию.

— Так это и есть тот тип? — спросил Блэнд. — На вид совсем обычный, вроде нас с вами. Полагаю, мне не следует спрашивать, по какой причине его отправили на тот свет?

— Сейчас еще рано об этом говорить, — ответил Хардкасл. — Я хотел бы знать, мистер Блэнд, не видели ли вы когда-нибудь этого человека.

Блэнд покачал головой:

— Уверен, что нет. У меня хорошая память на лица.

— Он никогда не заходил к вам по какому-нибудь поводу — с предложением застраховаться либо купить пылесос или стиральную машину?

— Нет, не заходил.

— Нам придется расспросить и вашу жену, — предупредил Хардкасл. — Если убитый все-таки приходил к вам, он мог разговаривать с ней.

— Может, и так. Но понимаете, у Вэлери слабоватое здоровье, и я не хотел бы ее расстраивать. Ведь на снимке он мертвый, верно?

— Да, — кивнул Хардкасл. — Но это фотография никак не может вызвать неприятных эмоций.

— Конечно, она отлично сделана. Парень как будто спит.

— Вы говорили обо мне, Джозайя?

Дверь в соседнюю комнату открылась, и в гостиную вошла женщина средних лет. Хардкасл не сомневался, что она подслушивала их разговор.

— А, вот и ты, дорогая! — воскликнул Блэнд. — Я думал, ты задремала. Моя жена — детектив-инспектор Хардкасл.

— Это ужасное убийство! — прошептала миссис Блэнд. — Когда я думаю о нем, то вся дрожу. — Она глубоко вздохнула и опустилась на диван.

— Положи ноги на диван, милая, — посоветовал ей муж.

Миссис Блэнд повиновалась. Это была рыжеволосая женщина, говорившая слабым, хнычущим голосом. Она выглядела анемичной и обладала всеми внешними признаками инвалида, которому доставляет удовольствие собственная беспомощность. С первого взгляда миссис Блэнд кого-то напомнила Хардкаслу. Он безуспешно пытался сообразить, кого именно.

— Я не совсем здорова, инспектор Хардкасл, поэтому муж старается оградить меня от беспокойств и огорчений. Дело в том, что я очень чувствительна. Вы только что говорили о фотографии... э-э... убитого человека. Боже, как ужасно это звучит! Не знаю, смогу ли я взглянуть на нее.

«Тем не менее ты умираешь от желания посмотреть на снимок», — подумал Хардкасл.

— Тогда я, пожалуй, не буду на этом настаивать, — не без ехидства сказал он. — Просто я думал, что вы сумеете нам помочь, если этот человек когда-либо приходил к вам домой.

— Что вы, я обязана исполнить свой долг. — Изобразив мужественную улыбку, миссис Блэнд протянула руку.

— Может, тебе не стоит волноваться, Вэл?

— Не говори глупости, Джозайя. Конечно, я должна это сделать. — Миссис Блэнд смотрела на фотографию с величайшим интересом и, как показалось инспектору, с некоторой долей разочарования. — А он совсем не похож на мертвеца, — заявила она. — Никогда не подумаешь, что его убили. Скажите, инспектор, его задушили?

— Закололи, — ответил Хардкасл.

Женщина закрыла глаза и вздрогнула.

— О Господи! — прошептала она. — Какой ужас!

— Вам не кажется, что вы когда-то видели этого человека, миссис Блэнд?

— Нет, — с явной неохотой ответила она. — А он что, был торговцем-разносчиком?

— Как будто он был страховым агентом, — с осторожностью ответил инспектор.

— О, понимаю. Нет, я уверена, что к нам не приходили никакие страховые агенты. Ведь я никогда не говорила тебе ни о чем подобном, правда, Джозайя?

— Верно, — подтвердил мистер Блэнд.

— Он был родственником мисс Пебмарш? — спросила его жена.

— Нет, — покачал головой инспектор. — Он ей вообще незнаком.

— Весьма странно, — заметил мистер Блэнд.

— А вы знакомы с мисс Пебмарш?

— Да. Я имею в виду, знакомы только как с соседкой. Она иногда спрашивает у моего мужа совета насчет сада.

— Вы, вероятно, завзятый садовод? — предположил инспектор.

— Не совсем, — улыбнулся Блэнд. — Просто времени на это не хватает. Конечно, я разбираюсь, что к чему. Но ко мне дважды в неделю приходит отличный парень и следит, чтобы сад содержался в порядке. Думаю, вам поблизости не найти сада лучше моего, но все же я не такой завзятый садовод, как мой сосед.

— Мистер Рэмзи? — с удивлением спросил Хардкасл.

— Нет, немного подальше. Мистер Мак-Нотон из дома 63. Он живет исключительно ради своего сада. Торчит в нем целый день и удобряет землю компостом. На компосте он просто помешался, — впрочем, это вряд ли вас интересует.

— Пожалуй, — согласился инспектор. — Меня интересует, находился ли кто-нибудь, например вы или ваша жена, вчера в саду. Как вы сами сказали, ваш сад кое-где граничит с садом дома 19, поэтому есть шанс, что вы могли вчера увидеть или услышать что-то любопытное.

— А убийство произошло в полдень?

— По-видимому, между часом и тремя.

Блэнд покачал головой:

— Тогда я едва ли мог что-нибудь заметить. Мы с Вэлери сидели дома, за ленчем, а окна столовой выходят на дорогу, так что происходящего в саду мы не видели.

— В какое время у вас ленч?

— Около часу. Иногда в половине второго.

— А потом вы не выходили в сад?

Блэнд снова покачал головой:

— Как правило, моя жена после ленча идет отдыхать, а я тоже сажусь подремать в этом кресле, если не очень занят. Должно быть, вчера я вышел из дому без четверти три, но, к сожалению, вообще не заходил в сад.

— Ничего не поделаешь, — вздохнул Хардкасл. — Мы, так или иначе, должны расспросить всех.

— Конечно. Я бы хотел оказаться более полезным.

— У вас здесь неплохо, — заметил инспектор. — Наверное, вы не жалели денег.

Блэнд весело рассмеялся:

— Нам нравится, когда вокруг все выглядит красиво, а у моей жены отличный вкус. Год назад на нас свалилась неожиданная удача. Жена получила наследство от двоюродного брата, которого не видела двадцать пять лет. Вот это был сюрприз! Признаюсь, это здорово изменило нашу жизнь. Мы смогли переоборудовать дом и сад, а в этом году собираемся отправиться в круиз, чтобы расширить кругозор. Говорят, на кораблях профессора читают лекции, а мы давно мечтали повидать Грецию. Конечно, я всем обязан самому себе, поэтому у меня всегда не хватало времени, но я очень интересуюсь такими вещами. Ведь тот парень, который раскопал Трою, был простым бакалейщиком. Да, все это очень романтично. Должен признаться, я вообще люблю зарубежные путешествия, хотя до сих пор ограничивался поездками в веселый Париж на уик-энд. Я даже подумываю все продать и переехать жить в Испанию, Португалию или Вест-Индию. В наши дни многие так поступают — экономят заодно подоходный налог. Но жена мою идею не одобряет.

— Я тоже люблю путешествовать, — сказала миссис Блэнд, — но мне не хочется уезжать из Англии. Здесь живет моя сестра и все наши друзья. А за границей мы будем чужими. К тому же здешний доктор прекрасно разбирается в моем здоровье. И я вовсе не хочу лечиться у врача-иностранца. Я бы не смогла ему доверять.

— Ладно. Посмотрим, — весело произнес ее супруг. — Вот поедем в круиз, и ты влюбишься в Греческий архипелаг.

Миссис Блэнд с сомнением покачала головой.

— Надеюсь, на борту будет приличный врач-англичанин, — заметила она.

— Должен быть, — заверил ее муж.

Он проводил Хардкасла и Колина до двери, рассыпаясь в сожалениях, что не сумел им помочь.

— Ну? — осведомился инспектор, когда они вышли из дома. — Ты что о нем думаешь?

— Я бы не поручил ему строить мой дом, — ответил Колин. — Но этот жуликоватый маленький архитектор — не тот, кого я ищу. Мой человек всецело предан своему делу, да и в твое убийство он никак не вписывается. Вот если бы Блэнд подсыпал своей жене мышьяк или столкнул ее во время круиза в Эгейское море, чтобы унаследовать ее деньги и жениться на шикарной блондинке...

— Этим преступлением мы займемся, когда оно случится, — прервал Хардкасл. — А пока что нам нужно разобраться в нашем убийстве.

Глава 10

В доме 62 миссис Рэмзи ободряюще твердила самой себе: «Еще только два дня».

Она откинула со лба влажную прядь волос. Из кухни послышался страшный грохот, но миссис Рэмзи не испытывала ни малейшего желания идти выяснять его причину. Она бы с удовольствием притворилась, что вообще ничего не слышала. Ну ладно, осталось всего два дня. Пройдя по холлу, она открыла дверь в кухню.

— Ну, что вы теперь натворили? — осведомилась миссис Рэмзи куда менее воинственным тоном, чем если бы она произнесла это три недели назад.

— Прости, мама, — отозвался ее сын Билл. — Мы просто играли в кегли консервными банками и каким-то образом угодили ими в открытый буфет.

— Мы вовсе не хотели туда попадать, — вежливо добавил его младший брат Тед.

— Ладно, поставьте все назад в буфет, подметите черепки и выбросьте их в ведро.

— О, мама, только не сейчас!

— Нет, именно сейчас.

— Ну, тогда пусть это сделает Тед.

— Как тебе это нравится? — воскликнул Тед. — Все всегда должен делать я! Если ты не будешь убирать, то я тоже не буду.

— Спорим, будешь!

— Спорим, не буду!

— Я тебя заставлю!

— А-а-а!

Сцепившись в отчаянной схватке, мальчики покатились по полу. Тед оказался прижатым к кухонному столу, и миска с яйцами угрожающе покачнулась.

— Немедленно вон из кухни! — закричала миссис Рэмзи.

Вытолкав мальчиков за дверь, она начала собирать консервные банки и подметать осколки фарфора.

«Через два дня они вернутся в школу, — думала она. — Какое счастье!»

Миссис Рэмзи смутно припомнила меткое замечание одной фельетонистки: «У женщины в году только шесть счастливых дней — первые и последние дни школьных каникул». «Какая мудрая мысль!» — думала миссис Рэмзи, выметая остатки своего лучшего обеденного сервиза. С какой радостью она ожидала возвращения своих отпрысков пять недель назад! А теперь? «Завтра, — повторяла она себе, — завтра Билл и Тед вернутся в школу. Я даже представить не могу такое счастье!»

А как она была счастлива, встречая их на станции! Как радовалась, видя мальчиков бегающими по дому и саду! Какой великолепный пирог она испекла для них! Но теперь миссис Рэмзи могла думать только о предстоящих днях мира и покоя. Не будет ни постоянной готовки огромного количества пищи, ни непрерывной уборки. Миссис Рэмзи обожала своих детей и гордилась ими. Но при всех своих достоинствах мальчики невероятно утомительны. Их аппетит, энергия и шумливость способны довести до изнеможения!

В это время снова послышались вопли. Встревоженная миссис Рэмзи быстро обернулась. Но все было в порядке — мальчики выбежали в сад. С одной стороны, это к лучшему, но они часто действовали на нервы соседям. Миссис Рэмзи искренне надеялась, что ее сыновья оставят в покое кошек миссис Хемминг не столько из-за любви к животным, сколько ради того, чтобы дети не рвали шорты о проволочные заграждения вокруг сада ее соседки. Миссис Рэмзи бросила взгляд на аптечку, стоящую на туалетном столике. Не то чтобы она чрезмерно беспокоилась из-за царапин, неизбежных в отроческом возрасте. В случае их появления она неизменно требовала: «Не пачкайте кровью гостиную! Идите в кухню — там я могу вытереть линолеум».

Внезапно пронзительные крики смолкли, и наступило молчание, настолько глубокое, что миссис Рэмзи по-настоящему встревожилась. Тишина казалась ей неестественной. Не зная, что делать, она застыла с совком в руке. В этот момент дверь открылась, и в кухню ворвался Билл. На его лице был написан благоговейный восторг, не совсем обычный для одиннадцатилетнего парня.

— Мама! — воскликнул он. — Приехал детектив-инспектор и с ним еще один человек!

— Ох! — с облегчением вздохнула миссис Рэмзи. — Что ему нужно?

— Он спрашивает тебя, но думаю, что это из-за убийства, которое произошло вчера в доме мисс Пебмарш.

— Не понимаю, зачем ему я, — сердито произнесла миссис Рэмзи, которая как раз собиралась чистить картошку. — Ну ладно, придется выйти к нему.

Выбросив осколки в ведро под раковиной, миссис Рэмзи сполоснула руки, пригладила волосы и приготовилась следовать за Биллом, который дрожал от нетерпения.

— Ну пойдем же, мама!

В сопровождении Билла миссис Рэмзи вошла в гостиную, где стояли двое мужчин. Ее младший сын Тед внимательно наблюдал за ними.

— Миссис Рэмзи?

— Доброе утро.

— Надеюсь, эти молодые люди уведомили вас, что я — детектив-инспектор Хардкасл?

— Как это некстати! — вырвалось у миссис Рэмзи. — Сегодня утром у меня столько дел. Я вам нужна надолго?

— Вовсе нет, — заверил ее Хардкасл. — Вы позволите нам присесть?

— О, конечно! Пожалуйста, садитесь.

Опустившись на стул, миссис Рэмзи с нетерпением посмотрела на незваных гостей. Она вовсе не была уверена, что беседа скоро закончится.

— А вам незачем оставаться здесь, — обратился Хардкасл к мальчикам.

— Нет уж, мы не уйдем! — воскликнул Билл.

— Не уйдем, — точно эхо, откликнулся Тед.

— Мы хотим все услышать про эту историю, — заявил Билл.

— Вот именно, — подтвердил его брат.

— Там было много крови?

— Это работа грабителя?

— Успокойтесь, мальчики, — вмешалась миссис Рэмзи. — Разве вы не слышали? Инспек... мистер Хардкасл не хочет, чтобы вы торчали здесь.

— Все равно мы не уйдем, — уперся Билл. — Мы хотим послушать.

Хардкасл подошел к двери, распахнул ее и посмотрел на мальчиков.

— Прошу, — сказал он.

Это было всего лишь одно слово, притом произнесенное совершенно спокойно, но в нем ощущалась властность и сила воли. Без единого возражения Билл и Тед встали и, шаркая ногами, вышли из комнаты.

«Чудо! — с восторгом подумала миссис Рэмзи. — Почему я так не умею? Конечно, с матерями дети всегда ведут себя хуже, чем с чужими, — нам в этом отношении не везет. Впрочем, если дети дома спокойные и вежливые, а на улице превращаются в хулиганов, это, пожалуй, еще хуже».

Когда она пришла к этому выводу, инспектор вернулся и снова сел.

— Если вы по поводу случившегося в доме 19, — нервно начала миссис Рэмзи, — то, право, не знаю, чем могу вам помочь, инспектор. Мне даже неизвестно, кто там живет.

— В этом доме проживает мисс Пебмарш. Она слепая и работает в институте Ааронберга.

— Возможно, — сказала миссис Рэмзи, — но я вряд ли знаю кого-нибудь из живущих на другой стороне.

— Вы были дома вчера между половиной первого и тремя?

— Да, — ответила миссис Рэмзи. — Я готовила обед и ушла, по-моему, около трех — повела ребят в кино.

Инспектор вынул из кармана фотографию и протянул ей:

— Вы когда-нибудь видели этого человека?

Женщина взглянула на снимок с выражением пробудившегося интереса.

— По-моему, нет, — ответила она, — но я не уверена, что запомнила бы его, даже если бы встречала раньше.

— Он не приходил к вам домой, например с предложением страховки?

Миссис Рэмзи покачала головой с более уверенным видом:

— Нет, к нам он не приходил.

— Есть основания считать, что его фамилия Карри — мистер Р.Х. Карри.

Инспектор вопрошающе посмотрел на миссис Рэмзи, но та снова покачала головой.

— Видите ли, — виновато произнесла она, — во время школьных каникул у меня нет времени обращать внимание на окружающее.

— Да, трудные деньки, — согласился инспектор. — У вас славные мальчуганы — бойкие и веселые. Наверное, иногда даже чересчур?

— Да, — с улыбкой призналась миссис Рэмзи, — от них, конечно, устаешь, но они хорошие ребята.

— Не сомневаюсь, — заверил ее Хардкасл. — По-моему, они очень смышленые парни. Если не возражаете, я немного поболтаю с ними перед уходом. Мальчики часто замечают то, на что взрослые не обращают внимания.

— Не знаю, как они могли что-нибудь заметить, — с сомнением промолвила миссис Рэмзи. — Ведь мы живем не совсем рядом с домом 19.

— Но ваши сады соприкасаются.

— Это верно, — согласилась миссис Рэмзи. — Но они совершенно изолированы друг от друга.

— Вы знаете миссис Хемминг из дома 20?

— Вообще-то да. В основном благодаря кошкам.

— А вы любите кошек?

— О нет! — воскликнула миссис Рэмзи. — Из-за них вечные жалобы.

— Жалобы? А именно?

Женщина покраснела:

— Беда в том, что, когда люди держат четырнадцать кошек, они просто сходят с ума на этой почве. Вообще-то я ничего не имею против кошек. Мы тоже держали пестрого кота — отличного мышелова, но вся суета, которую устраивает миссис Хемминг, специальная пища и тому подобное... Бедным животным просто вздохнуть спокойно не дают. Конечно, кошки стараются удрать от такой жизни — я бы на их месте так и поступила. Мои мальчики никогда не станут мучить животных. По-моему, кошки отлично могут сами о себе позаботиться. Если с ними хорошо обращаются, то и они ведут себя благоразумно.

— Вы абсолютно правы, — согласился инспектор. — Должно быть, у вас занятая жизнь. Не знаю, как вам хватает времени все каникулы кормить и развлекать ваших сыновей. Когда они возвращаются в школу?

— Послезавтра, — ответила миссис Рэмзи.

— Надеюсь, тогда вы как следует отдохнете.

— Да, я намерена полностью бездельничать.

Миссис Рэмзи немного удивилась, услышав голос молодого человека, который до сих пор молча что-то записывал.

— Вы бы наняли одну из этих девушек-иностранок, — посоветовал он. — Au pair[1], как их называют. Они приходят помогать по хозяйству в обмен на обучение английскому языку.

— Иногда я об этом думала, — промолвила миссис Рэмзи, — хотя мне всегда казалось, что с иностранцами трудно поладить. Мой муж надо мной смеется. Конечно, он знает об этом больше меня — я ведь не так часто бываю за границей, как он.

— Ваш муж сейчас отсутствует, не так ли? — спросил Хардкасл.

---

[1] Помощница по хозяйству *(фр.)*.

— Да, ему пришлось отправиться в Швецию в начале августа. Мой муж — инженер-конструктор. Жаль, что он уехал как раз в начале каникул, — ему так нравится возиться с детьми. Он еще больше мальчиков любит играть с железной дорогой. Иногда они занимают рельсами целую комнату и холл в придачу. Я все время о них спотыкаюсь. — Женщина покачала головой. — Мужчины совсем как дети, — снисходительно добавила она.

— А когда мистер Рэмзи должен вернуться?

— Я никогда этого не знаю. — Она вздохнула. — Именно потому все так сложно... — Ее голос дрогнул.

Колин внимательно смотрел на нее:

— Ну, миссис Рэмзи, мы больше не станем отнимать у вас время.

Хардкасл поднялся со стула:

— Может быть, мальчики покажут нам ваш сад?

Билл и Тед, ожидавшие в холле, с энтузиазмом откликнулись на предложение.

— Конечно, наш сад не очень велик, — словно извиняясь, сказал Билл.

Было заметно, что сад дома 62 стараются содержать в порядке, правда не всегда успешно. С одной стороны его украшал газон из астр и георгинов. Рядом находилась лужайка с неровно скошенной травой. На дорожках, нуждавшихся в расчистке, валялись старые модели самолетов, космических кораблей и других образцов современной техники. В конце сада стояла яблоня с аппетитными на вид красными яблоками. Рядом росло грушевое дерево.

— Вот! — Тед указал на пространство между яблоней и грушей, где виднелась задняя стена дома мисс Пебмарш. — Это дом 19, где произошло убийство.

— Отсюда он отлично виден, — заметил инспектор. — Но ведь из окон наверху его видно еще лучше, верно?

— Верно, — согласился Билл. — Если бы мы вчера поднялись туда и посмотрели в окно, то, может, что-нибудь бы увидели.

— Но мы были в кино, — вставил Тед.

— А вы обнаружили отпечатки пальцев? — спросил Билл.

— Среди них нет ни одного, который мог бы навести на след. А вы, вообще, выходили вчера в сад?

— Да, много раз, — ответил Билл. — Правда, только утром. Но мы ничего не видели и не слышали.

— А если бы мы вышли в сад попозже, то могли бы услышать крики, — с тоской произнес Тед. — Говорят, там страшно кричали.

— Вы знаете в лицо мисс Пебмарш — леди, которой принадлежит этот дом?

Мальчики посмотрели друг на друга, потом кивнули.

— Она слепая, — сказал Билл, — но по саду расхаживает, как будто все видит. И ни палки у нее, ничего такого. Один раз она бросила нам назад мяч. Мы так удивились!

— А вчера вы ее видели?

Мальчики отрицательно замотали головами.

— Мы не могли ее видеть, так как по утрам она всегда уходит, — объяснил Билл. — В саду она бывает обычно после чая.

Колин изучал кишку для поливки, которая была присоединена к крану в доме. Она тянулась вдоль садовой дорожки и оканчивалась возле грушевого дерева.

— Никогда не знал, что груша нуждается в поливке, — заметил он.

— Ах это... — отозвался Билл. Выглядел он весьма смущенным.

— С другой стороны, если вы залезете на это дерево, — Колин посмотрел на обоих мальчуганов и внезапно улыбнулся, — вам будет очень легко поливать водой кошек в соседнем дворе, не так ли?

Мальчики шаркали ногами по гравию, глядя во все стороны, только не на Колина.

— Этим вы и занимаетесь, верно? — осведомился он.

— Понимаете, — начал Билл, — им от этого совсем не больно. Ведь это не рогатка.

— Думаю, вы иногда пользуетесь и рогаткой.

— Не очень ловко, — вздохнул Тед. — Мы никогда не попадаем в цель.

— Как бы то ни было, вы проделываете с этим шлангом немало забавных вещей, — резюмировал Колин, — а миссис Хемминг потом приходит и жалуется.

— Она вечно жалуется, — буркнул Билл.

— А вы когда-нибудь лазили к ней через забор?

— Только не через эту проволоку, — уклончиво ответил Тед.

— Но все-таки иногда забираетесь к ней в сад? Каким образом?

— Ну, можно перелезть через забор в сад мисс Пебмарш, а оттуда, через живую изгородь справа, в сад миссис Хемминг. В проволоке есть дыра...

— Может, ты заткнешься, дурак? — прервал его Билл.

— Признайтесь — после убийства вы занимались поисками улик? — спросил Хардкасл.

Мальчики поглядели друг на друга.

— Держу пари, что когда вы вернулись из кино и узнали о случившемся, то перелезли через забор в сад дома 19 и произвели там основательный обыск.

— Ну... — Билл предусмотрительно умолк.

— Вполне возможно, — серьезно продолжал инспектор, — что вы нашли кое-что не замеченное нами. Если у вас имеется... э-э... коллекция находок, мне бы очень хотелось на нее взглянуть.

Билл наконец решился.

— Сбегай за вещами, Тед, — приказал он.

Тед послушно удалился.

— Боюсь, что мы не нашли ничего стоящего, — признался Билл. — Так, всякая ерунда. — Он с тревогой посмотрел на Хардкасла.

— Ничего, — успокоил его инспектор. — Такова полицейская работа. Разочарований у нас немало.

Вскоре прибежал Тед. В руке он держал связанный узлом платок, в котором что-то позвякивало. Хардкасл развязал его и вместе с мальчиками стал рассматривать содержимое.

В платке находились ручка от чашки, осколок фарфора с китайским рисунком, сломанный садовый совок, ржавая вилка, монета, крючок от вешалки, кусочек радужного стекла и половина ножниц.

— Весьма интересно, — серьезно промолвил инспектор. Взглянув на полные энтузиазма лица мальчиков, он подобрал стекло. — Я возьму этот осколок, — может, он имеет отношение к делу.

Колин в это время рассматривал монету.

— Она не английская, — сказал Тед.

— Да, — согласился Колин и бросил взгляд на Хардкасла. — Захватим и монету, — предложил он.

— Только никому ни слова, — тоном заговорщика
предупредил инспектор.

Мальчики с удовольствием обещали молчать.

Глава 11

— Рэмзи, — задумчиво произнес Колин.

— Что тебя в нем заинтересовало?

— Просто хотелось бы побольше о нем разузнать.
Заметь, он часто бывает за границей. Его жена сказала,
что он инженер-конструктор, но как будто это все, что
ей о нем известно.

— Приятная женщина, — заметил Хардкасл.

— Да, но, по-видимому, не очень счастливая.

— Просто утомленная. Дети ей житья не дают.

— Думаю, дело не только в этом.

— Мне кажется, что человек, которого ты разыскива-
ешь, вряд ли стал бы обременять себя женой и двоими
детьми, — с усмешкой произнес инспектор.

— Никогда нельзя ни в чем быть уверенным, — возразил Колин. — Ты не представляешь, какие только спо-
собы камуфляжа не применяют эти типы. Иногда бывает
очень выгодно прийти к соглашению с вдовой, которая
имеет двоих детей и стеснена в средствах.

— Не думаю, что миссис Рэмзи — женщина такого
сорта, — поморщился Хардкасл.

— Я не имел в виду жизнь во грехе, дружище. Просто
она могла согласиться стать миссис Рэмзи и участвовать в
его игре. Естественно, он наплел ей какую-нибудь историю — например, что занимается шпионажем на нашей
стороне. Все высокопатриотично.

Хардкасл покачал головой.

— Ты живешь в странном мире, Колин, — сказал он.

— Пожалуй. Знаешь, я думаю, что когда-нибудь мне
придется оставить эту работу. А то начинаешь забывать,
что к чему и кто есть кто. Половина разведчиков работают на обе стороны и в конце концов сами не знают, с кем
сотрудничают в данный момент... Ладно, продолжим.

— Нужно еще заглянуть к Мак-Нотонам, — сказал Хардкасл, остановившись у ворот дома 63. — Угол их сада граничит с садом дома 19 — как и у Блэнда.

— А что ты знаешь об этих Мак-Нотонах?

— Не очень много. Они приехали сюда около года назад. Пожилая пара. По-моему, он удалившийся от дел профессор. Занимается садоводством.

В саду перед домом росли кусты роз, а под окнами виднелась большая клумба с осенними крокусами.

Веселая молодая женщина в ярком цветастом халате открыла дверь и осведомилась на ломаном английском:

— Кого вы хотеть?

— Наконец-то прислуга-иностранка, — пробормотал инспектор и протянул ей карточку.

— Полиция! — воскликнула девушка, отступив на пару шагов и испуганно глядя на Хардкасла, словно это был дьявол во плоти.

— Нам нужна миссис Мак-Нотон, — сказал инспектор.

Девушка проводила их в гостиную, окна которой выходили на задний двор. В ней никого не было.

— Она наверху, — объяснила служанка, уже не выглядевшая веселой. Она вышла в холл и позвала: — Миссис Мак-Нотон!

Издалека послышался голос:

— Что там такое, Гретель?

— Полиция. Двое полицейских... Я отвела их в гостиную.

— Боже, в чем теперь дело?

Наверху началась возня, потом послышались шаги, и в комнату вошла миссис Мак-Нотон. На ее лице было написано беспокойство, но Хардкасл вскоре понял, что это выражение свойственно ему при любых обстоятельствах.

— О Боже! — снова воскликнула миссис Мак-Нотон. — Вы инспектор... э-э... — Она взглянула на карточку. — Ах да, инспектор Хардкасл. Зачем вам понадобилось к нам приходить? Мы ничего об этом не знаем. Вы ведь явились по поводу вчерашнего убийства, не так ли? Надеюсь, ваш визит не связан с платой за телевизор?

Хардкасл успокоил хозяйку дома.

— Все это так необычно, правда? — продолжала она, сразу воспрянув духом. — Среди бела дня — необычное время для ограбления. В эти часы люди, как правило, сидят дома. Но в наши дни то и дело читаешь о таких ужасах. Однажды, когда наши друзья отсутствовали во время ленча, к их дому подъехал мебельный фургон, оттуда вышел человек, вошел в дом и вывез мебель. Вся улица это видела, но никому в голову не пришло, что тут что-то не так. Знаете, мне казалось, будто я вчера слышала, как кто-то кричит. Но Энгус сказал, что это ужасные дети миссис Рэмзи. Они носятся по саду и вопят, изображая космические корабли, ракеты или атомные бомбы. От этого с ума сойти можно.

Инспектор уже в который раз извлек из кармана фотографию:

— Вы когда-нибудь видели этого человека, миссис Мак-Нотон?

Женщина впилась глазами в снимок:

— Я почти уверена, что видела его. Вот только где? Может, он приходил узнать, не куплю ли я новую энциклопедию в четырнадцати томах? Или это тот человек, который предлагал новую модель пылесоса? Я отказалась, и он пристал к моему мужу. Энгус сажал в саду какие-то луковицы и не хотел, чтобы ему мешали. Но тот человек продолжал рекламировать свои пылесосы, рассказывать, как ими можно чистить занавески, подушки и вообще что угодно. Наконец Энгус посмотрел на него и осведомился: «А эта штука может сажать луковицы?» К счастью, вопрос сбил этого типа с толку, и он тотчас же удалился.

— Вы в самом деле думаете, что это был человек, изображенный на фотографии?

— Ну, я, конечно, не вполне уверена, — призналась миссис Мак-Нотон. — Теперь я припоминаю, что тот был гораздо моложе. Но тем не менее мне кажется, что я уже видела это лицо. Да. Чем больше я на него смотрю, тем сильнее убеждаюсь, что он приходил сюда и предлагал что-то купить.

— А может быть, застраховаться?

— Нет-нет, только не застраховаться. Мой муж всегда за этим следит, поэтому мы застраховали все, что только можно. Но все же, чем больше я смотрю на фотографию...

Хардкасла отнюдь не ободряли эти заявления. На своем веку он достаточно повидал подобных женщин и знал по опыту, что миссис Мак-Нотон очень хотелось видеть кого-то связанного с убийством. Глядя на фотографию, она убеждала себя в том, будто помнит этого человека.

Инспектор тяжело вздохнул.

— Кажется, это шофер хлебного фургона, — размышляла вслух миссис Мак-Нотон. — Только не могу припомнить, когда же я его видела.

— Но не вчера, миссис Мак-Нотон?

Лицо женщины слегка вытянулось. Она откинула со лба растрепанные седеющие волосы.

— Нет, не вчера. Может быть, муж вспомнит, — с надеждой добавила она.

— А он дома?

— Энгус в саду. — Миссис Мак-Нотон указала на окно, выходящее в сад, где пожилой мужчина катил по дорожке тачку.

— Тогда давайте выйдем и побеседуем с ним.

— Конечно. Сюда, пожалуйста.

Они вышли в сад через боковую дверь. Мистер Мак-Нотон был поглощен своим занятием.

— Эти джентльмены из полиции, Энгус, — сообщила ему жена. — Они пришли по поводу убийства в доме мисс Пебмарш. Мне показали фотографию убитого, и я уверена, что где-то его уже видела. Как ты думаешь, это не тот человек, который приходил на прошлой неделе и спрашивал, нет ли у нас каких-нибудь антикварных вещей для продажи?

— Сейчас посмотрим, — сказал мистер Мак-Нотон. — Только держите фотокарточку сами, — обратился он к Хардкаслу, — а то у меня руки в земле. — Бросив быстрый взгляд на лицо убитого, он заявил: — Никогда в жизни не видел этого парня.

— Ваши соседи говорили мне, что вы увлекаетесь садоводством, — сказал Хардкасл.

— Кто вам это говорил? Миссис Рэмзи?

— Нет, мистер Блэнд.

Энгус Мак-Нотон презрительно фыркнул:

— Блэнд ничего не смыслит в садоводстве. Он только и знает, что повсюду тыкать герань, бегонии и лобелии, как в общественном парке. По-моему, это не садоводство. Скажите, инспектор, вас интересуют кустарники? Конечно, сейчас неподходящий сезон, но мне удалось вырастить два кустарника, которые встречаются только в Девоне и Корнуолле.

— Боюсь, я не могу претендовать на глубокое знакомство с садоводством, — промолвил Хардкасл.

Мак-Нотон посмотрел на него, как художник на человека, заявляющего, что он не понимает в живописи.

— К сожалению, я зашел к вам по менее приятному поводу, — продолжал инспектор.

— Ну разумеется. По поводу вчерашнего события. Я был в саду, когда это случилось.

— В самом деле?

— Я имею в виду, когда девушка подняла крик.

— И что вы предприняли?

— Откровенно говоря, ничего, — смущенно ответил Мак-Нотон. — Понимаете, я подумал, что это кричат проклятые мальчишки миссис Рэмзи. Они постоянно орут, визжат и вообще поднимают шум.

— Но ведь этот крик доносился не совсем с той стороны.

— Да, но эти чертовы оболтусы не ограничиваются собственным двором. Они перелезают через ограду и гоняют несчастных кошек миссис Хемминг. Вся беда в том, что на них некому прикрикнуть, — мать у них совсем безвольная. Конечно, когда в доме нет мужчины, дети отбиваются от рук.

— Насколько я понял, мистер Рэмзи подолгу бывает за границей?

— Он как будто инженер-конструктор, — не слишком уверенно произнес мистер Мак-Нотон. — Все время куда-то ездит. По-моему, Рэмзи занимается плотинами. Я не могу ручаться, дорогая, — поспешно обратился он к жене, которая собиралась возразить. — Возможно, его работа связана с нефтепроводами или еще чем-то в таком роде. Я только знаю, что месяц назад ему пришлось срочно ехать в Швецию. Оба сорванца остались на попечение матери, которая вынуждена целыми днями кормить их и убирать за ними. Вот они и распустились. В общем они неплохие мальчуганы, но не имеют понятия о дисциплине.

— И вы ничего не заметили — кроме крика, разумеется? Кстати, когда вы его услышали?

— Понятия не имею, — ответил Мак-Нотон. — Я снимаю часы перед тем, как идти в сад. На днях я облил их из шланга, и потом была целая морока с починкой. Ты не знаешь, когда кричали, дорогая? Ведь ты тоже слышала.

— По крайней мере через полчаса после того, как мы закончили ленч, — должно быть, в половине третьего.

— Понятно. А когда у вас ленч?

— В половине второго, — отозвался мистер Мак-Нотон, — если только повезет. Наша прислуга-иностранка не обладает чувством времени.

— А потом вы ложитесь вздремнуть?

— Иногда. Сегодня я этого не сделал, так как хотел закончить работу в саду. Нужно было убрать мусор и добавить компоста.

— Компост — чудесная штука, — заметил Хардкасл.

Мистер Мак-Нотон сразу же просиял:

— Безусловно! Ничего не знаю лучше компоста. Я уже немало людей уговорил им пользоваться. Ведь применять химические удобрения — настоящее самоубийство. Позвольте, я вам покажу.

Он ухватил инспектора за руку и, не отпуская тачку, потащил его к забору, отделявшему его сад от сада дома 19, где красовалась куча компоста, прикрытая кустами сирени. Мистер Мак-Нотон подкатил тачку к маленькому сараю позади кучи. Внутри аккуратно лежали инструменты.

— У вас все в идеальном порядке, — похвалил Хардкасл.

— Инструменты требуют ухода, — заметил Мак-Нотон.

Хардкасл задумчиво посмотрел в сторону дома 19. За забором виднелась аллея, обсаженная кустами роз, которая вела к дому.

— Когда вы занимались вашим компостом, вы не заметили, чтобы кто-нибудь шел по саду или выглядывал из окна дома 19?

Мистер Мак-Нотон покачал головой:

— Не видел ничего подобного. К сожалению, ничем не могу вам помочь, инспектор.

— Знаешь, Энгус, — вмешалась его жена, — мне кажется, что я видела какую-то фигуру в саду дома 19.

— Не думаю, чтобы ты ее видела, дорогая, — откровенно заявил Мак-Нотон.

— Этой бабе непременно нужно было сказать, будто она что-то видела, — буркнул Хардкасл, когда они с Колином сели в машину.

— Ты не веришь, что она узнала фотографию?

— Сомневаюсь в этом. Ей просто очень хотелось думать, что она видела этого человека раньше. Я хорошо знаю такой тип свидетелей. Когда я припер ее к стенке, она сразу скисла.

— Да, верно.

— Конечно, она могла сидеть напротив него в автобусе. Я это допускаю. Но если хочешь знать мое мнение, то она просто сама себя убедила. Ты со мной согласен?

— Вполне.

— Да, многого мы не достигли, — вздохнул Хардкасл. — Правда, кое-что выглядит довольно странным. Например, кажется невозможным, чтобы эта миссис Хемминг, как бы она ни была поглощена своими кошками, так мало знала о своей соседке, мисс Пебмарш. К тому же она проявила полное равнодушие к убийству.

— Она вообще равнодушна ко всему, кроме кошек.

— Черт бы ее побрал! — выругался Хардкасл. — Рядом с такими растяпами могут происходить пожары, грабежи, убийства, а они ничего не заметят.

— Вокруг ее двора сплошная живая изгородь, а сквозь эти викторианские аллеи, обсаженные кустами, вообще трудно что-либо разглядеть.

Когда они подъехали к полицейскому участку, Хардкасл улыбнулся и сказал:

— Ну, сержант Лэм, вы свободны.

— Больше некому наносить визиты?

— Пока что да. Позже я загляну еще кое к кому, но без тебя.

— Спасибо за интересно проведенное утро. Можешь отпечатать мои записи? — Колин протянул их инспектору. — Значит, дознание послезавтра. А в какое время?

— В одиннадцать.

— Отлично. Я успею вернуться.

— Ты уезжаешь?

— Должен завтра съездить в Лондон — представить свой отчет.

— Догадываюсь кому.

— Оставь догадки при себе.

Хардкасл усмехнулся:

— Передай старику привет.

— Кроме того, я, возможно, зайду к одному специалисту.

— К специалисту? С тобой что-нибудь не так?

— Все в порядке, если не считать тупости. Я не имел в виду врача — это специалист в твоей области.

— Из Скотленд-Ярда?

— Нет, частный детектив — друг моего отца и мой. Эта фантастическая история как раз для него — такие дела его развлекают. А я думаю, что он нуждается в развлечении.

— Как его зовут?

— Эркюль Пуаро.

— Я слышал о нем, но думал, что он умер.

— Он не умер, но боюсь, что ему скучно, а это еще хуже.

Хардкасл с любопытством посмотрел на приятеля:

— Ты занятный парень, Колин. Заводишь себе таких чудных друзей.

— Включая тебя, — с усмешкой добавил Колин.

Глава 12

Расставшись с Колином, инспектор Хардкасл вынул записную книжку, взглянул на аккуратно написанный адрес и кивнул. Спрятав книжку в карман, он начал разбирать лежащие на столе бумаги.

Дел скопилось немало. Инспектор послал за кофе и сандвичами и выслушал рапорт сержанта Крея, в котором не содержалось ничего обнадеживающего. Ни на вокзале, ни в автобусах не опознали фотографию мистера Карри. Данные из лаборатории относительно одежды также не принесли пользы. Костюм превосходно сшит, но имя портного уничтожено. Желание остаться неизвестным со стороны мистера Карри? Или со стороны его убийцы? Сведения о состоянии зубов жертвы были разосланы ко всем стоматологам. Эта нить выглядела наиболее надежной — уж она-то в конце концов должна привести к какому-то результату, если только мистер Карри не иностранец. Хардкасл задумался над этим. Возможно, убитый был французом — хотя его одежда, безусловно, не французского происхождения. Метки прачечной на ней отсутствовали.

Хардкасл не проявлял нетерпения. Идентификация личности бывает затяжной процедурой, но рано или поздно находится помощник — прачка, дантист, квартирная хозяйка. Фотографию убитого разошлют в полицейские участки, напечатают в газетах — и таинственного мистера Карри наконец опознают.

Инспектор работал без перерыва до половины шестого, причем не только по делу Карри. Взглянув на часы, он решил, что подошло время для последнего визита.

Сержант Крей сообщил, что Шейла Уэбб продолжает работать в бюро «Кэвендиш», что в пять она должна быть у профессора Перди в отеле «Кроншнеп» и уйдет оттуда не ранее начала седьмого.

Как же фамилия ее тети?.. Лотон, миссис Лотон, Палмерстон-роуд, 14. Инспектор решил пройтись пешком, так как идти было недалеко.

Палмерстон-роуд была мрачного вида улицей, знававшей, как говорится, лучшие времена. Дома, как заметил Хардкасл, были переоборудованы в многоквартирные. Когда он свернул за угол, девушка, идущая навстречу, внезапно остановилась. Инспектор подумал, что она собирается спросить у него дорогу, но, даже если так и было, девушка отказалась от своего намерения и прошла мимо. Лицо ее показалось ему знакомым. Почему-то при виде его инспектор вспомнил про какие-то туфли. Туфли... Или нет, одна туфля... Да, он недавно где-то видел эту девушку. Может быть, она его узнала и собиралась с ним заговорить?

Хардкасл немного подождал, глядя ей вслед. Девушка быстро удалялась. К сожалению, ее лицо принадлежало к тем, которые с трудом запоминаются, если на это нет особой причины. Голубые глаза, румяные щеки, полуоткрытый рот. Рот... Это напоминало ему что-то еще. Что же она делала со своим ртом? Говорила? Красила губы? Нет. Инспектор злился на себя — ведь он так гордился своей памятью на лица. Он никогда не забывал людей, занимавших скамьи подсудимых или место свидетелей. Но ведь существуют и другие места, помимо зала суда. Вряд ли можно запомнить лицо каждой официантки или автобусной кондукторши. Инспектор перестал ломать себе голову и зашагал дальше.

Вскоре он добрался до дома 14. За приоткрытой дверью виднелись четыре кнопки звонка, под которыми находились таблички с фамилиями жильцов. Миссис Лотон обитала на первом этаже. Инспектор вошел в холл и позвонил в дверь слева. Несколько секунд царило молчание. Наконец послышались шаги, и дверь открыла высокая худая женщина с растрепанными темными волосами и в грязноватом халате. Откуда-то, очевидно из кухни, доносился запах лука.

— Миссис Лотон?

— Да. — В голосе женщины звучала досада и настороженность.

На вид миссис Лотон было лет сорок пять. В чертах ее лица сквозило нечто цыганское.

— Что вам угодно?

— Я был бы вам признателен, если бы вы уделили мне несколько минут.

— Это еще зачем? Я сейчас очень занята. Надеюсь, вы не репортер?

— Конечно нет, — заверил ее Хардкасл и добавил сочувственным тоном: — Вам, наверное, репортеры уже успели надоесть?

— Еще как. Целый день стучат, звонят, задают идиотские вопросы.

— Да, удовольствия мало, — согласился инспектор. — Кстати, миссис Лотон, я детектив-инспектор Хардкасл и занимаюсь расследованием дела, из-за которого вас беспокоят репортеры. Мы бы с радостью избавили вас от них, но тут мы бессильны. Пресса имеет свои права.

— Стыд и позор — так досаждать ни в чем неповинным людям только потому, что им, видите ли, нужны

458

новости для публики, — фыркнула миссис Лотон. — Все их новости — ложь от начала до конца. Ладно, входите.

Она впустила инспектора и захлопнула за ним дверь. На коврик упали три письма. Миссис Лотон наклонилась, чтобы поднять их, но Хардкасл ее опередил. Вежливо протянув ей письма, он мимоходом взглянул на адреса.

— Благодарю вас. — Женщина положила письма на столик. — Может быть, побеседуем в гостиной? Пройдите, пожалуйста, в эту дверь. Только подождите меня, — кажется, что-то кипит.

С быстротой молнии миссис Лотон ринулась в кухню. Инспектор снова бросил взгляд на письма. Одно из них было адресовано миссис Лотон, два других — мисс Р.Ш. Уэбб. Задумчиво кивнув, Хардкасл направился в указанную ему комнату. Это была маленькая гостиная, довольно беспорядочно и убого меблированная, однако кое-где бросалось в глаза несколько необычных предметов — причудливое, возможно, дорогое изделие абстрактной формы из матового венецианского стекла, две яркие бархатные подушки, глиняная тарелка с ракушками. «Да, — подумал инспектор, — либо тетя, либо племянница обладают довольно экстравагантным вкусом».

Вскоре вернулась запыхавшаяся миссис Лотон.

— Думаю, теперь все будет в порядке, — не слишком уверенно сообщила она.

Инспектор снова начал извиняться:

— Простите, если я зашел не вовремя, но я случайно оказался поблизости и решил заглянуть, чтобы прояснить кое-какие моменты этого дела, в котором, к сожалению, замешана ваша племянница. Надеюсь, это никак на ней не отразится. Для любой девушки такая история — тяжелое потрясение.

— Да, конечно, — согласилась миссис Лотон. — Шейла пришла домой в ужасном состоянии, но наутро проснулась как ни в чем не бывало и решила выйти на работу.

— Знаю, — кивнул инспектор. — Мне сообщили, что она отправилась печатать к клиенту, я не хотел ей мешать и подумал, что лучше побеседовать с ней дома. Но она еще не вернулась, не так ли?

— Сегодня Шейла, по-видимому, вернется поздно, — ответила миссис Лотон. — Она сейчас работает у профессора Перди, а он, по ее словам, не имеет ни малейшего представления о времени. Всегда говорит: «Это займет не более десяти минут, так что мы сегодня успеем все закончить», а в результате они работают еще три четверти часа. Профессор очень симпатичный человек — он постоянно извиняется, а один раз даже заставил Шейлу остаться пообедать. Но эти задержки иногда раздражают. Могу я чем-нибудь помочь вам, инспектор, если Шейла застрянет надолго?

— Как вам сказать, — улыбнулся Хардкасл. — Конечно, вчера мы записали только самые основные сведения, и я не уверен, что даже это сделано как надо. Давайте посмотрим. — Он снова заглянул в записную книжку. — Мисс Шейла Уэбб — полное имя вашей племянницы? Знаете, такие вещи должны быть зафиксированы точно для протоколов дознания.

— Дознание состоится послезавтра? Шейла получила повестку.

— Да, но это не должно ее беспокоить. Ей будет нужно только рассказать, как она обнаружила труп.

— Вы все еще не знаете, кто этот человек?

— Нет, и боюсь, что скоро мы этого не узнаем. В его кармане нашли визитную карточку, поэтому сначала мы подумали, что он страховой агент. Но по-видимому, ему кто-то дал эту карточку. Возможно, он сам собирался застраховаться.

— Понятно. — Миссис Лотон выглядела заинтересованной.

— Вернемся к именам, — сказал инспектор. — У меня тут записано «мисс Шейла Р. Уэбб». Я только не могу вспомнить ее второе имя. Кажется, Розали?

— Розмари, — ответила миссис Лотон. — Ее назвали Розмари Шейла, но имя Розмари казалось ей слишком претенциозным, и она всегда называла себя просто Шейлой.

— Ясно. — Хардкасл ничем не выдал своего удовлетворения по случаю того, что оправдалось одно из его предположений. Он лишь отметил, что имя Розмари не вызвало никакого беспокойства у миссис Лотон. Для нее это было только имя племянницы, которым та не пользовалась. — Сейчас я запишу все как следует, — улыбаясь, сказал инспектор. — Насколько я понял, ваша племянница приехала из Лондона и устроилась на работу в бюро «Кэвендиш» около десяти месяцев назад. Вы не помните точную дату?

— Боюсь, что нет. По-моему, это было в конце ноября прошлого года.

— Ладно, это не так уж важно. Она не жила с вами до поступления в бюро?

— Нет. До этого Шейла жила в Лондоне.

— У вас есть ее лондонский адрес?

— Где-то есть. — Миссис Лотон беспомощно огляделась. — К сожалению, у меня скверная память. Кажется, Эллингтон-Гроув, — по-моему, это недалеко от Фулхема. Она делила квартиру с двумя другими девушками. В Лондоне жилье страшно дорогое.

— Вы не помните названия фирмы, в которой она работала в Лондоне?

— Помню — «Хопгуд и Трент». Агенты по продаже недвижимости на Фулхем-роуд.

— Благодарю вас. Пока все как будто ясно. Мисс Уэбб — сирота?

— Да, — ответила миссис Лотон, слегка вздрогнув и устремив взгляд на дверь. — Вы не возражаете, если я еще раз сбегаю на кухню?

— Что вы, пожалуйста.

Инспектор вежливо открыл дверь, пропуская миссис Лотон. Когда она вышла, он задумался. Действительно ли последний вопрос почему-то смутил женщину или ему это только показалось? До этого момента ее ответы были быстрыми и спокойными. Инспектор не переставал размышлять об этом до возвращения хозяйки.

— Простите, — извинилась она, — но вы ведь понимаете, что значит иметь дело с готовкой. Сейчас вроде бы все в порядке. У вас есть еще вопросы? Между прочим, я вспомнила лондонский адрес Шейлы — не Эллингтон-, а Кэррингтон-Гроув, 17.

— Спасибо, — поблагодарил инспектор. — По-моему, я спросил, сирота ли мисс Уэбб.

— Да, круглая сирота. Ее родители умерли.

461

— Давно?

— Когда она была ребенком. — В ее голосе послышался вызов.

— Она дочь вашей сестры или брата?

— Сестры.

— Так. А кто был по профессии мистер Уэбб?

Последовала пауза. Миссис Лотон закусила губу.

— Не знаю, — ответила она наконец.

— Не знаете?

— Я хотела сказать, не помню — ведь это было так давно.

Хардкасл молчал, не сомневаясь, что она заговорит снова. Так оно и вышло.

— Могу я узнать, какое это имеет отношение... я имею в виду, какая разница, кто были родители Шейлы, чем занимался ее отец, откуда он родом и так далее?

— С вашей точки зрения, это действительно не имеет никакого значения. Но видите ли, обстоятельства несколько необычны.

— В каком смысле?

— Ну, у нас есть причины считать, что мисс Уэбб вчера отправилась в тот дом, потому что кто-то позвонил в бюро «Кэвендиш» и вызвал именно ее. Похоже, кто-то специально подстроил, чтобы она там оказалась. Возможно... — он замялся, — человек, питающий к ней злобу.

— Не могу представить, чтобы кто-то питал злобу к Шейле. Она такая ласковая, добрая девочка.

— Да, — мягко произнес Хардкасл. — Мне тоже так показалось.

— И мне не нравится, когда предполагают другое, — воинственно добавила миссис Лотон.

— Разумеется. — Инспектор успокаивающе улыбнулся. — Но вы должны понять, миссис Лотон, что все выглядит так, будто жертвой была избрана ваша племянница. Ее, как говорится, подставили под удар. Кто-то устроил так, чтобы она пришла в дом, где находился труп только что убитого человека. По-видимому, все это сделано преднамеренно.

— Вы имеете в виду, что кто-то старался представить дело так, будто его убила Шейла? Не могу в это поверить!

— Поверить трудновато, — согласился Хардкасл, — но мы должны во всем разобраться до конца. Например, возможно, что какой-то молодой человек был влюблен в вашу племянницу, а она не отвечала ему взаимностью. Иногда юноши могут совершить преступление из мести — особенно если они психически неуравновешенны.

Миссис Лотон задумчиво нахмурилась:

— Едва ли такое могло случиться. Шейла дружила с одним или двумя мальчиками, но там не было ничего серьезного.

— А в Лондоне? — осведомился инспектор. — Ведь вы не можете все знать о ее тамошних друзьях.

— Да, конечно... Вы лучше спросите саму Шейлу, инспектор Хардкасл. Мне она про это ничего не рассказывала.

— Или, может быть, это, напротив, подстроила какая-то девушка, — продолжал Хардкасл. — Возможно, одна из тех девушек, с которыми мисс Уэбб жила в Лондоне, завидовала ей?

— Конечно, какая-нибудь девчонка могла постараться напакостить Шейле, — с сомнением промолвила миссис Лотон. — Но только не при помощи убийства.

Это было толковое замечание, и Хардкасл подумал, что его собеседница отнюдь не глупа.

— Понимаю, что это звучит неправдоподобно, — сказал он, — но ведь вся история тоже малоправдоподобна.

— А может, это дело рук сумасшедшего? — предположила миссис Лотон.

— Даже для поступков безумца существует объяснение — определенная навязчивая идея, — ответил Хардкасл. — Поэтому я и расспрашивал вас об отце и матери Шейлы Уэбб. Мотивы преступлений часто уходят корнями в далекое прошлое. Так как родители мисс Уэбб умерли, когда она была ребенком, ее, естественно, бесполезно спрашивать о них. Вот почему я обратился к вам.

— Да, понимаю, но... — В ее голосе вновь послышались неуверенность и беспокойство.

— Они погибли в одно и то же время в результате несчастного случая?

— Нет.

— Значит, оба умерли естественной смертью?

— Ну, как вам сказать... Я не знаю.

— Думаю, вы знаете больше, чем говорите, миссис Лотон. Ладно, попробую догадаться сам. Может быть, они развелись?

— Нет, они не разводились.

— Объяснитесь, наконец, миссис Лотон. Должны же вы знать, отчего умерла ваша сестра.

— Боже мой, все это так сложно... Так трудно растравлять старые раны. — В ее глазах мелькнуло смятение.

Хардкасл проницательно взглянул на женщину.

— Возможно, мисс Уэбб — незаконнорожденная? — мягко предположил он и тотчас же увидел на лице миссис Лотон причудливую смесь испуга и облегчения.

— Шейла не моя дочь, — сказала она.

— Но она незаконнорожденная дочь вашей сестры?

— Да. Только Шейла ничего об этом не знает. Я никогда ей не рассказывала — просто говорила, что ее родители давно умерли. Поэтому... ну, вы понимаете...

— О да, понимаю, — кивнул инспектор, — и я уверяю вас, что если расследование в этом направлении ничего не даст, то нам не понадобится задавать мисс Уэбб вопросы на эту тему.

— Иными словами, вы ей не расскажете?..

— Нет, если только это не относится к делу, что, по-моему, маловероятно. Но я хочу услышать от вас все факты, миссис Лотон, и обещаю сделать все возможное, чтобы наш разговор остался между нами.

— Об этом не особенно приятно рассказывать, — вздохнула женщина. — В свое время я очень огорчалась из-за этой истории. Моя сестра была самой умной в семье. Она работала школьной учительницей, всегда выглядела сдержанной и респектабельной. Это такой человек, о котором нельзя было такое подумать...

— Ну, такое случается сплошь и рядом, — тактично вставил инспектор. — Итак, она познакомилась с этим Уэббом...

— Я никогда не знала его фамилии, — прервала миссис Лотон. — Я ведь ни разу не видела этого человека. Сестра пришла ко мне и рассказала о случившемся: что она ожидает ребенка и что этот мужчина не может или не хочет — этого я так и не узнала — жениться на ней. Если бы все выяснилось, сестре пришлось бы оставить работу, а она была честолюбива. Естественно, я обещала ей помочь.

— А где сейчас ваша сестра, миссис Лотон?

— Понятия не имею.

— Но она жива?

— Думаю, что да.

— И вы не поддерживали с ней никаких контактов?

— Таково было ее желание. Сестра считала, что и для ребенка, и для нее будет лучше, если они никогда не встретятся. Мы обе имели небольшой доход от денег, оставленных матерью. Энн перевела свою долю на меня, с тем чтобы я содержала и воспитывала ее ребенка. Она сказала, что будет продолжать работать, но в других школах. По-моему, Энн подумывала о работе за границей — в Австралии или еще где-нибудь. Это все, что я знаю, инспектор Хардкасл.

Инспектор задумчиво посмотрел на нее. Действительно ли миссис Лотон больше ничего не знает? На этот вопрос было нелегко ответить. Судя по ее словам, Хардкасл составил впечатление о матери Шейлы как о властной и резкой особе. Такие женщины предпочитают не портить себе карьеру из-за совершенной ими ошибки. Она трезво и хладнокровно обеспечила воспитание и содержание своего ребенка, а сама решила начать новую жизнь.

Допустим, она могла поступить так с дочерью. Ну а с сестрой?

— Кажется несколько странным, — заметил инспектор, — что ваша сестра даже не переписывалась с вами хотя бы для того, чтобы узнать, как растет ее дочь.

Миссис Лотон покачала головой:

— Если бы вы знали Энн, то это не показалось бы вам странным. Свои решения сестра выполняла неукоснительно. К тому же мы с ней были не так уж близки. Я ведь на двенадцать лет младше ее.

— А как отнесся ваш муж к появлению в семье чужого ребенка?

— Тогда я уже была вдовой, — ответила миссис Лотон. — Я вышла замуж очень рано, и мой муж погиб на войне. В то время я держала кондитерскую лавку.

— А где именно? Не в Кроудине?

— Нет. Тогда мы жили в Линкольншире. В Кроудин я однажды приехала в отпуск, и мне так здесь понравилось, что я продала лавку и переселилась сюда. Позже, когда пришла пора отправлять Шейлу в школу, я поступила на работу к Роскоу и Уэсту, здешним торговцам мануфактурой. Я все еще там работаю — они очень симпатичные люди.

Хардкасл поднялся:

— Большое спасибо за вашу откровенность, миссис Лотон.

— А вы ничего не расскажете Шейле?

— Нет, если не возникнет особой необходимости, а она может появиться только в случае обнаружения связи между этими событиями и убийством на Уилбрэхем-Крезент, 19. Но мне это кажется маловероятным. — Вытащив из кармана фотографию, которую он уже показывал стольким людям, инспектор предъявил ее миссис Лотон. — Вы не знаете этого человека?

— Мне уже показывали снимок. — Взяв фотографию, женщина стала тщательно ее рассматривать. — Нет. Я абсолютно уверена, что никогда его не видела. Не думаю, чтобы он жил поблизости, иначе я бы его запомнила. — Миссис Лотон поднесла фотографию ближе к глазам и неожиданно добавила: — У него приятное лицо. Должно быть, он джентльмен.

Для инспектора этот термин был несколько старомодным, но в устах миссис Лотон он звучал вполне естественно. «Наверное, она выросла в деревне, — подумал Хардкасл. — Там до сих пор классифицируют людей подобным образом».

Взглянув на фотографию, он с удивлением констатировал, что еще ни разу не подумал об убитом с этой точки зрения. Был ли «мистер Карри» приятным человеком? Инспектор не сомневался в обратном, но, возможно, только потому, что у жертвы была визитная карточка с фальшивым именем и адресом. Однако объяснения, данные им миссис Лотон, могли соответствовать действительности. Не исключено, что карточка принадлежала какому-то фиктивному страховому агенту, который подсунул ее убитому. Но такая версия еще сильнее запутывала дело. Хардкасл снова посмотрел на часы.

— Не стану больше отрывать вас от вашей стряпни, — сказал он. — Так как ваша племянница все еще не вернулась...

Миссис Лотон бросила взгляд на часы, стоящие на каминной полке. «Слава Богу, в этой комнате только одни часы», — подумал инспектор.

— Да, она запаздывает, — отозвалась миссис Лотон. — Даже удивительно. Хорошо, что Эдна не стала ее дожидаться. — Заметив слегка недоуменное выражение лица Хардкасла, она пояснила: — Эдна — одна из девушек, работающих в бюро. Сегодня вечером она приходила повидать Шейлу, немного посидела, но потом сказала, что больше ждать не может, так как у нее с кем-то свидание, а с Шейлой она встретится завтра или когда-нибудь в другой раз.

На инспектора снизошло просветление. Девушка, которую он встретил на улице! Теперь ясно, почему при виде ее ему пришла в голову мысль о туфлях. Конечно, это была девушка, которая принимала его в бюро «Кэвендиш», а когда он уходил, показывала туфлю с отломанным каблуком-шпилькой и жаловалась, что не знает, как ей добраться домой. Незаметная, не слишком привлекательная девица во время разговора постоянно сосала конфету. Она узнала его на улице, хотя он никак не мог вспомнить, где ее видел. Эдна колебалась, словно хотела с ним заговорить. Инспектора интересовало, что она собиралась ему сообщить. Хотела объяснить, почему заходила к Шейле Уэбб, или просто думала, что он чего-то от нее ожидает?

— Эдна — близкая подруга вашей племянницы? — спросил Хардкасл.

— Ну, не совсем, — ответила миссис Лотон. — Они работают в одной конторе, но Эдна — глуповатая девушка. Они с Шейлой не особенно дружат. Меня даже удивило, чего это ей вдруг захотелось повидать Шейлу. Эдна сказала, что она чего-то не могла понять и думала, что Шейла ей объяснит.

— А она не говорила, чего именно не понимала?

— Нет, только сказала, что это не срочно и вообще не имеет особого значения.

— Понятно. Ну, мне пора.

— Странно, что Шейла не позвонила, — заметила миссис Лотон. — Обычно она звонит, если задерживается, потому что иногда профессор просит ее остаться пообедать. Но она вернется с минуты на минуту. Просто на автобус сейчас очереди, а отель «Кроншнеп» отсюда далеко. Вы ничего не хотите ей передать?

— Пожалуй, нет. — Выходя, инспектор спросил: — Между прочим, кто выбрал для вашей племянницы имена Розмари и Шейла? Вы или ваша сестра?

— Шейлой звали нашу мать, а имя Розмари выбрала сестра. Забавные иногда придумывают имена. Какие-то причудливые и романтичные. А ведь Энн не была ни романтичной, ни сентиментальной.

— Ну, доброй ночи, миссис Лотон.

Выйдя за ворота, инспектор подумал: «Розмари — хм... Розмарин для воспоминаний[1]. Романтических — или совсем других?»

Глава 13

РАССКАЗЫВАЕТ КОЛИН ЛЭМ

Пройдя по Черинг-Кросс-роуд, я свернул в лабиринт улиц, вьющихся между Нью-Оксфорд-стрит и «Ковент-Гарденом». Здесь вели торговлю магазины всех сортов — «Антиквариат», «Кукольная больница», «Балетные туфли», «Иностранные деликатесы».

Поборов соблазн зайти в «Кукольную больницу», я наконец добрался до места назначения. Это был маленький грязноватый книжный магазин в переулке неподалеку от Британского музея. Снаружи, как обычно, стояли лотки с книгами. Старинные романы, подержанные учебники, всевозможное барахло с ярлыками: «3 пенса», «6 пенсов», «1 шиллинг». У некоторых экземпляров каким-то образом сохранились почти все страницы, а иногда даже целый переплет.

---

[1] «Вот розмарин, это для воспоминаний» — слова безумной Офелии из «Гамлета» У. Шекспира.

Я осторожно проскользнул в дверь, стараясь не задеть кучи книг, громоздившиеся в проходе. Внутри становилось ясно, что магазин принадлежит книгам в значительно большей степени, чем наоборот. Книги плодились и размножались, захватывая все новые территории и явно нуждаясь в сильной руке, которая призвала бы их к порядку. Расстояние между полками было настолько узким, что пройти там можно было лишь с величайшими усилиями. На всех столах и полках высились горы книг. В углу сидел на табурете старик в шляпе с изогнутыми полями и с унылой физиономией. Весь его вид говорил об отказе от неравной борьбы. Вероятно, несчастный пытался справиться с книгами, но книги успешно справились с ним. Он походил на короля Канута[1], царствующего в мире книг и отступающего от книжного прилива. Это был мистер Соломен, владелец магазинчика. Узнав меня, он кивнул, и его рыбий взгляд немного смягчился.

— Есть что-нибудь по моей части? — спросил я.

— Поднимитесь и посмотрите, мистер Лэм. Вас все еще интересуют водоросли и тому подобное?

— Совершенно верно.

— Ну, вы знаете, где находятся эти книги. Морская биология, ископаемые, Антарктика — все это на третьем этаже. Позавчера я получил новую партию, начал распаковывать, но никак не могу разобраться в этом беспорядке. Вы найдете новые книги в углу.

Я кивнул и пролез боком к шаткой и грязной лестнице, берущей начало от задней стены. На втором этаже помещались книги по искусству, медицине, а также французские классики и ориенталистика. В помещении имелся скрытый за занавесом уголок, неизвестный широкой публике, но доступный специалистам, где хранились редкие тома. Пройдя мимо него, я поднялся на третий этаж.

Здесь были довольно неаккуратно рассортированы книги по археологии, естественной истории и другим почтенным наукам. Пробираясь сквозь копавшихся в них студентов, пожилых полковников и священников, обходя острые углы шкафов и наступая на лежащие на

----

[1] К а н у т (Кнут) Великий (ум. в 1035 г.) — король Англии, Дании и Норвегии.

полу пачки книг, я внезапно обнаружил, что моему дальнейшему продвижению препятствует пара студентов разных полов, которые стояли крепко обнявшись, раскачиваясь взад-вперед и ничего не замечая вокруг.

Извинившись, я решительно отодвинул их в сторону, поднял занавес, скрывавший дверь, вынул из кармана ключ и повернул его в замке. Шагнув через порог, я оказался в вестибюле с чисто выбеленными стенами, на которых висели изображения стад на пастбищах горной Шотландии, и с дверью, где красовался отполированный до блеска молоток. Я осторожно постучал. Дверь открыла пожилая женщина с седыми волосами, в старомодной черной юбке и плохо сочетающемся с ней полосатом джемпере.

— А, это вы, — сказала она, не потрудившись даже поздороваться. — Он только вчера о вас спрашивал, причем недовольным голосом. — Женщина покачала головой, словно гувернантка, разговаривающая с непослушным ребенком.

— Да бросьте, няня, — отозвался я.

— И не называйте меня няней, — заявила пожилая леди. — Я уже говорила вам, что это дерзость.

— Сами виноваты, — ответил я. — Вы не должны разговаривать со мной как с маленьким мальчиком.

— Вам в самом деле пора повзрослеть.

Нажав кнопку, женщина сняла телефонную трубку и доложила:

— Пришел мистер Колин... Да, сейчас пошлю его к вам. — Она опустила трубку на рычаг и кивнула мне.

Через дверь в углу я прошел в соседнюю комнату, до того наполненную сигарным дымом, что в ней было почти невозможно что-либо разглядеть. Когда зрение наконец прояснилось, я увидел внушительную фигуру моего шефа, сидящую в допотопном кресле рядом со столь же старомодным вращающимся пюпитром.

Полковник Бек надел очки, отодвинул пюпитр с лежащим на нем толстенным томом и неодобрительно посмотрел на меня:

— Явились наконец!

— Да, сэр, — ответил я.

— Выяснили что-нибудь?

— Нет, сэр.

— Ну и ну! А как же ваши полумесяцы, Колин?

— Я все еще думаю...

— Отлично! Но мы не можем ждать, пока вы будете думать.

— Признаюсь, что это всего лишь догадка...

— Ну и что же? — тут же возразил полковник Бек, который был великим спорщиком. — Это еще полбеды. Почти все мои удачи основаны на догадках. Только ваша догадка, похоже, ни к чему не приведет. Вы уже покончили с пивными?

— Да, сэр. Как я уже говорил, я занимаюсь полумесяцами — домами на улицах в форме полумесяца.

— Не беспокойтесь, я не подумал, что вы говорите о булочных, где торгуют французскими рогаликами. Хотя почему бы и нет? Кое-где выпечка этих круассанов превратилась в настоящий фетишизм, даром, что французское в них только название. Их продают настолько черствыми, что даже вкуса как следует не разберешь. Как, впрочем, у любой пищи в наши дни.

Я терпеливо ждал, пока старик кончит распространяться на излюбленную тему. Но, видя, что я не собираюсь спорить, он решил ее не развивать.

— Вы все проверили? — осведомился полковник.

— Почти. Осталось немного.

— И вам нужно еще немного времени, не так ли?

— Желательно, — ответил я. — Но сейчас я не собираюсь менять место действия. Произошло странное совпадение, которое, может быть — только может быть! — что-нибудь да значит.

— Не занимайтесь болтовней. Давайте мне факты.

— Объект расследования — Уилбрэхем-Крезент.

— И вы опять вытащили пустой номер? Или нет?

— Я не уверен.

— Выражайтесь яснее.

— Совпадение заключается в том, что на Уилбрэхем-Крезент убили человека.

— Кого именно?

— Это еще неизвестно. В кармане у него нашли визитную карточку с именем и адресом, но они оказались фальшивыми.

— Хм! Наводит на размышления. По-вашему, это убийство как-то связано с вашим делом?

— Пока я этого не обнаружил, сэр, но, по крайней мере...

— Знаю, знаю! «По крайней мере...» Ну и зачем вы сюда явились? Просить разрешения продолжать околачиваться вокруг Уилбрэхем-Крезент? Кстати, где находится улица с таким нелепым названием?

— В городке Кроудин, в десяти милях от Портлбери.

— Да, местность подходящая. Но все-таки, что вам здесь понадобилось? Вы ведь обычно не спрашиваете разрешения, а действуете по-своему, не так ли?

— Боюсь, что так, сэр.

— Тогда зачем вы пришли ко мне?

— Я хотел бы проверить кое-кого.

Полковник Бек со вздохом придвинул назад пюпитр, вынул из кармана шариковую ручку, подул на нее и уставился на меня:

— Ну?

— Дом 20 по Уилбрэхем-Крезент называется «Дайана-Лодж». Там живет женщина по имени миссис Хемминг и около восемнадцати кошек.

— Дайана! Хм! Диана — богиня Луны — и как раз на полумесяце! Ладно. Чем она занимается, эта ваша миссис Хемминг?

— Ничем, — ответил я. — Она поглощена своими кошками.

— Отличная маскировка, — одобрил полковник Бек. — Вполне возможно, что именно она нам и нужна. Это все?

— Нет. В доме 62 проживает некий Рэмзи. Говорят, он инженер-конструктор. Часто бывает за границей.

— Тоже неплохо, — заметил Бек. — Хотите побольше узнать о нем? Хорошо.

— У него есть жена, очень славная женщина, — продолжал я, — и два весьма беспокойных мальчугана.

— Ну, это еще ничего не значит. Такие случаи бывают. Помните Пендлтона? У него тоже была жена и ребенок. Жена была симпатичной, но глупее ее я никого не встречал. Она и мысли не допускала, что ее супруг является не только респектабельным специалистом по восточной литературе. Кроме нее, Пендлтон имел жену

472

с двумя дочерьми в Германии и еще одну жену в Швейцарии. Не знаю, зачем ему было столько жен, — то ли из-за склонности к излишествам, то ли для камуфляжа. Он, разумеется, утверждал, что для камуфляжа. Ладно, наведем справки о мистере Рэмзи. Кто-нибудь еще?

— Как вам сказать... В доме 63 живет мистер Мак-Нотон — пожилой шотландец, профессор на покое. Целыми днями возится в саду. Нет оснований предполагать, что с ним или с его женой что-то не так, но все же...

— Ясно. Проверим и их, если вам так хочется. Кстати, почему вы выбрали именно этих людей?

— Потому что их сады граничат или соприкасаются местами с садом дома, где произошло убийство.

— Звучит как упражнение в французском языке, — усмехнулся Бек. — Где труп моего дяди? В саду кузена моей тети. А что известно о самом доме 19?

— Там живет слепая женщина, бывшая школьная учительница. Сейчас она работает в институте для слепых. Местная полиция тщательно ее проверила.

— Она живет одна?

— Да.

— И какова же ваша теория относительно этих людей?

— Моя теория заключается в том, — ответил я, — что убийство совершил у себя дома один из живущих рядом с домом 19. Было очень легко, хотя и несколько рискованно, перетащить туда труп, выбрав подходящий момент. Конечно, это всего лишь предположение. А теперь я покажу вам кое-что. Смотрите. — Я протянул Беку испачканную землей монету.

— Чешский геллер? Где вы его нашли?

— Нашел его не я. Но монету обнаружили на заднем дворе дома 19.

— Интересно. Может, в вашем помешательстве на полумесяцах действительно что-то есть. — Помолчав, полковник задумчиво добавил: — На соседней улице имеется пивная под названием «Восходящая луна». Почему бы вам не сходить туда попытать счастья?

— Я уже там побывал.

— У вас на все готов ответ, — усмехнулся полковник. — Хотите сигару?

— Нет, спасибо. В это время я не курю.

473

— Собираетесь назад в Кроудин?

— Да. Хочу поприсутствовать на дознании.

— Оно, конечно, будет отложено. Надеюсь, в Кроудин вы торопитесь не из-за какой-нибудь девушки.

— Что вы, конечно нет! — возмутился я.

Полковник Бек неожиданно рассмеялся:

— Будьте осторожны, мой мальчик! Секс повсюду высовывает свою безобразную физиономию. Вы давно ее знаете?

— Ну, не то чтобы... э-э... я имею в виду... это просто девушка, которая обнаружила труп.

— Ага! И что же она сделала, обнаружив его?

— Завизжала.

— Великолепно, — ухмыльнулся полковник. — Она бросилась к вам, зарыдала у вас на плече и во всем призналась. Так?

— Не понимаю, о чем вы, — холодно произнес я. — Лучше взгляните на это. — Я протянул ему несколько полицейских фотографий.

— Кто это? — осведомился полковник Бек.

— Убитый.

— Десять против одного, что его прикончила та самая девушка, к которой вы питаете такой горячий интерес. Вообще, вся эта история внушает мне сомнения.

— Но вы ведь ее еще не слышали, — возразил я. — Я не успел вам рассказать.

— В этом нет надобности. — Полковник взмахнул сигарой. — Поезжайте на ваше дознание, мой мальчик, но остерегайтесь этой девушки. Кстати, ее имя тоже Диана, Артемида или еще какое-нибудь, имеющее отношение к луне и полумесяцу?

— Вовсе нет!

— Но не забывайте, могло быть и так.

Глава 14

РАССКАЗЫВАЕТ КОЛИН ЛЭМ

Прошло много времени с тех пор, как я в последний раз приходил в «Уайтхейвен-Мэншенс». Несколько лет назад это был единственный в районе большой дом с современными квартирами. Теперь по обе его стороны возвышались целые кварталы ультрасовременных зданий. Внутри недавно сделали ремонт, перекрасив стены в желтый и зеленый цвета. Поднявшись на лифте, я нажал кнопку звонка квартиры 203. Дверь открыл как всегда респектабельный Джордж. При виде меня на его лице появилась радушная улыбка.

— Мистер Колин! Давненько вы у нас не были!

— В самом деле. Как поживаете, Джордж?

— Благодарю вас, сэр, отлично.

— А как он? — спросил я, понизив голос.

Джордж также перешел на шепот, хотя в этом не было необходимости — наша беседа с самого начала велась в сдержанных тонах.

— По-моему, сэр, он часто пребывает в угнетенном состоянии.

Я сочувственно кивнул.

— Лучше войдите, сэр. — Джордж взял у меня шляпу.

— Пожалуйста, доложите обо мне как о мистере Колине Лэме.

— Хорошо, сэр. — Открыв дверь, Джордж громко возвестил: — Мистер Колин Лэм хочет видеть вас, сэр.

Он шагнул в сторону, пропуская меня, и я вошел в комнату.

Мой друг Эркюль Пуаро сидел у камина в большом прямоугольном кресле. Я заметил, что электрическая решетка была накалена докрасна. Было начало сентября, и погода стояла теплая, но Пуаро раньше других начинал ощущать осенние холода и всегда принимал меры предосторожности. По обе стороны от него на полу стояли аккуратные стопки книг. Книги громоздились и на столе слева от Пуаро. Справа, на подлокотнике кресла, стояла чашка, от которой исходил густой пар. Я подозревал, что это какой-то питательный отвар, большим поклонником которых был Пуаро. Он постоянно предлагал их мне, но они обладали едким запахом и отвратительным вкусом.

— Не вставайте! — воскликнул я, но Пуаро уже вскочил на ноги и бросился ко мне с распростертыми объятиями:

— Неужели это вы, мой друг? Мой юный друг Колин! Но почему вы называете себя Лэм? Дайте подумать... Есть какая-то пословица — что-то насчет барана в одежде ягненка[1]. Нет, не то... Так говорят о пожилых леди, старающихся выглядеть моложе своих лет. А, вспомнил! Вы волк в овечьей шкуре. Верно?

— Не совсем, — ответил я. — Просто я считаю, что при такой профессии было бы ошибкой называть свою фамилию, так как она сразу же напомнила бы о моем старике. Отсюда Лэм. Коротко, ясно и легко запоминается. Притом смею надеяться, что такая фамилия соответствует моим личным качествам.

— Ну, в этом я не уверен, — заметил Пуаро. — А как поживает ваш отец и мой старинный друг?

— Превосходно. Поглощен своими штокрозами... или нет, хризантемами. Время летит так быстро, что я даже не могу сообразить, какие цветы сейчас цветут.

— Следовательно, он занялся садоводством?

— Под старость как будто все начинают им заниматься.

— Только не я, — заявил Эркюль Пуаро. — Однажды я уже пробовал выращивать кабачки[2] — больше не рискну. Если вам нужны красивые цветы, почему бы не купить их в цветочном магазине? А я-то думал, что наш славный суперинтендант собирается писать мемуары.

— Он уже пробовал, — признался я, — но приходилось многое опускать, а все остальное показалось старику настолько тоскливым, что он решил отказаться от этой затеи.

— Да, приходится соблюдать осторожность, — вздохнул Пуаро. — Это весьма печально, потому что ваш отец мог бы поведать немало интересного. Я всегда восхищался им и его методами. Он действовал на редкость прямолинейно — расставлял ловушки настолько примитивные, что те, кого ему хотелось в них заманить, думали: «Это слишком примитивно — такого не может быть!» — и тут же попадались.

Я рассмеялся:

— Ну, в наши дни не принято, чтобы сыновья восхищались отцами. Большинство сыновей заправляют

---

[1] Л э м (Lamb) — ягненок *(англ.).*
[2] См. роман «Убийство Роджера Экройда».

ручку порцией яда и с удовольствием записывают все проступки отцов, какие только могут вспомнить. Но лично я глубоко уважаю своего старика и надеюсь стать таким, как он. Конечно, у меня несколько иная профессия...

— Но тем не менее близкая к отцовской, — заметил Пуаро. — Хотя вы всегда работаете за сценой, чего наш суперинтендант никогда не делал. — Он деликатно кашлянул. — Кажется, вас можно поздравить с успехом? Я имею в виду affaire[1] Ларкина.

— К сожалению, для должного завершения этого дела требуется куда больше, чем мне бы хотелось, — вздохнул я. — И вообще, я пришел к вам не обсуждать мои успехи.

— Ну разумеется! — воскликнул Пуаро. Он указал мне на стул и предложил отвар, от которого я тут же отказался.

К счастью, в этот момент вошел Джордж и поставил передо мной графин виски, стакан и сифон.

— А что вы поделываете в эти дни? — спросил я у Пуаро и добавил, бросив взгляд на скопище книг: — Как будто занимаетесь научной работой?

Пуаро тяжело вздохнул:

— Ну что ж, можно назвать и так. Да, в некотором роде это правда. Последнее время я испытывал острую нужду в деятельности — безразлично, какой именно. Совсем как славный Шерлок Холмс, выяснявший, на какую глубину петрушка погружается в масло. Дайте мне любую проблему! Мне нужно тренировать не мускулы, а клетки мозга.

— То есть поддерживать форму?

— Вот именно, — подтвердил Пуаро. — Но проблему, mon cher[2], не так-то легко найти. Правда, в прошлый четверг мне кое-что подвернулось. Необъяснимое появление трех кусков засохшей апельсиновой кожуры в моей подставке для зонта. Как они там оказались? Я никогда не ем апельсины, а Джордж ни за что не выбросил бы кожуру в такое неподходящее место. Столь же маловероятно, что-

---

[1] Дело (фр.).
[2] Мой дорогой (фр.).

бы ее принес какой-нибудь посетитель. Да, это была неплохая задачка.

— И вы ее решили?

— Да, решил, — ответил Пуаро, однако в его голосе было больше меланхолии, чем гордости. — Разгадка оказалась не слишком интересной. Произошла replacement[1] уборщицы, и новая, вопреки всем правилам, привела с собой своего ребенка. Конечно, это не звучит вдохновляюще, но все же я приложил немало усилий, чтобы распутать сеть лжи. Да, мой успех принес мне удовлетворение, но...

— Вы разочарованы, — подсказал я.

— Enfin[2], — подтвердил Пуаро. — Я скромен. Но ведь никто не станет разрезать рапирой тесемку на свертке.

Я кивнул с серьезным видом.

— Последнее время, — продолжал Пуаро, — я занимался чтением о давно происшедших событиях, тайна которых до сих пор не разгадана, и пытался найти свое решение.

— Вы имеете в виду дела Браво, Аделаиды Бартлетт и тому подобные?

— Вот именно. Но это довольно простые случаи. Не может быть никаких сомнений, по крайней мере для меня, в том, кто убил Чарлза Браво. Возможно, компаньонка и была замешана, но она, безусловно, не являлась непосредственным убийцей. Затем, дело этой несчастной девушки, Констанс Кент. Мотивы, побудившие ее задушить своего маленького брата, которого она, несомненно, любила, могли поставить в тупик кого угодно, но не меня. Как только я прочитал об этой истории, мне все стало ясно. Что же касается дела Лиззи Борден, то я уверен, что сразу бы его раскрыл, задав несколько вопросов людям, замешанным в эти события. Но боюсь, они успели умереть.

Я в который раз отметил про себя, что скромность не принадлежит к добродетелям моего друга.

— Как вы думаете, чем я занялся в дальнейшем? — осведомился Пуаро.

---

[1] Замена *(фр.)*.
[2] Вот именно *(фр.)*.

Я понимал, что ему уже давно не представлялось возможности поболтать от души и сейчас он наслаждается звуками своего голоса.

— От реальности я перешел к вымыслу. Как вы уже, наверное, заметили, вокруг меня лежат различные образцы криминального жанра в литературе. Начал я издалека. Это, — Пуаро указал на книгу, которую отложил, когда я вошел, — это, мой дорогой Колин, «Левенуортское дело»[1]. — Он протянул мне книгу.

— Да, далековато вы забрались, — заметил я. — Кажется, отец говорил, что читал этот роман в детстве. Я тоже его читал. Теперь он, наверное, выглядит старомодным.

— Что вы, он восхитителен, — возразил Пуаро. — Конечно, это мелодрама, но как здесь ощущается дух времени! А колоритные описания солнечной красоты Элинор и лунной красоты Мэри!

— Надо будет его перечитать, — сказал я. — А то я уже позабыл главы, где описываются эти девушки.

— А служанка Ханна — какой великолепный типаж! К тому же там отлично представлено психологическое раскрытие образа убийцы.

Я почувствовал, что попал на лекцию, и приготовился слушать.

— Теперь возьмем «Приключения Арсена Люпена»[2], — продолжал Пуаро. — Как фантастично, как нереально! И все же, сколько здесь силы, энергии, оптимизма! Несмотря на всю нелепость сюжета, в нем так и брызжет юмор!

Отложив «Арсена Люпена», Пуаро взял другую книгу:

— «Тайна желтой комнаты»[3]. Да, это настоящая классика! Одобряю ее с начала до конца. Какой изумительный логический подход! А ведь помню, многие критики находили здесь ошибки. Но они были не правы, мой славный Колин. Нет, нет! Возможно, кое-где автор хо-

---

[1] «Левенуортское дело» — роман американской писательницы Энн Кэтрин Грин (1846—1935).
[2] Арсен Люпен — герой произведений французского писателя Мориса Леблана (1864—1941), вор-джентльмен.
[3] «Тайна желтой комнаты» — роман французского писателя Гастона Леру (1868—1927).

дит по жердочке, но он знает меру, тщательно и хитроумно маскируя истину, которая должна выясниться в критический момент, на перекрестке трех коридоров. — Он с благоговением положил книгу на место. — Подлинный шедевр — и почти забыт в наши дни!

Перескочив лет двадцать, Пуаро перешел к произведениям более поздних авторов:

— Недавно я перечитал некоторые ранние опусы миссис Ариадны Оливер. Кстати, она моя приятельница и ваша, кажется, тоже. Должен заметить, что я не вполне одобряю ее сочинения. Их сюжеты весьма неправдоподобны. Совпадения эксплуатируются поистине нещадно. К тому же, будучи тогда молодой, она имела глупость сделать своего сыщика финном, безусловно ничего не зная ни о финнах, ни о Финляндии, кроме, может быть, музыки Сибелиуса. Все же иногда миссис Оливер делает проницательные выводы и за последние годы изучила многое, о чем раньше понятия не имела. Например, различные полицейские процедуры и типы огнестрельного оружия. Возможно, ей удалось раздобыть какого-нибудь стряпчего или адвоката, который объясняет ей юридические вопросы, в чем она всегда нуждалась.

Покончив с миссис Ариадной Оливер, Пуаро приступил к следующему автору:

— А вот мистер Сирил Куэйн[1]. О, это великий мастер алиби!

— Насколько мне помнится, он удручающе нудный писатель, — заметил я.

— Разумеется, в его книгах не происходит никаких бросающих в дрожь событий. Конечно, там имеется труп — иногда даже не один. Но в центре всегда находится алиби, расписания поездов, автобусные маршруты, схемы автомобильных дорог. Сознаюсь, что я нередко наслаждался тщательно разработанным и запутанным использованием алиби, стараясь разгадать замысел мистера Куэйна.

— Полагаю, вам всегда это удавалось? — осведомился я.

---

[1] С и р и л К у э й н и большинство упомянутых далее авторов — вымышленные.

— Не всегда, — честно признался Пуаро. — Нет, не всегда. Конечно, со временем понимаешь, что все его книги чудовищно однообразны, а алиби похожи друг на друга, если только вообще не одинаковы. Знаете, mon cher Колин, я иногда представляю себе этого Сирила Куэйна сидящим в своей комнате с трубкой в зубах (каким его всегда воспроизводят на фотографиях), окруженным справочниками «Эй-би-си», континентальными «Брэдшо»[1], проспектами авиалиний, всевозможными расписаниями вплоть до океанских лайнеров. Хорошо то, что в его романах всегда присутствует порядок и метод.

Отложив в сторону мистера Куэйна, Пуаро взял следующую книгу:

— А вот перед нами Гарри Грегсон, плодовитый автор триллеров. По-моему, он написал их не менее шестидесяти четырех. Мистер Грегсон — полная противоположность мистеру Куэйну. Если романы последнего не слишком богаты событиями, то в книгах Гарри Грегсона их чересчур много, причем неправдоподобных и путаных. Конечно, таким произведениям нельзя отказать в увлекательности. Это мелодрамы вперемешку с ужасами. Кровь, трупы, улики, кошмары нагромождаются в невероятном количестве. Все это не имеет ничего общего с настоящей жизнью. Как вы бы сказали, это не моя чашка чаю. Фактически мистер Грегсон вообще не чашка чаю, а, скорее, один из этих жутких американских коктейлей, ингредиенты которых крайне подозрительны.

Сделав паузу, чтобы перевести дыхание, Пуаро продолжил лекцию:

— Теперь перейдем к Америке. — Он взял книгу из левой стопки. — Например, Флоренс Элкс. Здесь налицо порядок и метод, конечно в сочетании с обилием ярких событий, но они не бессмысленны, а полны радости жизни. Флоренс Элкс — смышленая леди, но, как у большинства американских писателей, в ее книгах слишком много пьют. Как вам известно, mon ami[2], я знаток вин. Если в романе описывается кларет или бургундское, даже с датой

---

[1] «Э й-б и-с и», «Б р э д ш о» — английские железнодорожные справочники.

[2] Мой друг *(фр.)*.

сбора винограда и указанием срока выдержки, я всегда этим наслаждаюсь. Но точное количество ржаного виски или бурбона, поглощаемое на каждой странице сыщиком из американского криминального романа, меня совершенно не интересует. По-моему, ни в коей мере не влияет на развитие сюжета, выпил ли он пинту или полпинты виски. Тема выпивки стала в американских детективах навязчивой идеей, как голова короля Карла для бедного мистера Дика, когда он пробовал писать мемуары. От нее невозможно отделаться!

— А что вы скажете о «крутой» школе? — спросил я.

Пуаро отмахнулся от «крутой» школы, как от назойливой мухи или москита:

— Насилие ради насилия! Разве это может заинтересовать? Я достаточно насмотрелся на насилие в бытность полицейским офицером. С таким же успехом можно читать учебник по медицине. Tout de même[1] я высоко ставлю американскую детективную прозу. По-моему, она более изобретательна и богаче фантазией, чем английская. А по сравнению с французскими авторами у американских значительно меньше скучных описаний. Возьмем, к примеру, Луизу О'Мэлли. — Он извлек очередную книгу. — Вот настоящий образец «ученой» литературы, но как она захватывает читателя! Эти нью-йоркские здания из коричневого камня — никогда не мог понять, что это за коричневый камень. Дорогие апартаменты, напыщенные снобы — и за всем этим преступление плетет свои невидимые нити. Что же — так зачастую и происходит в действительности. Эта Луиза О'Мэлли не так уж плоха.

Со вздохом Пуаро откинулся на спинку кресла и допил свой отвар.

— А вот здесь мои старые любимцы. — Он снова потянулся за книгой и благоговейно прошептал: — «Приключения Шерлока Холмса». Maître![2]

— Шерлок Холмс? — спросил я.

— Ах, non, non[3], не Шерлок Холмс, а автор — сэр Артур Конан Дойл. Рассказы о Шерлоке Холмсе изоби-

---

[1] Тем не менее *(фр.)*.
[2] Мастер, учитель *(фр.)*.
[3] Нет, нет *(фр.)*.

луют натяжками, а иногда и ошибками. Другое дело — их литературные качества, великолепный язык. А доктор Ватсон — какой изумительный образ! Да, это подлинный триумф! — Пуаро вздохнул и задумчиво покачал головой. — Ce cher[1] Гастингс, — промолвил он, следуя естественному процессу ассоциативного мышления. — Мой друг Гастингс, о котором я вам так часто рассказывал. Уже давно я не имел от него известий. Какая абсурдная идея — похоронить себя в Южной Америке, где постоянно устраивают революции.

— Такое происходит не только в Южной Америке, — заметил я. — В наши дни революции устраивают по всему миру.

— Только давайте не будем дискутировать об атомной бомбе, — взмолился Пуаро. — Если она необходима, пускай себе существует, но не надо ее обсуждать.

— Разумеется. Я пришел поговорить совсем о другом.

— Ага! Вы собираетесь жениться, не так ли? Очень рад, mon cher!

— Чего ради это взбрело вам в голову, Пуаро? Я и не думал о женитьбе.

— Но ведь это случается каждый день, — заметил Пуаро.

— Возможно, — резко отозвался я, — но не со мной. А к вам я пришел рассказать об одной маленькой проблеме, с которой я недавно столкнулся. Она связана с убийством.

— В самом деле? Маленькая проблема, связанная с убийством? И вы пришли из-за нее ко мне? Почему?

— Ну... — Я смутился. — Мне казалось, что это доставит вам удовольствие.

Пуаро задумчиво посмотрел на меня, с любовью поглаживая усы.

— Хозяин часто играет с собакой, бросая ей мяч, — промолвил он. — Но и собака способна делать хозяину добро. Убивая крысу или кролика, пес кладет их к ногам хозяина. И знаете, что он при этом делает? Виляет хвостом.

Я невольно рассмеялся:

---

[1] Дорогой *(фр.)*.

— Значит, я виляю хвостом?

— По-моему, да, друг мой.

— Ладно, — согласился я. — Что же скажет хозяин? Захочет посмотреть на крысу и узнать о ней кое-что?

— Разумеется. Ведь это преступление, не так ли?

— Вся картина выглядит так, будто в ней нет никакого смысла.

— Это невозможно, — заявил Пуаро. — Смысл есть везде и во всем.

— Вот и постарайтесь его найти. Я не могу. Вообще-то история не имеет ко мне прямого отношения. Я впутался в нее случайно. Возможно, когда установят личность убитого, все окажется очень простым.

— В ваших словах полностью отсутствует порядок и метод, — строго заметил Пуаро. — Изложите все факты. Вы сказали, что это убийство?

— В этом нет никакого сомнения, — заверил я его. — Сейчас я вам все расскажу.

И я подробно описал ему события, происшедшие на Уилбрэхем-Крезент. Эркюль Пуаро слушал мое повествование откинувшись назад, закрыв глаза и постукивая указательным пальцем по подлокотнику кресла. Когда я закончил, он некоторое время хранил молчание, потом спросил, не открывая глаз:

— Sans blaque?[1]

— Ну разумеется, — ответил я.

— Epatant![2] — воскликнул Эркюль Пуаро и повторил по слогам, как бы смакуя: — E-pa-tant! — После этого он снова умолк, барабаня пальцем по креслу и покачивая головой.

— Итак, — осведомился я, потеряв терпение, — что вы об этом скажете?

— А что вы хотите, чтобы я сказал?

— Я хочу, чтобы вы преподнесли мне решение. Вы ведь всегда говорили, что вам достаточно немного подумать, откинувшись в кресле, чтобы найти разгадку, и что вам незачем допрашивать свидетелей и рыскать в поисках улик.

---

[1] Кроме шуток? *(фр.)*
[2] Замечательно! *(фр.)*

— Я и теперь это утверждаю.

— Тогда слово за вами. Я вручаю вам факты и жду ответа.

— Вот как? Но ведь это далеко не все факты, а только начало — верно, mon ami?

— Тем не менее я жду, чтобы вы мне хоть что-нибудь разъяснили.

— Вижу. — Пуаро немного подумал. — Для меня ясно только одно. Это, несомненно, очень простое преступление.

— Простое? — удивленно переспросил я.

— Вот именно.

— Но почему?

— Потому что оно выглядит как сложное. А если преступление выглядит сложным, то оно должно быть простым. Понимаете?

— Не совсем.

— Странно, — задумчиво произнес Пуаро. — В вашем рассказе мне почудилось что-то знакомое. Но что именно... — Он умолк.

— Ваша память наверняка хранит множество преступлений, — заметил я. — Но ведь не можете же вы помнить все.

— К сожалению, не могу, — согласился Пуаро. — Но иногда воспоминания приносят пользу. Например, как-то один льежский мыловар отравил свою жену, чтобы жениться на блондинке секретарше. У этого преступления был свой определенный стиль. Поэтому, когда гораздо позже черты этого стиля повторились, я их узнал. На сей раз это было дело о похищенном пекинесе[1], но стиль был тот же самый. Я обнаружил эквиваленты мыловара и блондинки секретарши — voilà![2] В вашем рассказе я тоже чувствую что-то знакомое.

— Часы? — с надеждой предположил я. — Фиктивный страховой агент?

— Нет, нет. — Пуаро покачал головой.

— Слепая женщина?

— Нет, нет, нет! Не сбивайте меня с толку!

---

[1] См. рассказ «Немейский лев» из сборника «Подвиги Геракла».
[2] Вот! (фр.)

— Вы разочаровали меня, Пуаро, — сказал я. — Ведь я надеялся, что вы сразу дадите мне ответ.

— Но, друг мой, пока что вы охарактеризовали мне только стиль преступления. Предстоит еще многое выяснить. По-видимому, личность жертвы будет установлена. С этим полиция отлично справляется. У них заведены досье на большинство преступников, они могут поместить в газеты фотографию убитого, в их распоряжении списки исчезнувших лиц, данные лабораторных исследований одежды мертвеца и так далее. У них сотни различных путей. Несомненно, труп вскоре будет опознан.

— Следовательно, в данный момент больше делать нечего. Вы это имеете в виду?

— Всегда есть что делать, — строго заметил Пуаро.

— А именно?

Пуаро многозначительно поднял палец.

— Поговорите с соседями, — посоветовал он.

— Это я уже сделал, — ответил я. — Когда Хардкасл их расспрашивал, я его сопровождал. Они не смогли сообщить ничего полезного.

— Это вы так думаете. Но уверяю вас, что такого не может быть. Вы приходили к соседям и спрашивали: «Не видели ли вы чего-нибудь подозрительного?» Они отвечали, что не видели, и вы на этом успокаивались. Но я имел в виду другое, предлагая вам побеседовать с соседями. Дайте им возможность поболтать с вами, и в их болтовне вы всегда обнаружите что-то ценное. Они могут говорить о своих садах, домашних животных, портных, парикмахерах, друзьях, любимых блюдах — и где-нибудь мелькнет фраза, проливающая свет на тайну. Вы сказали, что соседи не сообщили ничего полезного. Я же ответил вам, что этого не может быть. Если бы вы повторили мне их показания слово в слово...

— Это я как раз могу сделать. Я стенографировал допросы, играя роль помощника инспектора. Тексты у меня с собой — расшифрованные и отпечатанные.

— О, да вы просто молодчина! Вы поступили абсолютно правильно. Je vous remercie infiniment[1]. Вы в самом деле славный мальчик.

---

[1] Я вам бесконечно благодарен (фр.).

— У вас есть какие-нибудь предложения? — спросил я, смутившись от стольких похвал.

— У меня всегда есть предложения. Побеседуйте с этой девушкой. Вы ведь друзья, не так ли? Когда она в ужасе выбежала из дома, вы заключили ее в объятия?

— Вы впадаете в мелодраматический стиль, начитавшись Гарри Грегсона, — упрекнул я его.

— Возможно, вы правы, — согласился Пуаро. — Обычно стиль читаемых произведений весьма заразителен.

— Что касается девушки... — начал я и тут же остановился.

Пуаро вопросительно взглянул на меня:

— Да?

— Ну... мне бы не хотелось...

— Ах вот оно что! Значит, в закоулках вашего ума кроется мысль, что она каким-то образом связана с преступлением?

— Этого не может быть. Ведь то, что она там оказалась, чистая случайность.

— Нет, нет, mon ami, это не чистая случайность, и вы хорошо это знаете. Вы же сами сказали мне, что ее вызвали туда по телефону. Причем просили прислать именно эту девушку.

— Но она не знает, почему так произошло.

— Разве вы можете быть в этом уверены? Вполне вероятно, что она знает, но скрывает правду.

— Не думаю, — упрямо возразил я.

— Возможно, вам удастся выяснить это, разговаривая с ней, даже если ей в самом деле ничего не известно.

— Но я не понимаю, как... Ведь я едва с ней знаком.

Эркюль Пуаро снова закрыл глаза:

— На определенной стадии общения между лицами разного пола, даже ощущающими взаимную симпатию, это заявление может оказаться правдивым. Она привлекательная девушка?

— Ну... э-э... — замялся я. — Вообще-то да.

— Значит, так, — заговорил Пуаро тоном, не допускающим возражений. — Во-первых, вы побеседуете с ней. Во-вторых, вы под любым предлогом зайдете к этой слепой женщине и поговорите с ней также. В-третьих, вы пойдете в бюро «Кэвендиш», скажем с просьбой отпечатать какую-нибудь рукопись, и заведете друзей среди юных леди, которые там работают. Выполнив все это, вы снова явитесь ко мне и передадите все, что они вам скажут.

— Пощадите! — взмолился я.

— Никакой пощады, — отрезал Пуаро. — Тем более, что вам это доставит только удовольствие.

— Вы, кажется, не понимаете, что у меня есть работа.

— После такого развлечения вам будет легче работать, — заверил меня Пуаро.

Я встал и расхохотался:

— Вы прямо настоящий доктор. Какие у вас еще имеются мудрые советы? Что вы думаете о странной истории с часами?

Пуаро, успев снова откинуться в кресле и закрыть глаза, неожиданно продекламировал:

> И молвил Морж: «Пришла пора
> Подумать о делах,
> О башмаках и сургуче,
> Капусте, королях,
> И почему, как суп в котле,
> Кипит вода в морях»[1].

Он открыл глаза и кивнул:

— Поняли?

— Цитата из «Моржа и Плотника» — «Алиса в Зазеркалье»?

— Совершенно верно. И в данный момент это лучшее, что я могу вам предложить, mon cher. Поразмыслите над этим.

Глава 15

Дознание привлекло внимание многих. Потрясенные случившимся в их городе, жители Кроудина с надеждой ожидали сенсационных разоблачений. Процедура, однако, была сухой и малоинтересной. Шейле Уэбб было незачем бояться — испытание длилось всего пару минут.

---

[1] Перевод Д. Орловской.

Девушка рассказала о телефонном звонке в бюро «Кэвендиш», вызвавшем ее на Уилбрэхем-Крезент, 19. Она отправилась туда, войдя, как ей было велено, в гостиную. Обнаружив труп, она закричала и выбежала из дома, зовя на помощь. Показания Шейлы не требовали ни вопросов, ни уточнений. Мисс Мартиндейл справилась со своим сообщением за еще более короткий срок. Ей позвонила некто, назвавшаяся мисс Пебмарш, попросила прислать машинистку-стенографистку, желательно мисс Шейлу Уэбб, по адресу Уилбрэхем-Крезент, 19 и дала несколько дополнительных указаний. Мисс Мартиндейл записала точное время телефонного звонка — 13.49. На этом ее показания закончились.

Мисс Пебмарш, вызванная следующей, категорически отрицала, что просила в тот день прислать какую бы то ни было машинистку из бюро «Кэвендиш». Краткое, лишенное эмоций заявление детектива-инспектора Хардкасла заключалось в том, что он, получив сообщение по телефону, прибыл на Уилбрэхем-Крезент, 19, где обнаружил труп.

— Вы смогли установить личность убитого? — спросил его коронер.

— Еще нет, сэр. По этой причине прошу отложить дознание.

Далее шли медицинские показания, которые давал доктор Ригг, полицейский врач, рассказавший о приезде на место преступления и обследовании тела.

— Можете ли вы назвать приблизительное время наступления смерти, доктор?

— Я осматривал труп в половине четвертого. По-моему, смерть наступила между часом тридцатью и двумя тридцатью.

— А не могли бы вы определить время более точно?

— Я предпочел бы этого не делать. Пожалуй, наиболее вероятное время — два часа или чуть раньше, но следует принимать в расчет много дополнительных факторов: возраст, состояние здоровья и так далее.

— Вы произвели вскрытие?

— Да.

— Какова причина смерти?

— Этого человека закололи тонким острым орудием — чем-то вроде французского кухонного ножа с сужающимся к концу лезвием. Место удара... — Доктор объяснил в сугубо профессиональных терминах, каким образом нож достиг сердца.

— Смерть последовала мгновенно?

— По-видимому. Во всяком случае, максимум через несколько минут.

— И убитый не мог ни кричать, ни защищаться?

— При данных обстоятельствах, безусловно, не мог.

— Объясните, доктор, что вы имеете в виду.

— Я обследовал кое-какие органы и сделал соответствующие анализы. По-моему, в момент убийства он находился в коматозном состоянии, вызванном приемом наркотика.

— А вы можете сказать, какого именно наркотика?

— Да. Это был хлоралгидрат.

— Вам удалось выяснить, каким образом он был принят?

— Я бы сказал, в каком-то алкогольном напитке. Действие хлоралгидрата начинается очень быстро.

— В определенных кругах его, кажется, именуют «Мики Финн», — заметил коронер.

— Совершенно верно, — подтвердил доктор Ригг. — Убитый, ни о чем не подозревая, выпил предложенный напиток, через несколько минут почувствовал головокружение и потерял сознание.

— Значит, по-вашему, он был заколот в бессознательном состоянии?

— Таково мое мнение. Оно подтверждается отсутствием следов борьбы и спокойным выражением лица жертвы.

— Через сколько же времени после потери сознания он был убит?

— На этот вопрос я не могу дать точный ответ. Все опять-таки зависит от индивидуальной идиосинкразии жертвы. Он должен был прийти в себя не раньше чем через полчаса, а может быть, гораздо позже.

— Благодарю вас, доктор Ригг. У вас есть какие-нибудь данные о том, когда этот человек в последний раз принимал пищу?

— Он не ел во время ленча, если вы это имели в виду. Последний раз он сытно поел по крайней мере за четыре часа до смерти.

— Спасибо, доктор. Думаю, это все. — Коронер огляделся вокруг и заявил: — Дознание переносится на две недели, на двадцать восьмое сентября.

Процедура закончилась. Люди начали покидать зал суда. Эдна Брент, присутствовавшая здесь вместе с другими девушками из бюро «Кэвендиш», поколебалась, прежде чем выйти. Сегодня утром бюро не работало.

— Ну что же ты, Эдна? — обратилась к ней одна из сослуживиц, Морин Уэст. — Сходим на ленч в «Синюю птицу»? У нас уйма свободного времени — во всяком, случае у тебя.

— У меня времени ничуть не больше, чем у тебя, — обиженно отозвалась Эдна. — Рыжая Кошка сказала, чтобы я использовала для ленча первый перерыв. Вот зараза! А я-то надеялась на лишний свободный час для покупок.

— Это очень на нее похоже, — посочувствовала Морин. — Ну, ничего не поделаешь. Мы открываемся в два и к этому времени должны быть в бюро. Ты что, ищешь кого-то?

— Шейлу. Я не видела, как она выходила.

— Она ушла раньше, — объяснила Морин, — сразу после того, как дала показания. Пошла куда-то вместе с молодым джентльменом — не знаю, кто это. Ну как, ты идешь?

Эдна все еще нерешительно переминалась с ноги на ногу.

— Вы идите, — сказала она наконец, — а мне нужно кое-что купить.

Морин и остальные девушки вышли на улицу.

Эдна, набравшись смелости, обратилась к молодому белокурому полисмену, стоящему у входа:

— Могу я снова войти и поговорить с инспектором, который сегодня давал показания?

— С инспектором Хардкаслом?

— Да.

Полисмен заглянул в зал суда и увидел, что Хардкасл поглощен разговором с коронером и главным констеблем графства.

— Инспектор Хардкасл сейчас очень занят, мисс, — сказал он. — Зайдите в участок попозже или, если хотите, передайте через меня ваше сообщение. Это что-нибудь важное?

— О, вовсе нет, — ответила Эдна. — Просто мне непонятно, как то, что она сказала, может быть правдой. Ведь... — Девушка внезапно умолкла и пошла прочь.

Пройдя через рыночную площадь, Эдна свернула на Хай-стрит. Она шла, недоуменно нахмурив брови, и напряженно думала. В этом занятии Эдна никогда не была сильна. Чем больше она старалась привести в порядок свои мысли, тем сильнее запутывалась в них.

— Но ведь это не могло быть так, как она сказала, — произнесла девушка вслух.

Внезапно приняв какое-то решение, Эдна повернула на Олбени-роуд и двинулась в направлении Уилбрэхем-Крезент.

С того дня, как пресса сообщила об убийстве на Уилбрэхем-Крезент, 19, перед ставшим знаменитым домом целыми днями толпился народ. Удивительно, как при определенных обстоятельствах обычное сооружение из кирпичей и извести может внезапно стать притягательным в глазах публики. В течение первых суток дежурному полисмену пришлось применять силу, чтобы разгонять толпы любопытных. С тех пор интерес к месту преступления несколько упал, но не исчез вовсе. Водители фургонов, доставляющих продукты на дом, сбавляли скорость, проезжая мимо; матери с колясками останавливались минут на пять на противоположной стороне улицы, сосредоточенно изучая жилище мисс Пебмарш; женщины, бегавшие за покупками, застывали на этом месте как вкопанные и обменивались друг с другом очередными сплетнями.

— Это тот самый дом...

— Труп был в гостиной... По-моему, она слева от входа.

— А бакалейщик говорил, что справа.

— Ну, может, и справа. Я как-то была в доме 10 и точно помню, что там столовая справа, а гостиная слева...

— По внешнему виду не скажешь, что здесь произошло убийство...

— Девушка выбежала оттуда, вопя благим матом...

— Говорят, она с тех пор не в своем уме. Конечно, это страшное потрясение...

— Я слышала, что убийца влез через заднее окно. Он как раз укладывал в сумку серебро, когда вошла эта девушка и застала его там...

— А ведь хозяйка дома слепая, бедняжка. Конечно, она не могла видеть, что происходит...

— Но ее тогда не было дома...

— А я думала, что она сидела наверху и услышала шум... О Боже, я должна бежать в магазин!

Подобные разговоры почти непрерывно велись около дома 19. Место трагедии притягивало людей как магнит; все прохожие считали своим долгом остановиться и посмотреть на дом, после чего с удовлетворенным видом шли своей дорогой.

Здесь-то и очутилась все еще напряженно думающая Эдна Брент. Напротив стояла небольшая группа из пятишести человек, проводивших время в приятном созерцании места преступления.

Подчиняясь стадному инстинкту, Эдна тоже остановилась.

— Итак, это произошло здесь! А выглядит дом так мирно, на окнах чистые занавески. И все же в нем убили человека. Закололи обычным кухонным ножом, какой есть почти у всех...

Загипнотизированная окружающей обстановкой, Эдна уставилась на дом, прервав свои размышления.

Она почти забыла, что привело ее сюда.

Услышав голос, обращавшийся к ней, Эдна вздрогнула от неожиданности. Обернувшись, она с удивлением узнала...

Глава 16

РАССКАЗЫВАЕТ КОЛИН ЛЭМ

Я заметил, что Шейла Уэбб потихоньку выскользнула из зала суда. Девушка очень толково давала показания. Выглядела она взволнованной, что было вполне естественно, но отнюдь не чрезмерно взволнованной.

(Я представил себе, как Бек скептически произносит: «Да, неплохая актриса».)

С удивлением выслушав показания доктора Ригга (Дик Хардкасл ничего не рассказывал мне о хлоралгидрате, хотя наверняка знал об этом), я вышел вслед за Шейлой.

— Как видите, процедура оказалась не такой уж страшной, — сказал я, догнав ее.

— Да, в самом деле. Все прошло спокойно. Коронер был очень любезен. — Поколебавшись, Шейла спросила: — А что было потом?

— Коронер отложил дознание на две недели, надеясь, что за это время установят личность убитого.

— Думаете, полиции это удастся?

— Безусловно, — заверил я ее. — В этом нет никакого сомнения.

Шейла поежилась:

— Сегодня холодно.

Мне, напротив, казалось, что день довольно теплый, но я не стал спорить.

— Как насчет ленча? — предложил я. — Ведь вам не нужно возвращаться в ваше бюро?

— Нет. Оно закрыто до двух.

— Тогда пошли. Как вы относитесь к китайской кухне? Я заметил поблизости небольшой китайский ресторанчик.

Шейла выглядела нерешительной:

— Вообще-то я собиралась кое-что купить.

— Еще успеете.

— Вряд ли. Во многих магазинах перерыв с часу до двух.

— Хорошо, давайте встретимся здесь через полчаса.

Девушка кивнула.

Я пошел на пляж и сел под тентом. С моря дул ветер. Мне хотелось подумать. Конечно, любого приводит в бешенство, когда другие знают о нем больше, чем он сам. Но старина Бек, Эркюль Пуаро и Дик Хардкасл сразу поняли то, в чем я наконец решил признаться себе.

Я влюбился в Шейлу Уэбб — влюбился так, как еще никогда не влюблялся ни в одну девушку. Причиной являлась не ее красота или сексапильность — она была хорошенькой, но не более. Таких я не раз встречал и раньше. Просто я с первого взгляда понял, что эта девушка предназначена для меня. А ведь я практически ничего о ней не знал!

Только в начале третьего я пришел к Дику в участок. Я застал его сидящим за столом и копающимся в бумагах. Увидев меня, он спросил, как мне понравилось дознание.

— По-моему, это был отлично поставленный, вполне джентльменский спектакль. У нас в стране умеют проделывать такие вещи.

— А что ты думаешь о показаниях врача?

— Они меня ошарашили. Почему ты не рассказал мне об этом?

— Ты тогда был в Лондоне. Кстати, ты проконсультировался у своего специалиста?

— Да.

— Я его представляю себе довольно смутно. Помню только, что у него большие усы.

— Огромные, — подтвердил я, — и он страшно ими гордится.

— Должно быть, он уже очень стар.

— Стар, но отнюдь не впал в маразм.

— Зачем тебе понадобилось к нему ходить? Неужели только из дружеских чувств?

— У тебя типично полицейский ум. Ты во всем ищешь подвох. Да, в основном из дружеских чувств. Но признаюсь, меня интересовало, что он скажет об этой странной истории. Пуаро всегда хвастался, что может распутать дело сидя в кресле, соединив кончики пальцев, закрыв глаза и как следует подумав. Мне хотелось поймать его на слове.

— Ну и он проделал для тебя этот фокус?

— Да.

— И что же он сказал? — допытывался Дик.

— Он сказал, — ответил я, — что это, несомненно, очень простое дело.

— Простое?! — воскликнул Хардкасл. — Но почему?

— Насколько я мог понять, потому что оно выглядит сложным.

Хардкасл покачал головой:

— Не понимаю! Это напоминает мне афоризмы, которыми щеголяют нынешние молодые умники в Челси, но для меня это уж слишком умно. И это все?

— Ну, Пуаро советовал мне поговорить с соседями. Я заверил его, что мы это уже сделали.

— Теперь, учитывая медицинские свидетельства, показания соседей становятся еще важнее. Предположим, ему дали наркотик где-то в другом месте и потом принесли его в дом 19, чтобы там убить?

В этих словах мне послышалось нечто знакомое.

— Что-то в таком роде сказала миссис... как ее... ну, та, у которой полно кошек. Тогда мне это показалось весьма интересным замечанием.

— Черт бы побрал этих кошек! — содрогнувшись, воскликнул Дик. — Между прочим, вчера мы нашли оружие.

— Неужели? Где именно?

— Как раз в саду с кошками. По-видимому, убийца подбросил его туда после преступления.

— Полагаю, на нем не было отпечатков пальцев?

— Нет, его тщательно вытерли. Это просто чей-то кухонный нож, который недавно наточили.

— Значит, ты считаешь, что после того, как убитому дали наркотик, его доставили в дом 19. Каким же образом? В машине?

— Или перенесли из соседнего дома, чей сад граничит с домом 19.

— Мне это кажется довольно рискованным.

— Конечно, это требует смелости, — согласился Хардкасл, — и внимательного изучения распорядка дня соседей. Но более вероятно, что его привезли в машине.

— Это тоже рискованно. Автомобиль могли заметить.

— Однако не заметили. Но убийца, конечно, не мог на это рассчитывать. Любой прохожий был в состоянии обратить внимание на машину, припаркованную в тот день у дома 19.

— Не обязательно, — возразил я. — Автомобилей всюду полно. Разве только он был каким-то необычным. Но в этом я сомневаюсь.

— К тому же тогда было время ленча. Вообще, теперь снова приходится включить мисс Пебмарш в число подозреваемых. Кажется невозможным, чтобы слепая женщина зарезала здорового мужчину, но если он был в обмороке...

— Иными словами, он «пришел туда, чтобы его убили», как предположила наша миссис Хемминг. Ничего не подозревающий человек явился в дом 19, выпил предложенный шерри или коктейль, «Мики Финн» подействовал, и мисс Пебмарш прикончила его. Потом она вымыла стакан, где был наркотик, аккуратно уложила труп на пол, выбросила нож в соседний сад и ушла из дому как ни в чем не бывало.

— Позвонив по дороге в секретарское бюро «Кэвендиш».

— Да, но зачем ей понадобилось звонить туда и вызывать именно Шейлу Уэбб?

— Хотел бы я знать. — Хардкасл поглядел на меня: — А самой девушке это не известно?

— Она говорит, что нет.

— «Говорит, что нет»! — передразнил меня Хардкасл. — А ты-то что об этом думаешь?

Я ответил не сразу. В самом деле, что я об этом думаю? Мне было необходимо избрать дальнейший образ действий. Правда все равно выяснится рано или поздно, так что, если Шейла не виновна, это не причинит ей вреда.

Вынув из кармана почтовую открытку, я протянул ее Хардкаслу:

— Шейла получила это по почте.

Хардкасл начал разглядывать открытку. На ней было изображено здание Центрального уголовного суда в Лондоне. На другой стороне был аккуратно напечатан адрес: «Мисс Р.Ш. Уэбб, Сассекс, Кроудин, Палмерстон-роуд, 14». Слева виднелось только одно слово «Помни!», также отпечатанное на машинке, а под ним цифры «4.13».

— Четыре тринадцать, — задумчиво произнес Хардкасл. — Именно это время показывали в тот день часы в гостиной. Это, безусловно, что-то означает.

— Шейла говорит, что не понимает, в чем тут дело. И я ей верю.

Хардкасл кивнул:

— Оставлю открытку у себя. Постараемся хоть что-то из нее выжать.

— Надеюсь, тебе это удастся.

Последовала неловкая пауза. Чтобы прервать ее, я спросил:

— Что у тебя на столе за куча макулатуры?

— Так, ерунда. Почти ничего интересного. Убитого нет в картотеке преступников, его отпечатки пальцев не зарегистрированы. Весь этот хлам — письма от людей, которые утверждают, что узнали его.

Хардкасл начал читать:

— «Дорогой, сэр! Я почти уверена, что на фотографии, помещенной в газете, изображен человек, который на днях сел в поезд на разъезде Уилсден. Он что-то бормотал себе под нос и выглядел возбужденным и взволнованным. Когда я его увидела, то сразу подумала: «Тут что-то неладно!»

«Дорогой сэр! Мне кажется, что этот человек очень напоминает кузена моего мужа. Джон был в Южной Африке, но, возможно, уже вернулся. Когда он уехал, у него были усы, но он мог их сбрить».

«Дорогой сэр! Вчера вечером я видела этого человека в метро. Мне сразу показалось, что в нем есть что-то странное».

И разумеется, многие женщины узнали на фотографии своих мужей. Можно подумать, будто они не знают, как выглядят их благоверные! Есть и письма от матерей, узнавших на снимке сыновей, которых не видели лет двадцать. А вот список исчезнувших лиц. В нем также нет ничего обнадеживающего. «Джордж Барлоу, шестьдесят пять лет, ушел из дому и не вернулся. Жена думает, что он мог потерять память». А внизу примечание: «Задолжал много денег. Был замечен в обществе рыжей вдовушки. Почти наверняка сбежал». Вот еще один. «Профессор Харгрейвс собирался читать лекцию в прошлый четверг. Не явился и не прислал ни слова извинения».

Хардкасл, по-видимому, не воспринимал всерьез исчезновение профессора Харгрейвса.

— Просто он думал, что лекция уже состоялась неделю назад или состоится на будущей неделе. А может быть, забыл сообщить экономке, куда идет. У нас немало подобных случаев.

На столе Хардкасла зазвонил телефон. Он поднял трубку:

— Да?.. Что?! Кто ее нашел?.. Она назвала свое имя?.. Понятно. Действуйте. — Дик положил трубку. Выражение его лица резко изменилось, став суровым — почти мстительным. — В телефонной будке на Уилбрэхем-Крезент найдена мертвая девушка, — сообщил он.

— Мертвая? — Я уставился на него. — Отчего она умерла?

— Задушена собственным шарфом.

Внезапно кровь похолодела у меня в жилах.

— Кто эта девушка? Это не...

Хардкасл устремил на меня холодный, испытующий взгляд, который мне не слишком понравился.

— Не твоя приятельница, если ты этого опасался, — ответил он. — Констебль, кажется, знает, кто она. Он говорит, что эта девушка работала в том же бюро, что и Шейла Уэбб. Ее звали Эдна Брент.

— Кто ее нашел? Констебль?

— Нет, мисс Уотерхаус, которая живет в доме 18. Она вроде бы вышла позвонить из автомата, так как ее телефон испортился, и обнаружила в будке скорчившийся труп девушки.

Дверь открылась, и полисмен доложил:

— Доктор Ригг звонил, что выезжает, сэр. Он встретится с вами на Уилбрэхем-Крезент.

Глава 17

Спустя полтора часа детектив-инспектор Хардкасл снова сидел за своим столом, подкрепляясь положенной чашкой чаю. Лицо его все еще хранило мрачное и сердитое выражение.

— Простите, сэр, Пирс хотел бы поговорить с вами.

Хардкасл вздрогнул:

— Пирс? Хорошо, пришлите его ко мне.

Вошел Пирс. Молодой констебль явно был взволнован.

— Извините, что помешал вам, сэр, но мне кажется, я должен об этом рассказать.

— О чем?

— Это произошло после дознания, сэр. Я дежурил у дверей. Девушка, которую убили... она заговорила со мной.

— Вот как? И что же она сказала?

— Она хотела повидать вас, сэр.

Хардкасл приподнялся, внезапно насторожившись:

— Повидать меня? Она объяснила зачем?

— Не совсем, сэр. Я предложил ей передать сообщение через меня или подойти в участок попозже. Видите ли, вы были очень заняты с главным констеблем и коронером, поэтому я подумал...

— Черт! — сквозь зубы выругался Хардкасл. — Неужели вы не могли попросить ее подождать, пока я освобожусь?

— Простите, сэр. — Молодой человек густо покраснел. — Если бы я знал, что она хочет сообщить что-то важное, я бы так и сделал. Но, по-моему, сама девушка не считала это важным. Она просто сказала, что ее что-то беспокоит.

— Беспокоит? — переспросил Хардкасл.

Несколько секунд он молчал, сопоставляя в уме определенные факты. Эдна Брент была той девушкой, мимо которой он прошел на улице, направляясь в дом миссис Лотон. Она приходила повидать Шейлу Уэбб, узнала инспектора и на секунду заколебалась, как будто решая, остановить его или нет. Девушка, несомненно, хотела что-то ему рассказать. Да, он совершил ошибку. Поглощенный стремлением узнать побольше о происхождении Шейлы Уэбб, он упустил важный момент. Эдна была чем-то обеспокоена. Чем же? Теперь он, пожалуй, никогда этого не узнает.

— Продолжайте, Пирс, — вздохнул Хардкасл. — Расскажите все, что сможете вспомнить о вашем разговоре. — Так как инспектор был справедливым человеком, он счел нужным добавить: — Вы же не могли знать, что это так важно.

Хардкасл не собирался вымещать гнев и раздражение на этом парне. Ведь не мог он в самом деле знать, что это имеет такое большое значение. В обязанности констебля входило поддерживать дисциплину, следить, чтобы его начальников беспокоили только в положенное время и в положенном месте. Если бы девушка сказала, что дело срочное, тогда другой вопрос. Но, вспоминая первую встречу с Эдной Брент в бюро, инспектор не сомневался, что она этого не сделала. Девушка, безусловно, была тугодумом и, по-видимому, с недоверием относилась к своим умственным способностям.

— Можете ли вы точно вспомнить, Пирс, как происходила ваша беседа и что именно она вам сказала? — спросил инспектор.

Во взгляде Пирса светилась горячая благодарность.

— Ну, сэр, она подошла ко мне, когда все уже ушли, поколебалась немного, оглядываясь вокруг и словно кого-то разыскивая. По-моему, не вас, сэр, а кого-то другого. Потом она спросила, можно ли ей поговорить с полицейским офицером, который давал показания. Так как вы были заняты с главным констеблем, я предложил ей передать сообщение через меня или встретиться с вами позже. Кажется, она сказала, что так и сделает. Я спросил, хочет ли она сообщить что-то важное...

— Ну? — Хардкасл склонился вперед.

— Девушка ответила, что нет, что просто не понимает, каким образом это могло произойти так, как она говорила.

— Значит, мисс Брент не понимала, как могло произойти то, что говорила какая-то «она»? — переспросил Хардкасл.

— Совершенно верно, сэр. Конечно, я не помню слово в слово. Возможно, фраза звучала так: «Не понимаю, как то, что она сказала, может быть правдой». Девушка стояла, нахмурив брови и как будто о чем-то думая. Но когда я задал ей вопрос, она ответила, что это не важно.

«Не важно»! А через некоторое время ее нашли задушенной в телефонной будке...

— Был кто-нибудь рядом с вами во время вашего разговора? — спросил инспектор.

— Ну, в это время из зала выходило много народу, сэр. На дознание пришла куча людей. Из-за убийства и так поднялся переполох, а пресса только подлила масла в огонь.

— Но может быть, вы припомните хотя бы, кто из людей, дававших показания, находился тогда рядом с вами?

— Боюсь, что я никого не запомнил, сэр.

— Ладно, — вздохнул Хардкасл. — На нет суда нет. И все-таки, Пирс, если вы вспомните что-нибудь еще, сразу же сообщите мне.

Оставшись один, инспектор не без труда справился с охватившей его злостью на самого себя. Ведь эта несчастная робкая девушка что-то знала — а если не знала, то видела или слышала. Что-то ее беспокоило, и после дознания это беспокойство усилилось. Что же это было? Какая-то деталь в показаниях — возможно, в показаниях Шейлы Уэбб? Ведь Эдна два дня назад приходила к Шейле домой, хотя свободно могла побеседовать с ней в бюро. Почему же она хотела повидать Шейлу наедине? Быть может, Эдна знала о Шейле Уэбб нечто, приводившее ее в недоумение, и она решила потребовать у Шейлы объяснений — причем с глазу на глаз, а не при других девушках? Похоже, так оно и было.

Отпустив Пирса, инспектор дал несколько указаний сержанту Крею.

— Как вы думаете, зачем девушка пошла на Уилбрэхем-Крезент? — спросил его сержант.

— Меня самого это интересует, — ответил Хардкасл. — Возможно, она просто страдала от любопытства и хотела посмотреть на место трагедии. В этом нет ничего необычного — половина Кроудина испытывает такие же чувства.

— Еще бы, — ухмыльнулся сержант Крей.

— С другой стороны, — медленно произнес Хардкасл, — она могла пойти туда, чтобы повидать кого-то, кто там живет.

Когда сержант ушел, инспектор записал у себя в блокноте три номера домов — 20, 19 и 18, поставив напротив каждого вопросительный знак. Затем он добавил фамилии жильцов — Хемминг, Пебмарш, Уотерхаус. Дома 61, 62 и 63, находящиеся с наружной стороны полумесяца, в перечень не вошли, так как Эдне Брент, чтобы посетить один из них, было незачем идти по внутренней стороне.

Хардкасл принялся за изучение трех возможных объектов визита.

Начал он с дома 20. Нож, послуживший орудием этого загадочного убийства, был найден в саду этого дома. Конечно, казалось более вероятным, что его подбросили туда из сада дома 19, но нельзя поручиться, что это произошло именно так. Вполне возможно, что его швырнула в кусты сама хозяйка «Дайаны-Лодж». Когда миссис Хемминг сообщили о находке, ее единственной реакцией было восклицание: «Какое безобразие — бросать этот ужасный нож прямо в моих кошечек!» Могла ли миссис Хемминг каким-то образом быть связанной с Эдной Брент? «Нет», — решил инспектор и перешел к мисс Пебмарш.

Пришла ли Эдна Брент на Уилбрэхем-Крезент с целью повидать мисс Пебмарш? Последняя давала показания на дознании. Быть может, что-то в этих показаниях вызвало у Эдны недоверие? Но ведь девушка была чем-то обеспокоена и до дознания. Возможно, она что-то знала о мисс Пебмарш — например, что между ней и Шейлой Уэбб существовала какая-то связь? В таком случае становятся понятными слова Эдны, обращенные к Пирсу: «То, что она сказала, не может быть правдой».

«Предположения — всюду предположения», — сердито подумал инспектор.

Наконец, дом 18. Мисс Уотерхаус обнаружила тело Эдны. Хардкасл испытывал профессиональное предубеждение против тех, кто находит трупы. Обнаружение трупа избавляет убийцу от многих трудностей — устройства алиби, уничтожения отпечатков пальцев. Правда, есть одна оговорка: у нашедшего труп преступника не должно иметься очевидного мотива. Не было его и у мисс Уотерхаус. Казалось, ей совершенно незачем убирать с дороги бедную Эдну Брент. Мисс Уотерхаус не давала показаний на дознании, хотя, конечно, могла там присутствовать. Может быть, у Эдны имелись какие-то причины считать, что это мисс Уотерхаус, выдавая себя за мисс Пебмарш, позвонила в бюро и попросила прислать машинистку-стенографистку в дом 19?

Еще одно предположение...

Конечно, остается сама Шейла Уэбб...

Хардкасл поднял телефонную трубку и позвонил в отель, где остановился Колин Лэм. Вскоре тот подошел к телефону.

— Алло, это Хардкасл. Слушай, в какое время ты закусывал сегодня с Шейлой Уэбб?

Ответу предшествовала пауза.

— А как ты узнал, что мы вместе закусывали?

— Просто догадался. Но ведь так и было?

— Я что, не могу сходить с ней на ленч?

— Разумеется, можешь. Просто я хочу уточнить время. Вы пошли на ленч сразу после дознания?

— Нет. Ей нужно было сделать кое-какие покупки. Мы встретились в китайском ресторанчике на Маркетстрит в час дня.

— Понятно.

Хардкасл взглянул на часы. Эдна Брент умерла между половиной первого и часом.

— Хочешь узнать, что мы ели?

— Ну-ну, не злись. Меня интересовало только время.

— В таком случае теперь ты его знаешь.

Снова последовала пауза. Ее нарушил Хардкасл, стараясь ослабить напряжение:

— Если ты ничем не занят сегодня вечером...

— Я уезжаю, — прервал его Колин. — Как раз складываю вещи. В отеле меня ждала телеграмма. Я должен ехать за границу.

— А когда ты вернешься?

— Откуда я знаю? Самое раннее — через неделю, возможно, через месяц или еще позже, а может, и вовсе никогда.

— У тебя неприятности?

— Не уверен, — ответил Колин и положил трубку.

Глава 18

1

Хардкасл прибыл на Улибрэхем-Крезент, 19 как раз в тот момент, когда мисс Пебмарш выходила из дома.

— Уделите мне минуту, мисс Пебмарш.

— О... это детектив-инспектор Хардкасл?

— Да. Могу я поговорить с вами?

— Мне был не хотелось опоздать в институт. Это займет много времени?

— Не более трех-четырех минут, уверяю вас.

Мисс Пебмарш вернулась в дом, инспектор последовал за ней.

— Вы слышали, что произошло сегодня? — спросил он.

— Случилось что-то еще?

— Я думал, вы уже знаете. У телефонной будки на этой улице убили девушку.

— Убили? Когда?

— Два и три четверти часа назад. — Хардкасл взглянул на высокие напольные часы.

— Я ничего об этом не слышала, — сказала мисс Пебмарш. В ее голосе звучали сердитые нотки, — видимо, она досадовала, что не могла ничего замечать вокруг себя. — А что это за девушка?

— Ее звали Эдна Брент — она работала в секретарском бюро «Кэвендиш».

— Еще одна девушка из этого бюро! Ее тоже вызвали по телефону, как эту Шейлу... как ее?

— Не думаю, — ответил инспектор. — Она не приходила повидать вас?

— Сюда? Разумеется, нет.

— А если бы она пришла к вам, то застала бы вас?

— Не уверена. Когда, говорите, это было?

— Приблизительно в половине первого или немного позже.

— Да, в это время я была дома, — кивнула мисс Пебмарш.

— Куда вы пошли после дознания?

— Прямо домой. — Помолчав, она спросила: — А почему вы думаете, что эта девушка могла прийти ко мне?

— Ну, утром она была на дознании, видела вас там, и, вероятно, у нее имелась какая-то причина для прихода на Уилбрэхем-Крезент. Насколько нам известно, она не была знакома ни с кем из живущих на этой улице.

— Но зачем ей приходить ко мне только потому, что она видела меня на дознании?

— Ну... — Инспектор улыбнулся и, поняв, что это останется незамеченным мисс Пебмарш, постарался говорить как можно более беспечным тоном: — Кто знает этих девушек? Может, ей просто хотелось взять у вас автограф.

— «Автограф»! — насмешливо повторила мисс Пебмарш. — Хотя, возможно, вы правы — такое нередко бывает. Тем не менее уверяю вас, инспектор Хардкасл, что ничего подобного не произошло. Никто не приходил сюда после того, как я вернулась с дознания.

— Ну, благодарю вас, мисс Пебмарш. Мы просто решили, что лучше проверить каждую возможность.

— Сколько ей было лет? — неожиданно спросила женщина.

— По-моему, девятнадцать.

— Девятнадцать? Совсем молоденькая... — Ее голос слегка дрогнул. — Бедное дитя. У кого могла подняться рука на такую девочку?

— Всякое случается, — вздохнул Хардкасл.

— Она была привлекательной? — допытывалась мисс Пебмарш.

— Нет, — ответил инспектор. — Мне кажется, она только старалась быть такой.

— Значит, причина в другом. — Мисс Пебмарш покачала головой. — Мне очень жаль, инспектор Хардкасл, что я не в состоянии вам помочь.

Простившись, Хардкасл вышел из дома. Мисс Пебмарш, как и в прошлый раз, произвела на него большое впечатление.

2

Мисс Уотерхаус также оказалась дома.

— А, это вы, — недовольно промолвила она, открыв дверь. — Право, я уже рассказала вашим людям все, что знаю.

— Уверен, что вы ответили на все вопросы, — отозвался Хардкасл. — Но ведь невозможно спросить обо всем за один раз. Нам нужно выяснить еще некоторые детали.

— Не понимаю какие. Вообще, вся эта история была для меня страшным потрясением, — заявила мисс Уотерхаус, осуждающе глядя на посетителя, как будто он был в этом повинен. — Входите. Не можете же вы целый день стоять на пороге. Садитесь и задавайте любые вопросы. Хотя не могу взять в толк, что еще вы хотите знать. Как я уже говорила, я вышла позвонить по телефону, открыла дверь будки и увидела там девушку. Никогда в жизни я не была так напугана! Я тут же позвала констебля, а потом вернулась домой и приняла лечебную дозу бренди. Лечебную! — подчеркнула она.

— Вы действовали очень разумно, мадам, — похвалил инспектор.

— Вот и все, — закончила мисс Уотерхаус.

— Вы абсолютно уверены, что никогда не видели эту девушку раньше?

— Может быть, я видела ее сто раз, но не запомнила. Конечно, она могла обслуживать меня в магазине Вулворта, сидеть рядом со мной в автобусе или продавать мне билет в кино.

— Она работала машинисткой-стенографисткой в бюро «Кэвендиш».

— Не думаю, чтобы я когда-нибудь пользовалась услугами машинистки-стенографистки. Может быть, она работала в конторе моего брата Гейнсфорда? Вы к этому клоните?

— Нет, нет, — ответил Хардкасл. — Такой связи пока не обнаружено. Просто меня интересует, не приходила ли она повидать вас сегодня утром, перед смертью.

— Повидать меня? Конечно нет! Чего ради ей это делать?

— Ну, этого мы не знаем, — сказал Хардкасл. — Следовательно, если кто-то видел, как она утром входила к вам во двор, он ошибся? — Инспектор с простодушным видом наблюдал за собеседницей.

— Кто-то видел, как она входила ко мне во двор? Чепуха! — заявила мисс Уотерхаус. — По крайней мере... — Она не окончила фразу.

— Да? — подсказал Хардкасл, насторожившись, но не подавая виду.

— Ну, я подумала, что она могла войти во двор и положить в почтовый ящик какой-нибудь листок. Сегодня я нашла один такой перед ленчем. Кажется, объявление о собрании по поводу ядерного разоружения. Нам их каждый день подсовывают. Но даже если так, я в этом не виновата.

— Разумеется. Теперь относительно вашего телефонного разговора. Вы утверждаете, что у вас не работал телефон. А на телефонной станции это отрицают.

— Они вам наговорят с три короба! Я набирала номер, но слышала только какие-то непонятные звуки, поэтому и пошла звонить из автомата.

Хардкасл поднялся:

— Простите, что побеспокоил вас, мисс Уотерхаус, но возникло предположение, что девушка приходила к кому-то, проживающему на Уилбрэхем-Крезент неподалеку от вашего дома.

— И поэтому вы должны расспрашивать всю улицу? — фыркнула мисс Уотерхаус. — По-моему, она, вероятнее всего, приходила в соседний дом — к мисс Пебмарш.

— Почему вам так кажется?

— Вы ведь сказали, что девушка работала машинисткой-стенографисткой в бюро «Кэвендиш». А мне говорили, что мисс Пебмарш в тот день, когда у нее нашли убитого, вызывала к себе машинистку.

— Такая версия была, но мисс Пебмарш это отрицает.

— Ну, если хотите знать мое мнение, то мисс Пебмарш немного не в своем уме. Может, она позвонила в бюро и попросила прислать машинистку, а потом об этом забыла.

— Но вы ведь не думаете, что она совершила убийство?

— Конечно нет. Я знаю, что в доме мисс Пебмарш убили человека, но никогда не считала, что она к этому причастна. Просто мне кажется, что у нее может быть какая-то навязчивая идея. Как-то я знала женщину, которая постоянно звонила в кондитерские и заказывала дюжину меренг, а когда ей их приносили, то заявляла, что ничего не просила. Вот так.

— Разумеется, все может быть, — согласился Хардкасл. Простившись с хозяйкой, он вышел из дома.

«Едва ли она искренне верит в свое последнее предположение, — думал он. — С другой стороны, если мисс Уотерхаус так легко поверила, что кто-то видел, как девушка входила к ней во двор, то, возможно, так оно и было. В таком случае версия, будто Эдна шла в дом 19, была ловкой выдумкой».

Взглянув на часы, Хардкасл решил, что у него еще есть время попытать счастья в секретарском бюро «Кэвендиш». Инспектор знал, что сегодня оно открылось в два. Может быть, ему удастся выяснить что-нибудь полезное у машинисток и заодно побеседовать с мисс Уэбб.

3

Одна из девушек поднялась ему навстречу:

— Детектив-инспектор Хардкасл? Мисс Мартиндейл вас ожидает.

Она проводила инспектора в кабинет, где на него сразу же набросилась мисс Мартиндейл:

— Это позор, инспектор Хардкасл, стыд и позор! Вы должны наконец разобраться в этом деле! Причем не теряя времени и не мешкая. Задача полиции — защищать людей от преступников, и я требую защиты для своих служащих!

— Уверяю вас, мисс Мартиндейл, что...

— Надеюсь, вы не станете отрицать, что пострадали уже две мои девушки? Совершенно ясно, что это дело рук какого-то сумасшедшего, который помешался — или, как теперь говорят, у которого комплекс — на почве машинисток-стенографисток и секретарских бюро. Сначала этот бессовестный трюк с вызовом Шейлы Уэбб в дом с мертвым телом — нервную девушку так можно довести до безумия, — а теперь убийство Эдны Брент. Славную, безобидную девочку прикончили в телефонной будке! Вы должны в этом разобраться, инспектор!

— Именно это я и хочу сделать, мисс Мартиндейл. Поэтому я и пришел к вам узнать, не можете ли вы чем-нибудь мне помочь.

— Помочь! Чем? Неужели вы думаете, что если бы я что-то знала, то не побежала бы к вам сама? Вы должны выяснить, кто убил бедняжку Эдну и втянул Шейлу в эту безобразную историю! Конечно, я строго обращаюсь с моими девушками — не позволяю им бездельничать, опаздывать или расхаживать небрежно одетыми. Но я не желаю, чтобы их обманывали и убивали. Я намерена защищать своих служащих и хочу, чтобы те, кому за это платит государство, также их защищали. — Она свирепо уставилась на инспектора, всем своим видом походя на тигрицу в человеческом облике.

— Дайте нам время, мисс Мартиндейл... — осторожно начал Хардкасл.

— Время? Теперь, когда эта бедная девочка мертва, вы, наверное, считаете, что у вас вагон времени. А между тем скоро прикончат еще одну мою машинистку.

— Не думаю, чтобы вам следовало этого опасаться, мисс Мартиндейл.

— Полагаю, вы и не думали, что Эдну собираются убить, когда проснулись сегодня утром. Иначе вы бы все-таки приняли какие-нибудь меры предосторожности и следили бы за ней. А когда моих девушек убивают и ставят в компрометирующие ситуации, вы только руками разводите. Вся эта история — какое-то сплошное безумие. Конечно, если то, что пишут в газетах, правда. Например, эти часы. Кстати, я заметила, что о них не упоминали на дознании.

— Там вообще мало о чем упоминали, мисс Мартиндейл. Вы ведь знаете, что дознание перенесено.

— Как я уже сказала, — сверкнула глазами мисс Мартиндейл, — вы должны покончить с этим безобразием.

— И вам абсолютно нечего мне сообщить? Возможно, Эдна была чем-то обеспокоена и советовалась с вами?

— Не думаю, чтобы Эдна стала со мной советоваться, даже если она и была обеспокоена, — заметила мисс Мартиндейл. — А что могло ее беспокоить?

На этот вопрос инспектор также хотел бы получить ответ, но он понял, что добиться этого ответа от мисс Мартиндейл нет никакой надежды. Поэтому он сказал:

— Мне бы хотелось побеседовать с теми вашими девушками, которые сейчас присутствуют здесь. Я понимаю, что Эдна Брент вряд ли доверяла бы вам свои беспокойства или страхи, но она могла поделиться ими с кем-нибудь из сослуживиц.

— Вполне возможно, — согласилась мисс Мартиндейл. — Эти девицы целыми днями сплетничают, а как только услышат мои шаги в коридоре, тут же начинают печатать. — Немного успокоившись, она добавила: — Сейчас в бюро только трое. Хотите поговорить с ними сразу же? Остальные ушли по вызовам, но я могу дать их имена и адреса, если они вам нужны.

— Благодарю вас, мисс Мартиндейл.

— Вы, наверное, предпочитаете разговаривать без меня, — продолжала она. — В моем присутствии девушки не смогут говорить свободно. Ведь им придется признаться, что они сплетничают и зря тратят время.

Мисс Мартиндейл встала и открыла дверь.

— Девушки, — объявила она, — детектив-инспектор Хардкасл хочет с вами поговорить. Постарайтесь рассказать ему все, что знаете, чтобы помочь ему найти убийцу Эдны.

Она вернулась к себе в кабинет и резко захлопнула дверь. На инспектора уставились три испуганные мордочки. Хардкасл также бросил на них быстрый взгляд, дабы составить представление о качестве материала, с которым придется иметь дело. Солидная на вид блондинка в очках. Наверное, заслуживает доверия, но не слишком сообразительна. Довольно развязная брюнетка, чья прическа выглядела так, будто она только что попала в снежный буран. По-видимому, наблюдательна, но на ее слова не стоит особенно полагаться — она будет говорить только то, что ей выгодно. Третья девушка — обычная хохотушка, которая согласится со всем, что скажут другие.

— Полагаю, вы все слышали, — спокойно и непринужденно заговорил инспектор, — что случилось с Эдной Брент, которая здесь работала.

Три головы кивнули.

— Между прочим, как вы об этом узнали?

Девушки посмотрели друг на друга, словно решая, кому отвечать. По безмолвному уговору докладчиком была избрана блондинка по имени Дженет.

— Эдна не пришла на работу к двум, как было условлено, — начала она.

— И Рыжая Кошка разозлилась... — подхватила темноволосая Морин, но тут же остановилась. — Я хотела сказать, мисс Мартиндейл.

Третья девушка хихикнула.

— Мы ее так прозвали, — объяснила она.

«Неплохая кличка», — подумал инспектор.

— Мисс Мартиндейл иногда до того выходит из себя, что просто бросается на нас, — продолжала Морин. — Она спросила, объяснила ли нам как-нибудь Эдна свое отсутствие, и сказала, что ей следовало хотя бы прислать оправдательную записку.

— Я ответила мисс Мартиндейл, — снова заговорила блондинка, — что Эдна была с нами на дознании, но после мы ее не видели и не знаем, куда она пошла.

— Вы в самом деле этого не знали? — осведомился Хардкасл.

— Я предложила ей пойти куда-нибудь закусить, — сказала Морин, — но у нее вроде было что-то на уме. Эдна ответила, что не пойдет в кафе, а купит что-нибудь и поест в бюро.

— Значит, она намеревалась пойти на работу?

— Да, конечно. Мы все должны были явиться к двум часам.

— Никто из вас не заметил чего-нибудь странного в поведении Эдны Брент за последние дни? Она не казалась вам задумчивой или чем-то обеспокоенной? Может быть, она поделилась с вами своими тревогами? Если вы что-нибудь знаете, я очень вас прошу сообщить мне об этом.

Девушки посмотрели друг на друга, но отнюдь не с видом заговорщиц. Они просто не знали, что ответить.

— Эдна вечно из-за чего-то беспокоилась, — сказала Морин. — Она всегда ошибалась и все путала. Вообще, она довольно туго соображала.

— С ней то и дело что-нибудь случалось, — подтвердила хохотушка. — Помните, как у нее на днях сломался каблук?

— Припоминаю этот случай, — кивнул Хардкасл.

Ему представилась девушка, с унылым видом стоявшая в комнате, держа в руках туфлю.

— Знаете, я сразу почувствовала, что случилось что-то ужасное, когда Эдна не явилась к двум, — с глубокомысленным кивком сказала Дженет.

Хардкасл с неприязнью взглянул на нее. Ему никогда не нравились люди, крепкие задним умом. Он не сомневался, что в действительности девушка ни о чем подобном не думала. Скорее всего, она ограничилась фразой: «Эдне достанется от Рыжей Кошки, когда она придет».

— Как вы узнали о происшедшем? — еще раз спросил инспектор.

Девушки снова уставились друг на друга. Хохотушка виновато покраснела и покосилась на дверь кабинета мисс Мартиндейл.

— Ну, я... э-э... на минуту отлучилась, — начала она. — Хотела купить домой несколько пирожных, так как знала, что после работы они уже кончатся. А когда я вошла в магазин — он рядом на углу, и меня там хорошо знают, — продавщица сказала: «Эта бедняжка работала с вами, верно?» Я спросила: «О ком вы говорите?» — «О той девушке, которую нашли мертвой в телефонной будке». Ох, как же я испугалась! Я сразу же побежала назад, рассказала все девочкам, и только мы решили сообщить обо всем мисс Мартиндейл, как она выскочила из кабинета и говорит: «Чем вы тут занимаетесь? Я уже давно не слышу стука машинок». — Блондинка закончила повествование: — А я ответила: «Мы не виноваты. Просто мы узнали ужасную новость об Эдне».

— И как же прореагировала на это мисс Мартиндейл?

— Ну, сначала она не поверила, — сказала брюнетка. — «Чепуха! — говорит. — Наверное, услышали какую-то дурацкую сплетню в магазине. Наверное, речь шла о другой девушке. Почему это обязательно должна быть Эдна?» Мисс Мартиндейл вернулась в кабинет, позвонила в полицейский участок и узнала, что это правда.

— Но я не понимаю, — почти мечтательно произнесла Джэнет, — кому могло понадобиться убивать Эдну.

— У нее вроде бы и парня не было никогда, — заметила брюнетка.

Все трое с надеждой посмотрели на Хардкасла, как будто он мог дать им ответ. Инспектор вздохнул. Здесь ему ничего не удалось выяснить. Может быть, стоит поговорить с другими девушками? И где сейчас Шейла Уэбб?

— Шейла Уэбб и Эдна Брент были близкими подругами? — спросил он.

Девушки в который раз вопрошающе уставились друг на друга.

— По-моему, не особенно.

— Кстати, где сейчас мисс Уэбб?

Ему ответили, что Шейла в отеле «Кроншнеп» по вызову профессора Перди.

Глава 19

Прекратив диктовать, профессор Перди подошел к телефону.

— Кто?.. Что?.. — сердито закричал он в трубку. — Он сейчас здесь? Так скажите ему, чтобы пришел завтра... Что?.. Ну ладно, попросите его подняться.

Просто покоя нет, — с раздражением проворчал профессор, положив трубку. — Разве можно заниматься серьезными делами, когда тебя постоянно отрывают? — Он посмотрел на Шейлу Уэбб: — Ну, дорогая, на чем мы остановились?

Шейла собиралась ответить, когда в дверь постучали. Профессор Перди с трудом вернулся к действительности из глубин трехтысячелетней давности.

— Да? — досадливо поморщился он. — Войдите. Хотя я специально предупреждал, чтобы меня сегодня не беспокоили.

— Ради Бога, простите, сэр, но у меня очень важное дело. Добрый вечер, мисс Уэбб.

Шейла поднялась, отложив блокнот. Хардкаслу показалось, что в ее глазах мелькнул страх.

— Ну, что вам угодно? — резко осведомился профессор.

— Я детектив-инспектор Хардкасл, как может подтвердить мисс Уэбб.

— Допустим. Что из этого?

— Я хотел бы побеседовать с мисс Уэбб.

— Не могли бы вы подождать? Вы явились в весьма неподходящее время. У нас как раз критический момент. Через пятнадцать минут... ну, может быть, через полчаса мисс Уэбб освободится. О Господи, уже шесть!

— Извините, профессор, но дело не терпит отлагательств, — решительно заявил Хардкасл.

— Ну хорошо. Наверное, вы опять по поводу нарушения правил уличного движения? Полисмены стали невероятно придирчивы. На днях один утверждал, будто я оставил машину на четыре часа в неположенном месте, а я уверен, что этого не могло быть.

— К сожалению, сэр, я пришел по более серьезной причине.

— Да, ведь у вас нет машины, дорогая? — Профессор рассеянно взглянул на Шейлу. — Ну конечно, вы же приезжаете сюда на автобусе. Итак, инспектор, в чем дело?

— Я по поводу девушки по имени Эдна Брент. — Инспектор повернулся к Шейле Уэбб: — Полагаю, вы уже знаете?

Она смотрела на него, широко открыв большие ярко-голубые глаза, которые ему кого-то напомнили.

— Вы сказали «Эдна Брент»? — Девушка приподняла брови. — Конечно, я ее знаю. А что с ней такое?

— Вижу, новости еще не дошли до вас. Где вы были во время ленча, мисс Уэбб?

Краска выступила на ее щеках.

— Ходила со своим другом в ресторанчик Хо-Тунга, если... если вас это в самом деле касается.

— Вы больше не возвращались в контору?

— Вы имеете в виду бюро «Кэвендиш»? Я зашла туда, но мне сказали, что профессор Перди вызывает меня к половине третьего.

— Совершенно верно, — кивнул профессор. — К половине третьего. И мы до сих пор работаем. Боже мой, я даже не предложил вам чаю! Вам следовало мне напомнить.

— Это не имеет никакого значения, профессор Перди.

— Да, я чудовищно невнимателен, — вздохнул профессор. — Но не буду прерывать вашу беседу — ведь инспектор хочет задать вам несколько вопросов.

— Значит, вы не знаете, что случилось с Эдной Брент?

— «Случилось»? — испуганно переспросила Шейла. — Что вы имеете в виду? Она попала под машину?

— Превышение скорости чрезвычайно опасно, — вставил профессор.

— С ней произошло несчастье. — Хардкасл сделал паузу и резко произнес: — Около половины первого ее задушили в телефонной будке.

— В телефонной будке? — ошеломленно переспросил профессор.

Шейла Уэбб ничего не сказала. Она только слегка приоткрыла рот и уставилась на инспектора расширенными от ужаса глазами.

«Либо эта девушка в самом деле впервые об этом слышит, либо она великолепная актриса», — подумал Хардкасл.

— Боже мой! — продолжал переживать профессор. — Задушили в телефонной будке! Как странно! Если бы я намеревался кого-нибудь задушить, то ни за что не выбрал бы такое место. Бедная девушка, какой кошмар!

— Эдну убили? Но почему?

— Вы знаете, мисс Уэбб, что Эдна Брент позавчера очень хотела вас повидать, приходила к вашей тете и ждала вас там?

— Это снова моя вина, — признался профессор. — Позавчера я очень надолго задержал мисс Уэбб. До сих пор не могу себе простить. Вам следует всегда напоминать мне о времени, дорогая.

— Тетя говорила мне, — сказала Шейла, — но я не придала этому особого значения. Значит, Эдну что-то беспокоило? Что же?

— Этого мы не знаем, — ответил инспектор, — и, может быть, не узнаем никогда. Если вы не сможете нам объяснить.

— Я? Но откуда мне знать об этом?

— Возможно, у вас есть какое-нибудь предположение насчет того, почему Эдна Брент хотела с вами увидеться?

Шейла покачала головой:

— Нет.

— Может быть, она намекнула вам на что-нибудь или говорила с вами в бюро о том, что ее тревожит?

— Нет. Я ведь вчера вообще не была в бюро — весь день работала в Лэндис-Бей у одного писателя.

— Вам не показалось, что в последнее время мисс Брент из-за чего-то волновалась?

— Ну, Эдна всегда выглядела взволнованной или огорченной. Она никогда не была уверена, что поступает правильно. Однажды Эдна пропустила две страницы, печатая книгу Арманда Левина, и очень из-за этого беспокоилась, так как, когда она поняла свою ошибку, автору уже вернули текст.

— И она спрашивала у вас совета по этому поводу?

— Да. Я сказала ей, чтобы она поскорее отправила ему записку, потому что авторы не всегда корректируют машинописный текст сразу после получения, с сообщением о случившемся и просьбой не жаловаться мисс Мартиндейл. Но Эдна сказала, что такой выход из положения ей не слишком нравится.

— Мисс Брент всегда спрашивала у кого-нибудь совета, когда сталкивалась с подобными проблемами?

— Да... Правда, наши предложения ее не всегда устраивали, и тогда она снова начинала ломать себе голову.

— Следовательно, было бы вполне естественно, если бы она пришла за советом к одной из вас? Такое часто случалось?

— Да.

— А вы не думаете, что на сей раз Эдна приходила к вам по более серьезному поводу?

— Нет, не думаю. Какой у нее мог быть более серьезный повод?

«Интересно, — подумал инспектор, — насколько искренна та непринужденность, с которой Шейла Уэбб отвечает на вопросы».

— Не знаю, о чем Эдна хотела со мной поговорить, — быстро продолжала Шейла, — и не могу понять, почему она пришла к тете, решив повидать меня именно там.

— Возможно, ей не хотелось разговаривать с вами в бюро в присутствии других девушек. Быть может, Эдна Брент считала, что о предмете вашей беседы должны знать только вы и она.

— Мне это кажется маловероятным — даже вовсе невероятным, · заявила Шейла.

— Значит, вы не в состоянии помочь мне, мисс Уэбб?

— Боюсь, что нет. Мне очень жаль Эдну, но я не знаю ничего, что могло бы вам помочь.

— И ничего, что каким-то образом может быть связано с происшедшим девятого сентября?

— Вы имеете в виду... того человека на Уилбрэхем-Крезент?

— Совершенно верно.

— Но при чем тут та история? Что Эдна могла о ней знать?

— Может быть, ничего существенного, — ответил инспектор, — но что-то она наверняка знала. — Он сделал паузу. — Телефонная будка, в которой убили Эдну Брент, находится на Уилбрэхем-Крезент. Это что-нибудь вам говорит, мисс Уэбб?

— Абсолютно ничего.

— А вы сами были сегодня на Уилбрэхем-Крезент?

— Нет, не была, — взволнованно ответила девушка. — Больше я ни разу туда не ходила. Я начинаю чувствовать, что это какое-то проклятое место! Как бы я хотела не быть замешанной в эту историю! Почему в тот день туда вызвали именно меня? Почему Эдну убили на той же улице? Вы должны выяснить это, инспектор, должны!

— Это мы и намерены сделать, мисс Уэбб, — промолвил Хардкасл и добавил с угрожающей ноткой в голосе: — Уверяю вас, нам это удастся.

— Вы дрожите, дорогая, — заметил профессор Перди. — По-моему, вам не помешает стаканчик шерри.

Глава 20

РАССКАЗЫВАЕТ КОЛИН ЛЭМ

Прибыв в Лондон, я сразу же отправился к Беку.

— Может быть, в вашей идиотской идее с полумесяцами и в самом деле что-то есть, — заявил он, махнув сигарой в мою сторону.

— Значит, я был прав?

— Ну, я бы этого не сказал, но такая возможность не исключена. С нашим инженером-конструктором мистером Рэмзи из дома 62 по Уилбрэхем-Крезент что-то нечисто. В последнее время он взялся за какие-то сомнительные поручения от нескольких фирм. Правда, фирмы эти существуют в действительности, но происхождение их довольно странное... Сейчас Рэмзи в отъезде. Он уже около пяти недель находится в Румынии.

— А его жена говорила, что он в Швеции.

— И тем не менее Рэмзи в Румынии. Неплохо бы разузнать о нем побольше. Короче говоря, мой мальчик, собирайтесь в дорогу. Я уже приготовил для вас все визы и отличный паспорт на имя Нейджела Тренча. Кстати, вы ботаник, так что освежите ваши знания о редких растениях на Балканах.

— Будут какие-нибудь специальные инструкции?

— Никаких. Адреса явок получите, когда соберете вещи. Узнайте все, что сможете, о нашем мистере Рэмзи. — Полковник Бек внимательно посмотрел на меня сквозь сигарный дым. — Вы не выглядите особенно довольным.

— Что вы, всегда приятно, когда предположение оправдывается, — уклончиво отозвался я.

— Оправдывается, но не вполне. Правильный полумесяц, но неправильный номер. Дом 6 занимает архитектор, ведущий абсолютно безупречную жизнь. Разумеется, безупречную в нашем понимании. Да, бедняга Хэнбери ошибся с номером, но не намного.

— Вы проверили всех? Или только Рэмзи?

— «Дайана-Лодж» вроде бы так же непорочен, как сама Диана. Там заняты только кошками. Мак-Нотон для нас более интересен. Как вам известно, он удалившийся от дел профессор и, кажется, блестящий математик. Покинул кафедру внезапно, по причине слабого здоровья. Может, это и правда, но, по-моему, он крепкий старик. Со старыми друзьями Мак-Нотон порвал, что тоже довольно странно.

— Вся беда в том, — вздохнул я, — что нам теперь представляется подозрительным все, что бы человек ни сделал.

— Это верно, — согласился полковник Бек. — Временами я подозреваю, что вы работаете не на нас, а на них. А иногда мне кажется, будто я сам перешел на их сторону, а потом опять переметнулся к нам. Веселенькая неразбериха, нечего сказать!

Так как мой самолет вылетел в десять вечера, я успевал зайти к Эркюлю Пуаро. Когда я вошел, он поглощал sirop de cassis (по-нашему — сироп из черной смородины) и предложил его мне. Я тут же отказался, и Джордж принес мне виски. Все шло как обычно.

— Вы выглядите расстроенным, — заметил Пуаро.

— Вовсе нет. Просто я уезжаю за границу.

Пуаро вопросительно посмотрел на меня, и я кивнул.

— Так вот оно что!

— Да, совершенно верно.

— Ну, желаю успеха.

— Спасибо. Кстати, Пуаро, как продвигается ваше домашнее задание?

— Pardon?[1]

— Кроудинское убийство с часами. Надеюсь, вы уже откинулись в кресле, закрыли глаза и нашли разгадку?

— Я с величайшим интересом прочитал оставленные вами записи, — сказал Пуаро.

— И там наверняка не оказалось ничего полезного. Я же говорил вам, что эти соседи никуда не годятся.

— Совсем наоборот. По крайней мере, двое из них сделали замечания, которые многое разъясняют.

— Кто же именно? И какие замечания?

К моему раздражению, Пуаро посоветовал мне снова внимательно перечитать мои записки.

— Тогда вы сами поймете. Ведь это просто бросается в глаза. Сейчас необходимо поговорить с другими соседями.

— Других нет.

— Должны быть. Кто-то всегда что-то видит. Это аксиома.

— Может, и аксиома, но к данному случаю она неприменима. Да, у меня имеются для вас кое-какие дополнительные детали. Произошло еще одно убийство.

— В самом деле? Так скоро? Интересно! Пожалуйста, расскажите.

Я повиновался. Пуаро задавал мне вопросы, пока не узнал все подробности. Я сообщил ему и о почтовой открытке, которую передал Хардкасл.

---

[1] Простите? *(фр.)*

— «Помни — 413» или «4.13», — повторил он. — Да это тот же стиль.

— Что вы имеете в виду?

Пуаро закрыл глаза:

— Этой открытке не хватает только одного — отпечатка пальца, испачканного кровью.

Я с сомнением взглянул на него:

— И все-таки, что вы думаете об этом деле?

— Оно проясняется все больше и больше. Убийца, как обычно, не может угомониться.

— Но кто убийца?

Пуаро предпочел не отвечать на этот вопрос:

— Вы позволите мне провести свое маленькое расследование, пока будете в отъезде?

— Какое именно?

— Завтра я попрошу мисс Лемон, во-первых, написать письмо моему старому другу, адвокату мистеру Эндерби, во-вторых, навести справки о кое-каких брачных свидетельствах в «Сомерсет-Хаус» и, в-третьих, отправить телеграмму за океан.

— Это нечестно, — запротестовал я. — Вы уже не только сидите и думаете.

— Но именно это я и делаю. Мисс Лемон всего лишь уточнит кое-какие вопросы, ответы на которые я уже знаю. Я прошу не информации, а подтверждения.

— Я не верю, что вы все знаете, Пуаро! Это блеф! Ведь пока даже никому не известно, кем был убитый.

— Мне известно.

— Как его имя?

— Понятия не имею. Его имя не имеет значения. Я знаю, кто он такой.

— Шантажист?

Пуаро закрыл глаза.

— Частный детектив?

Пуаро открыл глаза:

— Я отвечу вам маленькой цитатой, как всегда поступаю в последнее время, и больше ничего не скажу. — Он торжественно продекламировал: — «Дилли, дилли, дилли — пришел, чтобы его убили».

Глава 21

Детектив-инспектор Хардкасл бросил взгляд на календарь, стоящий на письменном столе. Двадцатое сентября. Прошло уже десять дней, а они почти не сдвинулись с места, и все из-за того, что личность убитого до сих пор не установлена. Эта процедура уже отняла куда больше времени, чем рассчитывал инспектор. Все возможные пути, казалось, были исчерпаны. Лабораторное исследование одежды не принесло никакой пользы. Костюм был хорошего качества, не новый, но в отличном состоянии. Не помогли ни прачечные, ни дантисты, ни уборщицы. Убитый оставался «таинственным незнакомцем». И все же Хардкасл чувствовал, что это не так. В нем не было ничего необычного или драматического — просто человек, которого никто не мог опознать. Инспектор вздохнул, подумав о телефонных звонках и письмах, посыпавшихся после публикации в прессе фотографии с подписью: «Знаете ли вы этого человека?» Множество людей были уверены, что они его знают, — дочери, которые давно разошлись с отцами; девяностолетние старухи, чьи сыновья покинули дом лет тридцать назад; бесчисленные жены, не сомневавшиеся, что на снимке изображен их пропавший муж. Только сестры почему-то были не столь убеждены, что нашли наконец исчезнувшего брата, — очевидно, сестры по натуре менее оптимистичны. И конечно, приходило множество писем от людей, видевших убитого в Линкольншире, Ньюкасле, Девоне, Лондоне, в метро, в автобусах, скрывающегося на пристани, зловеще озирающегося в темных переулках, прячущего лицо, выходя из кинотеатра. Однако при проверке все эти многообещающие сведения не дали ровным счетом ничего.

Но сегодня инспектор ощутил слабую надежду. Он снова посмотрел на лежащее перед ним письмо. Мерлина Райвл... Имя ему не слишком нравилось. Вряд ли человек, пребывающий в здравом уме, назовет свою дочь Мерлиной. Несомненно, причудливое имя придумала сама леди. Но Хардкаслу импонировал стиль письма. В нем не было почти ничего нелепого и самоуверенного. Женщина просто сообщала, что ей кажется, будто этот человек — ее муж, с которым она разошлась много лет назад. Сегодня утром она должна была явиться в участок. Инспектор нажал кнопку, и вошел сержант Крей.

— Миссис Райвл еще не прибыла?

— Прибыла только что, — ответил Крей. — Я как раз собрался вам звонить.

— Какая она из себя?

— Выглядит несколько театрально, — подумав, сказал Крей. — Много косметики невысокого качества. Но, по-моему, она заслуживает доверия.

— Она выглядит встревоженной?

— Вроде бы нет.

— Ну ладно, приведите ее, — велел Хардкасл.

Крей удалился. Вскоре он вернулся и доложил:

— Миссис Райвл, сэр.

Инспектор поднялся навстречу посетительнице, протянув руку и одновременно внимательно ее разглядывая. Очевидно, миссис Райвл около пятидесяти лет, но издалека ей можно дать тридцать. Вблизи же она, напротив, выглядела старше своего возраста из-за небрежно наложенного макияжа. Темные волосы щедро выкрашены хной. Среднего роста, без шляпы, в черных кофте и юбке и белой блузке. В руках большая клетчатая сумка. Носит браслеты и несколько колец. В общем, женщина как женщина. Возможно, не слишком щепетильная, но, наверное, не злая. С такими легко иметь дело. Вопрос в том, можно ли полагаться на ее сведения. Но так или иначе, нужно ее выслушать.

— Очень рад вас видеть, миссис Райвл, — заговорил Хардкасл. — Надеюсь, вы сумеете нам помочь.

— Вообще-то я не совсем уверена, — как бы извиняясь, начала миссис Райвл, — но он очень похож на Гарри. Конечно, я готова к тому, что это окажется не он, хотя не хочется без толку отнимать у вас время.

— Пусть это вас не волнует, — успокоил ее инспектор. — Нам сейчас очень нужна помощь.

— Понятно. Но видите ли, прошло много лет с тех пор, как я видела Гарри.

— Давайте начнем с фактов. Когда вы в последний раз видели вашего мужа?

— Пока я ехала в поезде, я все время старалась вспомнить поточнее, — отозвалась женщина. — Ужасно, что со временем все забываешь. По-моему, я указала в письме, что видела Гарри в последний раз лет десять назад, но думаю, это было гораздо раньше — около пятнадцати лет. Время бежит так быстро. Иногда мне кажется, будто люди стараются приблизить прошлое, чтобы чувствовать себя моложе. Как вы думаете?

— Вполне возможно, — согласился инспектор. — Значит, вы не виделись около пятнадцати лет. Когда вы поженились?

— Должно быть, еще тремя годами раньше.

— И где вы жили?

— В местечке Шиптон-Бойс, в Саффолке. Симпатичный торговый городок, хотя и захолустный.

— Кем работал ваш муж?

— Он был страховым агентом. По крайней мере... — женщина помедлила, — так он мне говорил.

Инспектор быстро взглянул на нее:

— И вы узнали, что это неправда?

— Ну, не то чтобы... Только потом я подумала, что это, возможно, не так. Понимаете, страховой агент — удобная отговорка.

— Для чего?

— Для того, чтобы не бывать дома.

— Значит, ваш муж подолгу отсутствовал?

— Да. Сначала я не обращала внимания...

— А потом?

Миссис Райвл ответила не сразу.

— Может, лучше сначала во всем разберемся, — наконец сказала она. — Ведь если это не Гарри...

Хардкаслу почудилось напряжение в ее голосе. Его интересовало, чем это вызвано.

— Насколько я понимаю, — промолвил он, — вы хотите поскорее с этим покончить. Ладно, поехали.

Они вышли к поджидавшему автомобилю. Когда они добрались до морга, женщина проявляла не больше волнения, чем другие, оказывающиеся в этом месте.

— Все будет хорошо, — на всякий случай успокоил ее Хардкасл. — Ничего страшного. Это займет не более двух минут.

Служитель поднял простыню. Некоторое время миссис Райвл молча смотрела на труп — ее дыхание заметно участилось. Наконец она отвернулась со слабым стоном:

— Да, это Гарри. Конечно, он сильно изменился и постарел, но это он.

Кивнув служителю, инспектор взял женщину под руку, проводил ее к машине, и они вернулись в участок. По дороге он не заговаривал с ней, давая ей возможность взять себя в руки. Войдя в кабинет, Хардкасл позвонил, и констебль сразу же принес чай.

— Ну, вот мы и прибыли, миссис Райвл. Выпей чаю, это поможет вам успокоиться. А потом мы поб седуем.

— Спасибо.

Миссис Райвл положила в чашку изрядное количество сахару и жадно выпила чай.

— Теперь мне получше, — сказала она. — Конечно, не следовало так распускаться, но при таких обстоятельствах трудно сохранить спокойствие.

— Вы уверены, что этот человек действительно ваш муж?

— Да, уверена. Разумеется, он очень постарел, но его легко можно узнать. Гарри всегда выглядел... как вам сказать... очень аккуратно и респектабельно.

«Отличное описание, — подумал Хардкасл, — но, возможно, в действительности Гарри был куда менее респектабельным, чем старался выглядеть. Некоторые часто придают себе респектабельный облик в определенных целях...»

— Он всегда заботился об одежде, — продолжала миссис Райвл. — Поэтому они так легко попадались ему на удочку. Они никогда ни о чем не догадывались.

— Кто «они», миссис Райвл? — В голосе инспектора звучало сочувствие.

— Женщины, — ответила она. — Потому-то он и пропадал все время.

— Понятно. И вы узнали об этом?

— Сначала только подозревала. Гарри так долго отсутствовал, что я, зная мужчин, догадывалась, что у него время от времени бывали другие женщины. Но спрашивать мужей о таких вещах бессмысленно — они все равно солгут. Однако я не думала, что он может сделать из этого бизнес.

— А он сделал?

Миссис Райвл кивнула:

— По-видимому, да.

— Как вы об этом узнали?

Она пожала плечами:

— Однажды Гарри вернулся из поездки. По его словам, он был в Ньюкасле. Одним словом, приехав, Гарри заявил, что игра кончена и теперь ему придется быстро исчезнуть. Какая-то женщина, школьная учительница, попала из-за него в беду, и у него могут быть неприятности. Я стала задавать ему вопросы, и он без возражений отвечал. Возможно, Гарри считал, что я знаю больше, чем на самом деле. Как я говорила, девушки легко в него влюблялись. Он обручался с ними, дарил им кольца, а потом заявлял, что хочет куда-то вложить их деньги, которые они охотно ему давали.

— А он не пробовал проделать то же самое и с вами?

— Пробовал, только я ему ничего не дала.

— Почему? Вы уже тогда ему не доверяли?

— Ну, в этом смысле я никому не доверяла. У меня был достаточный опыт в отношении мужчин и темных сторон жизни. В общем, я не позволила Гарри распоряжаться моими деньгами. Свои сбережения я и сама могла вложить куда хочу. Всегда спокойнее держать деньги при себе. Я видела слишком много девушек и женщин, которых одурачивали подобным образом.

— А когда он хотел взять у вас деньги? До свадьбы или позже?

— Сначала до, но я отказалась, и он сразу перестал говорить об этом. Потом, когда мы уже были женаты, Гарри снова начал толковать о каких-то блестящих возможностях помещения денег, но я сказала: «Ни за что!» И не только потому, что я ему не доверяла, но и потому, что знала, как мужчин втягивают в разные заманчивые предприятия, а потом надувают.

— У вашего мужа когда-нибудь были неприятности с полицией?

— Едва ли, — ответила миссис Райвл. — Женщинам не нравится, когда весь мир узнает, что их обвели вокруг пальца. Но в тот раз, видимо, случилось нечто иное. Та девушка или женщина была образованной, и ее оказалось не так-то легко ввести в заблуждение.

— Она ожидала ребенка?

— Да.

— А такое бывало с вашим мужем и раньше?

— Думаю, что да. — Помолчав, она добавила: — Вообще-то я до сих пор не могу понять, почему Гарри этим занимался, — только ради денег или ему были просто необходимы женщины и он не видел причин, чтобы они не оплачивали его развлечения. — В ее голосе послышались нотки горечи.

— Вы любили его, миссис Райвл? — мягко спросил Хардкасл.

— Право, не знаю. Думаю, что да, иначе я бы не вышла за него замуж.

— Вы были... простите... его законной женой?

— Даже этого я не знаю наверняка, — откровенно созналась миссис Райвл. — Конечно, мы обвенчались в церкви, как положено, но я не уверена, что он не проделывал этого и раньше, — разумеется, под другими именами. Когда мы поженились, его фамилия была Каслтон. Но вряд ли она была настоящей.

— Значит, его звали Гарри Каслтон?

— Да.

— И сколько времени вы прожили как муж и жена в этом местечке — Шиптон-Бойс?

— Около двух лет. Раньше мы жили неподалеку от Донкастера. Не скажу, что я удивилась, когда Гарри в тот день рассказал мне обо всем. Я видела, что с ним уже некоторое время творится неладное. Конечно, в это было нелегко поверить, так как он всегда выглядел настоящим джентльменом.

— Что же произошло дальше?

— Гарри сказал, что ему нужно поскорее убираться отсюда, а я ответила: «Скатертью дорога!» — и дала ему десять фунтов — все, что было в доме. Он пожаловался, что у него плохо с деньгами... — Она задумчиво добавила: — С тех пор я его не видела до сегодняшнего дня — вернее, до того дня, когда увидела его фотографию в газете.

— У него не было каких-нибудь особых примет — шрамов, следов от операции?

Женщина покачала головой:

— По-моему, нет.

— Он когда-нибудь пользовался фамилией Карри?

— Карри? Нет как будто. По крайней мере, я об этом не знаю.

Хардкасл протянул ей визитную карточку:

— Это нашли у него в кармане.

— Гарри все еще выдавал себя за страхового агента, — усмехнулась она. — Думаю, он пользовался многими фамилиями.

— Вы говорите, что не видели своего мужа и ничего о нем не слышали в течение пятнадцати лет?

— Гарри не присылал мне открыток на Рождество, если вы это имеете в виду, — невесело пошутила миссис Райвл. — Не думаю, чтобы он знал, где я нахожусь. Вскоре после разрыва я вернулась на сцену, часто ездила в турне. От фамилии Каслтон я отказалась и снова стала Мерлиной Райвл.

— Простите, но Мерлина... э-э... по-видимому, тоже ненастоящее имя?

Она покачала головой; на ее губах мелькнула улыбка.

— Я придумала его — оно казалось мне таким необычным... По-настоящему меня зовут Флосси Гэпп. Думаю, меня крестили как Флоренс, но все называли меня Флосси или Фло. Не очень романтично, верно?

— А чем вы сейчас занимаетесь, миссис Райвл? Все еще на сцене?

— Иногда, — уклончиво ответила она. — Как говорится, мотаюсь туда-сюда.

— Понятно, — тактично произнес Хардкасл.

— Занимаюсь всякой случайной работой, — продолжала миссис Райвл. — Присутствую на вечеринках в качестве хозяйки и тому подобное. В общем, живу не так уж плохо. По крайней мере, встречаюсь с людьми.

— И после разрыва вы никогда не слышали о Гарри Каслтоне?

— Ни слова. Я думала, он уехал за границу или умер.

— Как по-вашему, миссис Райвл, что понадобилось Гарри Каслтону в этих местах?

— Понятия не имею. Ведь я не знаю, чем он занимался все эти годы.

— А может, он торговал фальшивыми страховыми полисами?

— Откуда мне знать? Хотя это не кажется вероятным. Гарри очень о себе заботился и не стал бы заниматься делами, за которые его могли бы отдать под суд. Скорее он продолжал вымогать деньги у женщин.

— А мог он при этом использовать шантаж?

— Как вам сказать... Возможно. Многие женщины не хотели, чтобы их ошибка всплыла наружу, так что с ними он чувствовал себя в безопасности. Хотя едва ли он вытянул у кого-то из них очень крупную сумму — скорее просто брал понемножку...

— Он нравился женщинам?

— Еще как! Они в него по уши влюблялись — по-моему, в основном из-за респектабельного вида. Женщины очень гордились, покорив такого мужчину, — с ним они могли не тревожиться за будущее. Я сама испытала то же самое, — откровенно добавила миссис Райвл.

— Ну, остался один маленький вопрос. — Хардкасл обратился к подчиненному: — Принесите эти часы.

Тот вошел и принес часы на подносе, покрытом тканью. Хардкасл снял покрывало и предложил миссис Райвл взглянуть на часы. Она рассматривала часы с интересом и явным удовольствием.

— Красивые вещички. Особенно эти. — Женщина указала на позолоченные часы.

— Вы никогда не видели какие-нибудь из них раньше? Они ни о чем вам не говорят?

— А о чем они должны мне говорить?

— Не напоминает ли вам имя Розмари что-нибудь связанное с вашим мужем?

— Розмари? Дайте подумать... Была одна рыжая... Нет, ее звали Розали. Боюсь, что не напоминает. Но я могла и не знать. Гарри держал в секрете свои похождения.

— А если бы вы увидели часы, показывающие четыре тринадцать... — Хардкасл сделал паузу.

Миссис Райвл весело улыбнулась:

— Я бы подумала, что подходит время пить чай.

Инспектор глубоко вздохнул:

— Ну, миссис Райвл, мы вам очень признательны. Повторное дознание, как я уже говорил, состоится послезавтра. Вы не возражаете дать на нем показания по поводу установления личности?

— Конечно нет. Мне ведь только понадобится сказать, кто он такой, а не вдаваться в подробности его жизни?

— В настоящее время в этом нет необходимости. Вы будете должны заявить, что этот человек Гарри Каслтон, который был вашим мужем. Точная дата бракосочетания наверняка имеется в «Сомерсет-Хаус». Вы не помните, где вы обвенчались?

— В городке Донбрук — кажется, в церкви Святого Михаила. Надеюсь, это было не более двадцати лет назад. А то я бы почувствовала себя стоящей одной ногой в могиле.

Миссис Райвл встала и протянула руку. Попрощавшись, Хардкасл снова сел за стол и начал задумчиво барабанить по нему карандашом. Вскоре вошел сержант Крей.

— Ну как — успешно? — спросил он.

— Как будто да, — ответил инспектор. — Имя убитого — Гарри Каслтон. Возможно, оно вымышленное. Попробуем что-нибудь о нем разузнать. Похоже, немало женщин с удовольствием бы ему отомстили.

— А на вид вполне приличный человек, — заметил Крей.

— Это, кажется, и было его главным козырем, — сказал Хардкасл.

Он снова подумал о часах с надписью «Розмари». Что это означает? Воспоминание?

Глава 22

РАССКАЗЫВАЕТ КОЛИН ЛЭМ

1

— Итак, вы вернулись, — сказал Эркюль Пуаро.

Он аккуратно положил в книгу закладку. На столе рядом стояла чашка горячего шоколада. В области напитков

Пуаро явно не блистал хорошим вкусом. К счастью, на сей раз он не предлагал мне разделить с ним это удовольствие.

— Как поживаете? — осведомился я.

— Так себе. Я очень расстроен. Во всем доме делают капитальный ремонт. Мою квартиру тоже не оставят в покое.

— Но разве она от этого не станет лучше?

Пуаро уставился на меня с оскорбленным видом:

— Может, и станет, но для меня это чревато массой неудобств! В комнатах будет пахнуть краской! — Покончив со своими огорчениями, он спросил: — Ну а вы добились успеха?

— Не знаю, — медленно ответил я.

— То есть?

— Я выяснил то, за чем меня посылали, но не нашел самого человека. Впрочем, я сам не знаю, на что рассчитывал, — на информацию или, так сказать, на тело.

— Кстати, о телах. Я читал о повторном дознании в Кроудине. Вердикт — преднамеренное убийство, совершенное одним или несколькими неизвестными лицами. И наконец, ваш труп обрел имя.

Я кивнул:

— Вроде бы его звали Гарри Каслтон.

— Опознан своей женой. Вы уже были в Кроудине?

— Еще нет. Думаю поехать завтра.

— Значит, у вас есть свободное время?

— Нет, я все еще на службе. Именно потому я туда и еду. — После паузы я добавил: — Я не очень подробно осведомлен о событиях, происходивших там во время моего отсутствия, — разве только об опознании жертвы. Что вы об этом думаете?

Пуаро пожал плечами:

— Этого следовало ожидать.

— Да, полиция, как всегда, на высоте.

— А жены, как всегда, к ее услугам.

— Миссис Мерлина Райвл. Ну и имечко!

— Оно мне что-то напоминает, — заметил Пуаро. — Только не могу сообразить, что именно.

Он задумчиво посмотрел на меня, но я был не в состоянии ему помочь. Зная Пуаро, я понимал, что это могло напоминать ему все, что угодно.

531

— Визит к другу в загородный дом, — размышлял он вслух. — Нет, это было очень давно...

— Вернувшись в Лондон, я расскажу вам все, что узнаю от Хардкасла о Мерлине Райвл, — пообещал я.

— В этом нет необходимости, — махнул рукой Пуаро.

— Иными словами, вы и так все о ней знаете?

— Нет. Просто она меня не интересует.

— Не интересует? Но почему?

— Потому что я не могу заниматься мелочами. Лучше расскажите мне об этой девушке, Эдне, которую нашли в телефонной будке на Уилбрэхем-Крезент.

— Я не могу рассказать о ней больше, чем уже рассказал, так как я ничего о ней не знаю.

— Следовательно, ваши знания об Эдне Брент исчерпываются тем, — произнес Пуаро тоном обвинения, — что она была робкой, безобидной девушкой, которую вы один раз видели в машинописном бюро, где она стояла, держа в руке каблук, который отломался, застряв в какой-то решетке... — Внезапно он прервал словоизвержение и осведомился: — Кстати, где находится эта решетка?

— Право, Пуаро, откуда мне знать?

— Вы могли бы узнать, если бы спросили. Как вы, вообще, намерены получать любую информацию, не задавая соответствующих вопросов?

— Но какое имеет значение, где отломался каблук?

— Возможно, никакого. Но нам нужно знать, где была в тот день эта девушка и что или кого она могла там увидеть.

— Ваши доводы несколько притянуты за уши. Как бы то ни было, я знаю, что это произошло недалеко от бюро, так как Эдна сказала, что ей пришлось купить булочки и возвращаться на работу в одних чулках. Закончила она тем, что не знает, как ей теперь добраться домой.

— Ну и как же она добралась? — с интересом осведомился Пуаро.

Я уставился на него:

— Понятия не имею.

— Поразительно! Вы никогда не задаете нужных вопросов! В результате мы не знаем ничего существенного.

— А вы поезжайте в Кроудин и сами задавайте нужные вопросы, — ехидно посоветовал я.

— В настоящее время это невозможно. На будущей неделе должна состояться чрезвычайно интересная распродажа авторских рукописей.

— Вы все еще поглощены вашим хобби?

— Ну разумеется! — Его глаза заблестели. — Возьмем, к примеру, Джона Диксона Карра, или Картера Диксона, как он иногда себя именует...[1]

Я спасся бегством, прежде чем он успел опомниться. У меня не было ни малейшего желания снова выслушивать лекцию о мастерах детективной литературы.

2

Следующим вечером я поджидал Дика Хардкасла, сидя на ступеньках перед входом в его дом.

— Это ты, Колин? — спросил он, когда я неожиданно возник из сумрака. — Прямо как с неба свалился!

— Сказав «из ада», ты был бы ближе к истине.

— И давно ты здесь торчишь?

— Всего полчаса.

— Жаль, что ты не мог войти в дом.

— Мог, и без всяких усилий, — с негодованием возразил я. — Ты еще не знаешь, чему учат на нашей работе.

— Тогда почему ты этого не сделал?

— Не хотел снижать твой престиж, — объяснил я. — Куда годится детектив-инспектор, у которого при всем честном народе взламывают дом?

Хардкасл вынул из кармана ключ и открыл дверь.

— Не болтай чепуху и заходи, — сказал он.

Мы вошли в гостиную, и Хардкасл тут же начал разливать напитки.

— Предупредишь, когда будет достаточно.

Я повиновался, правда не слишком быстро, и мы сели за стол.

---

[1] К а р р Джон Диксон (1905—1977) — англо-американский мастер детективного жанра, писавший иногда под псевдонимом Картер Диксон.

— Дело наконец сдвинулось с мертвой точки, — заметил Дик. — Мы установили личность убитого.

— Знаю — я просмотрел подшивки газет. Кто же такой этот Гарри Каслтон?

— Весьма респектабельный джентльмен, зарабатывавший деньги с помощью браков или помолвок с состоятельными и доверчивыми женщинами. Они вручали ему свои сбережения, так как он производил на них впечатление сведущего в финансовых вопросах, а через некоторое время Каслтон преспокойно исчезал.

— На вид он не походил на человека такого сорта, — сказал я, вспомнив внешность убитого.

— Респектабельный облик ему только помогал.

— И его никогда не привлекали к суду?

— Нет. Мы сделали запросы, но получить о нем информацию было нелегко. Он часто менял имена. И хотя в Скотленд-Ярде считают, что Гарри Каслтон, Реймонд Блер, Лоренс Долтон и Роджер Байрон — одно и то же лицо, они не могут этого доказать. Как ты, конечно, понимаешь, женщины предпочитали терять деньги, чем признаваться в своей глупости. Этот тип менял имена как перчатки, появлялся тут и там, но был совершенно неуловим. Например, Роджер Байрон исчезал из Саутенда, а Лоренс Долтон начинал действовать в Ньюкасле. Он избегал фотографироваться, хотя его возлюбленные страстно желали получить его изображение. Все это происходило очень давно, пятнадцать — двадцать лет назад. После этого Каслтон исчез — распространился слух о его смерти, но некоторые говорили, будто он за границей...

— Короче говоря, о нем ничего не знали до тех пор, пока его не нашли мертвым на ковре гостиной мисс Пебмарш, — резюмировал я.

— Вот именно.

— Это открывает новые возможности.

— Безусловно.

— Месть обманутой женщины? — предположил я.

— Не исключено. Некоторые женщины ничего не забывают.

— А если такая женщина вдобавок ослепла — одно несчастье за другим...

— Это только предположение, которое пока ничем не подтверждено.

— Хорошо еще, что вовремя подвернулась эта миссис... как ее... Мерлина Райвл. Язык сломаешь! Вряд ли это настоящее имя.

— Ее настоящее имя Флосси Гэпп. А Мерлину Райвл она просто выдумала — такое имя удобно для ее образа жизни.

— А кто она такая? Проститутка?

— Ну, не профессиональная...

— Выражаясь тактично, леди легкого поведения?

— Я бы сказал, что она добрая женщина, которая не любит отказывать друзьям. Себя она охарактеризовала как бывшую актрису, иногда подрабатывающую «хозяйкой» на вечеринках. Звучит вполне благопристойно.

— И ей можно верить?

— По-моему, да. Она опознала труп без колебаний.

— Прямо благословение Божье.

— Конечно. Я уже начал отчаиваться. Если бы ты знал, сколько женщин заявляли, будто узнали на фотографии своего мужа! Теперь мне кажется, что для опознания собственного супруга требуются незаурядные умственные способности. Возможно, миссис Райвл знает о муже куда больше, чем говорит.

— А сама она не была замешана ни в каком преступлении?

— В полиции на нее нет никаких данных. Хотя думаю, что у нее были и, возможно, есть и теперь сомнительные друзья. А так — ничего серьезного.

— Как насчет часов?

— Миссис Райвл говорит, что ни разу их не видела. По-моему, это правда. Мы проследили их происхождение. Позолоченные и фарфоровые часы были проданы на рынке Портобелло какому-то американскому туристу — хозяин лотка говорит, что женщине, а его жена — что мужчине. Ни он, ни она не помнят, как выглядел покупатель. Ты же знаешь, что собой представляет Портобелло по субботам. Там полно народу, в том числе американцев. Серебряные часы прислал туда же серебряных дел мастер из Борнмута. Хозяйка говорит, что их купила какая-то женщина для своей маленькой дочки —

она помнит только то, что женщина была высокая и в зеленой шляпе.

— А четвертые часы — те, которые исчезли?

— Нет комментариев, — ответил Хардкасл.

Я хорошо знал, что он имеет в виду.

Глава 23

РАССКАЗЫВАЕТ КОЛИН ЛЭМ

Я остановился в грязном маленьком отеле около вокзала. Единственное, что можно было сказать в его защиту, — это что там подавали недурную жареную рыбу. Ну и конечно, что цена была не слишком высокой.

На следующее утро в десять часов я позвонил в секретарское бюро «Кэвендиш» и сказал, что мне нужна машинистка-стенографистка для перепечатки делового контракта и стенографирования нескольких писем. Я назвался мистером Дагласом Уэзерби и сообщил, что остановился в отеле «Кларендон» (как правило, захудалые гостиницы имеют величественные названия). Выяснив, свободна ли мисс Шейла Уэбб, я попросил прислать ее, сказав, что мне очень рекомендовал эту девушку один мой друг.

Мне повезло — Шейла была свободна до полудня. Я заявил, что это меня устраивает, так как к тому времени мы успеем все закончить.

Спрятавшись за вращающимися дверями отеля, я поджидал Шейлу. Когда она появилась, я шагнул вперед и представился:

— Мистер Даглас Уэзерби, к вашим услугам.

— Так это вы звонили?

— Совершенно верно.

— Как вы могли... — Шейла выглядела удрученной.

— А почему бы и нет? Я готов расплатиться с бюро «Кэвендиш». Разве имеет значение, если мы потратим ваше дорогостоящее время, сидя в кафе «Лютик» на другой стороне улицы, а не диктуя и печатая тоскливые письма? Давайте лучше выпьем по чашке кофе.

Кафе «Лютик» было обязано своим названием царящему повсюду ядовито-желтому цвету. Столы, стулья, подушки, чашки и блюдца — все резало глаз своим канареечным оттенком.

Я заказал на двоих кофе с пшеничными лепешками. Благодаря раннему часу в кафе почти никого не было.

Официантка, приняв заказ, удалилась, и мы посмотрели друг на друга.

— У вас все в порядке, Шейла?

— Что вы имеете в виду?

Ее глаза с большими темными кругами внизу казались скорее фиолетовыми, чем голубыми.

— У вас были неприятности?

— Как вам сказать... Я думала, вы уехали.

— Так оно и было. Но я вернулся.

— Почему?

— Вы знаете почему.

Девушка потупила глаза.

— Я боюсь его, — сказала она после минутной паузы, показавшейся мне вечностью.

— Кого?

— Вашего друга — инспектора. Он думает... что я убила Эдну и этого человека.

— Это его обычная манера, — успокоил ее я. — Он всегда делает вид, что подозревает допрашиваемого.

— Нет, Колин, вы говорите так только для того, чтобы меня утешить. А он действительно считает, что я в этом замешана.

— Но, дорогая, против вас нет никаких улик. Только потому, что в тот день вас заманили на место преступления...

Шейла прервала меня:

— Он думает, что я нарочно это подстроила, а Эдна догадалась, так как узнала мой голос, когда я звонила в бюро и пыталась выдать себя за мисс Пебмарш.

— А это действительно были вы?

— Конечно нет! Я же говорила, что звонила не я!

— Послушайте, Шейла, что бы вы ни говорили другим, мне вы должны сказать правду.

— Значит, вы мне не верите?

— Да, не верю. Возможно, вы позвонили в бюро по совершенно невинной причине. Кто-то мог попросить вас сделать это, сказав, что это шутка, а вы потом испугались и солгали. Верно?

— Нет, нет, нет! Сколько раз мне нужно это повторять?

— И все-таки, Шейла, что-то вы утаили. Я хочу, чтобы вы мне доверяли. Если Хардкасл в самом деле в чем-то вас подозревает, хотя мне он об этом не говорил...

Шейла снова прервала меня:

— А вы ожидали, что он вам все станет рассказывать?

— Почему бы и нет? Ведь мы почти коллеги.

Официантка принесла заказ. Кофе имел такой же бледный оттенок, как мех норки модной расцветки.

— Я не знала, что вы связаны с полицией, — медленно произнесла Шейла, нервно помешивая кофе.

— Ну, не совсем с полицией. Вообще-то я работаю в несколько иной области. Но я хочу сказать, что Дик ничего не сообщил мне о вас, так как считает меня заинтересованным лицом. А я действительно заинтересованное лицо, и даже более того — я буду поддерживать вас, ... вы ни сделали. В тот день вы выбежали из дома перепуганная до смерти, и я видел, что вы не притворяетесь. Вы не могли так хорошо играть роль.

— Конечно, я страшно испугалась.

— Только мертвеца или еще чего-нибудь?

— А чего еще я могла бояться?

Я решил играть в открытую:

— Почему вы украли часы с надписью «Розмари»?

— Что вы имеете в виду? Зачем мне красть часы?

— Это я у вас и спрашиваю.

— Я их не брала.

— Вы сказали, что возвращаетесь в гостиную, потому что забыли там перчатки. Но в тот теплый сентябрьский день на вас не было перчаток. Я до сих пор не замечаю, чтобы вы их носили. Значит, вы вернулись, чтобы взять часы. И не лгите мне больше — я знаю, что это сделали вы.

Шейла молча крошила в руках лепешку.

— Хорошо, — наконец заговорила она. — Да, это сделала я. Я взяла часы и спрятала их себе в сумку.

— Но зачем?

— Из-за надписи «Розмари». Это мое имя.

— Разве ваше имя Розмари, а не Шейла?

— И то и другое. Меня зовут Розмари Шейла.

— И это единственная причина? Вы взяли часы только потому, что на них было написано ваше имя?

Шейла чувствовала в моем голосе недоверие, но стояла на своем:

— Я же говорила вам, что испугалась.

Я задумчиво смотрел на нее. Шейла стала для меня дороже всего на свете, но я не строил в ее отношении никаких иллюзий. Она лгала, хотя, возможно, ее вынуждали обстоятельства. По-видимому, ложь была для нее способом борьбы за существование. Ничего не поделаешь, если я люблю Шейлу, то должен принимать ее такой, какая она есть, — должен всегда быть рядом с ней, чтобы поддержать ее в трудную минуту. В конце концов, недостатки есть у всех, и у меня тоже, хотя и не такие, как у Шейлы.

Собравшись с духом, я вновь повел атаку:

— Эти часы принадлежали вам, не так ли?

Шейла открыла рот от изумления:

— Как вы об этом узнали?

— Расскажите мне все.

Сбиваясь от волнения, девушка начала рассказывать. Часы с надписью были у нее с раннего детства и до недавних пор. До шести лет Шейлу именовали не иначе как Розмари, но она терпеть не могла это имя и настаивала, чтобы ее называли Шейлой. В последнее время часы стали барахлить, поэтому она взяла их с собой на работу, чтобы отнести в мастерскую неподалеку от бюро. Но очевидно, Шейла забыла часы в автобусе или молочной лавке, куда ходила за сандвичами во время ленча.

— И это произошло перед убийством на Уилбрэхем-Крезент?

— Примерно за неделю до него, — ответила Шейла. — Я не беспокоилась из-за часов, так как они были старые, работали плохо и я все равно вскоре купила бы новые. Когда я вошла в гостиную, — продолжала она, — то не сразу их заметила. Мое внимание было приковано к трупу. Я прикоснулась к нему, а когда выпрямилась, увидела, что мои часы стоят прямо передо мной на столе у камина. Взглянув на свои руки, я увидела кровь... Потом вошла эта женщина, и я от страха забыла обо всем, когда она чуть не наступила на мертвеца. И тогда... тогда я убежала. Мне хотелось только как можно скорее выбраться оттуда.

Я кивнул:

— А потом?

— Я начала думать. Мисс Пебмарш заявила, что не вызывала меня, — значит, кто-то специально заманил меня в этот дом и подсунул туда мои часы. Я сказала, что забыла в гостиной перчатки, вернулась и спрятала часы в сумку. Наверное... я поступила глупо.

— Куда уж глупее, — подтвердил я. — Вообще, Шейла, в некоторых отношениях у вас нет ни капли здравого смысла.

— Но ведь кто-то пытался втянуть меня в эту историю! А открытка? Должно быть, тот, кто ее послал, знает, что я взяла часы. И к тому же на карточке изображен Олд-Бейли. А вдруг мой отец был преступником?

— Что вы знаете о ваших родителях?

— И отец и мать погибли в автомобильной катастрофе, когда я была маленьким ребенком. Так мне говорила тетя. Но она никогда ничего не рассказывала о родителях. А когда я начинала спрашивать, иногда отвечала совсем не то, что говорила раньше. Поэтому мне всегда казалось, что тут что-то не так.

— Продолжайте.

— Я подумала, что, может быть, отец и мать были преступниками — возможно, даже убийцами. Ведь детям не говорят: «Твои родители умерли, и я ничего не могу о них рассказать», если только в их жизни не было чего-нибудь ужасного.

— И поэтому вы стали придумывать разные ужасы. А может быть, вы просто незаконнорожденная?

— Я думала и об этом. Люди часто скрывают такие вещи от детей. Это очень глупо. Гораздо лучше рассказать им всю правду. Какое это имеет значение в наши дни? Но я ведь до сих пор не знаю, что за всем этим кроется. Почему меня назвали Розмари? Ведь это не семейное имя. Розмарин — символ воспоминания, верно?

— Может быть, очень приятного воспоминания, — заметил я.

— Да, конечно... Но я чувствую, что это не так. Как бы то ни было, после того, как инспектор в тот день допрашивал меня, я начала думать. Почему кто-то хотел заманить меня в этот дом вместе с убитым? Или сам убитый заманил меня туда? Может, это был мой отец и он хотел, чтобы я что-нибудь для него сделала? А потом кто-то вошел и убил его, причем с самого начала собирался свалить убийство на меня? Я окончательно запуталась. Казалось, все направлено на то, чтобы обвинить меня в убийстве. Я оказалась рядом с трупом, и мои часы каким-то образом очутились там же. Одним словом, я запаниковала и наделала глупостей.

— Во всем виноваты многочисленные триллеры, которые вы перепечатывали, — сказал я. — А что вы думаете об Эдне? У вас есть какая-нибудь идея насчет того, что ей пришло в голову? Почему она пришла к вам домой, хотя каждый день могла спокойно побеседовать с вами в бюро?

— Понятия не имею. Не может быть, чтобы она думала, будто я как-то связана с убийством.

— Возможно, она что-то случайно подслушала и сделала ошибочный вывод?

— Уверяю вас, подслушивать было нечего.

Но я даже теперь не мог до конца поверить Шейле.

— У вас есть какие-то личные враги? Отвергнутые молодые люди или завистливые девушки, затаившие против вас злобу?

Я сам понимал, что мой вопрос звучит весьма неубедительно.

— Конечно нет, — ответила Шейла.

Я все еще не разобрался в фантастической истории с часами. Что означает цифра «413»? Почему ее написали на открытке вместе со словом «Помни!», если это не имеет отношения к адресату?

Вздохнув, я оплатил счет и поднялся.

— Не беспокойтесь, — сказал я, понимая, что эти слова — самые бессмысленные на всех языках мира. — Частное сыскное агентство Колина Лэма идет по следу. Все кончится хорошо, мы поженимся и будем жить долго и счастливо практически без гроша в кармане. Между прочим, — спросил я, хотя знал, лучше было закончить речь на этой романтической ноте, но частное сыскное агентство Колина Лэма не давало мне покоя, — между прочим, что вы сделали с этими часами? Спрятали их в ящик для чулок?

.После небольшой паузы Шейла ответила:

— Я выбросила их в мусорный ящик соседнего дома.

Я был удовлетворен. Просто и эффективно. Возможно, я недооценивал Шейлу.

Глава 24

РАССКАЗЫВАЕТ КОЛИН ЛЭМ

1

Когда Шейла ушла, я вернулся в «Кларендон», упаковал свой чемодан и оставил его у портье. В таких отелях всегда стараются, чтобы вы освободили номер до полудня.

Затем я снова вышел на улицу. Мой маршрут проходил мимо полицейского участка, куда я вошел после минутного колебания. Я застал Хардкасла в тот момент, когда он, нахмурившись, разглядывал какое-то письмо.

— Сегодня вечером я снова уезжаю, Дик, — сообщил я. — Возвращаюсь в Лондон.

Он задумчиво посмотрел на меня:

— Хочешь, я дам тебе совет?

— Нет, — поспешно ответил я.

Но Хардкасл не обратил на это никакого внимания. Когда люди хотят давать советы, они не принимают в расчет возражений.

— На твоем месте я бы уехал и больше не возвращался. Так будет для тебя лучше всего.

— Никто не может знать, что для другого лучше всего.

— Сомневаюсь в этом.

— Я должен сказать тебе кое-что, Дик. Как только я выполню свое задание, я уйду с этой работы. По крайней мере, думаю, что уйду.

— Почему?

— Я похож на старомодного викторианского священника. У меня сомнения.

Несколько секунд она молчала, потом ответила спокойно и равнодушно:

— Да, вы абсолютно правы.

— Вы знали, что он едет туда?

— Более-менее. — Помолчав, она добавила: — Он хотел, чтобы я приехала к нему.

— Он уже давно обдумывал этот план?

— Полагаю, что да. До последнего времени муж ничего мне не говорил.

— Но вы не разделяете его взгляды?

— Когда-то разделяла. Хотя вы, должно быть, сами все знаете. В таких случаях вы ведь всегда все тщательно проверяете — копаетесь в прошлом, выясняете, кто был членом партии, кто сочувствующим и так далее.

— Вы могли бы сообщить нам полезные сведения, — заметил я.

Миссис Рэмзи покачала головой:

— Я не могу этого сделать. Именно не могу, а не не хочу. Видите ли, муж никогда не говорил мне ничего определенного, да я и сама не хотела ничего знать. Я устала от такой жизни! Когда Майкл сказал, что хочет покинуть Англию и обосноваться в Москве, это меня не удивило. Но я должна была решить, что мне делать.

— И вы решили остаться здесь, потому что не вполне сочувствуете целям вашего мужа?

— Нет, дело не в том. Мое решение было вызвано сугубо личными мотивами. Я уверена, что ими руководствуются женщины во всем мире, если только они не фанатички. Да, я знаю, что женщина может быть очень фанатичной, но я не из таких. Мои взгляды никогда не выходили за пределы умеренно левых.

— Ваш муж был замешан в деле Ларкина?

— Не знаю. Может, и был. Он никогда мне об этом не рассказывал. — Внезапно миссис Рэмзи заговорила быстро и взволнованно: — Объяснимся начистоту, мистер Лэм, кто бы вы ни были на самом деле — пусть даже волк в овечьей шкуре. Я любила своего мужа — любила достаточно сильно, даже чтобы уехать с ним в Москву, независимо от того, разделяю я его политические убеждения или нет. Но он хотел, чтобы я взяла с собой мальчиков, и я отказалась. Я решила остаться с ними здесь.

Не знаю, увижу ли я когда-нибудь Майкла. Он выбрал свою дорогу, а мне пришлось выбирать свою. Но одну вещь я знаю твердо. Я хочу, чтобы мои сыновья росли в своей стране. Они англичане и пусть воспитываются как обычные английские мальчики.

— Понятно.

— Думаю, мне больше нечего вам сообщить. — Миссис Рэмзи поднялась.

— Наверное, это был трудный выбор, — мягко сказал я. — Мне вас очень жаль.

Почувствовав симпатию в моем голосе, женщина печально улыбнулась:

— Возможно, вы в самом деле меня жалеете... Я понимаю — на вашей работе волей-неволей приходится действовать людям на нервы, стараясь узнать, что они чувствуют или думают. Конечно, для меня это был тяжелый удар, но худшее уже позади... Теперь надо решить, что делать, куда идти, оставаться в этом городе или нет... Я хочу устроиться на работу. Мне приходилось работать секретарем. Может, я начну ходить на курсы повышения квалификации в машинописи и стенографии.

— Только не идите в бюро «Кэвендиш», — предупредил я.

— Почему?

— С девушками, которые там работают, происходят серьезные неприятности.

— Если вы думаете, что я что-то об этом знаю, то вы ошибаетесь.

Пожелав ей удачи, я откланялся. У миссис Рэмзи я не узнал ничего полезного, да я на это и не надеялся. Просто надо же когда-то свести концы с концами...

3

Выйдя за калитку, я едва не столкнулся с миссис Мак-Нотон. Она несла в руке хозяйственную сумку и, казалось, едва держалась на ногах.

— Позвольте вам помочь, — предложил я и взял у нее сумку. Она вцепилась в нее мертвой хваткой, но, вглядевшись в меня, разжала руку.

— А, вы тот самый молодой человек из полиции, — сказала миссис Мак-Нотон. — Я вас сразу не узнала.

Я тащил поклажу до ее дверей, а она, пошатываясь, тащилась за мной. Сумка была необычайно тяжелой. Интересно, чем она набита? Картошкой?

— Не звоните, — предупредила миссис Мак-Нотон. — Дверь не заперта.

Очевидно, на Уилбрэхем-Крезент вообще было не принято запирать двери.

— Ну, как идут ваши дела? — осведомилась миссис Мак-Нотон. — Кажется, он весьма неудачно женился.

Я не понял, о ком идет речь.

— Я имею в виду нашего таинственного незнакомца, — объяснила женщина. — Когда я ходила на дознание, то видела эту миссис Райвл. Выглядит как обыкновенная потаскушка. По-моему, смерть мужа ее не слишком огорчила.

— Миссис Райвл не видела его пятнадцать лет, — заметил я.

— Мы с Энгусом женаты уже двадцать. — Она вздохнула. — Это немалый срок. Энгус совсем помешался на садоводстве, когда бросил университет. Прямо не знаю, что с ним делать...

В это время из-за угла дома появился мистер Мак-Нотон с лопатой в руке:

— А, ты уже вернулась, дорогая. Дай-ка мне сумку.

— Отнесите ее на кухню, — поспешно попросила меня миссис Мак-Нотон, подтолкнув локтем. — Там корнфлекс, яйца и дыня, — сказала она, повернувшись к мужу и весело улыбаясь.

Когда я положил сумку на кухонный стол, в ней что-то звякнуло.

Корнфлекс, как же! Во мне мигом пробудились шпионские инстинкты. В сумке под желатином лежали три бутылки виски.

Теперь я понял, почему миссис Мак-Нотон была так весела и нетвердо держалась на ногах. Возможно, по этой причине ее муж и бросил кафедру.

Очевидно, сегодняшнее утро было предназначено для свиданий с обитателями Уилбрэхем-Крезент. Идя в сторону Олбени-роуд, я встретил мистера Блэнда. Он также пребывал в хорошем настроении и сразу меня узнал.

— Как поживаете? Как ваше преступление? Наконец-то установили личность убитого. Кажется, он скверно обошелся с женой? Между прочим, простите за нескромный вопрос, но вы не из местных?

Я уклончиво ответил, что приехал из Лондона.

— Значит, этим делом заинтересовался Скотленд-Ярд?

— Как вам сказать, — замялся я.

— Понимаю. Не хотите выносить сор из избы. Кстати, вы были на дознании?

Я объяснил, что ездил за границу.

— Я тоже, мой мальчик! — И мистер Блэнд шутливо подмигнул.

— В веселый Париж? — осведомился я, подмигивая в ответ.

— Увы, нет. Ездил на денек в Булонь. — Он подтолкнул меня локтем, как ранее миссис Мак-Нотон. — Поехал без жены — в компании очаровательной блондинки. Прекрасно провел время.

— Неплохое деловое путешествие, — заметил я, и мы оба рассмеялись, как подобает светским волокитам.

Мистер Блэнд направился к дому 61, а я зашагал в сторону Олбени-роуд.

Я был недоволен собой. Как говорил Пуаро, из соседей можно было вытянуть гораздо больше. То, что никто ничего не видел, выглядело просто неестественным. Может быть, Хардкасл задавал неверные вопросы. Но я не мог придумать лучшие. Свернув на Олбени-роуд, я составил в уме перечень вопросов, требующих немедленного разрешения. Выглядел он следующим образом:

1. Мистеру Карри (Каслтону) дали наркотик. Когда?

2. Мистер Карри (Каслтон) был убит. Где?

3. Мистера Карри (Каслтона) перенесли в дом 19. Как?

4. Кто-то должен был что-то видеть. Кто и что?

Я снова свернул налево. Теперь я оказался как раз в том месте Уилбрэхем-Крезент, где проходил девятого сентября. Может быть, зайти к мисс Пебмарш? Позвонить и сказать... а собственно, что сказать?

Заглянуть к мисс Уотерхаус? Но с ней мне также не о чем говорить.

Тогда к миссис Хемминг? В данном случае вопрос о теме разговора не имеет значения — все равно она не станет слушать собеседника, а будет без умолку трещать сама. Но вдруг в ее болтовне, какой бы бессмысленной она ни была, скользнет нечто важное?

Я шагал по улице, считая номера домов. Может быть, покойный мистер Карри делал то же самое, пока не дошел до дома, куда намеревался нанести визит?

Еще никогда Уилбрэхем-Крезент не выглядела более чопорной. Мне хотелось воскликнуть: «Если бы эти камни могли говорить!» (Это была излюбленная цитата викторианской эпохи.) Но ни кирпичи, ни известка, ни штукатурка не обладают даром речи. Уилбрэхем-Крезент хранила молчание. По-видимому, старомодной, захолустной и довольно обшарпанной улице не нравились путники, которые сами не знают, что ищут.

Уилбрэхем-Крезент была пуста. Лишь иногда попадались мальчишки на велосипедах и женщины с хозяйственными сумками. Дома можно было бальзамировать, как мумии, потому что в них не было заметно никаких признаков жизни. Я понимал причину этого безмолвия. Было около часу дня, а это священное время по английским традициям предназначалось для дневного приема пищи. Только изредка, в окнах без занавесок, я видел одного или двух человек, сидящих за обеденным столом. Либо окна были прикрыты нейлоновыми сетками, сменившими некогда популярные ноттингемские кружева, либо люди вкушали пищу в обставленной по-современному кухне, согласно моде шестидесятых годов.

Мне пришло в голову, что час дня — отличное время для убийства. Интересно, подумал ли об этом и наш убийца? Было ли это частью его плана? Наконец я дошел до дома 19.

Подобно всем умственно отсталым представителям местного населения, я остановился и уставился на него. Вокруг не было ни единого человеческого существа.

«Ни соседей, — уныло подумал я, — ни смышленых наблюдателей».

Внезапно я ощутил резкую боль в плече. Я ошибся. Здесь были соседи, которые могли бы принести пользу, умей они говорить. Тот самый рыжий кот, который сидел на воротах дома 20 девятого сентября, теперь находился на том же месте. Отодвинув когтистую лапу, вцепившуюся мне в плечо, я обратился к неожиданному собеседнику:

— Если бы кошки могли говорить!

Рыжий кот разинул пасть, издав звучное и мелодичное «мяу».

— Я знаю, дружище, что ты можешь говорить не хуже меня, — продолжал я. — Но мы не понимаем языка друг друга. Ты ведь сидел здесь в тот день. Не видел ли ты, как кто-нибудь вошел в этот дом или вышел из него? А может быть, киса, ты вообще все знаешь о происшедшем?

Коту, по-видимому, не понравилось мое фамильярное обращение, так как он повернулся ко мне задом и стал вращать хвостом.

— Простите, ваше величество, — извинился я.

Кот бросил на меня через плечо презрительный взгляд и начал усердно умываться.

«Сосед, нечего сказать!» — с досадой подумал я. Что и говорить, с соседями на Уилбрэхем-Крезент было из рук вон плохо. Нам с Хардкаслом подошли бы старые леди, которые постоянно сплетничали, подслушивали, подглядывали и проводили жизнь в надежде узнать какие-нибудь скандальные новости. Но, к сожалению, старые леди такого сорта вымерли, а оставшиеся в живых наслаждались комфортом в домах для престарелых или годами торчали в больницах, где не хватало коек для настоящих больных, вместо того чтобы сидеть дома под опекой верных слуг или бедных родственников. Да, это серьезная потеря для уголовного розыска.

Я бросил взгляд на другую сторону улицы. Но там не могло идти речи ни о каких соседях. Вместо аккуратного ряда домиков, на меня смотрела оттуда серая бетонная стена. Однако эта мрачная громада являла собой человеческий улей, населенный рабочими пчелами, которые улетали на целые дни и лишь вечерами возвращались домой, чтобы искупать малышей или, подкрасившись, выйти на улицу, на сей раз для встреч с молодыми людьми. Глядя на унылое многоквартирное здание, я почти с теплым чувством подумал об увядающей викторианской элегантности Уилбрэхем-Крезент.

Внезапно я заметил вспышку, мелькнувшую где-то на уровне средних этажей. Это заинтересовало меня, и я начал наблюдать. Вспышка повторилась. В открытом окне я увидел человеческое лицо, чем-то частично прикрытое. Вспышка повторилась в третий раз. С решительным видом я сунул руку в карман, где всегда держу немало полезных вещей. Среди них маленький липкий пластырь, несколько безобидных на вид инструментов, которые способны открыть любую дверь, небольшая коробочка с серым порошком и этикеткой, отнюдь не соответствующей ее содержимому, аппарат для вдувания этого порошка и еще несколько вещиц, назначение которых большинству было бы совершенно непонятно. В их числе была и карманная подзорная труба для наблюдения за птицами, правда небольшой мощности, но вполне пригодная в данной ситуации. Я вытащил ее и поднес к глазу.

В окне находилась маленькая девочка. Я разглядел даже длинную косу, свесившуюся через плечо. В руках она держала театральный бинокль и с лестным для меня вниманием наблюдала за мной. Хотя, возможно, она выбрала меня в силу отсутствия других, более интересных объектов.

В этот момент на улице появился старый, но все еще импозантный «роллс-ройс». За рулем сидел пожилой шофер. Выглядел он так же величественно, как и автомобиль, и так же был потрепан жизнью. Шофер проехал мимо меня с таким торжественным видом, словно возглавлял целую процессию автомашин. Я заметил, что моя маленькая наблюдательница направила бинокль на него. Созерцая эту сцену, я задумался.

Я всегда был убежден, что если ждать достаточно долго, то рано или поздно вам повезет. Что-то, чего вы до сих пор не принимали в расчет или вовсе не могли себе представить, обязательно случается. Возможно, именно это происходило сейчас со мной. Снова посмотрев на мрачное здание, я постарался запомнить местонахождение интересующего меня окна. Оно находилось на четвертом этаже. Я зашагал по улице, дойдя до широкой подъездной аллеи, окруженной газоном и клумбами.

Далее я действовал по намеченному плану: пошел по аллее к дому, внезапно остановился, с испуганным видом посмотрел наверх, потом наклонился над травой, притворяясь, будто что-то разыскиваю, и, наконец, выпрямился, сделав вид, что сунул в карман какой-то предмет. После этого я направился к подъезду.

В любое другое время можно было рассчитывать на лифтера, но в священный промежуток между часом и двумя холл был пуст. Правда, в глаза бросался звонок с надписью «Лифтер», но я им не воспользовался. Войдя в кабину, я нажал кнопку четвертого этажа. Оставалось найти место назначения.

Запомнить местоположение нужной комнаты снаружи достаточно просто, но найти ее же внутри дома не так легко. Однако у меня было немало опыта в подобного рода мероприятиях, поэтому я не сомневался, что нашел именно нужную мне дверь. На счастье или на беду, квартира имела номер 77.

«Семерки всегда к удаче, — решил я. — Вперед!» Я позвонил и стал ожидать дальнейших событий.

Глава 25

РАССКАЗЫВАЕТ КОЛИН ЛЭМ

Через несколько секунд дверь открылась.

Высокая розовощекая блондинка скандинавского типа, одетая в яркое платье, вопрошающе смотрела на меня. По следам муки на руках и даже на носу я догадался, чем она занималась.

— Простите, — начал я, — но здесь, кажется, живет маленькая девочка. Она уронила из окна одну вещицу.

Девушка растерянно улыбалась. Она явно не была сильна в английском языке.

— Простите, что вы сказали?

— Здесь живет маленькая девочка?

— Да-да. — Блондинка кивнула.

— Она уронила кое-что из окна. — Свои слова я подкрепил выразительной жестикуляцией. — Я поднял это и принес сюда.

Я протянул ей серебряный фруктовый нож. Девушка с удивлением смотрела на него:

— Я никогда его не видела...

— Вероятно, вы заняты на кухне, — сочувственно заметил я.

— Да-да, я готовила... — Она энергично кивнула.

— Не хочу вам мешать, — продолжал я. — Только позвольте вернуть ножик девочке.

Казалось, девушка меня поняла. Она пересекла холл и открыла дверь. Я очутился в уютно меблированной гостиной. У окна стояла кушетка, на которой сидела девочка лет девяти-десяти с ногой в гипсе.

— Этот джентльмен... он сказал, что ты уронила... — начала девушка.

К счастью, в этот момент из кухни запахло горелым. Моя провожатая издала испуганный возглас:

— Простите, пожалуйста!..

— Вы идите, — искренне посоветовал я ей. — Я сам все улажу.

Девушка с готовностью удалилась. Я закрыл за собой дверь и подошел к кушетке.

— Привет, — весело поздоровался я.

— Здравствуйте, — ответила девочка, продолжая внимательно изучать меня, что, должен признаться, несколько действовало на нервы. Она была довольно некрасивым ребенком с гладкими, мышиного цвета волосами, заплетенными в две косички, выпуклым лбом, выдающимися скулами и парой смышленых серых глаз.

— Меня зовут Колин Лэм, — представился я. — А тебя?

Она тут же сообщила требуемую информацию:

— Джералдина Мэри Александра Браун.

— Боже мой! — воскликнул я. — Сколько имен! Как тебя обычно называют?

— Джералдина. Иногда Джерри, но мне это не нравится. И папа тоже не любит сокращений.

Я давно заметил, что с детьми иметь дело гораздо легче, чем с взрослыми. Любой взрослый человек сразу спросил бы, что мне нужно. Джералдина была готова начать беседу, не задавая глупых вопросов. Она скучала в одиночестве, и появление любого посетителя было для нее приятной новостью. Покуда я не проявил себя скучным и неинтересным парнем, девочка не возражала болтать со мной.

— Твоего папы, наверное, сейчас нет дома? — спросил я.

Она ответила так же быстро и подробно, как на предыдущий вопрос:

— Папа работает на машиностроительном заводе Картингхейвена в Бивербридже. Это в пятнадцати милях отсюда.

— А твоя мама?

— Мама умерла, — сказала Джералдина, не проявляя особого горя. — Она умерла, когда мне было только два месяца. Самолет, на котором мама летела из Франции, разбился, и все пассажиры погибли.

Джералдина не без удовлетворения сообщила эти подробности. Дети всегда немного гордятся, если кто-нибудь из их родственников погиб в результате сокрушительной катастрофы.

— Понятно. А кто эта девушка? — Я покосился в сторону двери.

— Это Ингрид. Она приехала из Норвегии. У нас она живет только две недели. Я учу ее английскому, так как она его почти не знает.

— А Ингрид учит тебя норвежскому?

— Редко, — созналась Джералдина.

— Тебе она нравится?

— Да, она хорошая. Правда, иногда Ингрид готовит довольно странные кушанья. Знаете, она любит сырую рыбу.

— Я тоже ел сырую рыбу, когда был в Норвегии, — сказал я. — Иногда это очень вкусно.

Судя по лицу Джералдины, она сильно в этом сомневалась.

— Сегодня Ингрид пытается испечь пирог из патоки, — сообщила девочка.

— Неплохо.

— Вообще-то да. Я люблю пирог из патоки. — Она вежливо осведомилась: — Вы пришли к нам на ленч?

— Не совсем. Просто я шел по улице, и мне показалось, что ты уронила что-то из окна.

— Я?

— Да. — Я протянул ей серебряный фруктовый нож.

Джералдина посмотрела на него сначала недоверчиво, потом одобрительно:

— Хорошая штука. Что это такое?

— Это фруктовый нож. — Я раскрыл его.

— Им что, снимают кожуру с яблок?

— Вот именно.

Джералдина вздохнула:

— Это не мой. А почему вы подумали, что я его уронила?

— Ну, ты выглядывала из окна и...

— Я все время смотрю в окно, — сказала Джералдина. — Я упала и сломала ногу.

— Вот беда!

— Да, верно. К тому же это было совсем не интересно. Я выходила из автобуса, а он вдруг поехал. Первые дни было очень больно, но теперь уже все прошло.

— Должно быть, тебе скучно целыми днями сидеть дома, — заметил я.

— Конечно. Но папа приносит мне всякие интересные вещи: пластилин, книжки, цветные карандаши, картинки-загадки. А когда они мне надоедают, я смотрю в окно в эту штуку. — Она с гордостью показала маленький театральный бинокль.

— Можно посмотреть? — попросил я.

Отрегулировав бинокль соответственно моему зрению, я выглянул в окно:

— Да, хорошая вещь.

Бинокль в самом деле был превосходный. Папа Джералдины, если это он снабдил им дочь, не жалел денег. В бинокль можно было четко рассмотреть и дом 19, и все соседние дома. Я вернул его девочке.

— Отличная вещь, — снова похвалил я. — Высший класс.

— Еще бы, — отозвалась Джералдина. — Это не какая-нибудь игрушка для маленьких. У меня еще кое-что есть. Смотрите. — Она показала мне маленькую книжицу. — Сюда я записываю разные вещи. Например, сколько машин проезжает мимо за день.

— Неплохое занятие, — одобрил я.

— Да. Но, к сожалению, иногда машин бывает так много, что я не успеваю все записать.

— Наверное, ты все знаешь о тех домах и о людях, которые там живут, — как бы мимоходом произнес я.

— Конечно знаю, — тотчас же ответила Джералдина. — Правда, я не знаю, как их зовут, поэтому дала им прозвища.

— Очевидно, забавные, — предположил я.

— Вон там живет Маркиза Карабас, — показала девочка. — Вы читали «Кота в сапогах»? У нее сад весь зарос деревьями и полным-полно кошек.

— С одним котом я только что беседовал, — сообщил я.

— Знаю, я вас видела, — кивнула Джералдина.

— У тебя, вероятно, превосходное зрение, — похвалил я. — Ты все замечаешь.

Девочка довольно улыбнулась. Дверь открылась, и в комнату вбежала запыхавшаяся Ингрид:

— Ну как, все в порядке?

— Да, в порядке, — решительно отозвалась Джералдина. — Тебе незачем было беспокоиться, Ингрид. Продолжай печь пирог. — Девочка сделала выразительный жест рукой.

— Ладно, пойду на кухню. Как хорошо, что у тебя гость!

— Когда Ингрид готовит новое кушанье, она всегда нервничает, — объяснила Джералдина. — Из-за этого мы часто едим гораздо позже, чем надо. Очень хорошо, что вы пришли и отвлекаете меня, — тогда я перестаю думать о еде.

— Расскажи мне что-нибудь о людях, живущих в тех домах, — попросил я. — Все, что тебе удалось там увидеть. Кто живет в том чистеньком домике?

— Там живет одна слепая женщина. Она совсем ничего не видит, а ходит как будто зрячая. Мне говорил про нее наш лифтер Харри. Он очень славный, всегда рассказывает столько интересного. Харри и про убийство мне рассказал.

— Про убийство? — переспросил я, притворяясь удивленным.

Джералдина кивнула. Ее глаза блеснули при мысли, что сейчас она сообщит действительно важную новость.

— В том доме произошло убийство. Практически я его видела.

— Как интересно!

— Конечно! Я никогда раньше не видела убийства — вернее, места, где оно произошло.

— А что именно ты видела?

— Не так уж много. В это время дня на улице вообще мало народу. Самое интересное было, когда кто-то выбежал из дома, громко крича. Тогда я сразу поняла, что что-то случилось.

— А кто кричал?

— Девушка. Молодая и довольно красивая. В это время по улице проходил молодой человек. Она подбежала к нему и вцепилась в него — вот так. — Джералдина сделала соответствующий жест и внезапно пристально на меня посмотрела. — Знаете, этот молодой человек очень похож на вас.

— Должно быть, у меня есть двойник, — пошутил я. — Что же случилось дальше? Все это очень увлекательно.

— Ну, он посадил девушку на землю, а сам побежал в дом. Тогда Император — рыжий кот, я всегда его так называю, потому что у него гордый вид, — перестал умываться и начал оглядываться по сторонам. Потом мисс Пика из дома 18 вышла на крыльцо и тоже начала осматриваться.

— Мисс Пика?

— Я называю ее так, потому что она прямая, как пика. У нее есть брат, и она все время к нему пристает.

— Продолжай, — с интересом сказал я.

— Ну, молодой человек опять вышел... А вы уверены, что это не были вы?

— У меня довольно обычная внешность, — скромно промолвил я. — Таких, как я, тысячи.

— Наверное, вы правы, — согласилась Джералдина, не к чести для моего облика. — Значит, тот человек пошел к телефонной будке и позвонил. Вскоре приехала полиция. Очень много полицейских. — Глаза девочки возбужденно блеснули. — Они вынесли труп и положили его в санитарную машину. Конечно, там стояло и глазело полно народу. Харри — наш лифтер — тоже был там. Он потом обо всем мне рассказал.

— А он рассказал тебе, кто был убит?

— Харри говорил, что какой-то мужчина и что никто не знал его имени.

Я горячо молился, чтобы в этот момент не вошла Ингрид с пирогом из патоки или каким-нибудь другим деликатесом.

— Давай вернемся немного назад. Расскажи, что происходило раньше. Ты видела, как тот мужчина, которого убили, подошел или подъехал к этому дому?

— Нет, не видела. Думаю, он был там все время.

— Ты имеешь в виду, что он там жил?

— Нет, там никто не живет, кроме мисс Пебмарш.

— Так ты знаешь ее настоящее имя?

— Да, потому что оно было в газетных статьях об убийстве. А девушку, которая кричала, зовут Шейла Уэбб. Харри рассказал мне, что убитого мужчину звали мистер Карри. Забавное имя, правда? Похоже на кушанье[1]. А потом произошло второе убийство! Не в тот же самый день — позже, в телефонной будке на этой же улице. Она видна из окна, если высунуться и повернуть голову вправо. Если бы я знала, что это случится, то обязательно бы высунулась. Но я, к сожалению, не знала, поэтому ничего не видела. В то утро, как и вообще в последние дни, толпа стояла и глазела на дом. По-моему, это глупо, верно?

— Да, — согласился я. — Очень глупо.

В это время в дверях появилась Ингрид.

— Я скоро приду, — сообщила она и снова удалилась.

— Ну ее, — недовольно сказала Джералдина. — Вечно она опаздывает с едой. Хорошо, что папа вечером ходит в ресторан и приносит мне что-нибудь оттуда. Конечно, не настоящий обед — только рыбу или что-то вроде этого. — Ее голос стал тоскливым.

— А когда у тебя обычно ленч, Джералдина?

— Вы хотите сказать, обед? Я ведь вечером не обедаю, а ужинаю. Ну, обед у меня в то время, когда Ингрид успевает его приготовить. Утром она успевает вовремя, потому что папа сердится из-за опозданий, но днем мы обедаем когда как. Ингрид говорит, что есть

---

[1] К а р р и (curry) — приправа из кукурузного корня *(англ.)*.

надо не в какое-нибудь определенное время, а когда еда готова.

— Ну что ж, это весьма удобно для нее, — улыбнулся я. — А когда ты обедала в день убийства?

— В двенадцать. Понимаете, Ингрид иногда ходит в кино или в парикмахерскую. Тогда миссис Перри приходит посидеть со мной. Вообще-то она ужасная женщина.

— Почему? — спросил я.

— Все время гладит меня по голове и говорит: «Дорогая моя девочка», а поболтать с ней не о чем. Но она приносит мне конфеты.

— Сколько тебе лет, Джералдина?

— Десять и три месяца.

— Ты, кажется, хорошо ведешь умные разговоры, — заметил я.

— Это потому, что я часто разговариваю с папой, — серьезно сказала Джералдина.

— Значит, в день убийства ты обедала рано?

— Да, чтобы Ингрид смогла вымыть посуду и сразу же уйти.

— А в тот день ты смотрела из окна на прохожих?

— Да, но не все время. Около десяти я решала кроссворд.

— А вдруг ты все-таки видела, как мистер Карри подошел к дому?

Джералдина покачала головой:

— Нет, не видела. Конечно, это странно.

— Почему? Может быть, он пришел очень рано?

— Он не входил через парадный вход и не звонил в звонок. Иначе я бы его увидела.

— Возможно, он прошел через сад с другой стороны дома.

— Нет, — возразила Джералдина. — Задний двор граничит с садами других домов, а людям не нравится, когда лезут через их сад.

— Да, пожалуй, ты права.

— Хотела бы я знать, как выглядел этот мистер Карри, — сказала девочка.

— Ну, он был уже старый — около шестидесяти лет, гладко выбритый и в темно-сером костюме.

Джералдина покачала головой.

— Так выглядят многие, — с неодобрением промолвила она.

— Как бы то ни было, — заметил я, — тебе трудно запомнить, в какой день что происходит, когда ты все время лежишь и смотришь в окно.

— Вовсе нет, — поддалась на провокацию Джералдина. — Я могу рассказать вам обо всем, что происходило в то утро. Я знаю, когда пришла миссис Краб и когда она ушла.

— Ты имеешь в виду уборщицу?

— Да. Она бегает боком, как краб. У нее есть маленький мальчик. Иногда она приводит его с собой, но в тот день его не было. А потом, около десяти, мисс Пебмарш уходит из дому. Она ходит учить детей в школе для слепых. Миссис Краб уходит около двенадцати. Иногда она держит в руках сверток — наверное, уносит масло и сыр, так как мисс Пебмарш ничего не видит. А тот день я особенно хорошо помню, потому что поссорилась с Ингрид и она перестала со мной разговаривать. Я учу ее английскому, и она спросила, как по-английски «до свидания», — Ингрид сказала это по-немецки, auf wiedersehen. Я поняла, так как была в Швейцарии и слышала, как они прощаются. И еще там говорят «Grüss Gott»[1]. Это очень грубо звучит по-английски.

— Ну так что же ты ответила Ингрид?

Джералдина злорадно засмеялась и долго не могла остановиться.

— Я взяла и сказала ей, что по-английски это будет «убирайся к черту». Тогда Ингрид попрощалась так с нашей соседкой, миссис Булстроуд, а та пришла в бешенство. Ингрид все поняла и очень на меня рассердилась. Мы почти целый день были в ссоре.

Я терпеливо переносил поток информации.

— Значит, ты в тот день смотрела в бинокль?

Девочка кивнула:

— Да, и мистер Карри не входил через парадную дверь. Думаю, что он пришел ночью и спрятался на чердаке. Как по-вашему, это возможно?

---

[1] Немецкая форма приветствия.

— Вообще-то возможно, — ответил я, — но не слишком.

— Да, — согласилась Джералдина. — Ведь он бы тогда проголодался и не смог бы попросить у мисс Пебмарш, чтобы она его накормила, если он прятался от нее.

— А больше никто не входил в дом? — допытывался я. — Может быть, какой-то торговец приезжал на машине?

— Бакалейщик приезжает по понедельникам и четвергам, — отозвалась Джералдина, — а молоко привозят утром в полдевятого.

Ребенок был подлинной энциклопедией!

— Цветную капусту и другие овощи мисс Пебмарш покупает сама, — продолжала девочка. — Нет, никто не приезжал, кроме фургона из прачечной. Из новой прачечной, — добавила она.

— Из новой?

— Да, обычно приезжает фургон из прачечной «Южные холмы», а этот был из прачечной «Снежинка». Никогда раньше его не видела. Должно быть, эта прачечная только открылась.

Я старался ничем не проявить возросший интерес, так как не хотел поощрять ее фантазию.

— Этот фургон привез или забрал белье? — спросил я.

— Привез, — ответила Джералдина. — В большой корзине — гораздо большей, чем обычно.

— И мисс Пебмарш получала белье сама?

— Конечно нет. Ведь она тогда уже ушла.

— А в какое время это было?

— Ровно в час тридцать пять — у меня записано. — Девочка с гордостью открыла записную книжку и ткнула довольно грязным пальцем в строку: «1.35. Приезжал фургон из прачечной в дом 19».

— Тебе надо бы работать в Скотленд-Ярде, — улыбнулся я.

— Женщиной-сыщиком? С удовольствием. Только не констеблем. Женщины в полицейской форме выглядят очень глупо.

— Ты еще не рассказала мне, что случилось, когда приехал фургон.

— Ничего не случилось. Водитель вышел, открыл дверцу, вытащил корзину и, шатаясь, пошел к черному ходу. Думаю, он не смог войти, так как мисс Пебмарш, наверное, заперла дверь. Видимо, он оставил корзину и уехал.

— Как он выглядел?

— Обыкновенно.

— Как я?

— Нет, он был гораздо старше вас, — сказала Джералдина. — Я плохо его видела, потому что он подъехал оттуда. — Девочка указала направо. — Он остановился перед домом 19, хотя для этого ему пришлось ехать по правой стороне. Но на таких улицах это не имеет значения. А потом водитель прошел в калитку с корзиной в руках. Я могла видеть только его затылок, а выходя, он чесал лицо, так что я опять его не разглядела. Наверное, ему стало жарко и он устал, таская корзину.

— А потом он уехал?

— Да. Почему вас это так интересует?

— Ну, не знаю, — замялся я. — Просто я подумал, что он мог увидеть что-нибудь важное.

В открытую дверь ворвалась Ингрид. Она катила перед собой столик на колесиках.

— Сейчас мы будем обедать, — весело улыбнулась девушка.

— Наконец-то! — обрадовалась Джералдина. — Я умираю с голоду.

Я поднялся:

— Ну, мне пора уходить. До свидания, Джералдина.

— До свидания. А как быть с этим? — Девочка подобрала фруктовый ножик. — Ведь он, к сожалению, не мой. — Она тоскливо вздохнула.

— Получается, что он вообще ничей.

— Значит, он с неба свалился?

— Что-то вроде этого. Лучше оставь его себе, пока кто-нибудь за ним не придет. Но не думаю, чтобы это случилось, — честно добавил я.

— Дай мне яблоко, Ингрид, — попросила Джералдина.

— Яблоко?

— Pomme! Apfel![1]

Джералдина была явно сильна в лингвистике. Я еще раз простился и вышел.

Глава 26

Миссис Райвл открыла дверь «Павлиньего глаза» и слегка нетвердым шагом направилась к бару, что-то бормоча себе под нос. В этой захолустной гостинице ее хорошо знали.

— Как идут делишки, Фло? — осведомился бармен.

— Так себе, — ответила миссис Райвл. — А в общем, паршиво. Я знаю, что говорю, Фред. Все идет не так, как надо.

— Ну конечно, — успокаивающе произнес Фред. — Что тебе налить? То же, что всегда?

Миссис Райвл кивнула. Расплатившись, она стала потягивать напиток из стакана. Фред отошел к другому клиенту. Выпивка слегка развеселила миссис Райвл. Она продолжала бормотать, но с более жизнерадостным видом. Когда Фред вернулся, женщина обратилась к нему:

— Во всяком случае, я не собираюсь с этим мириться, — заявила она. — Есть только одна вещь, которую я не могу выносить, — ложь. Я всегда ненавидела вранье.

— Ну разумеется, — снова успокоил ее Фред, окидывая посетительницу наметанным взглядом. «Уже достаточно набралась, — подумал он, — но выдержит еще парочку порций. Интересно, что ее беспокоит?»

— Ложь, — продолжала миссис Райвл. — Сплошные уве... уве... ты знаешь, что я хочу сказать.

— Конечно знаю — увертки.

Фред повернулся, чтобы приветствовать очередного знакомого. Его внимание отвлекло скандальное поведение группы посетителей. Миссис Райвл все еще бормотала:

— Мне это не нравится, и я этого не потерплю. Никто не может так со мной обращаться. Ведь если ты сама

---

[1] Яблоко *(фр., нем.).*

себя не защитишь, то кто? Налей еще, приятель, — добавила она более громко.

Фред повиновался.

— На твоем месте я бы пошел домой, — посоветовал он.

Его очень интересовало, что так огорчает обычно спокойную и веселую Флосси.

— Это доведет меня до неприятностей, Фред, — не унималась она. — Когда люди просят вас о чем-то, они должны объяснить, для чего им это нужно. А эти — просто грязные лжецы!

— Отправляйся поскорее домой, — снова предложил Фред, заметив, что у нее глаза на мокром месте. — А то сейчас пойдет дождь и испортит твою хорошенькую шляпку.

Миссис Райвл слабо улыбнулась.

— Мне всегда нравились васильки, — вздохнула она. — О Боже, просто не знаю, что делать.

— Иди домой и ложись спать.

— Да, но...

— Иди, а то пропала твоя шляпка.

— Это верно, — согласилась миссис Райвл. — Очень му... что я хотела сказать?

— Очевидно, похвалить меня за мудрый совет.

— Ага, спасибо, Фред.

— Не стоит благодарности.

Миссис Райвл соскользнула с табурета и, шатаясь, направилась к выходу.

— Кажется, что-то сегодня расстроило старушку Фло, — заметил один из посетителей.

— Да, она обычно такая веселая... А впрочем, у всех свои неприятности, — изрек другой клиент, весьма мрачная личность.

— Если бы мне сказали, — продолжал первый, — что Джерри Грейнджер придет пятым, после Королевы Каролины, то я бы не поверил. По-моему, в наши дни на скачках вообще процветает жульничество. Лошадям постоянно дают допинг...

Миссис Райвл вышла из «Павлиньего глаза» и рассеянно взглянула на небо. Да, по-видимому, собирается дождь. Она зашагала по улице, шатаясь из стороны в сторону, пока не дошла до весьма сомнительного на вид дома. Вытащив ключ, миссис Райвл двинулась к парадному входу, когда из угловой двери высунулась чья-то голова и послышался голос:

— Наверху вас поджидает джентльмен.

— Меня? — удивленно переспросила миссис Райвл.

— Конечно, если его можно назвать джентльменом. Одет прилично, но в общем не господин из высшего общества.

Миссис Райвл наконец удалось вставить ключ в замочную скважину и открыть дверь.

В доме пахло капустой, рыбой и эвкалиптом, причем последний запах присутствовал постоянно. Квартирная хозяйка миссис Райвл, начиная с середины сентября, заботилась, чтобы ее слабые легкие не простудились во время зимних холодов. Держась за перила, миссис Райвл поднялась по лестнице, пинком открыла дверь квартиры на втором этаже, шагнула через порог и застыла как вкопанная.

— О! — воскликнула она. — Это вы!

Детектив-инспектор Хардкасл поднялся со стула:

— Добрый вечер, миссис Райвл.

— Что вам от меня нужно? — осведомилась миссис Райвл, не сумев скрыть испуг.

— Ну, мне понадобилось съездить в Лондон по делам, — ответил Хардкасл. — Я решил заодно узнать у вас кое-что, поэтому заглянул к вам. Женщина внизу сказала, что вы скоро придете.

— Но я не понимаю... — начала миссис Райвл и умолкла в нерешительности.

Инспектор придвинул ей стул.

— Садитесь, — любезно предложил он.

Их позиции как бы поменялись местами: он стал хозяином, а она — гостьей. Миссис Райвл села, недружелюбно глядя на посетителя:

— Что вы хотели у меня узнать?

— Только несколько подробностей.

— О Гарри?

— Совершенно верно.

— Тогда вот что, — воинственно начала миссис Райвл, и Хардкасл почувствовал сильный аромат спиртного. — Больше я не желаю думать о Гарри. Разве я не откликнулась, когда увидела его фотографию в газете? Я пришла и рассказала вам о нем, хотя прошло много времени и мне не хотелось об этом вспоминать. Больше мне нечего вам сообщить. Я рассказала все, что смогла вспомнить, и теперь не хочу даже слышать об этой истории.

— Только одна маленькая деталь, — словно извиняясь, произнес инспектор.

— Ну ладно, — угрюмо согласилась женщина. — Что там у вас?

— Вы опознали в этом человеке вашего мужа, с которым поженились около пятнадцати лет назад. Это верно?

— Я думала, вы уже точно выяснили, сколько лет назад это было.

«Она умнее, чем я считал», — отметил про себя Хардкасл.

— Да, мы проверили — вы оказались правы. Вы поженились пятнадцатого мая 1948 года.

— Говорят, что майские невесты, как правило, несчастны, — печально молвила миссис Райвл. — Да, этот брак счастья мне не принес.

— И несмотря на то, что с тех пор прошло столько лет, вы легко смогли узнать вашего мужа?

Миссис Райвл беспокойно заерзала на стуле:

— Гарри не так уж постарел. Он всегда следил за собой.

— Вы даже дали нам дополнительное подтверждение, написав о шраме.

— Верно. У него был шрам за левым ухом — вот здесь. — Она указала рукой на соответствующее место.

— За левым ухом? — переспросил Хардкасл, сделав ударение на слове «левым».

— Ну... — Казалось, женщина колеблется. — По-моему, да. Конечно, трудно сразу вспомнить, за правым или за левым... Но шрам был здесь, на левой стороне шеи. — Она снова сделала жест рукой.

— Вы писали, что он порезался во время бритья.

— Да, верно. На него прыгнула собака. Тогда мы держали очень беспокойного пса. Он любил Гарри и всегда играл с ним. Вот и тогда он прыгнул на него, а у Гарри в руке была бритва. Потом началось сильное кровотечение. Рана зажила, но от шрама он так и не избавился. — Теперь она говорила более уверенно.

— Это очень важная деталь, миссис Райвл. В конце концов, все люди похожи друг на друга, особенно после стольких лет. Но когда у человека даже шрам на том же месте, это сильно упрощает дело.

— Рада, что вы довольны, — сказала миссис Райвл.

— А когда произошел этот несчастный случай с бритвой?

Женщина немного подумала.

— Должно быть, месяцев шесть после нашей свадьбы. Да, именно так. Помню, что тем летом мы завели собаку.

— Значит, это случилось в октябре или ноябре 1948 года?

— Да.

— А после того, как муж покинул вас в 1951 году...

— Не столько он меня покинул, сколько я его выгнала, — с достоинством заметила миссис Райвл.

— Допустим. Называйте это как хотите. После того как вы выгнали вашего мужа в 1951 году, вы больше не видели его до появления фотографии в газетах?

— Да. Я уже вам говорила...

— А вы вполне в этом уверены, миссис Райвл?

— Конечно. Я больше никогда не видела живым Гарри Каслтона.

— Странно, — промолвил инспектор. — Даже очень странно.

— О чем вы?

— Об этом шраме. Конечно, для вас и для меня он мало что означает — шрам есть шрам. Но доктора могут поведать о нем немало. Они даже могут приблизительно определить, сколько времени у человека имеется этот шрам.

— Не знаю, к чему вы клоните.

— Но это очень просто, миссис Райвл. Согласно показаниям нашего полицейского врача и другого доктора, с которым мы консультировались, шрам за левым ухом вашего мужа остался от раны, нанесенной не ранее пяти-шести лет назад.

— Чепуха! — заявила миссис Райвл. — Я этому не верю. Никто не может знать такие вещи. И вообще...

— Следовательно, — спокойно продолжал Хардкасл, — если этот человек ваш муж, то у него не могло быть шрама до того, как вы расстались в 1951 году.

— Может, шрама и не было. И все-таки это Гарри.

— Но вы же ни разу не видели его с тех пор, миссис Райвл. Откуда же вы могли узнать, что у него пять или шесть лет назад появился шрам за ухом?

— Вы совсем сбили меня с толку, — пожаловалась женщина. — Может быть, он порезался не в сорок восьмом году, а позже. Разве можно запомнить такие вещи? Как бы то ни было, у Гарри имелся шрам, и я об этом знаю.

— Понятно. — Хардкасл встал. — Советую вам тщательно обдумать ваше заявление, миссис Райвл. Если вы не хотите неприятностей.

— Это еще почему?

— В связи с лжесвидетельством, — почти виновато объяснил Хардкасл.

— Что? С лжесвидетельством?

— Да. Вы знаете, что это серьезное нарушение закона. У вас могут возникнуть неприятности, вы даже можете попасть в тюрьму. Конечно, на дознании вы давали показания не под присягой, но, возможно, вам придется выступить в суде. Поэтому прошу вас как следует подумать, миссис Райвл. Может быть, вам кто-то... э-э... предложил рассказать эту историю о шраме?

Женщина выпрямилась, сверкая глазами. В этот момент она казалась почти величественной.

— Никогда в жизни не слышала подобной ерунды! Совершеннейшая чушь! Я хотела исполнить свой долг, пришла и рассказала вам все, что смогла вспомнить. Если я ошиблась, это вполне естественно. Но в одном я уверена. Этот человек — Гарри, и у Гарри был шрам за левым ухом. А так как вы, инспектор Хардкасл, явились сюда только для того, чтобы внушать мне, будто я лгу, будьте любезны убраться отсюда!

Инспектор направился к двери.

— Спокойной ночи, миссис Райвл, — сказал он. — Еще раз советую вам хорошенько подумать.

Миссис Райвл гордо вскинула голову, и Хардкасл счел за благо удалиться. Как только он ушел, женщина сразу же изменила позу. Вызывающее выражение тотчас исчезло. Она выглядела испуганной и огорченной.

— Втянуть меня в такую историю, — бормотала она. — Не собираюсь больше этим заниматься! Я не собираюсь иметь неприятности из-за кого бы то ни было. Говорить мне всякую ерунду, лгать, обманывать! Это чудовищно — совершенно чудовищно!

Миссис Райвл, пошатываясь, бродила взад-вперед. Наконец она приняла решение, взяла зонт и вышла из дому. Дойдя до конца улицы, миссис Райвл неуверенно задержалась у телефона-автомата, потом повернулась и направилась к почте. Там она разменяла деньги, вошла в телефонную будку и заказала разговор. Вскоре в трубке послышался голос:

— Пожалуйста, говорите. Ваш абонент на линии.

— Алло, — заговорила миссис Райвл. — Это вы? У телефона Фло... Нет, я знаю, что вы мне запретили, но я была вынуждена позвонить. Вы не были честны со мной. Вы никогда не говорили, в чем мне придется участвовать, а только сказали, что, если того человека опознают, это будет неудобно для вас. Я и представить не могла, что впутаюсь в историю с убийством... Ну конечно, вы должны были предупредить... Да, мне кажется, что вы каким-то образом в этом замешаны... Больше я не намерена продолжать... Не хочу становиться со... со... как это называется... соучастником... Я-то думала, что это как-то связано с драгоценностями. Короче говоря, я боюсь... Вы меня уговорили написать им про шрам, а теперь оказалось, что у него этот шрам всего год или два, а мне придется повторять свои показания под присягой. Это лжесвидетельство, и я могу попасть в тюрьму. Очень плохо, что вы ввели меня в заблуждение... Нет... Да, знаю... Я знаю, что вы мне заплатили... Притом не слишком много... Ладно, я выслушаю вас, но учтите, что я не намерена... Хорошо, я уже успокоилась. Что вы говорите?.. Сколько?.. Но это куча денег! Откуда я знаю, где вы их взяли?.. Ну, тогда другое дело. Вы клянетесь, что не имеете к этому отношения?.. Я имею в виду убийство... Нет, я уверена, что не имеете... Конечно понимаю... Если в этом замешано много народу и кто-нибудь заходит дальше вас, это не ваша вина... Да, вы всегда все описываете так благопристойно... Ладно, этого достаточно, но поскорее... Завтра?.. А когда?.. Хорошо, я приду, но никаких чеков. Они могут оказаться поддельными... Не знаю, стоит ли мне продолжать... Ну, если вы так считаете... Нет, я ничего такого не думаю... Хорошо, до свидания.

Миссис Райвл вышла из почты, покачиваясь из стороны в сторону и улыбаясь своим мыслям.

Она рискует только заиметь неприятности с полицией, но зато какие деньги! Она будет хорошо обеспечена. А риска, в общем, немного. Ей только придется сказать, что она кое-что позабыла. Многие женщины ничего не помнят после стольких лет. Она просто скажет, что спутала Гарри с другим человеком. О, она найдет что придумать.

Миссис Райвл была деятельной личностью. Ее настроение сразу же поднялось. Она уже напряженно думала о том, что купит в первую очередь на полученные деньги.

Глава 27

РАССКАЗЫВАЕТ КОЛИН ЛЭМ

1

— Вы как будто немного вытянули из этой миссис Рэмзи? — недовольно осведомился полковник Бек.

— А там особенно и нечего было вытягивать.

— Вы в этом уверены?

— Да.

— Она не активный участник?

— Нет.

Бек окинул меня испытующим взглядом.

— Вы удовлетворены? — спросил он.

— Не совсем.

— Надеялись на большее?

— Не все пробелы еще заполнены.

— Да, придется поискать где-нибудь в другом месте. А с полумесяцами покончено?

— Да.

— Вы стали отвечать односложно. Небось с похмелья?

— Я не гожусь для этой работы, — медленно произнес я.

— Хотите, чтобы я погладил вас по головке и сказал: «Ну-ну, не плачьте?»

Я невольно рассмеялся.

— Так-то лучше, — заметил Бек. — Ну, так что все это значит? Наверное, опять девушка?

Я покачал головой:

— Я уже некоторое время думаю об этом.

— А я уже давно это заметил, — неожиданно заявил Бек. — В наши дни весь мир в смятении. Предметы разногласий не так ясны, как раньше. А когда начинаются сомнения — дело дрянь. Если так, вы для нас бесполезны. Но вы отлично поработали, мой мальчик. Утешайтесь этим, когда вернетесь к своим паршивым водорослям. Неужели вам действительно нравится эта гадость?

— Я нахожу эту науку весьма интересной.

— А я, напротив, омерзительной. Странные у людей бывают вкусы. Ну а как поживает ваше убийство? Держу пари, что виновата девушка.

— Вы проиграете, — сказал я.

Бек пригрозил мне пальцем:

— Я только скажу вам: «Будьте готовы», причем не имея в виду бойскаутский салют.

Глубоко задумавшись, я зашагал по Черинг-Кросс-роуд.

Около станции метро я купил газету. Там я прочитал, что женщина, которой, как предполагают, стало плохо на вокзале Виктория, была доставлена в больницу. Но там выяснилось, что ее ударили ножом. Она умерла не приходя в сознание.

Ее звали Мерлина Райвл...

2

Я позвонил Хардкаслу.

— Да, — ответил он на мой вопрос. — Все так, как там написано. — В его голосе слышался гнев и горечь. —

Я ходил повидать ее вчера вечером и сказал ей, что шрам, о котором она писала, появился у убитого значительно позже. Забавно, как люди всегда перебарщивают. Кто-то заплатил этой женщине за то, что она опознает в убитом своего мужа, который бросил ее много лет назад. Проделала она это отлично. Я сразу ей поверил. Но затем инициатор этого блефа показал себя слишком умным. Если миссис Райвл впоследствии вспомнит о такой незначительной детали, как маленький шрам, это окончательно убедит всех в том, что труп опознан правильно. А если бы она бухнула это сразу, ее история звучала бы сомнительно.

— Значит, Мерлина Райвл была соучастницей убийства?

— Знаешь, я в этом сомневаюсь. Предположим, старый друг или знакомый подходит к ней и говорит: «Слушай, у меня неприятности. Убили парня, с которым у меня были кое-какие делишки. Если его опознают и выяснятся наши махинации, это будет настоящая катастрофа. Но если ты пойдешь и скажешь, что это твой муж Гарри Каслтон, который исчез много лет назад, то дело заглохнет».

— Уверен, что Мерлина Райвл сначала колебалась и говорила, что это слишком рискованно.

— Если так, то этот человек сказал бы ей: «А в чем риск? В худшем случае ты скажешь, что ошиблась. Каждая женщина может ошибиться спустя пятнадцать лет». И возможно, в этот момент он предложил ей неплохую сумму денег. Миссис Райвл решила рискнуть и сделала это.

— Ни о чем не подозревая?

— А она не была подозрительной женщиной. Ведь каждый раз, когда мы ловим убийцу, находятся люди, хорошо знающие его, которые не могут поверить, что он совершил такое преступление.

— Что же случилось, когда ты пришел к ней?

— Я хорошенько напугал ее. А после моего ухода она сделала именно то, чего я ожидал, — постаралась войти в контакт со своим нанимателем. Я, конечно, приставил человека следить за ней. Но я думал, она позвонит из автомата в конце улицы, а она пошла на почту и позвонила оттуда. Должно быть, Мерлина Райвл добилась своего, так как она вышла из почты с довольным видом. Ее держали под наблюдением, но до вчерашнего вечера ничего интересного не произошло. Она поехала на вокзал Виктория и взяла билет до Кроудина. Было половина седьмого, часы пик, она ни о чем не подозревала, так как думала, что встретится со своим сообщником в Кроудине. Но коварный дьявол обманул ее. Нет ничего легче, чем увязаться за кем-нибудь в толпе и пырнуть его ножом. Не думаю, что она даже поняла, что с ней произошло. Помнишь случай с Бартоном из дела о шайке Левитти? Он шел по улице перед тем, как упасть замертво. Ты чувствуешь только внезапную резкую боль — и затем думаешь, что все прошло. А через минуту — конец. Черт бы побрал всю эту историю! — закончил он повествование.

— Вы уже проверили... кого-нибудь?

Я должен был спросить об этом. Промолчать я не мог. Ответ последовал немедленно:

— Мисс Пебмарш вчера была в Лондоне с какими-то поручениями от института и вернулась в Кроудин поездом в семь сорок. — Хардкасл сделал паузу. — А Шейла Уэбб печатала материал для иностранного писателя, который остановился в Лондоне по пути в Нью-Йорк. Она покинула отель «Риц» приблизительно в половине шестого и пошла в кино — одна — перед возвращением в Кроудин.

— Послушай, Дик, — начал я, — у меня есть кое-что для тебя. Один свидетель сообщил мне, что девятого сентября к дому 19 на Уилбрэхем-Крезент подъехал фургон из прачечной. Водитель отнес большую корзину к черному ходу.

— А из какой прачечной приезжал этот фургон?

— Из прачечной «Снежинка». Знаешь такую?

— Не уверен. Должно быть, она недавно открылась. Название типичное для прачечной.

— Ты все-таки проверь. Водитель был мужчина и внес корзину в дом.

— А ты не выдумал все это, Колин? — с подозрением спросил Хардкасл.

— Нет. Я же тебе говорю, что у меня есть свидетель. Обязательно проверь это, Дик.

Я повесил трубку, прежде чем он успел сказать мне очередную колкость.

Выйдя из будки, я взглянул на часы. Мне еще предстояло многое сделать, и я хотел быть во время этого вне пределов досягаемости Хардкасла. Я должен был устроить свое будущее.

Глава 28

РАССКАЗЫВАЕТ КОЛИН ЛЭМ

1

Пять дней спустя, в одиннадцать ночи, я прибыл в Кроудин, отправился в отель «Кларендон», получил номер и лег спать. Так как я очень устал, работая прошлую ночь, то проспал до без четверти десять.

Проснувшись, я послал за кофе с тостами и утренней газетой. Их принесли вместе с большим квадратным конвертом, адресованным мне с надписью «В собственные руки» в верхнем левом углу.

Я обследовал его с некоторым удивлением, так как не ожидал подобного послания. Бумага была дорогая и плотная, адрес аккуратно напечатан на машинке.

Повертев конверт в руках, я наконец вскрыл его.

Внутри находился листок бумаги, на котором прописными буквами было напечатано следующее:

ОТЕЛЬ «КРОНШНЕП». 11.30.
КОМНАТА 413.
(Стучать три раза.)

Я уставился на письмо, недоумевая, что все это значит.

Я обратил внимание, что номер комнаты — 413 — соответствовал времени, которое показывали таинственные часы. Совпадение? Или нет?

Сначала я хотел позвонить в отель «Кроншнеп». Потом решил позвонить Дику Хардкаслу. Кончилось тем, что я не позвонил ни туда, ни сюда.

Мою сонливость как рукой сняло. Я встал с кровати, побрился, умылся, оделся и отправился прямиком в отель «Кроншнеп», поспев как раз к назначенному времени.

Я не стал расспрашивать портье, а сразу поднялся на лифте на четвертый этаж и зашагал по коридору к номеру 413.

Постояв у двери несколько секунд, я наконец постучал три раза, чувствуя себя полным идиотом.

— Войдите, — произнес чей-то голос.

Я повернул ручку (дверь была не заперта), вошел в комнату и застыл как вкопанный.

Напротив меня сидел Эркюль Пуаро и весело улыбался.

— Une petite surprise, n'est-ce pas?[1] — заметил он. — Но, надеюсь, приятный.

— Пуаро, старая вы лиса! — воскликнул я. — Как вы здесь очутились?

— Приехал в чрезвычайно комфортабельном лимузине «даймлер».

— Но что вы здесь делаете?

— Причина в том, что они настаивали на ремонте в моей квартире. Это ужасно! Вообразите мое положение. Что мне было делать? Куда идти?

— В множество мест, — холодно отозвался я.

— Возможно, но мой врач сказал, что морской воздух пойдет мне на пользу.

— Ваш врач — один из тех услужливых докторов, которые выясняют, куда их пациенты хотят поехать, и рекомендуют им отправляться именно туда! Вы мне это прислали? — Я взмахнул конвертом.

— Ну разумеется. А кто же еще?

— А то, что у вас комната под номером 413, это совпадение?

— Это не совпадение. Я специально ее заказал.

— Почему?

Пуаро склонил голову набок и подмигнул мне:

— Потому что это подходит к данной ситуации.

— А зачем надо было стучать три раза?

— Я не мог устоять против этого. Конечно, было бы еще лучше вложить в конверт веточку розмарина. Я хо-

---

[1] Маленький сюрприз, не так ли? *(фр.)*

тел даже порезать себе палец и поставить на двери окровавленный отпечаток, но побоялся внести инфекцию.

— По-моему, вы просто впали в детство, — сухо заметил я. — Сегодня же куплю вам воздушный шар и плюшевого кролика.

— Кажется, вам не понравился мой сюрприз? Вы не выражаете никакого восторга при виде меня.

— А вы на это рассчитывали?

— Pourquoi pas?[1] Ну ладно, довольно дурачиться — будем вести себя серьезно. Я надеюсь на вашу помощь. Недавно я звонил главному констеблю, который был чрезвычайно любезен, и в настоящее время я жду вашего друга, детектива-инспектора Хардкасла.

— И что же вы собираетесь ему сказать?

— Я рассчитывал, что мы трое сможем немного побеседовать.

Взглянув на него, я рассмеялся. Он мог называть это беседой, но я отлично знал, что говорить будет один Эркюль Пуаро!

2

Вскоре прибыл Хардкасл. После всех представлений и приветствий мы наконец уселись, причем Дик исподтишка кидал на Пуаро взгляды, как на диковинного заморского зверя, только что привезенного в зоопарк. Действительно, едва ли он когда-либо видел такого человека, как Эркюль Пуаро!

Закончив обмен любезностями, Хардкасл прочистил горло и сказал:

— Полагаю, мсье Пуаро, вы хотите... ну, увидеть все своими глазами. Должен предупредить, что это нелегко. — Он замялся. — Главный констебль просил сделать для вас все, что я смогу. Но вы должны понимать, что могут возникнуть непредвиденные трудности, возражения, протесты. Все же, так как вы приехали сюда специально для того, чтобы...

Пуаро прервал его.

_____

[1] Почему бы и нет? *(фр.)*

— Я приехал сюда, — холодно произнес он, — из-за ремонта в моей лондонской квартире.

Я издал сдавленный смешок, а Пуаро метнул на меня укоризненный взгляд.

— Мсье Пуаро незачем самому все осматривать, — сказал я. — Он всегда утверждал, что может распутать дело сидя в кресле. Но ведь это не совсем так, Пуаро? Иначе почему вы здесь?

— Я говорил, — с достоинством ответил Пуаро, — что мне нет нужды превращаться в гончую или ищейку, бегающую туда-сюда, пока не почует след. Но я допускаю, друг мой, что для охоты необходима хорошая собака.

Он повернулся к инспектору, гордо покручивая ус:

— Должен сказать, что я не похож на англичан, помешанных на собаках. Лично я могу обойтись без них. Но тем не менее я признаю ваш идеал собаки. Да, человек любит и уважает свою собаку. Он балует ее, хвастается перед друзьями ее умом и проницательностью. Но противоположное встречается не менее часто. Собака тоже любит и балует хозяина! Она тоже гордится его умом и проницательностью. И как хозяин выводит своего пса на прогулку, — часто против своего желания, а только потому, что собаки любят гулять, — так и пес старается выполнить любое желание хозяина.

Это и произошло с моим юным другом Колином. Он приехал ко мне, просто чтобы навестить меня. Он не хотел просить меня помочь решить его задачу, так как был уверен, что разберется в ней сам, — насколько я понимаю, так он и сделал. Но Колин чувствовал, что я ничем не занят и страдаю от одиночества, поэтому предложил мне проблему, зная, что она заинтересует меня и даст мне стимул к работе. Колин бросил мне вызов — пускай я проделаю то, о чем так часто ему говорил: разберусь в этой проблеме сидя в кресле. Конечно, в этом была некоторая доля коварства. Он хотел доказать мне, что это вовсе не так просто. Mais oui, mon ami[1], это правда. Вы хотели немного посмеяться надо мной. Я не упрекаю вас — я просто хочу вам сказать, что вы не знаете Эркюля Пуаро. — Он выпятил грудь и подкрутил усы.

---

[1] Ну да, мой друг (фр.).

Я смотрел на него, добродушно усмехаясь:

— Если вам известно решение этой задачи, Пуаро, то сообщите нам его.

— Разумеется, известно.

Хардкасл недоверчиво взглянул на него:

— Вы говорите, что знаете, кто убил человека в доме 19 на Уилбрэхем-Крезент?

— Безусловно.

— И того, кто убил Эдну Брент?

— Разумеется.

— И знаете личность первой жертвы?

— Я знаю, кем он должен быть.

Лицо Хардкасла выражало сильное сомнение. Помня об указаниях главного констебля, он сохранял вежливость, но в его голосе звучало недоверие:

— Следовательно, мсье Пуаро, вы утверждаете, что вам известно, кто, как и почему убил трех человек?

— Да.

— Значит, вам ясно все дело, от начала до конца?

— Ну, не совсем.

— Так вы имеете в виду, что ваше решение построено на догадках? — ехидно осведомился я.

— Я не стану препираться с вами из-за слов, mon cher Колин. Все, что я скажу, — это «я знаю».

Хардкасл вздохнул:

— Но, видите ли, мсье Пуаро, мне бы хотелось иметь доказательства.

— Разумеется, но, имея в распоряжении такие полномочия и ресурсы, вы сможете добыть эти доказательства.

— Я в этом не уверен.

— Но послушайте, инспектор, ведь, если вы знаете виновного, вам ничего не стоит, отталкиваясь от своих знаний, доказать его вину.

— Не всегда, — со вздохом возразил Хардкасл. — На свободе ходит немало людей, которым место в тюрьме. Мы их отлично знаем, но ничего не можем поделать.

— Но ведь таких случаев очень немного, и они...

— Ладно, — прервал я. — Вы все знаете очень хорошо. Так поделитесь с нами вашими знаниями.

— Я чувствую, что вы все еще скептически настроены. Но будьте уверены, что, когда вы узнаете решение, все станет на свои места. Вы поймете, что это могло произойти только так!

— Ради Бога, перейдем к делу! — взмолился я. — Ручаюсь, что вы уже дали нам все руководящие указания.

Пуаро поудобнее устроился в кресле и вновь наполнил бокал инспектора.

— Начнем с того, mes amis[1], что решить задачу можно, только имея факты. Для этого нужна охотничья собака, которая приносит добычу кусок за куском и кладет ее...

— К ногам хозяина, — закончил я. — Продолжайте.

— Невозможно, решая задачу в кресле, узнавать эти факты только из газет. Ибо факты точны, а газеты редко соблюдают точность, если вообще когда-нибудь это делают. Они сообщают, что такое-то событие имело место в четыре часа, когда на самом деле оно произошло в четверть пятого. Они сообщают, что у такого-то человека есть сестра по имени Элизабет, когда в действительности у него есть свояченица, которую зовут Александра. И так далее. Но в лице присутствующего здесь Колина я располагал собакой, обладающей замечательным даром, который поможет ему сделать карьеру, — великолепной памятью. Он может слово в слово передать вам какой-нибудь разговор, даже если он происходил несколько дней назад. Он может точно повторить содержание, не меняя слова, как делает большинство из нас. Он не скажет: «В двадцать минут двенадцатого пришла почта», а точно опишет, как постучали в дверь и в комнату вошел человек с письмом в руках. Все это очень важно. Ведь он слышал и видел то, что бы слышал и видел я, если бы находился в том же месте.

— Только бедный пес не умеет делать нужных выводов, верно? — вставил я.

— Итак, насколько это возможно, я располагал фактами, — пользуясь вашей терминологией, я имел перед глазами правильную картину событий. Должен сознаться, что, когда Колин сообщил мне всю историю, она показалась мне совершенно фантастичной. Четверо часов, показывающих время приблизительно на час вперед и

---

[1] Друзья мои (фр.).

появившихся в доме без ведома хозяйки, по крайней мере по ее словам. Ибо мы никогда не должны верить до конца ничьим заявлениям без тщательной проверки.

— Ваша мысль работает в том же направлении, что и моя, — одобрительно заметил Хардкасл.

— На полу лежит мертвец — пожилой мужчина респектабельной внешности. Никто не знает, кто он (снова, конечно, если верить показаниям свидетелей). В его кармане визитная карточка, на которой написано: «М-р Р.Х. Карри, Столичная и провинциальная страховая компания, Денверс-стрит, 7». Но не существует ни столичной страховой компании, ни Денверс-стрит, ни как будто самого мистера Карри. Это негативный факт, но все-таки факт. Пойдем дальше. По-видимому, около без десяти два в секретарском агентстве раздается телефонный звонок, и мисс Миллисент Пебмарш просит прислать стенографистку, причем желательно мисс Шейлу Уэбб, на Уилбрэхем-Крезент, 19, к трем часам. Мисс Шейла Уэбб послана по указанному адресу. Она приходит туда без нескольких минут три, входит, согласно инструкциям, в гостиную, находит труп на полу, с криком выбегает из дома и падает в объятия молодого человека.

Пуаро сделал паузу и поглядел на меня. Я кивнул и произнес:

— На сцене появляется юный герой.

— Вот видите, — заметил Пуаро. — Даже вы, говоря об этом, не можете избавиться от нелепого мелодраматического тона. Все дело фантастично, мелодраматично и совершенно нереально. Такое может произойти только в романах Гарри Грегсона и ему подобных авторов. Должен заметить, что, когда ко мне пришел мой юный друг, я как раз занимался изучением творчества авторов детективной литературы, демонстрирующих свое искусство на протяжении последних шестидесяти лет. Это очень интересно! Многое в действительной жизни напоминает сюжеты этих романов. Например, если я вижу собаку, которая должна лаять и не лает, я говорю себе: «Ха! Это случай в духе Шерлока Холмса!» Если находят труп в запечатанной комнате, естественно, я говорю: «Ха! Это преступление в стиле Диксона Карра!» Ну а если говорить о произведениях моей приятельницы миссис Оливер... Но хватит об этом. Вы следите за ходом моих размышлений? Дело в том, что если наше преступление описать в романе, то каждый сразу скажет: «Эта книга неправдоподобна. Так в жизни не бывает. Это нереально». Но, увы, это произошло в жизни. Это оказалось реальным. Такое положение заставляет как следует подумать, верно?

Хардкасл, возможно, и не стал бы излагать все это таким образом, но он был полностью согласен с Пуаро и энергично кивнул.

— Все это совершенно противоположно Честертону, — продолжал Пуаро. — «Где бы вы спрятали лист? В лесу. Где бы вы спрятали камешек? На морском берегу». А здесь перед нами избыток фантазии и мелодраматизма. Когда я говорю себе, имитируя Честертона: «Где женщина средних лет прячет свою вянущую красоту?» — я не отвечаю: «Среди таких же увядших лиц женщин средних лет». Вовсе нет. Она прячет ее под слоем косметики, под румянами и краской для бровей, под красивыми мехами и драгоценностями. Вы следите за мной?

— Да, — солгал инспектор.

— Потому что люди посмотрят на меха и драгоценности, на coiffure[1] и haute couture[2], и не заметят, как выглядит сама женщина. Поэтому я сказал себе и моему другу Колину: так как в этом убийстве такое количество отвлекающих фантастических подробностей, оно должно быть очень простым. Говорил я вам это или нет?

— Говорили, — подтвердил я. — Но я все еще не знаю, насколько это соответствует действительности.

— Подождите и узнаете. Итак, мы покончили с внешним оформлением преступления и переходим к его сущности. Человек был убит. Почему? И кто он такой? Ответ на первый вопрос, очевидно, зависит от ответа на второй. И пока мы не получим ответа на эти два вопроса, мы не сможем продвинуться дальше. Убитый мог быть шантажистом, мошенником, чьим-нибудь мужем, чье существование неприятно или опасно для жены. Он

---

[1] Прическа (фр.).
[2] Высокая мода (фр.).

мог быть кем угодно. Но все как будто сходилось в одном: он выглядел обыкновенным, состоятельным, почтенным пожилым человеком. И внезапно я подумал: «Если преступление и в самом деле очень простое, так будем исходить из этого». Допустим, что убитый действительно был таким, каким казался, — состоятельным, респектабельным пожилым человеком. — Пуаро посмотрел на инспектора: — Вы меня понимаете?

— Ну... — неопределенно протянул Хардкасл и вежливо умолк.

— Итак, перед нами обыкновенный, симпатичный пожилой человек, которого, однако, кому-то понадобилось устранить. Кому же? И здесь наконец мы сможем немного сузить поле деятельности. Нам известно о мисс Пебмарш и ее образе жизни, о секретарском бюро «Кэвендиш», о девушке по имени Шейла Уэбб, которая там работает. И тогда я сказал своему другу Колину: «Соседи! Поговорите с ними. Узнайте об их личной жизни. Выясните о них все. Но главным образом, вовлеките их в беседу. Потому что в беседе, помимо обычных ответов на вопросы, проскальзывает многое. Люди всегда настороже, когда тема разговора опасна для них, но обычная болтовня ослабляет напряжение; они с облегчением говорят правду, потому что это гораздо проще, чем лгать. В результате становится известным маленький факт, который незаметно для них меняет всю картину».

— Восхитительное описание, — усмехнулся я. — К сожалению, в нашем деле так не произошло.

— Нет, mon cher, произошло. Была сказана одна чрезвычайно важная фраза.

— Какая же? — осведомился я. — Кто ее произнес и когда?

— Всему свое время, mon cher.

— На чем вы остановились, мсье Пуаро? — Инспектор вежливо вернул Пуаро к теме разговора.

— Если вы заключите в круг дом 19, любой внутри его может оказаться убийцей мистера Карри. Миссис Хемминг, Блэнды, Мак-Нотоны, мисс Уотерхаус. Но более вероятные кандидаты — те, кто уже появились на сцене. Мисс Пебмарш, которая могла убить его перед тем, как она вышла из дому в час тридцать пять или около того, и мисс Уэбб, которая могла устроить встречу с ним там и убить его перед тем, как выскочила на улицу и подняла тревогу.

— Вот теперь вы добрались до сути дела, — заметил Хардкасл.

— И конечно, — продолжал Пуаро, повернувшись ко мне, — вы, мой дорогой Колин. Вы также были на месте преступления, разыскивая один из последних номеров домов на Уилбрэхем-Крезент с той стороны, где находились первые.

— Ну и ну! — с возмущением воскликнул я. — Что вы еще скажете? Значит, я, убийца, сам пришел и передал дело в ваши руки?

— Убийцы часто самонадеянны, — заметил Пуаро. — Кроме того, вам могло казаться забавным подшутить надо мной подобным образом.

— Еще немного, и вы, пожалуй, убедите меня, — сказал я. Мне уже стало не по себе.

Пуаро снова повернулся к инспектору Хардкаслу:

— Итак, я решил, что это преступление должно быть в сущности очень простым. Присутствие загадочных часов, показывающих время на час вперед, умышленно созданные условия для обнаружения трупа — все это следует на какое-то время отбросить. Все это, как сказано в вашей бессмертной «Алисе», — «башмаки, сургуч, капуста и короли». Существенный момент заключается в том, что обыкновенный пожилой человек мертв и кому-то понадобилось его убить. Если мы узнаем, кто он такой, то мы получим ключ и к его убийце. Если он был знаменитым шантажистом, значит, мы должны искать человека, которого он шантажировал. Если он был сыщиком, значит, нужно искать человека, у которого есть какая-то преступная тайна. Если он был богачом, надо заняться его наследниками. Но если мы не знаем, кто этот человек, то нам предстоит значительно более сложная задача — искать в пределах очерченного круга лицо, которое имело причину для убийства.

Оставив в стороне мисс Пебмарш и Шейлу Уэбб, рассмотрим, мог ли кто-нибудь из соседей быть в действительности не тем, кем он казался. Ответ весьма разочаровывающий. За исключением мистера Рэмзи, кто, как я понял, не тот, кем кажется, — здесь Пуаро вопросительно посмотрел на меня, и я кивнул, — bona fides[1] всех остальных не подлежит сомнению. Блэнд — известный местный архитектор, Мак-Нотон имел кафедру в Кембридже, миссис Хемминг — вдова местного аукциониста, Уотерхаусы — уважаемые здешние старожилы. Давайте снова вернемся к мистеру Карри. Откуда он прибыл? Что привело его на Уилбрэхем-Крезент, 19? По этому поводу одна из соседок — миссис Хемминг — сделала чрезвычайно ценное замечание. Когда ей сообщили, что убитый не проживал в доме 19, она сказала: «О, понимаю! Он просто пришел туда, чтобы его убили. Как странно!» Миссис Хемминг обладала даром, часто присущим тем, кто постоянно находится наедине со своими мыслями. Такие люди, говоря о какой-нибудь проблеме, всегда попадают в ее центр. Она дала исчерпывающую характеристику всему преступлению. *Мистер Карри пришел на Уилбрэхем-Крезент, 19, чтобы его убили*. Не правда ли, предельно просто?

— Эта фраза сразу же произвела на меня впечатление, — вставил я.

Пуаро не обратил на меня внимания:

— «Дилли, дилли, дилли — пришел, чтобы его убили». Мистер Карри пришел туда — и был убит. Но это еще не все. *Важно, чтобы его личность не была установлена*. У него не было ни бумажника, ни документов. Портновские метки на его одежде уничтожены. Но даже этого оказалось недостаточно. Визитная карточка на имя страхового агента Карри — только временная мера. Чтобы личность убитого навсегда осталась неизвестной, нужен лжесвидетель, который бы его опознал. Я не сомневался, что рано или поздно такой лжесвидетель появится в роли брата, сестры или жены. Это оказалась жена, миссис Райвл, одно имя уже могло навести на подозрения. В Сомерсете есть деревня под названием Карри-Райвл — я как-то останавливался там с друзьями. Разумеется, эти две фамилии — мистер Карри и миссис Райвл — были выбраны просто подсознательно.

---

[1] Добропорядочность *(лат.)*.

До сих пор план преступления абсолютно ясен. Но меня озадачивало, почему наш убийца не сомневался, что труп не будет опознан по-настоящему. Если даже у этого человека не было семьи, то могли оказаться квартирные хозяйки, слуги, деловые знакомые. Это привело меня к следующему предположению: исчезновение этого человека не было обнаружено, а значит, он, по-видимому, не житель Англии, а просто приехал в эту страну. Поэтому ни один из английских дантистов не смог опознать его по состоянию зубов, несмотря на то что они подвергались лечению.

Передо мной начали вырисовываться неясные очертания жертвы и убийцы, но не более того. Преступление было тонко спланировано и мастерски осуществлено — но тут убийцу поджидала неудача, которую он не смог предвидеть.

— А именно? — спросил Хардкасл.

Неожиданно Пуаро откашлялся и с театральным видом продекламировал:

Не было гвоздя — подкова пропала.
Не было подковы — лошадь захромала.
Лошадь захромала — командир убит.
Конница разбита — армия бежит.
Враг вступает в город, пленных не щадя,
Оттого что в кузнице не было гвоздя[1].

Он склонился вперед:

— Очень много людей могли убить мистера Карри. Но только одно лицо могло иметь причину для убийства девушки по имени Эдна Брент.

Мы оба уставились на него.

— Давайте займемся секретарским бюро «Кэвендиш». Там работают восемь девушек. Девятого сентября четверо из них отправились по вызовам на небольшие расстояния — по-видимому, ленчем их обеспечили клиенты. Таким образом, эти четыре девушки имели время для ленча с двенадцати тридцати до часа тридцати. Остальные четверо — Шейла Уэбб, Эдна Брент и еще две девушки, Дженет и Морин, — располагали для ленча перерывом с часу тридцати до двух тридцати. Но в тот

---

[1] Перевод С. Маршака.

день с Эдной Брент случилось неприятное происшествие. Вскоре после того, как она вышла из бюро, Эдна попала туфлей в решетку, и каблук отломался. Поэтому ей пришлось купить булочек и вернуться в бюро.

Пуаро погрозил нам пальцем:

— Нам известно, что Эдну Брент что-то беспокоило. Она хотела повидаться с Шейлой Уэбб у нее дома, но потерпела неудачу. Предполагалось, что причина ее волнения как-то связана с Шейлой Уэбб, но это не подтверждено никакими доказательствами. Она могла просто хотеть посоветоваться с подругой о чем-то, что ее тревожило. Но ясно одно — Эдна Брент хотела переговорить с Шейлой Уэбб вне стен бюро.

Ее беседа с констеблем после дознания — единственный ключ к причине ее волнения. Она сказала нечто вроде следующего: «Я не понимаю, как то, что она говорила, может быть правдой». На дознании давали показания три женщины. Эдна могла иметь в виду и мисс Пебмарш, и Шейлу Уэбб, как уже предполагалось. Но есть и третья возможность: *она могла иметь в виду мисс Мартиндейл!*

— Мисс Мартиндейл? Но ее показания продолжались всего несколько минут.

— Совершенно верно. Она только сообщила о телефонном звонке человека, назвавшегося мисс Пебмарш.

— Вы имеете в виду, что Эдна знала, что это не была мисс Пебмарш?

— Думаю, все гораздо проще. По-моему, никакого телефонного звонка *не было вовсе*. Эдна сломала каблук, — продолжал Пуаро. — Решетка, послужившая тому причиной, находится рядом с бюро, поэтому она вернулась туда. Но сидящая в своем кабинете мисс Мартиндейл не знала о том, что Эдна вернулась. Она не сомневалась, что в бюро нет никого, кроме нее. Ей оставалось только сказать, что в час сорок девять позвонили по телефону. Сначала Эдна не сознавала всей важности своих знаний. Мисс Мартиндейл вызвала Шейлу и послала ее по вызову. Как и когда было назначено это свидание, при мисс Эдне не упоминалось. Узнав об убийстве, девушка понемногу начала размышлять. Мисс Пебмарш звонила и просила прислать к ней

Шейлу Уэбб. Но сама мисс Пебмарш это отрицает. Мисс Мартиндейл сказала, что телефонный звонок состоялся без десяти два. *Но Эдна знает, что это не может быть правдой.* В это время не было телефонных звонков. Значит, мисс Мартиндейл ошиблась — но ведь она никогда не ошибается. Чем больше Эдна думает об этом, тем сильнее это ее озадачивает. Она решает посоветоваться с Шейлой — та ей все объяснит.

Затем происходит дознание. Все девушки из бюро там присутствуют. И на дознании мисс Мартиндейл повторяет свою историю о телефонном звонке. Теперь Эдна твердо знает, что показания, которые мисс Мартиндейл дает с такой четкостью и уверенностью, ложны. Она спрашивает у констебля разрешения поговорить с инспектором. Я думаю, что мисс Мартиндейл, выходя из зала суда в толпе народа, подслушала этот разговор. Возможно, она и раньше слышала, как девушки подшучивают над Эдной из-за ее несчастья с каблуком, но тогда она не осознала, что это означает. Как бы то ни было, мисс Мартиндейл последовала за девушкой на Уилбрэхем-Крезент. Интересно, зачем Эдна пошла туда?

— По-моему, просто посмотреть на место трагедии, — со вздохом произнес Хардкасл. — Многие так поступают.

— Да, возможно. По-видимому, мисс Мартиндейл заговорила там с девушкой, прошлась с ней по улице, и Эдна стала задавать ей вопросы. Мисс Мартиндейл действует быстро. Они как раз проходят мимо телефонной будки. «Это очень важно, — говорит она девушке. — Вы должны сразу же позвонить в полицию. Номер полицейского участка такой-то. Позвоните и скажите, что мы обе сейчас туда придем». Эдна привыкла делать, что ей говорят. Она входит в будку и снимает трубку; мисс Мартиндейл входит за ней, набрасывает ей на шею шарф и душит ее.

— И никто этого не заметил?

Пуаро пожал плечами:

— Могли заметить, но не заметили. Ведь было как раз час дня — время ленча. А все люди, находившиеся на Уилбрэхем-Крезент, были заняты созерцанием дома 19. Конечно, эта смелая и бессовестная женщина шла на определенный риск.

Хардкасл с сомнением покачал головой:

— Мисс Мартиндейл? Не понимаю, какое отношение она могла иметь к этой истории.

— Да, в этом нелегко разобраться. Но так как нет сомнения, что именно мисс Мартиндейл убила Эдну, значит, она должна иметь к этому какое-то отношение. И я начал подозревать, что в лице мисс Мартиндейл мы имеем леди Макбет этого преступления — женщину безжалостную и лишенную воображения.

— Лишенную воображения? — удивленно переспросил Хардкасл.

— О да, полностью. Но деловую и толковую.

— Но почему? Где же мотив?

Эркюль Пуаро взглянул на меня и погрозил мне пальцем:

— Значит, беседы с соседями не пошли вам на пользу? А я нашел в них одну фразу, которая многое объясняет. Вы помните, что после разговора о жизни за границей миссис Блэнд заметила, что ей нравится жить в Кроудине, *потому что здесь у нее сестра. Но ведь она не должна иметь сестру.* Миссис Блэнд год назад унаследовала большое состояние от двоюродного деда, жившего в Канаде, потому что она была единственным остававшимся в живых членом семьи.

Хардкасл встревоженно приподнялся:

— Значит, вы думаете...

Пуаро откинулся назад в кресле, соединил кончики пальцев, прищурил глаза и мечтательно произнес:

— Предположим, что вы обыкновенный, но не слишком разборчивый в средствах человек, испытывающий финансовые затруднения. В один прекрасный день к вам приходит письмо из юридической фирмы, в котором говорится, что ваша жена унаследовала большое состояние от канадского двоюродного деда. Письмо адресовано миссис Блэнд, но дело в том, что миссис Блэнд, которая его получила, — это не та миссис Блэнд, она вторая жена! Какое огорчение! Но затем в голову приходит идея. Кто знает, что это не та миссис Блэнд? Никому в Кроудине не известно, что Блэнд был женат и раньше. Его первый брак состоялся много лет назад, во время войны, когда он был за границей. По-видимому, его первая жена вскоре умерла, и он почти сразу же женился вторично. У него есть первое брачное свидетельство, фотографии ныне умерших канадских родственников, все должно пойти как по маслу. Наконец юридические формальности окончены, Блэнды теперь богаты, и их финансовые трудности позади.

Но через год что-то случается. Что же? Думаю, что из Канады приехал какой-то человек, который знал первую миссис Блэнд достаточно хорошо, чтобы не быть обманутым самозванкой. Наверное, он был одним из старых семейных адвокатов или близким другом семьи, — одним словом, он способен разоблачить обман. Возможно, сначала они думали уклониться от встречи с ним. Миссис Блэнд могла притвориться больной или уехать за границу, но эти уловки только возбудили бы подозрения визитера, и он начал бы настаивать на встрече с женщиной, из-за которой приехал в Англию.

— И его решили убить?

— Да. И здесь, по-видимому, сестра миссис Блэнд взяла на себя инициативу. Она придумала целый план.

— Значит, вы полагаете, что мисс Мартиндейл и миссис Блэнд — сестры?

— Это единственно возможное объяснение.

— Когда я впервые увидел миссис Блэнд, она напомнила мне кого-то, — сказал Хардкасл. — Конечно, манеры совершенно иные, но сходство, бесспорно, есть. Однако как они могли рассчитывать выйти сухими из воды? Когда человек исчезает, начинается расследование...

— Если человек уезжает за границу, — и, возможно, для удовольствия, а не по делу, — вряд ли у него будет точный график. Письмо из одного города, открытка из другого — прошло бы некоторое время, прежде чем в Канаде заинтересовались бы его исчезновением. Но к тому времени кто бы стал связывать человека, похороненного как Гарри Каслтон, с богатым приезжим из Канады, которого даже не видели в этих местах? Если бы я был убийцей, я бы съездил на день во Францию или в Бельгию и оставил бы паспорт у убитого в поезде или в трамвае. Тогда бы расследование было перенесено в другую страну.

Я невольно вздрогнул, и взгляд Пуаро устремился на меня.

— Да? — спросил он.

— Блэнд говорил мне, что он недавно ездил на день в Булонь с одной блондинкой.

— Это вполне естественно. Несомненно, он неравнодушен к прекрасному полу.

— Но это всего лишь догадки, — запротестовал Хардкасл.

— Которые можно проверить, — отозвался Пуаро. Он взял бланк отеля с адресом и протянул его Хардкаслу. — Если вы напишете мистеру Эндерби по адресу: Южный Уэльс, Эннисмор-Гарденс, 10, то получите результат запросов, которые он сделал по моей просьбе в Канаде. Мистер Эндерби — известный международный юрист.

— А как вы объясните историю с часами?

— О, часы — эти знаменитые часы! — Пуаро улыбнулся. — Думаю, вы убедитесь, что мисс Мартиндейл в ответе и за них. Я уже говорил, что, так как преступление было очень простым, ему придали для маскировки фантастические очертания. Часы с надписью «Розмари» Шейла Уэбб взяла, чтобы отнести в починку, но потеряла их. По-видимому, она забыла часы в бюро, а мисс Мартиндейл их нашла. Отчасти благодаря им она и выбрала Шейлу в качестве человека, который обнаружит труп.

— А вы еще говорите, что эта женщина лишена воображения! — взорвался Хардкасл. — После того, как она состряпала такую историю!

— Но это придумала не она — вот что самое интересное! Все это мисс Мартиндейл получила в готовом виде. С самого начала я обнаружил хорошо знакомый мне стиль. Знакомый, потому что я только что читал нечто в таком роде. Мне просто повезло. Как может подтвердить присутствующий здесь Колин, я посещал на этой неделе распродажу авторских рукописей. Среди них несколько принадлежали перу Гарри Грегсона. Надежда была очень слабой, но меня ждала удача. Вот! — Словно фокусник, Пуаро извлек из ящика стола две потертые тетради рукописей. — Здесь сюжеты книг, которые Грегсон намеревался создать. Он не дожил до этого, но мисс Мартиндейл, которая работала у него секретарем, знала все эти сюжеты и использовала один из них в своих целях.

— Но я полагаю, что у Гарри Грегсона часы означали нечто определенное.

— О да. У него одни часы показывали одну минуту шестого, другие — четыре минуты шестого, а третьи — семь минут шестого. В сумме эти цифры — 515457 — означали комбинацию сейфа, который был спрятан за репродукцией «Моны Лизы». Внутри сейфа, — с видимым отвращением продолжал Пуаро, — содержались коронные драгоценности русской царской семьи. Un tas de bêtises[1] и, конечно, плюс ко всему, семейная драма — преследуемая девушка. Да, это как раз подошло мисс Мартиндейл. Ей осталось только выбрать действующих лиц среди местных жителей и инсценировать сюжет. Куда мог привести этот пышный букет вещественных доказательств? Никуда! Да, находчивая особа. Интересно, оставил ли ей наследство Гарри Грегсон? Любопытно было бы узнать, отчего он умер.

Но Хардкасл отказался от экскурса в прошлое. Он сунул в карман тетради с рукописями и взял у меня из рук листок бумаги, который я машинально вертел последние две минуты. Хардкасл начал выцарапывать на нем адрес Эндерби, не удосужившись даже правильно повернуть листок. Таким образом, адрес отеля получился написанным вверх ногами в нижнем левом углу.

Глядя на этот листок бумаги, я внезапно понял, каким был дураком.

— Ну, благодарю вас, мсье Пуаро, — заговорил наконец Хардкасл. — Вы, бесспорно, указали нам версию, над которой следует подумать. Не знаю, что из этого выйдет...

— Очень рад, если мне удалось чем-нибудь вам помочь, — скромно произнес Пуаро.

— Мне придется многое проверить.

— Ну разумеется. Это вполне естественно.

Простившись, Хардкасл удалился.

Пуаро сразу же перенес внимание на меня:

---

[1] Куча всяких глупостей *(фр.)*.

— Eh bien[1], могу я спросить, что же вас мучит? Вы выглядите как человек, увидевший привидение.

— Я просто увидел, насколько я был глуп!

— Ага! Ну, это случается с многими из нас.

Но конечно никак не с Эркюлем Пуаро!

Я повел контратаку:

— Скажите только одно, Пуаро. Если вы, как утверждали, могли все это проделать сидя в кресле в Лондоне и попросить меня и Дика Хардкасла приехать к вам, почему же вы вместо этого приехали сюда сами?

— Я же объяснил вам: из-за ремонта в моей квартире.

— Вам бы предоставили другую квартиру. Или вы могли поселиться в «Рице» — там значительно больше комфорта, чем в отеле «Кроншнеп».

— Несомненно, — согласился Пуаро. — К тому же, mon cher, кофе здесь просто омерзительный.

— Ну тогда почему?

Эркюль Пуаро пришел в ярость:

— Eh bien, если вы настолько глупы, что не можете догадаться, я вам объясню. Я ведь человек, не так ли? Конечно, если это необходимо, я могу быть машиной. Я могу откинуться в кресле, подумать и решить таким образом любую проблему. Но я все-таки человек, а все проблемы имеют отношение к человеческим жизням.

— И что же?

— Объяснение так же просто, как убийство. Я приехал из-за обыкновенного человеческого любопытства, — с достоинством произнес Эркюль Пуаро.

Глава 29

РАССКАЗЫВАЕТ КОЛИН ЛЭМ

1

Я снова шагал по Уилбрэхем-Крезент в западном направлении, пока не дошел до дома 19. На этот раз оттуда никто не выбежал с дикими воплями. Все дышало миром и покоем.

---

[1] Ну (фр.).

Я подошел к двери и позвонил. Мне открыла мисс Миллисент Пебмарш.

— Это Колин Лэм, — доложил я. — Могу я войти и поговорить с вами?

— Конечно.

Она проводила меня в гостиную.

— Вы как будто проводите здесь очень много времени, мистер Лэм. Насколько я поняла, вы ведь не связаны с местной полицией?

— Вы поняли правильно. Думаю, вы точно знали, кто я такой, с первого дня, когда заговорили со мной.

— Мне не вполне ясно, что вы имеете в виду.

— Я был круглым дураком, мисс Пебмарш. Ведь я приехал сюда, чтобы найти вас, и нашел в первый же день моего пребывания здесь, но не осознавал этого!

— Возможно, убийство сбило вас с толку.

— По-видимому, так, иначе мне бы пришло в голову взглянуть на некий листок бумаги, перевернув его.

— Ну и что из этого?

— Только то, что игра окончена, мисс Пебмарш. Я нашел штаб-квартиру, где замышлялись все планы. Все документы были записаны вами по микроточечной системе Брайля. Информация, которую Ларкин добывал в Портлбери, отсылалась к вам, а от вас переходила к Рэмзи, который доставлял ее по месту назначения. В случае необходимости он приходил к вам в дом по ночам, пробираясь через сад. Во время одного из таких походов он обронил у вас в саду чешскую монету.

— Весьма неосторожно с его стороны.

— Мы все иногда бываем неосторожны. Ваша маскировка великолепна. Вы слепая, работаете в институте для детей-калек и, вполне естественно, храните в доме детские книжки, написанные по системе Брайля. Да, вы поистине женщина выдающегося ума и необычайной силы характера. Не знаю, что вас побуждало заниматься этим.

— Я просто предана своим идеалам. Вас устраивает такой ответ?

— Да. Думаю, так оно и есть.

— Я только не понимаю, зачем вы говорите мне все это?

Я взглянул на часы:

— В вашем распоряжении два часа, мисс Пебмарш. Через два часа сюда явятся сотрудники Особого отдела.

— И все-таки я вас не понимаю. Почему вы пришли сюда раньше ваших людей, чтобы предупредить меня? Иначе я не могу расценить ваше поведение.

— Это и есть предупреждение. Я пришел сюда и останусь здесь до прибытия моих людей проследить, чтобы из этого дома ничего не исчезло, кроме одного — вас самой. Если вы предпочитаете бежать, у вас есть два часа.

— Но почему?

— Потому, — медленно произнес я, — что у меня есть некоторый шанс в скором времени стать вашим зятем. Может быть, я и ошибаюсь.

Последовало молчание.

Мисс Пебмарш встала и подошла к окну. Я не спускал с нее глаз. Я не питал иллюзий в отношении Миллисент Пебмарш и не доверял ей ни на грош. Она была слепая, но даже слепой может поймать вас в ловушку, если вы не настороже. Слепота не мешает ей разрядить пистолет мне в спину.

— Я не стану говорить, правы вы или нет, — спокойно сказала мисс Пебмарш. — Но что заставило вас прийти к такому выводу?

— Глаза.

— Но мы не похожи по характеру.

— К счастью.

— Я сделала для нее все, что могла, — почти вызывающе заявила она.

— Это зависит от точки зрения. Для вас дело — прежде всего.

— Так и должно быть.

— Я с этим не согласен.

Снова наступило молчание. Затем я спросил:

— Вы знали, кто она такая... в тот день?

— Нет, пока не услышала ее имя. Я все время получала о ней сведения.

— Вы вовсе не так бесчувственны, какой хотите казаться.

— Не говорите глупостей.

Я снова посмотрел на часы:

— Время идет.

Мисс Пебмарш подошла к столу:

— У меня здесь есть ее фотография в детском возрасте.

Я неслышно встал за ее спиной, когда она открыла ящик. Там оказался не пистолет, а маленький, очень острый нож.

Моя рука поймала ее руку и вырвала нож.

— Я, может быть, и мягок, но не глуп, — заметил я.

Мисс Пебмарш опустилась в кресло, не обнаруживая никаких эмоций:

— Я не воспользуюсь преимуществами вашего предложения. Что в этом толку? Я останусь здесь, пока они не придут. Везде есть удобные возможности — даже в тюрьме.

— Вы имеете в виду возможности внушения идей?

— Да, если хотите.

Мы сидели, испытывая друг к другу одновременно вражду и понимание.

— Я ухожу из разведки, — сообщил я, — и возвращаюсь к моей профессии — морской биологии. В Австралийском университете есть вакантная должность.

— Думаю, что вы поступите правильно. Вы не годитесь для этой работы. Вы совсем как отец Розмари. Он тоже не мог понять изречения Ленина: «Прочь мягкость!»

— Я предпочитаю быть человечным, — ответил я, вспомнив слова Эркюля Пуаро.

Мы погрузились в молчание, и каждый был убежден в собственной правоте.

2

Письмо детектива инспектора Хардкасла мсье Эркюлю Пуаро:

«Дорогой мсье Пуаро!

Теперь мы имеем в своем распоряжении ряд фактов, и я считаю, что Вам будет интересно ознакомиться с ними.

Мистер Кантен Дюгесклен из Квебека уехал из Канады в Европу около четырех недель назад. Он не имел близких родственников, и его планы относительно возвращения были неопределенными. Владелец одного ресторанчика в Булони нашел его паспорт и принес в полицию. Пока что его не затребовали.

Мистер Дюгесклен был старым другом квебекского семейства Монтрезор. Глава этой семьи, мистер Анри Монтрезор, умер восемнадцать месяцев назад, завещав свое весьма солидное состояние единственной оставшейся в живых родственнице — своей двоюродной внучке Вэлери, которая была замужем за мистером Джозайей Блэндом из Портлбери в Англии. Очень солидная фирма лондонских юристов начала действовать в интересах канадских душеприказчиков. Но все связи между миссис Блэнд и ее родственниками в Канаде прекратились после ее брака, который семья не одобряла. Мистер Дюгесклен упоминал в разговоре с друзьями, что он намерен, будучи в Англии, посетить Блэндов, так как очень любил Вэлери.

Теперь точно установлено, что убитый, который ранее был опознан как Гарри Каслтон, в действительности является Кантеном Дюгескленом.

В углу строительного дворика Блэндов было найдено несколько досок. Хотя их поспешно закрасили, после обработки экспертами на них ясно обозначились слова: «Прачечная «Снежинка».

Не буду утомлять Вас мелкими подробностями; скажу только, что прокурор считает необходимым выписать ордер на арест Джозайи Блэнда. Мисс Мартиндейл и миссис Блэнд — сестры, как Вы и предполагали, но, хотя я и согласен с Вашей точкой зрения относительно участия мисс Мартиндейл в этом деле, получить удовлетворительные доказательства будет трудновато. Она, несомненно, очень умная женщина. Однако я надеюсь на миссис Блэнд. Такие женщины всегда, как крысы, бегут с тонущего корабля.

Смерть первой жены мистера Блэнда, последовавшая в результате вражеских военных действий во Франции, и его второй брак с Хильдой Мартиндейл (которая работала в военно-торговой службе), также происшедший во Франции, я думаю, будет легко доказать, хотя много документов в то время, конечно, погибло.

Для меня было большим удовольствием встретиться с Вами в тот день, и я должен поблагодарить Вас за те очень ценные предложения, которые Вы высказали по этому делу. Надеюсь, что ремонт в Вашей лондонской квартире был сделан удовлетворительно.

Искренне Ваш *Ричард Хардкасл*».

Дополнительное сообщение от Р.Х. — Э.П.

«Хорошие новости! Миссис Блэнд раскололась и во всем созналась!!! Всю вину сваливает на сестру и на мужа. Она, видите ли, не понимала, что они намерены сделать, а когда поняла, то было уже слишком поздно. Она якобы думала, что они просто собираются дать Дюгесклену наркотик, дабы он не узнал, что имеет дело не с той миссис Блэнд. Ничего себе история! Но, по-моему, она действительно не являлась инициатором.

Люди с Портобелло опознали в мисс Мартиндейл «американскую леди», которая купила часы.

Миссис Мак-Нотон теперь говорит, что видела Дюгесклена в фургоне Блэнда, когда он въезжал в гараж. Я не склонен ей доверять.

Наш друг Колин женился на этой девушке. Если хотите знать мое мнение, то он спятил! Всего наилучшего.

Ваш *Ричард Хардкасл*».

КОММЕНТАРИИ

«МИССИС МАКГИНТИ МЕРТВА»

Яркой чертой таланта Агаты Кристи, которая далеко не всегда бросается в глаза читателю, увлеченному детективной интригой, является искусное воспроизведение бытовой обстановки, картин английского провинциального быта и нравов. Когда преступление происходит в английском захолустье, то чаще всего там действует и находит преступника неподражаемая мисс Марпл, для нее нет тайн в провинциальной жизни. Однако в романе «Миссис Макгинти мертва» ее роль выполняет Эркюль Пуаро — он поселяется в городке Бродхинни и погружается в пучину провинциального быта, чтобы спасти от виселицы невинного человека. Это тонкий сюжетный ход, ибо глазам иностранца (Пуаро бельгиец) открывается удивительное зрелище.

Многие произведения Агаты Кристи — это не только, а может, не столько детективы, сколько подробные картины удивительных английских нравов, близкие по духу нравоописаниям Диккенса, Теккерея, Троллопа, Джейн Остин. Своеобразие английских нравов особенно отчетливо выступает, например, когда речь идет об убийстве, о смерти. Смерть как бы озаряет все привычное в быту новым светом, особенно в глазах Пуаро, — таким образом Агата Кристи использует известный в литературе прием «остранения», смещения привычных ракурсов и точек зрения. Так, смерть миссис Макгинти вызывает в памяти инспектора полиции детскую считалку:

> Миссис Макгинти мертва.
> Как она умерла?
> Стоя на коленях, как я...

Инспектор смеется, вспоминая эти детские стишки (и свои игры), не задумываясь над их смыслом. Однако этот сугубо английский юмор оказывается выше понимания Пуаро, а ведь он прожил в Англии полжизни. Возможно, и нашему читателю будет странно услышать подобную считалку даже в устах взрослых, не говоря уже о детях. Но таковы уж английские нравы, в причудливой форме отражающие таинственную связь жизни и смерти, когда невинные стишки, знакомые с детства всем персонажам романа, вдруг начинают звучать в своем прямом смысле, а игра превращается в реальность. Ибо реальная миссис Макгинти действительно рассталась с жизнью прямо как в считалке — стоя на коленях: она мыла полы в чужих домах и случайно, сунув нос не в свои дела, узнала то, чего ей знать не следовало.

Англия — страна удивительная, там происходят «чисто английские убийства» и отношение к смерти «чисто английское». Оно непостижимо для Пуаро, и он ищет ответ в английской поэзии, где тема смерти занимает не последнее место, — строки, которые цитирует он и другие персонажи, странным образом перекликаются с обстоятельствами убийства миссис Макгинти. Восприятие смерти скорее картинно-литературное, чем трагическое, — в этом Пуаро убеждается в беседе с Морин Саммерхейз. Та, цитируя соответствующее место из Альфреда Теннисона, английского поэта прошлого века («Настал мой час!» — так Марк воскликнул и череп раскроил ему»), как бы воспроизводит с сахароколкой в руке убийство миссис Макгинти. При этом на ее веснушчатом лице — «улыбчивая безмятежность». Как это ни странно звучит, но именно подобное выражение — некую блуждающую улыбку — автор этих строк видел на лицах знаменитых английских преступников в комнате ужасов Музея восковых фигур мадам Тюссо в Лондоне, где воссозданы и сами сцены убийств. Морин Саммерхейз никого не убивала, хотя и была в числе подозреваемых, а все они — англичане и ведут себя чисто по-английски.

Хотелось бы обратить внимание читателя на такой персонаж произведения, как писательница Ариадна Оливер. Впервые она появилась в романе «Карты на стол» (1936) Агаты Кристи. Ариадна Оливер — автор сенсационных детективных произведений и не очень грамотных статей на криминальную тему. Ее перу принадлежит роман «Труп в библиотеке». Она создала образ финского сыщика Свена Хьерсона, о котором не раз упоминает и в данном произведении. Кроме того, она считает, что во главе Скотленд-Ярда должна быть женщина, поскольку женщины от природы наделены большей интуицией, чем мужчины. Ариадна Оливер — персонаж, безусловно, иронически обрисованный. Ведь сама Агата Кристи довольно скептически относилась к творчеству своих собратьев по перу, то есть детективных писателей, в том числе и к собственным творениям.

Роман был опубликован в 1952 году в издательстве «Коллинз» в Лондоне и тогда же в издательстве «Додд, Мид энд К°» в США. В 1964 году в Англии по роману был снят фильм «Самое подлое убийство», в котором вместо Эркюля Пуаро появилась мисс Марпл. Видимо, создатели фильма решили, не без оснований, что на экране она лучше будет смотреться среди провинциального английского быта, чем детектив-бельгиец, хотя он и проник в психологию обывателя достаточно глубоко.

«КОНЕЦ ЧЕЛОВЕЧЕСКОЙ ГЛУПОСТИ»

Роман можно рассматривать как иллюстрацию известной английской пословицы о «скелете в шкафу». Смысл этой пословицы в том, что в каждой семье есть своя мрачная тайна. Семейная тема занимает важное место в ряде произведений Агаты Кристи, с ней связаны мотивы многих преступлений. Родовая честь, семейная репутация — один из краеугольных камней английских традиций и нравов. В романе «Конец человеческой глупости» попытка скрыть семейную тайну и убрать болтливых свидетелей предпринимается во время игры в «поиски убийцы». В романе впервые появляется миссис Ариадна Оливер, известный автор детективов (персонаж многих последующих произведений с участием Пуаро, в глубине души посмеивающегося над ее дедуктивными способностями), в чьем лице Агата Кристи, возможно, отдала должное своему таланту и женской проницательности, ибо писательская интуиция миссис Оливер, как нить Ариадны, помогает великому сыщику найти верный путь в лабиринте фактов и версий.

Английские нравы характеризуются недоверием и даже презрением к иностранцам — автор тонко подмечает это, показывая, что когда речь идет о преступлении, то иностранцы первыми оказываются на подозрении. Даже великий Пуаро в глазах местной полиции — лишь «бельгийский недомерок», чья слава уже в прошлом.

Роман был опубликован в 1956 году в Англии в издательстве «Коллинз» и тогда же в США в издательстве «Додд, Мид энд К°». В 1986 году по роману был снят телефильм с Питером Устиновым в роли Пуаро.

«ЧАСЫ»

Роман написан в те годы, когда все еще продолжалась «холодная война» и противостояние двух социальных систем — Востока и Запада. Агата Кристи уже обращалась к этой теме в романе «Назначение неизвестно» (1954), где рассказывала о судьбе ученого, прототипом которого отчасти послужил итальянский физик Бруно Понтекорво, согласившийся сотрудничать с советской разведкой и потом тайно переправленный в СССР. В романе «Часы» также присутствует тема шпионажа в пользу Москвы, но не имеет самодовлеющего значения, ибо Агату Кристи больше интересует психологическая сторона «чисто английских убийств». Одно из них — двойное: жертве сначала подсыпают в алкоголь тот или иной яд (их действие Агата изучила еще во время работы в госпитале в годы Первой мировой войны), а потом убивают ножом.

Роман был опубликован в Англии в издательстве «Коллинз» в 1963 году и в США в издательстве «Додд, Мид энд К°» в 1964 году.

А.П. Шишкин

СОДЕРЖАНИЕ

Литературно-художественное издание

Агата Кристи

Весь Эркюль Пуаро

ЧАСЫ

Романы

Ответственный редактор *З.В. Полякова*

Художественный редактор *И.А. Озеров*

Технический редактор *Л.И. Витушкина*

Ответственный корректор *В.А. Андриянова*

Изд. лиц. ЛР № 065372 от 22.08.97 г.
Подписано к печати с готовых диапозитивов 20.04.2000
Формат 84x108¹/₃₂. Бумага газетная. Гарнитура "Таймс"
Печать офсетная. Усл. печ. л. 31,92. Уч.-изд. л. 31,78
Тираж 8000 экз. Заказ № 994

ЗАО "Издательство "Центрполиграф"
111024, Москва, 1-я ул. Энтузиастов, 15
E-MAIL: CNPOL@DOL.RU

Отпечатано в ГУП Издательско-полиграфический
комплекс "Ульяновский Дом печати"
432601, г. Ульяновск, ул. Гончарова, 14

ЭРЛ СТЕНЛИ ГАРДНЕР

«ВЕСЬ ПЕРРИ МЕЙСОН»

*Знаменитый адвокат расследует
самые запутанные дела!*
Полное собрание романов о Перри Мейсоне!

Популярнейший американский писатель Эрл Стенли Гарднер много лет владел адвокатской конторой и положил в основу своих произведений богатый опыт ведения запутанных дел. Его бессмертный герой — адвокат Перри Мейсон пользуется заслуженной славой, ведь он способен докопаться до истины, даже если для этого потребуется рисковать собственной жизнью. К нему обращаются и те, кто потерял надежду найти защиту у закона, и те, кто сам хочет нарушить закон. Неожиданные повороты дела способны поставить любого адвоката в тупик, но только не Перри Мейсона! Он сам принимается за расследование дела и представляет его в суде именно таким, каким оно было в действительности.

Перри Мейсон и его друзья-соратники — частный детектив Пол Дрейк и секретарша Делла Стрит — всегда готовы прийти на помощь человеку, потерявшему надежду на спасение.
Дела адвоката Перри Мейсона известны во всем мире!

Твердый целлофанированный переплет, формат 130×206 мм.
Объем 592—608 с.